2025年度版 春4月試験対応

NW

情報処理技術者試験

ネットワークスペシャリスト

TAC情報処理講座

ALL IN ONE

オールインワン

パーフェクトマスター

TAC出版
TAC PUBLISHING Group

本書は，2024年７月１日現在において公表されている「試験要綱」および「シラバス」に基づいて作成しております。
なお，2024年７月２日以降に「試験要綱」または「シラバス」の改訂があった場合は，下記ホームページにて改訂情報を順次公開いたします。

TAC出版書籍販売サイト「サイバーブックストア」
https://bookstore.tac-school.co.jp/

解答用紙ダウンロードサービスについて

本書の第４章「午後問題演習編」に収録した，午後Ⅰ試験と午後Ⅱ試験の過去問題について，下記のＵＲＬに，解答用紙ＰＤＦを用意してありますので，必要に応じてダウンロードしてご利用ください。

ＴＡＣ出版 サイバーブックストア内「解答用紙ダウンロード」ページ
https://bookstore.tac-school.co.jp/answer/

はじめに

本書は，ネットワークスペシャリスト試験を受験される方が，必要な知識と技能を習得していただけるようにすることを目的としたテキスト＆問題集です。

ネットワークスペシャリスト試験でとりあげられる技術は幅広く，さまざまな技術がありますが，ベースとなる最も重要なものがTCP/IPです。第１章では，TCP/IPの階層ごとに重要なプロトコルを中心に説明しています。第２章では，実際にどのようにネットワークが構築されているかに着目して説明しています。ここでは，回線や中継機器のほか，仮想化やセキュリティについてもとりあげています。第３章では，サーバ構築として，組織で利用される代表的なアプリケーションプロトコルや仕組みを説明しています。

第１章から第３章までは，まず午前Ⅱ試験に対応できるような基礎知識を説明してから，午後Ⅰ・午後Ⅱ試験で出題された重要テーマを“Focus”としてとりあげ，より深い知識や出題されたポイントを説明する２段階の構成となっています。各章末の確認問題には，過去に出題された午前Ⅱ問題の中から頻出問題を厳選して掲載していますので，基礎知識が習得できているかを確認することができます。

午後Ⅰ・午後Ⅱ試験の対策としては，より深い知識や技能の習得のほか，実践能力を養うための問題演習を行うことが重要です。第４章の午後問題演習編では，“Focus”でとりあげた過去問題を中心に，最新問題も含めて掲載しています。各問題の解説では，出題された技術の説明だけでなく，問題文をどのように読み取っていくかが分かるように解説しています。

本書を活用していただき，ネットワークスペシャリスト試験に合格されますことを祈念しております。

2024年８月　TAC情報処理講座

第1～3章　ネットワーク技術に関する知識と午前Ⅱ試験確認問題

ネットワークスペシャリスト試験の学習においては，午前Ⅱ，午後Ⅰ，午後Ⅱ試験の対策を別個にするより，ネットワーク技術の全体像を捉えながら，各分野の基本的知識から事例問題を解く応用知識までを，着実に習得するほうが効率的です。

そのため，第1～3章は，

- 第1章ではプロトコルについて学ぶことで，ネットワーク技術の全体像を捉え，第2章のネットワーク構築とネットワークセキュリティ，および第3章のサーバ構築について，スムーズに知識を深めていく構成となっています。

第1～3章は，次のように構成されています。

章内のセクション

章内は，テーマごとにいくつかのセクションに分かれています。

Point! には，導入として，そのセクションの概要を示してあります。

30秒チェック！ Super Summary には，そのセクションの全体像と学習のポイントがわかるように，セクション内の項目と，学習の【目標】および最重要の用語・概念を一覧できるように示してあります。

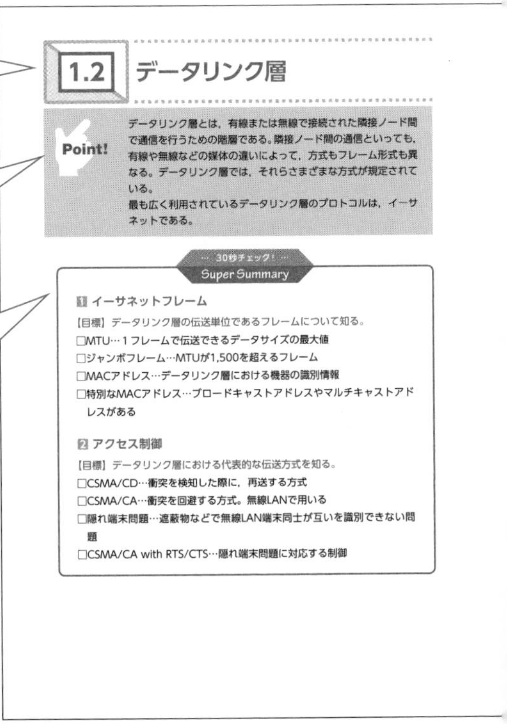

1.2 データリンク層

Point!

データリンク層とは，有線または無線で接続された隣接ノード間で通信を行うための階層である。隣接ノード間の通信といっても，有線や無線などの媒体の違いによって，方式もフレーム形式も異なる。データリンク層では，それらさまざまな方式が規定されている。
最も広く利用されているデータリンク層のプロトコルは，イーサネットである。

… 30秒チェック！ … Super Summary

1 イーサネットフレーム
【目標】データリンク層の伝送単位であるフレームについて知る。
□MTU…1フレームで伝送できるデータサイズの最大値
□ジャンボフレーム…MTUが1,500を超えるフレーム
□MACアドレス…データリンク層における機器の識別情報
□特別なMACアドレス…ブロードキャストアドレスやマルチキャストアドレスがある

2 アクセス制御
【目標】データリンク層における代表的な伝送方式を知る。
□CSMA/CD…衝突を検知した際に，再送する方式
□CSMA/CA…衝突を回避する方式。無線LANで用いる
□隠れ端末問題…遮蔽物などで無線LAN端末同士が互いを識別できない問題
□CSMA/CA with RTS/CTS…隠れ端末問題に対応する制御

※紙面の画像は，すべてサンプル用の画像です。

章トビラ

第1章

プロトコル

ネットワーク分野は非常に幅広いうえに，細かな技術が次々と開発されています。そのため，最初から細かい知識を学んでいくと，知識同士がつながらず，学習の効果も上がりません。まずは，ネットワーク技術の全体を俯瞰しながら，それらを階層的に理解することが必要なのです。

本章では，ネットワークの基幹をなすプロトコルについて，階層を一つずつ上りながら説明します。ここで学んだ事柄は，必ず後の理解を助けます。しっかり学びましょう。

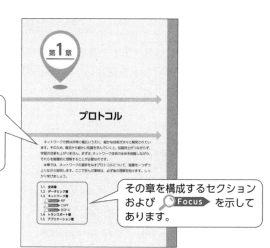

導入として，その章の全体像を捉えられるように，章内で解説する技術の背景と学習の指針を端的に示してあります。

その章を構成するセクションおよび Focus を示してあります。

1 イーサネットフレーム（MACフレーム）

イーサネット上を流れるデータパケットを**イーサネットフレーム**または**MACフレーム**と呼ぶ。MACフレームにはいくつかの形式があるが，最も利用されているDIX形式を説明する。

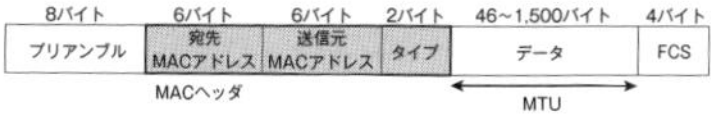

プリアンブル	フレーム受信のタイミングをとるための領域
MACアドレス	フレームの宛先となる機器とフレームを送信する機器を識別するアドレス
タイプ	上位層のプロトコル番号 (例) IPv4：0800，IPv6：86dd，ARP：0806など
データ	送受信するデータ。上位層のパケットが格納される
FCS	Frame Check Sequence 伝送誤りを検出するためのCRC符号

▶図1.2.1 DIX形式MACフレーム

MTU（Maximum Transmission Unit）は，1フレームで伝送できるデータサイズの最大値である。MTUは伝送媒体や通信サービスごとに異なり，イーサネットの場合は1,500バイトである。一般に，信頼性の高い回線ではMTUを大きくして伝送効率を高め，信頼性が低い回線ではMTUを小さくする。

厳密にいうと，MAC フレームには DIX 形式のイーサネットフレームと IEEE802.3 フレームがあります。ただし，後者は DIX 形式のイーサネットフレームの拡張で，特殊な用途で利用されるため，通常は DIX 形式のイーサネットフレーム＝ MAC フレームと考えて差し支えありません。

第1章 プロトコル

各セクションは，基本的知識の学習から始まります（「基礎編」）。

本文中の**黒い太字**は，重要用語です。**色の太字**は，重要用語の定義等です。色アミのかかった部分は，出題ポイントとなる部分です。

講師からのさまざまなアドバイスを掲載してあります。

FOCUS

セクションの後半には，午後Ⅰ・Ⅱの事例問題を解くための応用知識，および出題の切り口と解き方のポイントを解説した Focus コーナーがあります。午前Ⅱ試験から午後Ⅰ・Ⅱ試験の対策まで，一気にしてしまいましょう。

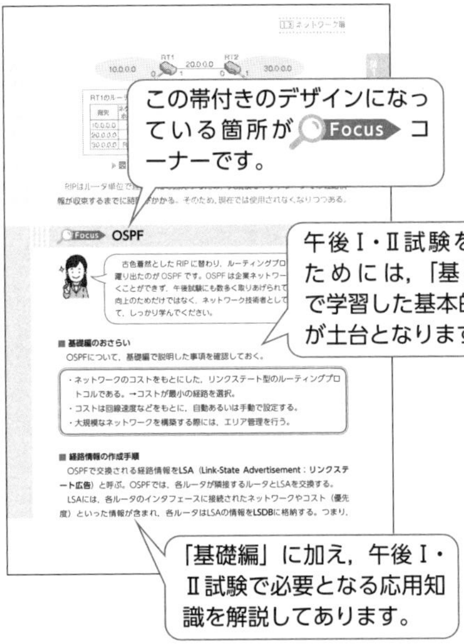

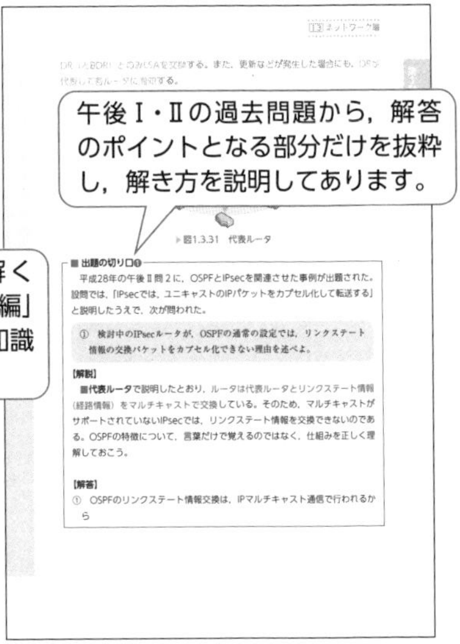

午前Ⅱ試験 確認問題

各章の最後に午前Ⅱ試験の過去問題から再出題可能性の高い問題をピックアップした確認問題を掲載しています。

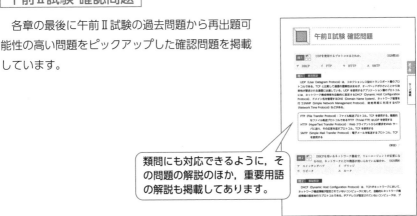

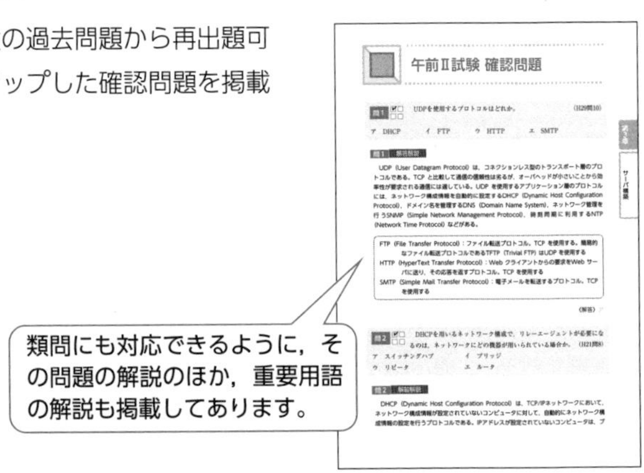
午前Ⅱ試験 確認問題
類問にも対応できるように，その問題の解説のほか，重要用語の解説も掲載してあります。

第4章　午後問題演習編

第4章には，午後Ⅰ試験と午後Ⅱ試験の過去問題を，テーマ・類型別に掲載しています。

【問題文】

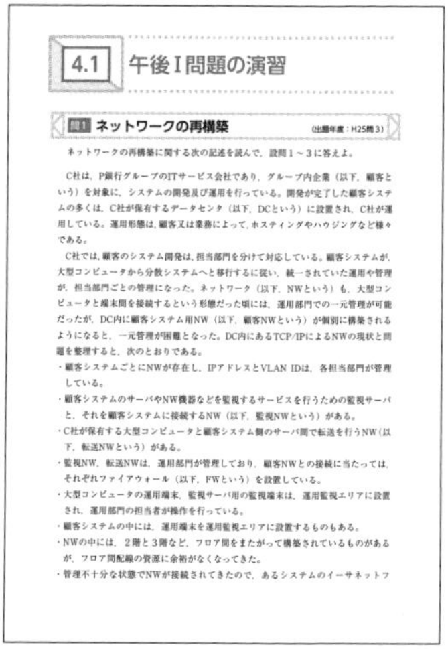

【解説パート① One Point】

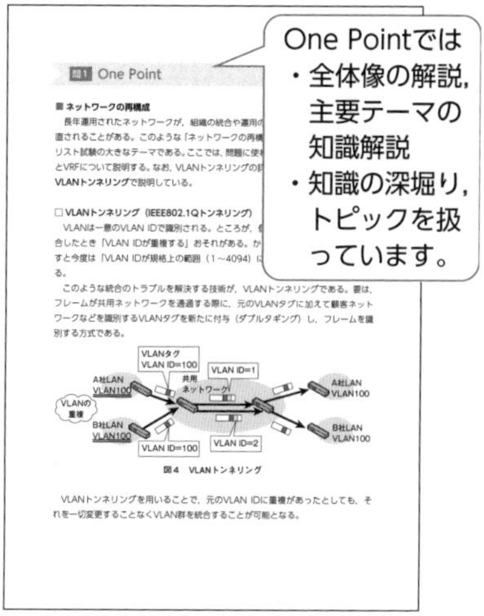

【解説パート② 詳細解説】

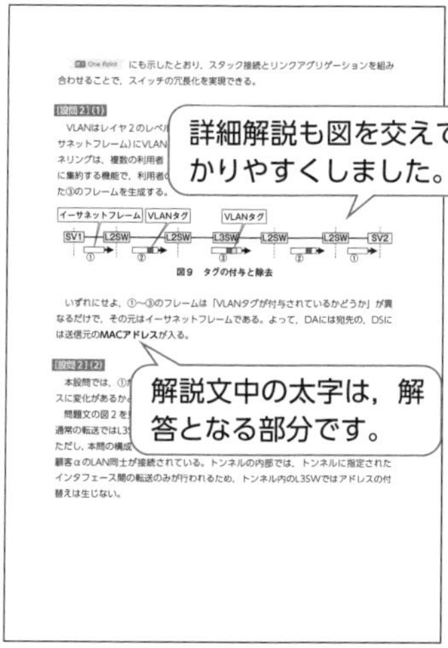

図9 タグの付与と除去
詳細解説も図を交えてわかりやすくしました。
解説文中の太字は，解答となる部分です。

【解答】

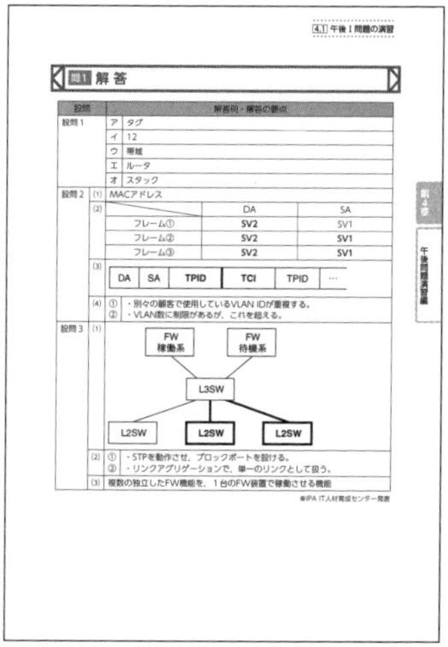

ネットワークスペシャリスト試験概要

最新の試験情報は，下記IPA（情報処理推進機構）ホームページにて，ご確認ください。
https://www.ipa.go.jp/shiken/

- 試験日　　：4月〈第3日曜日〉
- 合格発表　：6月下旬～7月上旬
- 受験資格　：特になし
- 受験手数料：7,500円

※試験日程等は，変更になる場合があります。

出題形式

午前Ⅰ 9:30～10:20 (50分)		午前Ⅱ 10:50～11:30 (40分)		午後Ⅰ 12:30～14:00 (90分)		午後Ⅱ 14:30～16:30 (120分)	
出題形式	出題数 解答数	出題形式	出題数 解答数	出題形式	出題数 解答数	出題形式	出題数 解答数
多肢選択式 (四肢択一)	30問 30問	多肢選択式 (四肢択一)	25問 25問	記述式	3問 2問	記述式	2問 1問

合格基準

時間区分	配点	基準点
午前Ⅰ	100点満点	60点
午前Ⅱ	100点満点	60点
午後Ⅰ	100点満点	60点
午後Ⅱ	100点満点	60点

免除制度

高度試験及び支援士試験の午前Ⅰ試験については，次の条件１～３のいずれかを満たすことによって，その後２年間受験を免除する。

条件1：応用情報技術者試験に合格する。

条件2：いずれかの高度試験又は支援士試験に合格する。

条件3：いずれかの高度試験又は支援士試験の午前Ⅰ試験で基準点以上の成績を得る。

試験の対象者像

対象者像	高度IT人材として確立した専門分野をもち，ネットワークに関係する固有技術を活用し，最適な情報システム基盤の企画・要件定義・開発・運用・保守において中心的な役割を果たすとともに，固有技術の専門家として，情報セキュリティを含む情報システムの企画・要件定義・開発・運用・保守への技術支援を行う者
業務と役割	ネットワークシステムを企画・要件定義・設計・構築・運用・保守する業務に従事し，次の役割を主導的に果たすとともに，下位者を指導する。 ① ネットワーク管理者として，ネットワークサービス活用を含む情報システム基盤のネットワーク資源を管理する。 ② ネットワークシステムに対する要求を分析し，効率性・信頼性・安全性を考慮した企画・要件定義・設計・構築・運用・保守を行う。 ③ 情報セキュリティを含む情報システムの企画・要件定義・開発・運用・保守において，ネットワーク関連の技術支援を行う。
期待する技術水準	目的に適合したネットワークシステムを構築・維持するため，次の知識・実践能力が要求される。 ① ネットワーク技術・ネットワークサービスの動向を広く見通し，目的に応じた適用可能な技術・サービスを選択できる。 ② 企業・組織，又は業務システムの要求（情報セキュリティを含む）を的確に理解し，ネットワークシステムの要求仕様を作成できる。 ③ 要求仕様に関連するモデリングなどの設計技法，プロトコル技術，信頼性設計，セキュリティ技術，ネットワークサービス，コストなどを評価して，最適な論理設計・物理設計ができる。 ④ ネットワーク関連企業（通信事業者，ベンダ，工事業者など）を活用して，ネットワークシステムの設計・構築・運用・保守ができる。
レベル対応（＊）	共通キャリア・スキルフレームワークの人材像： テクニカルスペシャリストのレベル４の前提要件

（＊）レベル対応における，各レベルの定義

レベルは，人材に必要とされる能力及び果たすべき役割（貢献）の程度によって定義する。

レベル	定義
レベル４	高度な知識・スキルを有し，プロフェッショナルとして業務を遂行でき，経験や実績に基づいて作業指示ができる。また，プロフェッショナルとして求められる経験を形式知化し，後進育成に応用できる。
レベル３	応用的知識・スキルを有し，要求された作業について全て独力で遂行できる。
レベル２	基本的知識・スキルを有し，一定程度の難易度又は要求された作業について，その一部を独力で遂行できる。
レベル１	情報技術に携わる者に必要な最低限の基礎的知識を有し，要求された作業について，指導を受けて遂行できる。

出題範囲（午前Ⅰ・Ⅱ）

分野	大分類		中分類		情報セキュリティマネジメント試験	基本情報技術者試験	応用情報技術者試験	午前Ⅰ（共通知識）	午前Ⅱ（専門知識）ITストラテジスト試験	システムアーキテクト試験	プロジェクトマネージャ試験	ネットワークスペシャリスト試験	データベーススペシャリスト試験	エンベデッドシステムスペシャリスト試験	ITサービスマネージャ試験	システム監査技術者試験	情報処理安全確保支援士試験
共通キャリア・スキルフレームワーク								高度試験・支援士試験									
テクノロジ系	1	基礎理論	1	基礎理論		○2	○3	○3									
			2	アルゴリズムとプログラミング													
	2	コンピュータシステム	3	コンピュータ構成要素						○3		○3	○3	◎4	○3		
			4	システム構成要素	○2					○3		○3	○3	○3	○3		
			5	ソフトウェア										◎4			
			6	ハードウェア										◎4			
	3	技術要素	7	ユーザーインタフェース						○3				○3			
			8	情報メディア													
			9	データベース	○2					○3			◎4		○3	○3	○3
			10	ネットワーク	○2					○3		◎4		○3	○3	○3	◎4
			11	セキュリティ※	◎2	◎2	◎3	◎3	◎4	◎4	◎3	◎4	◎4	◎4	◎4	◎4	◎4
	4	開発技術	12	システム開発技術		○2	○3	○3		◎4	○3	○3	○3	◎4		○3	○3
			13	ソフトウェア開発管理技術						○3	○3	○3	○3	○3			○3
マネジメント系	5	プロジェクトマネジメント	14	プロジェクトマネジメント	○2						◎4				◎4		
	6	サービスマネジメント	15	サービスマネジメント	○2						○3				◎4	○3	○3
			16	システム監査	○2										○3	◎4	○3
ストラテジ系	7	システム戦略	17	システム戦略	○2				◎4	○3							
			18	システム企画	○2				◎4	◎4	○3						
	8	経営戦略	19	経営戦略マネジメント					◎4							○3	
			20	技術戦略マネジメント					○3								
			21	ビジネスインダストリ					◎4					○3			
	9	企業と法務	22	企業活動	○2				◎4							○3	
			23	法務	◎2				○3		○3				○3	◎4	

注記1 ○は出題範囲であることを，◎は出題範囲のうちの重点分野であることを表す。
注記2 2，3，4は技術レベルを表し，4が最も高度で，上位は下位を包含する。
※ "中分類11：セキュリティ"の知識項目には技術面・管理面の両方が含まれるが，高度試験の各試験区分では，各人材像にとって関連性の強い知識項目を技術レベル4として出題する。

出題範囲（午後Ⅰ，Ⅱ）

1　ネットワークシステムの企画・要件定義・設計・構築に関すること

ネットワークシステムの要求分析，論理設計，物理設計，信頼性設計，性能設計，セキュリティ設計，アドレス設計，運用設計，インプリメンテーション，テスト，移行，評価（性能，信頼性，品質，経済性ほか），改善提案など

2　ネットワークシステムの運用・保守に関すること

ネットワーク監視，バックアップ，リカバリ，構成管理，セキュリティ管理　など

3　ネットワーク技術に関すること

ネットワークシステムの構成技術，トラフィック制御に関する技術，待ち行列理論，セキュリティ技術，信頼性設計，符号化・データ伝送技術，ネットワーク仮想化技術，無線LAN技術　など

4　ネットワークサービス活用に関すること

市場で実現している，又は実現しつつある各種ネットワークサービスの利用技術，評価技術及び現行システムからの移行技術　など

5　ネットワークアプリケーション技術に関すること

電子メール，ファイル転送，Web技術，コンテンツ配信，IoT/M2M　など

6　ネットワーク関連法規・標準に関すること

ネットワーク関連法規，ネットワークに関する国内・国際標準及びその他規格　など

Contents

第2章 ネットワーク構築

第3章 サーバ構築

第4章 午後問題演習編

第1章

プロトコル

ネットワーク分野は非常に幅広いうえに，細かな技術が次々と開発されています。そのため，最初から細かい知識を学んでいくと，知識同士がつながらず，学習の効果も上がりません。まずは，ネットワーク技術の全体を俯瞰しながら，それらを階層的に理解することが必要なのです。

本章では，ネットワークの基幹をなすプロトコルについて，階層を一つずつ上りながら説明します。ここで学んだ事柄は，必ず後の理解を助けます。しっかり学びましょう。

1.1 全体像

Point!

データ通信を実現するためには，データの形式や送信順序，宛先の指定方法など，実に多くの規約（プロトコル）を定めなければならない。それらを１つのプロトコルに盛り込むと，実装が複雑になるだけではなく，多くの場面で機能の重複が生じ，効率が悪い。そこで，通信を幾つかのレベルに分け，レベルごとに規約を整理した。このように整理された規約が，いわゆるプロトコル階層（プロトコルスタック）と呼ばれるものである。

ここでは，各階層の詳細を見る前に，プロトコルの全体像を俯瞰します。各階層の機能が通信とどのように結びついているか，まずそのイメージをつかんでください。

… 30秒チェック！ …

Super Summary

1 TCP/IPの全体像

【目標】TCP/IPプロトコル階層について各階層の役割を知る。

- □階層とデータ通信 … 階層ごとに役割がある
- □ホスト…サーバ，PC，ルータなど，ネットワーク層が識別する機器
- □プロセス…メール，Webなど，トランスポート層が識別するプログラム
- □階層と識別情報…ポート番号，IPアドレス，MACアドレスで識別する
- □カプセル化…上位層から受け取ったデータを下位層の形式で包み込むこと

2 OSI基本参照モデル

【目標】OSI基本参照モデルのプロトコル階層について各階層の概要を知る。

1 TCP/IPの全体像

TCP/IPは，インターネットに用いられるプロトコル群で，最も広く用いられている。TCP/IPは，次のような階層を持つ。

TCP/IPのプロトコル階層	役割（伝送にかかわるもののみ）
アプリケーション層	… アプリケーション固有の通信規約（通信手順，通信メッセージの形式など）を定めている
トランスポート層	… プロセスを識別し，正しいプロセスにパケットを送信する
ネットワーク層（インターネット層）	… 最終的な宛先を識別し，パケットを中継する
データリンク層（リンク層）	… LAN内でデータフレームを伝送する

▶図1.1.1　TCP/IPの階層

1 階層とデータ通信

階層とデータ通信の様子を対応づけると，階層の役割がわかりやすい。図1.1.2は，LAN1上のクライアントからLAN2上のサーバへ電子メールを伝送する例である。

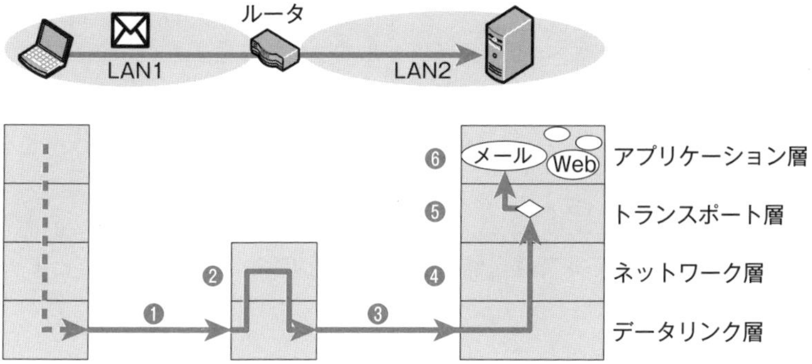

▶図1.1.2　階層とデータ通信

❶ 伝送（LAN1）

LAN1上で，電子メールのデータを中継機器であるルータに伝送する。送信元はクライアント，宛先はルータである。送信元と宛先は**MACアドレス**で識別する。

このような「LAN上の伝送」はデータリンク層の役割である。

❷ 中継

最終的な宛先はサーバなので，電子メールのデータをLAN2へ中継する。最終的な宛先は，**IPアドレス**で識別する。

このようなLANからLANへの中継はデータリンク層では識別できないので，一つ上位のネットワーク層の役割となる。

❸ **伝送（LAN2）**

LAN2へ中継された電子メールのデータを，サーバへ伝送する。送信元はルータ，宛先はサーバである。

LAN上の伝送なので，データリンク層の役割である。

❹ **中継**

さらに中継が必要かどうかを判断する。ここでは，最終的な宛先であるサーバに届いているため，中継は必要ない。

❺ **プロセスの識別**

サーバにはメールサーバプロセスのほか，Webサーバプロセスなど複数のプロセスが起動していることがある。宛先のプロセスを**ポート番号**で識別し，正しいプロセスにデータを引き渡す。

ネットワーク層はホストしか識別しない。このような「ホスト上のプロセスの識別」は，トランスポート層の役割である。

❻ **電子メールの受信**

宛先メールアドレスを調べ，該当するメールボックスに電子メールを格納する。

このようなアプリケーション固有の処理は，アプリケーション層で規定されている。

2 階層と識別情報

先にも述べたが，TCP/IPでは送信元と宛先を識別する情報が，階層ごとに次のように定まっている。

TCP/IPのプロトコル階層

アプリケーション層			
トランスポート層	…	ポート番号	ホスト内のプロセスを識別する番号 (例)　Web：80番　　メール送信：25番
ネットワーク層	…	IPアドレス	本来の送信元，最終的な宛先のホストを識別するアドレス (例)　192.168.10.1
データリンク層	…	MACアドレス	LAN内の伝送のため，LAN内での送信元と宛先を識別するアドレス

▶**図1.1.3　階層と識別情報**

MACアドレスとIPアドレスは，ともにホスト（マシン）を識別するアドレスであるが，利用方法が異なる。MACアドレスは同一のLAN内に存在する（隣接する）ノードの指定に，IPアドレスはエンドノードの指定に使われる。

ポート番号は，ホスト内のプロセスを識別する。サーバのプロセスは，Web(HTTP)が80番，メール送信（SMTP）が25番というように，あらかじめポート番号が定まっている。クライアントのプロセスは，プロセス立上げ（例えばメーラの起動）時に適当なポート番号が割り振られる。ポート番号はホスト内で一意であるため，ネットワーク内でのプロセスは，（IPアドレス，ポート番号）の組で識別する。

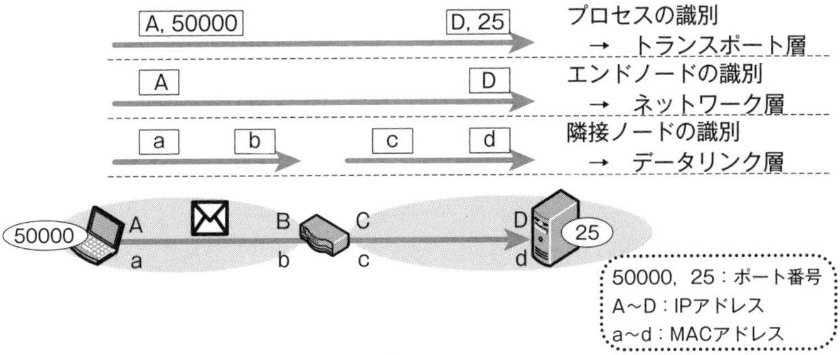

▶図1.1.4　アドレスと識別

アドレスは，プロトコル階層と対応させて覚えておきましょう。

3 カプセル化

データ送信時（▶図1.1.2の破線で省略した部分）の処理も見ておくことにしよう。

データの送信時，TCP/IPの各階層のプロトコルは，上位層から受け取ったデータに対し，自らが必要とする制御情報をヘッダとして付与する。これを**カプセル化**という。カプセル化されたパケットは下位層に渡され，最終的に伝送媒体に送り出す電気信号などに変換される。

なお，トランスポート層の送信単位をセグメントまたはパケット，ネットワーク層の送信単位をデータグラムまたはパケット，データリンク層の送信単位をフレームと呼ぶ。

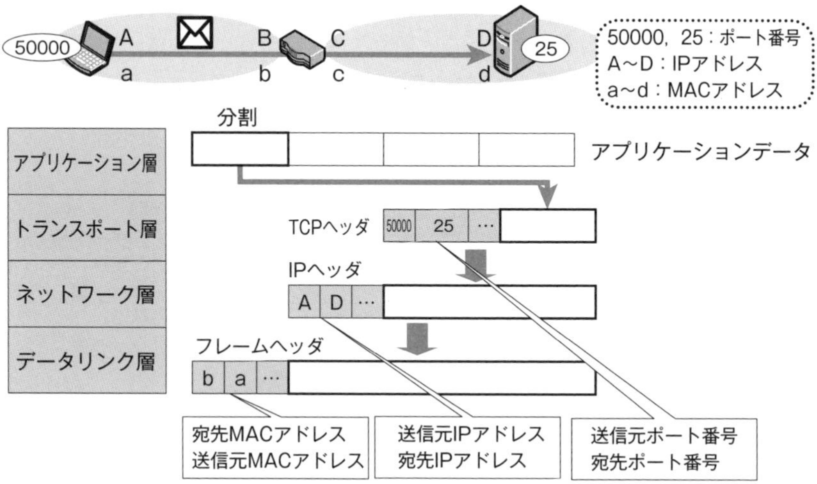

▶図1.1.5　データ送信時の処理

中継器（▶図1.1.2のルータ）での処理も見ておくことにする。

フレームを受け取ったルータは，データリンク層のカプセルを解き，IPヘッダの内容を調べる。宛先IPアドレスはD（サーバ）なので，送信元MACアドレスをc，宛先MACアドレスをdとする新たなデータリンクヘッダでカプセル化し，フレームをLAN2へ送出する。

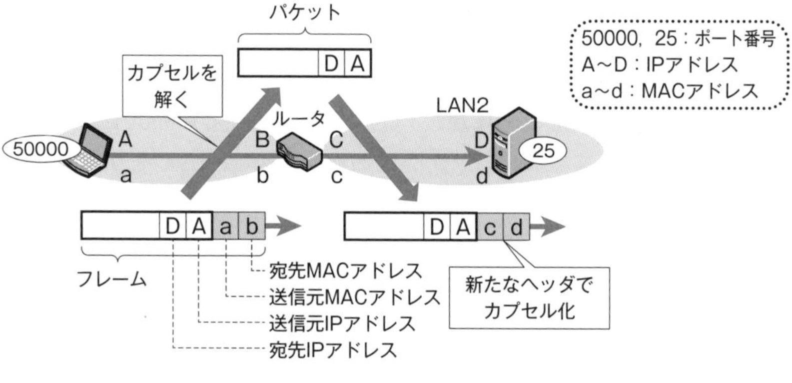

▶図1.1.6　中継器での処理

ネットワーク機器や伝送単位は，プロトコル階層によって異なる名称で呼ばれるため，注意が必要です。特にデータリンク層とネットワーク層以上の上位層とでは，名称は明確に区別されます。本書では次の呼び方で統一します。

上位層	伝送単位：パケット 通信機器：ホスト
データリンク層	伝送単位：フレーム 通信機器：ノード

2 OSI基本参照モデル

TCP/IP以外のプロトコル階層のモデルとして，**OSI基本参照モデル**が広く知られている。OSI基本参照モデルの階層と主な役割を次に示す。

▶**表1.1.1　OSI基本参照モデルの階層と役割**

アプリケーション層	レイヤ7	通信を行う各種のアプリケーション固有の動作を定める。
プレゼンテーション層	レイヤ6	各アプリケーションが送受するデータを，共通の転送構文に変換する。
セション層	レイヤ5	アプリケーション間の会話を制御する。
トランスポート層	レイヤ4	伝送路(データリンク) ごとに異なる，品質の差を吸収した透過的な伝送路を上位層に提供する。
ネットワーク層	レイヤ3	データの中継や経路選択を行い，エンドツーエンドのデータ伝送を実現する。
データリンク層	レイヤ2	隣接ノード間のデータ伝送を行う。
物理層	レイヤ1	電圧や信号波形など，伝送を行ううえでの物理的な条件を規定する。

1.2 データリンク層

Point!

データリンク層とは，有線または無線で接続された隣接ノード間で通信を行うための階層である。隣接ノード間の通信といっても，有線や無線などの媒体の違いによって，方式もフレーム形式も異なる。データリンク層では，それらさまざまな方式が規定されている。

最も広く利用されているデータリンク層のプロトコルは，イーサネットである。

… 30秒チェック！ …

Super Summary

1 イーサネットフレーム

【目標】データリンク層の伝送単位であるフレームについて知る。

□MTU… 1フレームで伝送できるデータサイズの最大値

□ジャンボフレーム…MTUが1,500を超えるフレーム

□MACアドレス…データリンク層における機器の識別情報

□特別なMACアドレス…ブロードキャストアドレスやマルチキャストアドレスがある

2 アクセス制御

【目標】データリンク層における代表的な伝送方式を知る。

□CSMA/CD…衝突を検知した際に，再送する方式

□CSMA/CA…衝突を回避する方式。無線LANで用いる

□隠れ端末問題…遮蔽物などで無線LAN端末同士が互いを識別できない問題

□CSMA/CA with RTS/CTS…隠れ端末問題に対応する制御

1 イーサネットフレーム（MACフレーム）

イーサネット上を流れるデータパケットを**イーサネットフレーム**または**MACフレーム**と呼ぶ。MACフレームにはいくつかの形式があるが，最も利用されているDIX形式を説明する。

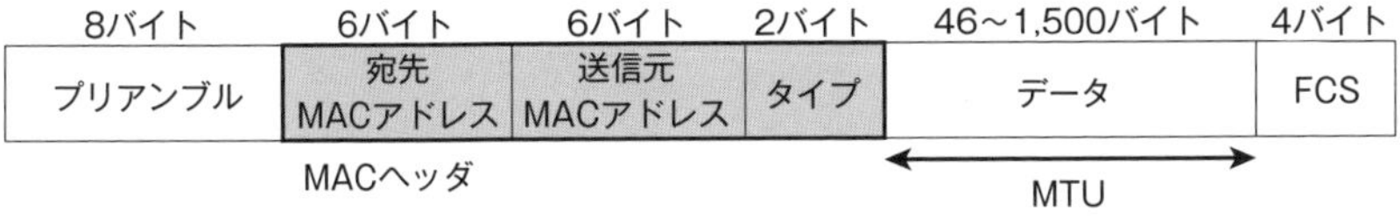

プリアンブル	フレーム受信のタイミングをとるための領域
MACアドレス	フレームの宛先となる機器とフレームを送信する機器を識別するアドレス
タイプ	上位層のプロトコル番号 (例)　IPv4：0800，IPv6：86dd，ARP：0806など
データ	送受信するデータ。上位層のパケットが格納される
FCS	Frame Check Sequence 伝送誤りを検出するためのCRC符号

▶図1.2.1　DIX形式MACフレーム

MTU（Maximum Transmission Unit）は，1フレームで伝送できるデータサイズの最大値である。MTUは伝送媒体や通信サービスごとに異なり，イーサネットの場合は1,500バイトである。一般に，信頼性の高い回線ではMTUを大きくして伝送効率を高め，信頼性が低い回線ではMTUを小さくする。

厳密にいうと，MAC フレームには DIX 形式のイーサネットフレームと IEEE802.3 フレームがあります。ただし，後者は DIX 形式のイーサネットフレームの拡張で，特殊な用途で利用されるため，通常は DIX 形式のイーサネットフレーム＝ MAC フレームと考えて差し支えありません。

TCP/IP における MAC フレームは，IP パケットに MAC ヘッダと FCS を付与してカプセル化したもので，MAC フレームのデータ部には，IP パケットがそのまま収まっています。

プリアンブル	MACヘッダ	IPヘッダ	(IPパケットの)データ	FCS

1 ジャンボフレーム

ジャンボフレームは，MTUサイズがイーサネットのMTUの1,500バイトを超えたフレームのことである。１つのフレームでより多くのデータを伝送できるため，転送効率を上げることができる。一方，ジャンボフレームには明確な規定がなく，接続機器同士がジャンボフレームに対応していない場合には，フレームが破棄されるなどの障害が起こるため注意が必要である。

2 MAC（Media Access Control）アドレス

MACアドレスとは，ネットワークに接続されたノードを識別するために付与する，48ビットのアドレスである。MACアドレスの表記には16進数が用いられ，８ビット単位にコロンやダッシュで区切って表すことが多い。

例　14:8F:C6:AA:08:76　14-8F-C6-AA-08-76

MACアドレスの上位24ビットは**OUI**と呼ばれ，機器を製造するベンダを表す。下位24ビットはベンダが任意に割り当てる番号で，MACアドレスに重複が起こらないように割り当てる。

OUIには**I/G**，**G/L**ビットが含まれる。これらは，アドレスの種別を表す特殊ビットである。

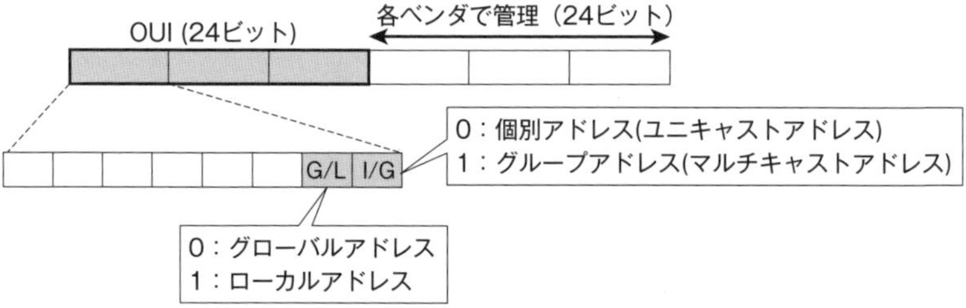

▶図1.2.2　MACアドレスの構成

OUIはOrganizationally Unique Identifierの略で，組織を識別するIDのことです。試験でOUIのビット数が問われたことがありました。意味とともに覚えておきましょう。

3 特別なMACアドレス

特別なMACアドレスとして，次のアドレスがある。

▶表1.2.1　特別なMACアドレス

FF:FF:FF:FF:FF:FF	ブロードキャストアドレス すべての機器への同報通信に使用
01:00:5E:XX:XX:XX (XXはマルチキャストIPアドレスの下位23ビットを使う)	マルチキャストアドレス マルチキャスト通信に使用

マルチキャストアドレスは，上位層（ネットワーク層）でマルチキャストアドレスが指定された場合に使用する。

仮想ネットワークでは，仮想的な機器にも「**仮想MACアドレス**」を割り当てます。この仮想MACアドレスも**重複があると機器が識別できなくなってしまうので**，注意が必要です。

基本用語の確認

通信の方式

ユニキャスト，**ブロードキャスト**，**マルチキャスト**について確認しよう。

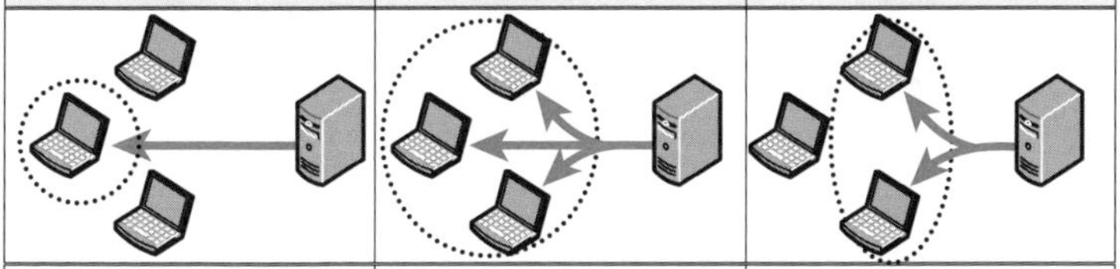

ユニキャスト	ブロードキャスト	マルチキャスト
・あるホストを宛先とする通信 ・宛先には，ユニキャストアドレスを指定する	・ネットワーク内のすべてのホストを宛先とする通信 ・宛先には，ブロードキャストアドレスを指定する	・あらかじめ設定されたグループ(マルチキャストグループ)を宛先とする通信 ・宛先には，マルチキャストアドレスを指定する

▶図1.2.3　通信の方式

【参考】～HDLC（High-Level Data Link Control）フレーム

現在，TCP/IPでは利用されないが，メインフレームと端末間の通信で広く利用されてきたデータリンク層のプロトコルである。PPPはHDLCを参考に開発された。

8ビット	8ビット	8/16ビット	任意ビット長	16ビット	8ビット
フラグシーケンス 01111110	アドレス	制御情報	データ	FCS	フラグシーケンス 01111110

▶図1.2.4　HDLCフレーム

HDLCフレームでは，**フラグシーケンスでフレームの開始と終了を判別する**フレーム同期方式の通信手順をとっている。フレーム中にフラグシーケンスと同じビットパターンが表れないように，1のビットが5回連続したときは0のビットを強制的に挿入して送信し，受信側では1のビットが5回連続した場合，次の0のビットを除去するように制御する。このような仕組みを持つことで，HDLC手順は，任意のビット列であるバイナリデータを伝送できる。なお，HDLC手順以前のベーシック手順などはテキストデータ（文字）のみを対象としていた。

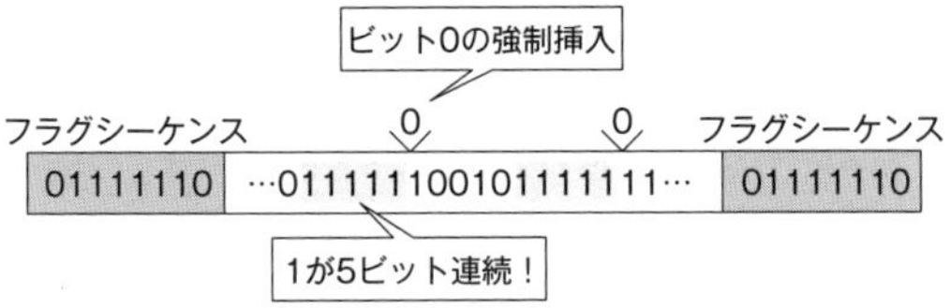

▶図1.2.5　ビット0の挿入

2　アクセス制御

イーサネットや無線LANでは，複数の機器が共通の通信媒体や無線を利用するため，**媒体アクセス制御**（MAC）が必要となる。以下に，代表的なアクセス制御を示す。

1　CSMA/CD（搬送波感知多重アクセス／衝突検出）方式

CSMA/CD（Carrier Sense Multiple Access with Collision Detection）方式は，イーサネットで採用されるアクセス制御方式である。CSMA/CD方式では，データ

を送信しているノードが存在しなければ，任意のノードがデータの送信を行うことができる。ただし，複数のノードが同時に通信を開始すると，複数のノードから送信されたデータが伝送路上で**衝突**（**コリジョン**）してしまう。CSMA/CD方式には，この衝突を検出する機能があり，衝突を検知した送信ノードは，データの送信を中止し，ジャム信号を送出して他のノードに衝突の発生を知らせる。そして，ランダムな時間を待機した後にデータの再送を試みる。

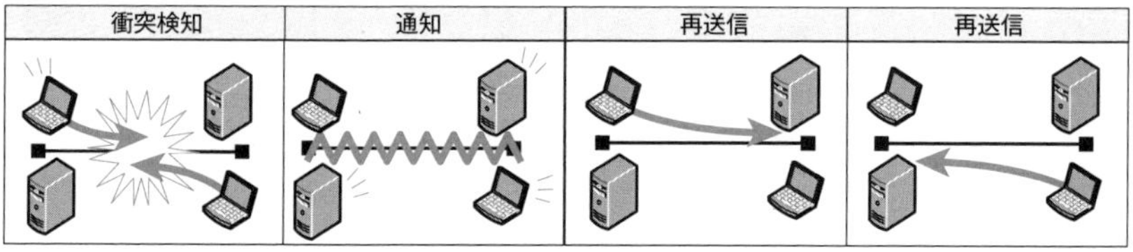

▶**図1.2.6　CSMA/CD方式**

2 CSMA/CA（搬送波感知多重アクセス／衝突回避）方式

無線LANでは，衝突を検出することが難しい。このため，アクセス制御として衝突を回避する**CSMA/CA**（Carrier Sense Multiple Access with Collision Avoidance）方式が採用されている。

CSMA/CA方式では，次のような手順でデータを伝送する。

[1] 通信要求の発生した無線端末は，**搬送波の状態をチェックして伝送路が使用中でないか（データを送信中の無線端末がないか）を確認**する。

[2] データを送信中の無線端末が存在する場合は，伝送路が空くまでバックオフと呼ばれるランダムな時間，待機を繰り返す。バックオフは徐々に短くなるよう制御される。伝送路が空いた場合は，ランダムな時間待ってからデータを送出する。このとき，フレームのヘッダには，フレーム送信完了までの予約時間を含めることができる。フレームを認識した無線端末は，この予約時間の間は送信を開始しないよう制御される。

[3] 宛先の無線端末は，フレームを受信すると肯定応答を示すACKフレームを返す。送信側端末は，何らかの理由でACKが返ってこなければ，衝突が発生したとみなす。

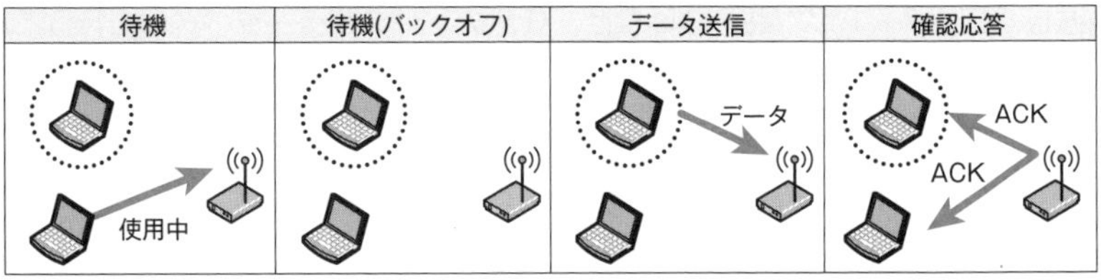

▶1.2.7　CSMA/CA方式

ACKは実際には全端末宛てに送信されます。待機している端末は，ACKを受信した後に，さらに一定時間データが送信されていないことを確認します。これが確認できれば，伝送路が空いていると判断します。

3 隠れ端末問題

隠れ端末問題とは，無線端末間にパーティション（仕切りの壁）などの遮蔽物が存在する，端末間が離れすぎるなどの理由で電波が届かず，互いにその存在を認識できないという問題である。このような状況下では，一方の無線端末がフレームを送信していることを，もう一方の無線端末が感知できずにフレーム送信を開始してしまい，無線LANの伝送路上で衝突が発生する。

4 CSMA/CA with RTS/CTS

隠れ端末問題に対応できるようにするために，CSMA/CAは**RTS/CTS制御**と呼ばれる通信制御を行うことができる。RTS/CTS制御は，通信に先立って無線ルータなどのアクセスポイントに「通信の許可（通信予約）」を得る方式である。

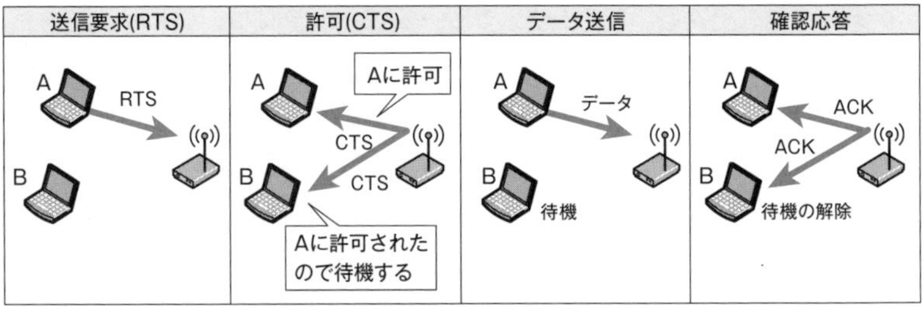

▶図1.2.8　CSMA/CA with RTS/CTS

ある端末から通信予約を受けたアクセスポイントは，その端末に通信を許可することを，すべての端末に通知する。その後，許可を受けた端末以外は，強制的に待機状態（データ送信ができない状態）となることで，衝突を防いでいる。

【参考】 ～送信権を用いた制御

トークンと呼ばれる送信権を巡回し，トークンを取得したノードのみが送信できるアクセス制御を**トークン・パッシング**方式という。トークン・パッシングをバス型のLANに適用したものを**トークン・バス**（IEEE802.4），リング型のLANに適用したものを**トークン・リング**（IEEE802.5）という。

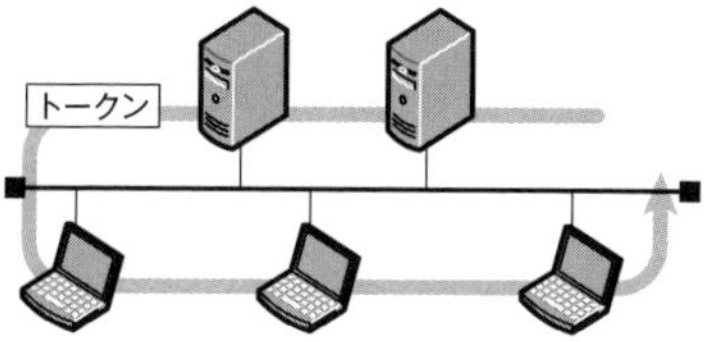

▶図1.2.9　トークン・バス方式のLAN

1.3 ネットワーク層

Point!

ネットワーク層では，末端から末端まで（エンド・ツー・エンド）の伝送を行う。このため，経路上ではIPパケットを各経路のフレーム（データリンク層）内のデータとして伝送し，ルータと呼ばれる中継装置で目的地まで届ける。このように，ネットワーク層では回線の中継機能を用いて，途中の経路を意識せずに末端同士の伝送を行うことができる。

エンド・ツー・エンドの伝送

… 30秒チェック！ …
Super Summary

1 IPデータグラム

【目標】ネットワーク層の伝送単位であるデータグラム（パケット）について知る。

□パケットの分割…回線の品質にあわせてパケットを分割すること

2 IPアドレス

【目標】IPアドレスの表記や構造，役割を知る。

□ネットワークアドレス…IPアドレスにおけるネットワークの識別番号
□ホストアドレス…IPアドレスにおけるホストの識別番号
□サブネットマスク…ネットワーク部とホスト部の識別に用いるビットパターン
□サブネット化…ネットワークを複数のサブネットに分割すること
□VLSM…ネットワーク部の長さが異なるサブネットワークを混在できる仕組み
□CIDR…ネットワーク部の長さを自由に決める仕組み

□スーパーネット化…複数のサブネットを集約して管理すること
□プライベートIPアドレス…組織内で自由に設定できるアドレス
□グローバルIPアドレス…インターネットに公開するアドレス
□ループバックアドレス…自分自身を示すIPアドレス
□ダークネット…割当てが行われていない，未使用のIPアドレスの集まり

3 ルーティング

【目標】IPパケットを効率の良い経路で中継する方式について知る。

□デフォルトゲートウェイ…他のネットワークにIPパケットを中継するルータ
□ルーティングプロトコル…最適な経路を選択する方式
□ルーティングテーブル…ホストが経路情報を管理する表
□AS（自律システム）…インターネット内の独立した各ネットワーク
□RIP…ディスタンスベクタ（距離基準）型ルーティングプロトコルの一つ
　→ Focus RIP
□OSPF…リンクステート（接続状態）型ルーティングプロトコルの一つ
　→ Focus OSPF
□BGP…主にAS間で用いられるパスベクタ型ルーティングプロトコル
　→ Focus BGP-4

4 データリンク層との連携

【目標】IPアドレスとMACアドレスを相互に変換する仕組みについて知る。

□ARP…IPアドレスから対応するMACアドレスを問い合わせるプロトコル
□ARPテーブル…ARPの問合せ結果を一定時間保持するテーブル
□プロキシARP…ARP問合せに対して中継機器が代理で応答する機能
□RARP…MACアドレスから対応するIPアドレスを問い合わせるプロトコル
□GARP…自分自身を問い合わせる特殊なARP
□ICMP…IPパケットの伝送において誤りの通知や到達を診断するプロトコル
□pingコマンド…宛先ホストまでの到達確認を行うコマンド

5 IPv6

【目標】IPアドレスの新規格であるIPv6について，表記や構造，役割を知る。

□アドレスの種類…ユニキャスト，マルチキャスト，エニーキャストアドレスがある
□拡張ヘッダ…IPv6のオプション機能を利用するため追加するヘッダ
□IPv4とIPv6の共存
　□デュアルスタック…各ホストがIPv4とIPv6の両方に対応する
　□トンネリング…異なるバージョンのIPパケットにカプセル化する
　□トランスレーション…IPv4とIPv6のパケットを相互に変換する
□ICMPv6…IPv6に対応したICMP

1 IPデータグラム

ネットワーク層で転送されるパケットを**IPデータグラム**または**IPパケット**という。

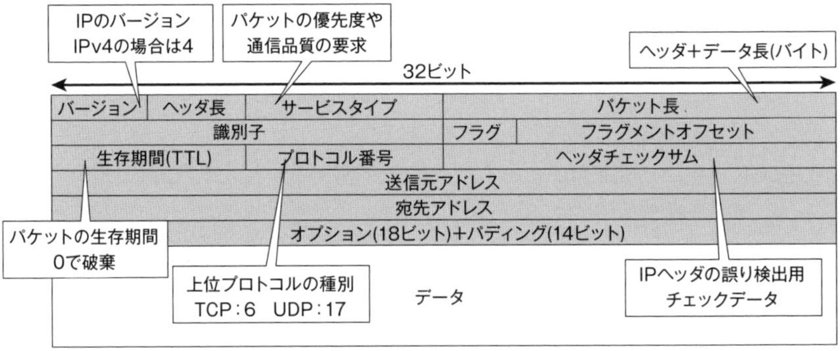

▶図1.3.1　IPパケットのフォーマット

IPヘッダ中の「識別子，フラグ，フラグメントオフセット」は，IPパケットの分割や再構成を行う場合に用いられる情報である。

生存期間（**TTL：Time To Live**）には，IPパケットが通過できるルータ数（ホップ数）が設定される。この値は，パケットがルータを通過するごとに1ずつ減らされ，0になるとパケットは破棄される。これにより，ネットワーク上のループをパケットが永久に転送され続ける不具合を回避できる。

ヘッダチェックサムは「ヘッダの誤り検出」を行うためのデータである。誤り検出の対象はあくまでもヘッダであり，データ部分の誤りは対象とはしていない。データ部分の誤りは，上位層のプロトコルであるTCPで検出される。

送信元アドレスと宛先アドレスは，エンド・ツー・エンドの末端のホストを識別するIPアドレスである。

1 パケットの分割

データリンク層でも述べたが，１フレームで伝送できるデータサイズの最大値であるMTUは，伝送媒体や通信サービスごとに異なる。

MTUが異なる媒体間で中継するために，ルータなどの中継器にはパケットを**分割**（**断片化**，**フラグメンテーション**）する機能がある。

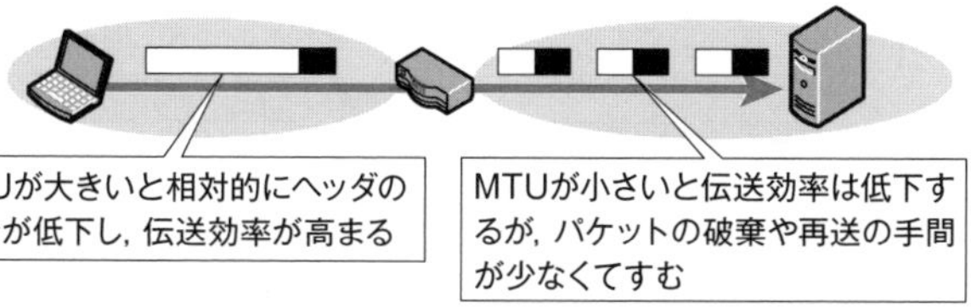

▶図1.3.2　パケットの分割

このようなパケットの分割は，ネットワーク層レベルで行う。パケットをより小さなMTUの回線へ送出する場合には，IPパケットをMTUサイズのIPパケットに分割して送信する。

2 IPアドレス

IPアドレスは，ネットワークの中で特定のホストを一意に識別する情報である。

IPには**IPv4**と**IPv6**という２つのバージョンが存在するが，ここではIPv4のIPアドレスについて説明する。IPv6については，別の項目でまとめて説明する。

IPv4のIPアドレスは，32ビットで構成されている。IPアドレスは８ビットごとに分けて10進数で表記し，ピリオドで区切った形式で表現する。

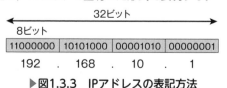

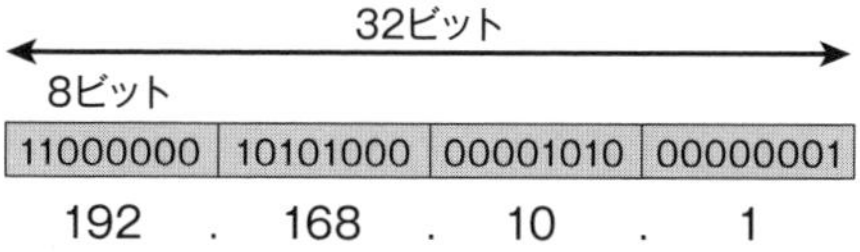

▶図1.3.3　IPアドレスの表記方法

1 ネットワーク部とホスト部

IPアドレスは**ネットワーク部**と**ホスト部**から構成される。ネットワーク部は「ホストが所属するネットワーク」を識別する番号で，ホスト部は所属ネットワーク内でホストを識別する番号である。

ネットワーク部とホスト部の境界は，**サブネットマスク**と呼ばれるビット列で定められる。サブネットマスクは，ネットワーク部のビットをすべて1，残りのビットを0としたパターンで，IPアドレスと同様の表記で表される。

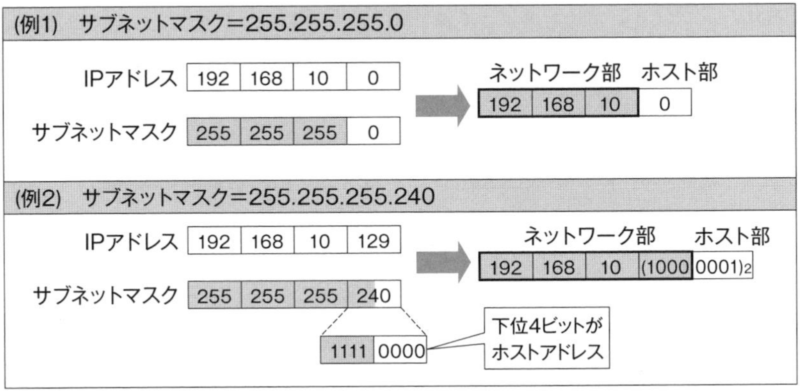

▶図1.3.4 IPアドレスとサブネットマスク

2 ホストへの割当て

各ホストのIPアドレスは，ネットワーク部に固定値（所属するネットワークを表す値）を設定し，ホスト部には一意となる値を設定する必要がある。ただし，ホスト部のビットがすべて0のアドレスとすべて1のアドレスは，それぞれ図1.3.5に示す用途に予約されているため，それ以外のアドレスをホストに付与しなければならない。

取得したIPアドレス	192	168	10	0
サブネットマスク	255	255	255	0

IPアドレス	10進表記	用途
192 168 10 00000000	192.168.10.0	ネットワークアドレス ネットワークそのものに付与するIPアドレス
192 168 10 00000001 ～ 192 168 10 11111110	192.168.10.1 ～ 192.168.10.254	ホストに付与可能なIPアドレス ホストの識別可能数＝ 2^8-2 ＝ 254 台
192 168 10 11111111	192.168.10.255	ブロードキャストアドレス ネットワーク内の全ホストを表すIPアドレス

▶**図1.3.5　ホストへの割当て**

予約されたアドレスのうち，**ネットワークアドレス**は，ルータによる経路情報の管理や経路選択に使用される。**ブロードキャストアドレス**は，ネットワーク内のすべてのホストに送信する際の宛先アドレスとして使用される。

ホストには上記二つのアドレスを除く値を設定できる。そのため，例えばホスト部の値がnビットであるとき，IPアドレスで識別可能なホストの台数は，最大で

2^n-2台

となる。

2 サブネット化

１つのネットワークをいくつかのネットワークに分けることを**サブネット化**という。サブネット化された一つひとつのネットワークを，**サブネットワーク**と呼ぶ。

サブネット化は，ホスト部の上位ビットをネットワーク部に含めることで１つのネットワークを分割する。新たにネットワーク部に追加するビット数をnとすると，サブネット数は 2^nとなる。

例えば，下図の取得したIPアドレスについて，ホスト部の上位２ビットをネットワーク部に加えてサブネット化すると，４つのサブネットワークに分割できることになる。

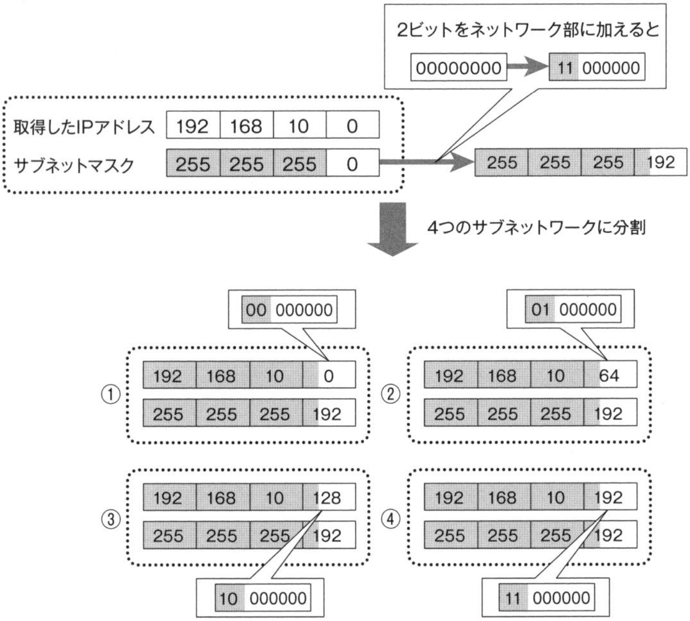

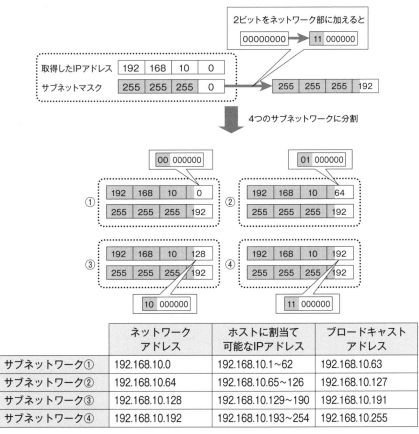

	ネットワークアドレス	ホストに割当て可能なIPアドレス	ブロードキャストアドレス
サブネットワーク①	192.168.10.0	192.168.10.1~62	192.168.10.63
サブネットワーク②	192.168.10.64	192.168.10.65~126	192.168.10.127
サブネットワーク③	192.168.10.128	192.168.10.129~190	192.168.10.191
サブネットワーク④	192.168.10.192	192.168.10.193~254	192.168.10.255

▶図1.3.6　サブネット化

4 VLSM (Variable Length Subnet Mask)

VLSMは，１つのネットワークに「ネットワーク部の長さが異なるサブネットワーク」を混在することができる仕組みである。例えば部署ごとにサブネット化する場合，VLSMを用いることで部署の人数に応じたサブネットを用意することができ，IPアドレスを無駄なく利用できる。

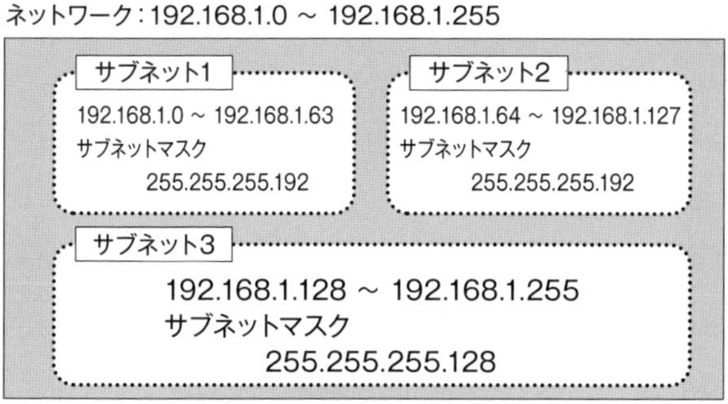

▶図1.3.7　VLSM

5 CIDR (Classless Inter-Domain Routing)

かつてのIPアドレスは，クラスによってネットワーク部とホスト部の境界が固定されていた。ところが，先に述べたサブネットマスクの導入によって，IPアドレスのネットワーク部とホスト部の長さは自由に決められるようになった。その結果，IPアドレスからクラスの概念がなくなり，ルータがパケットを中継する際にも，**クラスの概念に縛られない仕組み**ができあがった。これを**CIDR**という。

CIDRでは，ネットワーク部の長さを指定する際，ネットワークアドレスに続けて，ネットワーク部の長さを指定して表現する。

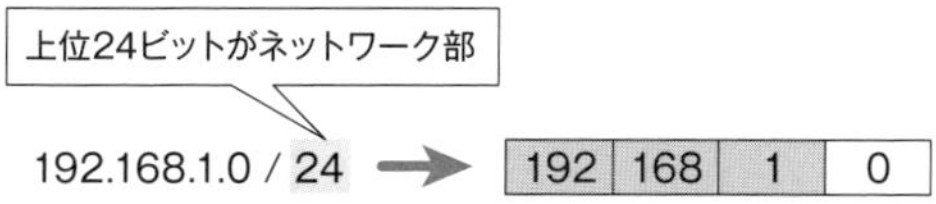

▶図1.3.8　CIDRによる表現

6 スーパーネット化

サブネット化とは逆に，いくつかのサブネットワークを管理しているルータがそのサブネットを集約して外部のルータに対して１つのネットワークであるように振る舞うことを**スーパーネット化**という。スーパーネット化によって外部のルータは複数のネットワークを１つのネットワークとみなせるため，経路情報のやり取りなどのオーバヘッドを減らすことができる。

【参考】 ～IPアドレスのクラス

サブネットマスクやCIDRが普及するまで，IPアドレスはクラス分けを行い，ネットワーク部とホスト部の範囲を固定していた。

▶表1.3.1 IPアドレスのクラス

クラス	用途	上位4ビット※	サブネットマスク	IPアドレスの範囲
クラスA	ユニキャスト	0XXX	255.0.0.0	0.0.0.0～127.255.255.255
クラスB		10XX	255.255.0.0	128.0.0.0～191.255.255.255
クラスC		110X	255.255.255.0	192.0.0.0～223.255.255.255
クラスD	マルチキャスト	1110		224.0.0.0～239.255.255.255
クラスE	予約済み	1111		240.0.0.0～255.255.255.255

※Xは0または1

このようなクラス分けを行うと，ホスト部のビット数を変えることができないため，IPアドレスに無駄が生じる。例えばクラスAの場合には，1つのネットワークで約1,600万台のホストにIPアドレスを割り当てることができる。ところが，そのような巨大なネットワークは実際には存在しないので，結局はIPアドレスのほとんどがホストに割り当てられないまま死蔵されてしまうことになる。これが，IPアドレス枯渇の一因となった。

これを背景に，サブネットとCIDRの利用は一気に広がり，現在ではユニキャストアドレスであるクラスA～クラスCについてはクラスを気にする必要がなくなった。なお，**クラスDは，マルチキャストIPアドレスとして利用**されている。

7 プライベートIPアドレスとグローバルIPアドレス

IPアドレスは，**グローバルIPアドレス**と**プライベートIPアドレス**に分類できる。

▶表1.3.2 グローバルIPアドレスとプライベートIPアドレス

グローバルIPアドレス	・インターネットに公開するアドレス ・インターネット上で一意であることが保証される
プライベートIPアドレス	・組織内で自由に設定できるアドレス ・インターネットには公開できない

インターネット利用者の増加に伴い，総数が限られているグローバルIPアドレスをLAN内のすべてのホストに割り当てることができなくなった。そこで，LAN内のIPアドレスはプライベートIPアドレスを割り当て，インターネット上に公開するルータ

やサーバ類のみグローバルIPアドレスを割り当てることが一般的である。

グローバルIPアドレスは，国際組織である**IANA**（Internet Assigned Numbers Authority）が管理し割り当てを行う。日本国内ではIANAの下部組織である**JPNIC**（Japan Network Information Center）が国内のIPアドレスの割り当てを行う。

8 プライベートアドレス空間

プライベートIPアドレスは，次の範囲で利用可能である。これらのIPアドレスは，組織内で自由に利用することができる。

▶表1.3.3　プライベートIPアドレスの範囲

ネットワークアドレス	IPアドレスの範囲
10.0.0.0/8	10.0.0.0～10.255.255.255
172.16.0.0/12	172.16.0.0～172.31.255.255
192.168.0.0/16	192.168.0.0～192.168.255.255

9 ループバックアドレス

ループバックアドレスは「ホスト自身」を示すIPアドレスである。宛先アドレスとして使用すると，パケットはネットワークに送出されず，ホスト内部で自身宛の通信として処理される。ループバックアドレスは，ネットワークのテストなどで使用する。

ループバックアドレスは「127.0.0.0/8」の範囲で指定するが，多くのOSでは慣例的に「127.0.0.1」を用いる。このアドレスはホスト名「localhost」として登録されている。

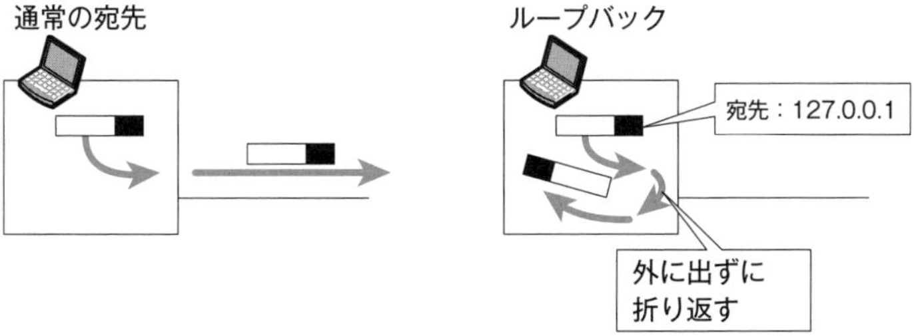

▶図1.3.9　ループバック

【参考】 ～ダークネット

グローバルIPアドレスのうち，特定のホストに割り当てられていないIPアドレスがある。これら未使用のIPアドレスの集まりを利用した通信網を，**ダークネット**と呼ぶ。不正なパケットの中には，ダークネットを宛先とするものがあるため，**ダークネットに対する監視を行うことでセキュリティの向上に役立てる**研究が行われている。

3 ルーティング

ネットワーク層では，IPパケットが「最適な経路を通るよう」中継される。このような中継を実現する機器がルータであり，**ルータ**は「ルータ間で定められた規則」を用いてIPパケットを転送しながら，IPパケットを目的のホストに送り届ける。

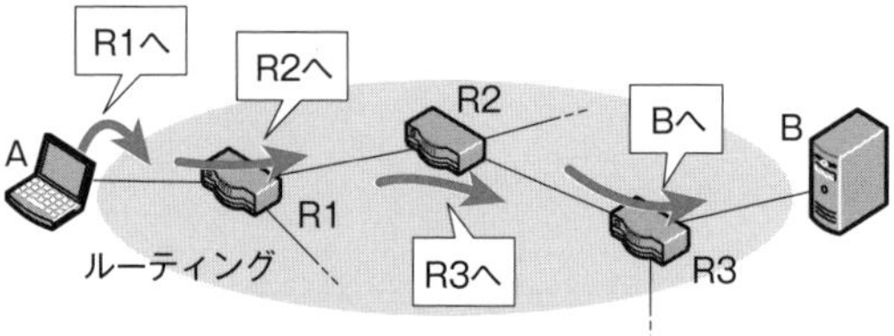

▶図1.3.10 ルーティングと中継

このような中継において，**複数の経路の中から最適な経路を選択すること**を**ルーティング**という。また，最適な経路を選ぶための規則を**ルーティングプロトコル**という。ルーティングプロトコルには，**RIP**，**OSPF**，**BGP**などのプロトコルがあり，これらはネットワークの規模や管理方法の違いによって使い分けられる。

▶表1.3.4 ルーティングプロトコル

ルーティングプロトコル	ルーティングアルゴリズム	ルータ間の情報交換方法	ルータの役割
RIP	ディスタンスベクタ型 経由するルータ数が少ない経路を選択	IPブロードキャストによる転送	全ルータが対等の関係にあり，自律的に経路情報を交換する
OSPF	リンクステート型 帯域によるコストの合計値が少ない経路を選択	IPマルチキャストによる転送	代表ルータが管理下の全ルータの構成を把握し，全ルータに通知する
BGP	パスベクタ型 経由するASが少ない経路を選択	IPユニキャストでTCPによる転送	ルータはAS間で全経路を共有する

1 デフォルトゲートウェイ

デフォルトゲートウェイとは，PCやサーバといったホストが他のネットワークにIPパケットの中継を依頼するルータのことである。ネットワーク上の各ホストは，IPパケットの送信時に宛先IPアドレスのネットワークが自身のネットワークと異なる場合，デフォルトゲートウェイにIPパケットを送信する。

2 ルーティングテーブル

ホストやルータは，経路情報を**ルーティングテーブル**という表で管理する。ルーティングテーブルの情報はプロトコルや設定によって異なるが，あるネットワークまで伝送するには，どのルータに中継を依頼すればよいかが判断できるようになっている。

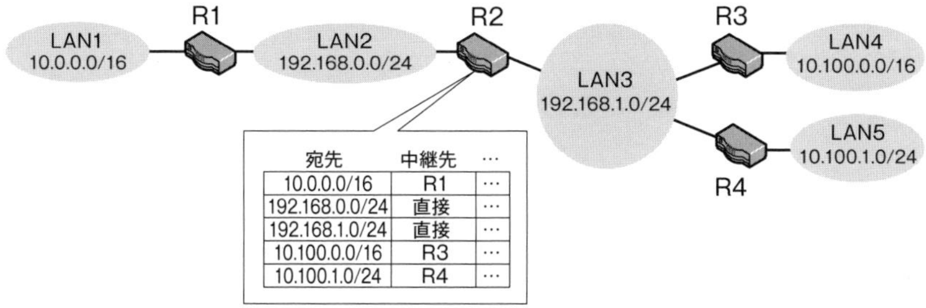

宛先	中継先	…
10.0.0.0/16	R1	…
192.168.0.0/24	直接	…
192.168.1.0/24	直接	…
10.100.0.0/16	R3	…
10.100.1.0/24	R4	…

▶**図1.3.11　ルーティングテーブル**

ルーティングテーブルに設定される経路情報には，あらかじめ経路を手動で設定しておく静的な経路情報とルータ同士が経路情報を交換し自動で設定を更新する動的な経路情報がある。ルーティングにおいて，静的な経路情報をもとに経路情報が決まることを**スタティックルーティング**，動的な経路情報をもとに経路情報が決まることを**ダイナミックルーティング**という。

ルータはルーティングテーブルに存在しないネットワーク宛てのパケットは中継せずに破棄する。また，ルーティングテーブルに宛先と一致するネットワークアドレスが複数ある場合は，ネットワーク部のプレフィックス長が最も長く一致するアドレスを宛先のルートとする。この規則を**ロンゲストマッチ**（**最長一致**）という。

例えば▶図1.3.11において，R2が宛先IPアドレス「10.100.1.10」であるパケットを受けたとき，ルーティングテーブル上の宛先として「10.100.0.0/16」と「10.100.1.0/24」が一致する。このとき，R2はロンゲストマッチの原則に従い，一致部分のより長い宛先へIPパケットを中継する。

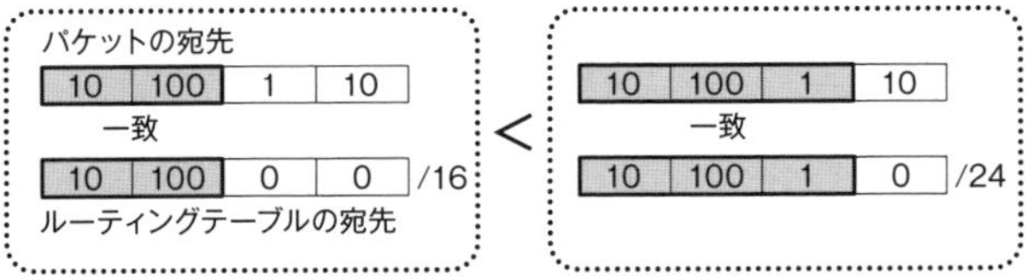

▶図1.3.12　ロンゲストマッチ

3 AS (Autonomous System：自律システム)

インターネット内で1つのネットワークポリシーで管理されているネットワーク群を**AS**という。インターネット全体は複数のASの集合体と考えることができる。

ASは2バイト又は4バイトのAS番号で一意に管理されており，インターネットサービスプロバイダのネットワーク群などが1つのASとなる。インターネットでのルーティングプロトコルは，AS間はBGP，AS内はOSPFやRIPを用いている。

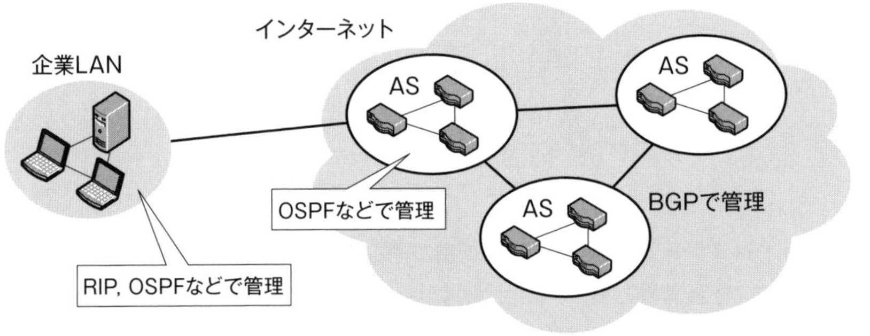

▶図1.3.13　ルーティングプロトコルの利用場面

4 RIP (Routing Information Protocol)

RIPは，**ディスタンスベクタ（距離基準）**型のルーティングプロトコルであり，距離を測る値（**メトリック:metric**）に中継ルータ数（**ホップ数**）を用いる。すなわち，ホップ数が最小の経路を最短経路として選択する。**最大ホップ数は15に制限**されており，経路が永遠にループすることを防いでいる。現在のバージョンはRIPv2で，VLSMやCIDRに対応している。

各ルータは，「最短経路への中継先」を宛先LANごとに決定し，ルーティングテーブルに記録する。ルータに到着したパケットは，ルーティングテーブルにしたがって中継される。

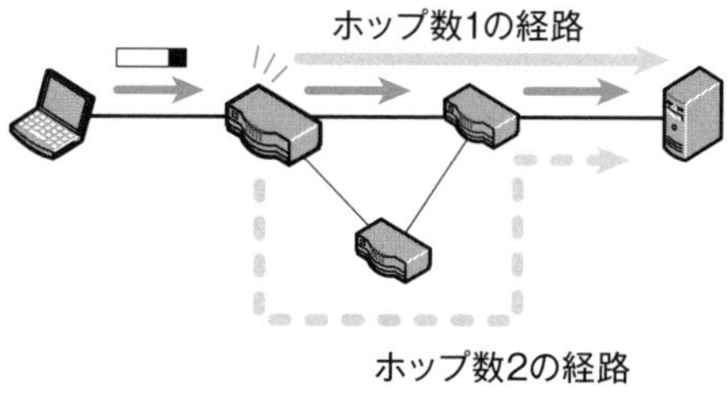

▶図1.3.14　RIPのルーティング

RIPは，隣接ルータ間でのみ経路情報を交換するため，ネットワークの構成の変化がネットワーク全体に波及するまで時間がかかるという欠点もある。実装が容易なため広く普及したが，午後試験問題の事例ではRIPを採用する例は見られなくなりつつある。

RIPはIPv4用のルーティングプロトコルで，RIPのIPv6対応はRIPng（RIP next generation）を使用する。

5 OSPF (Open Shortest Path First)

OSPFは，**リンクステート**（**接続状態**）型のルーティングプロトコルである。リンクごとに**コスト**を設定し，コスト合計値が最小となる経路を最短経路として選択する。コストは回線速度などをもとに，自動あるいは手動で設定される。

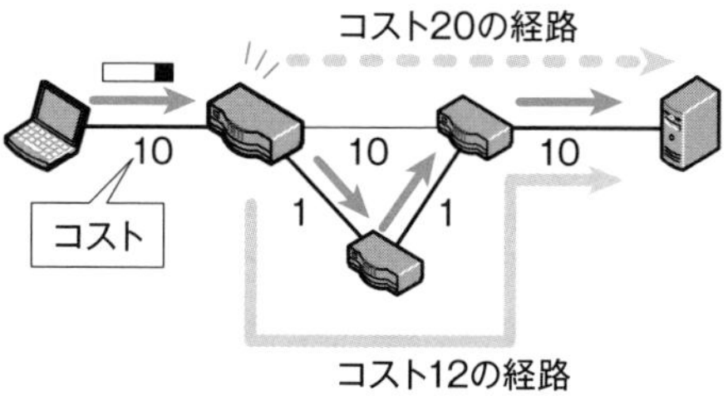

▶図1.3.15　OSPFのルーティング

等コストの経路が複数あるとき，複数経路にパケットを分散することでネットワーク帯域を有効に使うことができます。これを等コスト負荷分散機能といいます。

OSPFでは，大規模なネットワークを構築するため，ネットワークの範囲をエリアと呼ばれるグループに分けて管理することができる。詳細なリンクステートはエリア内で管理し，エリア間では集約した情報のみを管理することで，規模の大きなネットワークでもルータに負荷が掛からないよう工夫している。エリア管理では，**エリア0として設定したバックボーンエリアが必要で，これに他のエリアを接続する形態を採る**。

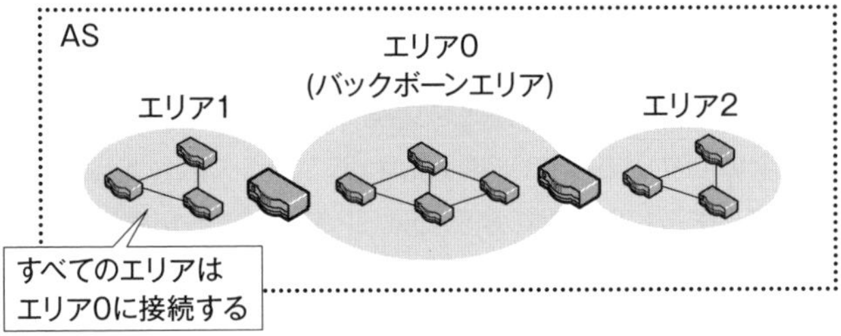

▶図1.3.16　OSPFのエリア

エリアの典型的な使い方として，通信会社が提供しているWANサービスをバックボーンエリアとし，本支店や工場などのLANを各エリアに割り当てることで，企業全体を1つのASとする方法があります。

OSPFではIPアドレスがIPv4の場合はOSPFv2（OSPF version 2）を使用し，IPv6の場合はOSPFv3（OSPF version 3）を使用する。

6 BGP (Border Gateway Protocol)

BGPは，AS間の経路を決定するための**パスベクタ**型ルーティングプロトコルである。パス属性を設定することで柔軟な経路設計が可能である。BGPにはAS間で経路情報を交換する**eBGP**と，AS内で経路情報を中継する**iBGP**がある。**自ASが他のAS間の中継に利用されない場合にはeBGPのみの接続**となる。

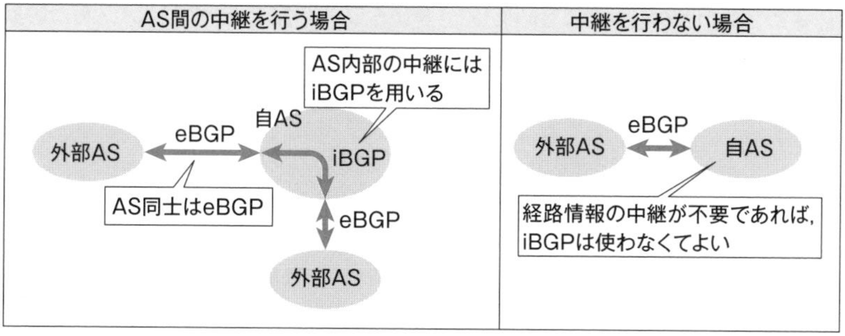

▶図1.3.17　eBGPとiBGP

自AS内で外部ASと接続しているBGPルータが複数ある場合，すべてのルータ間で経路情報を交換しなければならない。そのため，BGPルータが多い場合にはネットワークの負荷が高くなってしまう。これを抑える対策に**ルートリフレクション**という仕組みがある。これは，BGPルータの１つを代表（**ルートリフレクタ**）に選び，他のBGPルータ（**ルートリフレクタクライアント**）は経路情報をルートリフレクタとのみやり取りする方法である。これによって**BGPルータ同士のやり取りは，多対多から１対多の関係となり，負荷が減少**する。

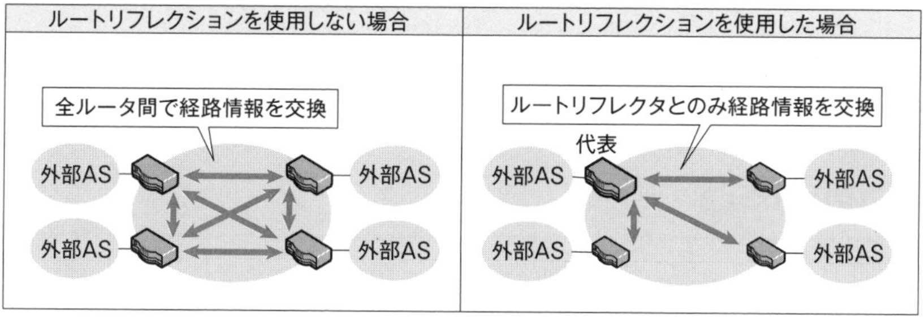

▶図1.3.18　ルートリフレクション

4 データリンク層との連携

ネットワーク層では中継先はIPアドレスで指定されるが，実際の転送ではパケットはデータリンク層に引き渡され，MACアドレスを用いた転送が行われる。これを行うためには，中継先のIPアドレスをMACアドレスに変換しなければならない。

このように，データ送信においては，ネットワーク層とデータリンク層との間で，IPアドレスとMACアドレスの変換が絶えず行われている。このようなアドレス変換に用いられるプロトコルに，**ARP**や**RARP**がある。

1 ARP (Address Resolution Protocol)

ARPはIPアドレスをもとに，対応するMACアドレスを問い合わせるプロトコルである。中継先や宛先のIPアドレスから，そのMACアドレスを取得する（解決する）場合に用いる。

ARPはブロードキャストを利用するので，ブロードキャストフレームが届く同一ネットワーク（IPアドレスのネットワーク部が同一）の範囲内のみに伝送される。

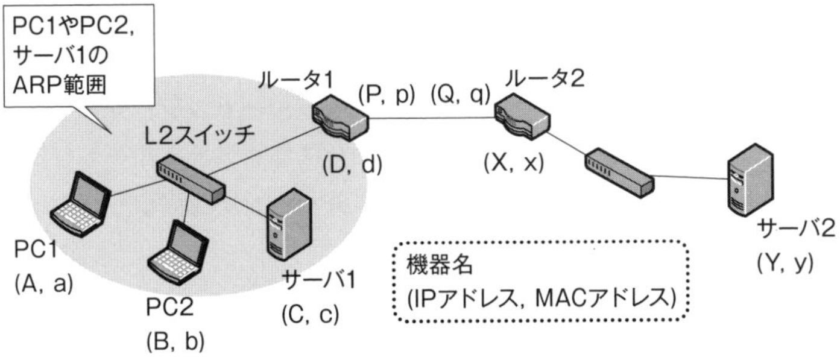

▶**図1.3.19　ARPの範囲**

2 ARPの手順

▶図1.3.19のネットワークを例に，送信元と宛先が同一ネットワークに存在する場合（PC1→サーバ1）とそうでない場合（PC1→サーバ2）のそれぞれについて，ARPの手順を説明する。

①PC1 → サーバ1の場合

PC1とサーバ1は同一のネットワーク上に存在する。そこで，PC1はサーバ1のIPアドレスCをもとに，そのMACアドレスを問い合わせる。

❶ ARP要求

PC1から自身のネットワークに対し，サーバ１のMACアドレスを問い合わせるARP要求（ブロードキャストフレーム）を送信する。具体的には，ARPパケットの**ターゲットMACアドレス**に０を，**ターゲットIPアドレス**にサーバ１のIPアドレスCを設定してARP要求を行う。

❷ ARP応答

ARP要求を受けたサーバ１は，問合せ元（PC1）に自身のMACアドレスを応答する。具体的には，ARPパケットの**センダMACアドレス**に自身のMACアドレスcを，**センダIPアドレス**に自身のIPアドレスCを設定してARP応答を行う。

❸ データ送出

PC1は，宛先MACアドレスにサーバ１のMACアドレスcを指定したフレームを，サーバ１に送出する。

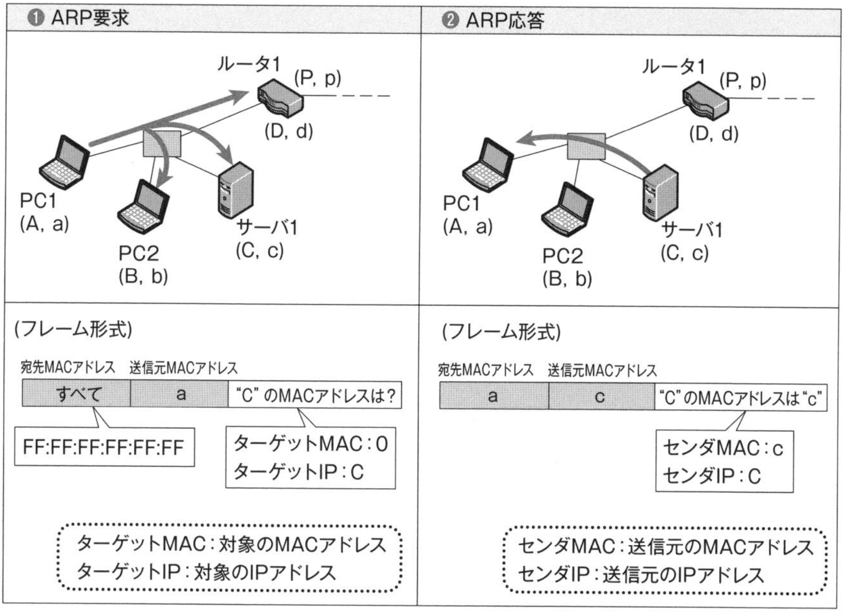

▶**図1.3.20　ARPの手順①**

②PC1 → サーバ２の場合

PC1とサーバ２は同一のネットワーク上に存在しない（ネットワーク部が異なる）ため，PC1はデフォルトゲートウェイとして登録されたルータ１へデータの中継を依頼する必要がある。そこで，ルータ１のIPアドレスDをもとに，そのMACアドレスを問い合わせる。

❶　ARP要求

PC1から自身のネットワークに対し，ルータ１のMACアドレスを問い合わせるARP要求（ブロードキャストフレーム）を送信する。

❷　ARP応答

ARP要求を受けたルータ１は，PC1に自身のMACアドレスdを応答する。

❸　データ送出

PC1は，宛先MACアドレスにルータ１のMACアドレスdを指定したフレームを，ルータ１に送出する。以降のネットワークでは，ルータ１はルータ２のMACアドレスを，ルータ２はサーバ２のMACアドレスをARPで解決しながら，パケットをサーバ２まで中継する。

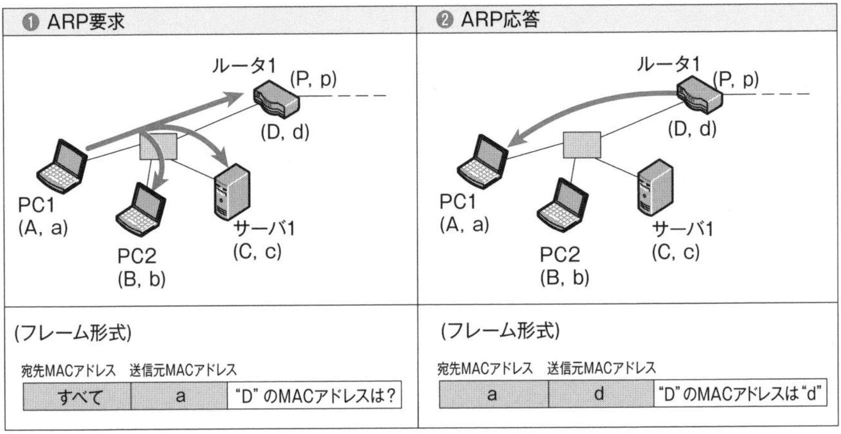

▶**図1.3.21　ARPの手順②**

3 ARPテーブル

各ホストは，ARPによって解決したアドレスを**ARPテーブル**に一定時間（OSによって，数分から数時間）保存する。これによって，同一IPアドレスへの通信の場合にはARPテーブルからMACアドレスを取得できるため，ARP要求を再度行わずに済み効率が良い。ネットワーク構成が変化した場合には，ARPテーブルの情報を破棄することで対応する。

4 プロキシARP

プロキシARPとは，他のネットワークのホストに対するARP要求に対して，中継装置が代理でARP応答を行う機能である。この機能により，送信元ホストは宛先ホストが同一ネットワーク上に存在しているかどうかにかかわらず，同一の手続きで通信することができる。プロキシARPが機能するのは，中継装置にプロキシARP機能が設定されていて，送信先IPの経路が登録されている場合である。

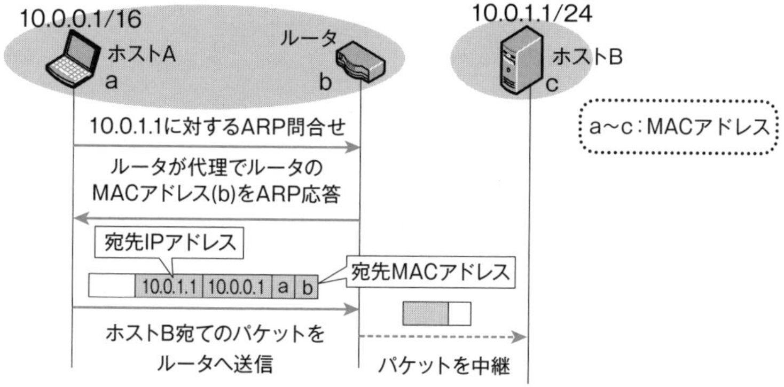

▶図1.3.22　プロキシARP

5 RARP (Reverse ARP)

RARPは，ARPとは逆に，MACアドレスをからIPアドレスの情報を得るためのプロトコルである。IPアドレスを持たない機器（ディスクレスマシンなど）がRARPによって，自身のIPアドレスを取得する場合などに利用される。RARPを利用するには，MACアドレスとそれに対応するIPアドレスを登録したRARPサーバを準備し，RARPサーバがクライアントの問合せに応答することでIPアドレスを解決する。

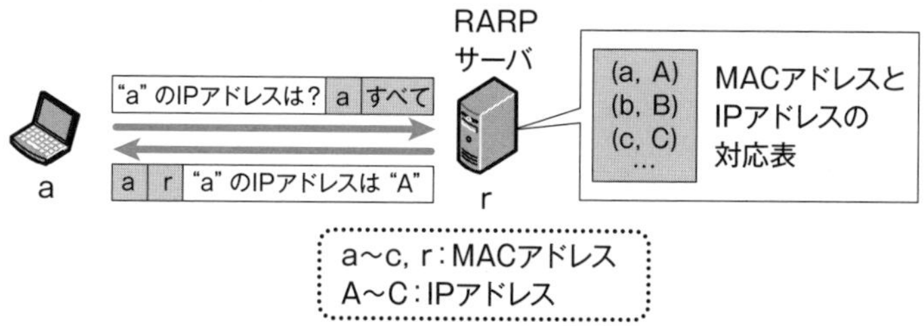

▶図1.3.23　RARP

なお，IPアドレスを一元管理して起動時に割り当てる仕組みとしては，現在ではDHCPが主流であるため，RARPは利用されなくなっている。

6 GARP (Gratuitous ARP)

GARPは，アドレス解決を行うターゲットIPアドレスに「自分自身」のIPアドレスを設定した，特殊なARPである。ホスト自身のIPアドレスの重複検出を行う場合や，ネットワークの構成が変わったときに，**同一セグメントにある全ホストのARPテーブルを「同時かつ強制的」に更新する**場合に用いられる。

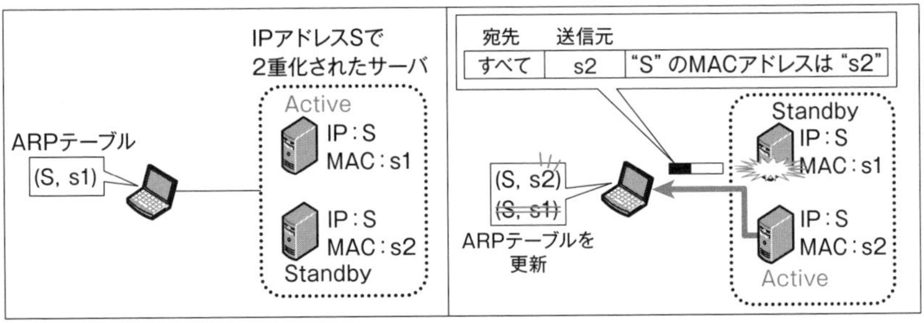

▶図1.3.24　GARP

7 ICMP (Internet Control Message Protocol)

ICMPは，IPパケットの伝送において誤りなどの通知やIPパケットの到達を診断するためのプロトコルである。

以下に，代表的なICMPメッセージを挙げておく。

▶**表1.3.5　代表的なICMPメッセージ**

メッセージ	タイプ	説明
エコー要求メッセージ Echo Message	8	宛先ホストにIPパケットが到達可能かを診断するときに送信元ホストは宛先ホストにこのメッセージを送信する。
エコー応答メッセージ Echo Reply Message	0	エコー要求メッセージを受信したホストは，送信元ホストに対してこのメッセージを返信する。
宛先到達不能メッセージ Destination Unreachable Message	3	送出経路上のネットワークセグメントに接続できない，宛先ホストを識別できないなどの場合に，ルータが送信元ホストにこのメッセージを送信する。また，宛先ホストのポートが閉じているときは，宛先ホストがこのメッセージを送信する。
時間超過メッセージ Time Exceeded Message	11	ルータがIPパケットを転送する際に，TTL（生存時間）が0になると，IPデータグラムを破棄し，送信元ホストにこのメッセージを送信する。
経路変更メッセージ Redirect Message	5	ルータがIPパケットを転送する際に，宛先までの経路により適した経路がある場合，その最適経路のルータのIPアドレスを設定して送信元ホストにこのメッセージを送信する。

【参考】　～ICMPを使ったコマンド

ネットワークの状態を調べるために，さまざまなコマンドが用意されている。特に「宛先ホストまでの到達（接続）確認」を行う**ping**コマンドや，「宛先ホストへの経路（経由ルータ）」を調べる**traceroute**（**tracert**）コマンドなどが有名である。実は，**これらのコマンドはICMPなどを用いて実装されている。**

pingコマンドは，宛先ホストにICMP Echo Messageを発信し，これに対する宛先ホストからのICMP Echo Reply Messageが返ってきたかどうかで到達確認を行う。

traceroute（tracert）コマンドは，TTLを１から１ずつ増加させながらIPパケットを送信し，Time Exceeded Messageを返すルータを確認することで，経由ルータを調べている。

公開サーバに対して，大量のpingコマンドを送りつけるICMP Flood と呼ばれる攻撃もあります。対処として，公開サーバは外部からのICMP Echo Message を無視するように設定します。

5 IPv6

32ビット長のIPアドレス（IPv4）は，グローバルアドレスは既にすべて割り当て済みであり，新たなIPアドレスを取得することは困難である。このようなIPアドレスの枯渇を解決するため，IPアドレスを128ビットに拡張した**IPv6**が導入されている。

IPv6は，次のような特徴を持つ。

- 同一ホストに役割が異なる複数のIPアドレスが設定される。
- 機能に応じてヘッダそのものを拡張することができる。
- IPv4パケットをカプセル化できるため，既存のIPv4ネットワークと共存できる。

1 IPv6アドレスの表記法

IPv6アドレスは，128ビットを16ビットごとに８つのブロックに分けて“:”で区切り，それぞれの値を「0000」～「ffff」の16進数４桁で表記する。表記においては，

- 各ブロックの先頭の“０”は省略する。「0000」の場合は「０」とする。
- 「0000」が二つ以上続く場合は「::」で省略する。
- 「::」で省略できる部分が２つ以上あれば，長い方を省略する。

ことが推奨されている。

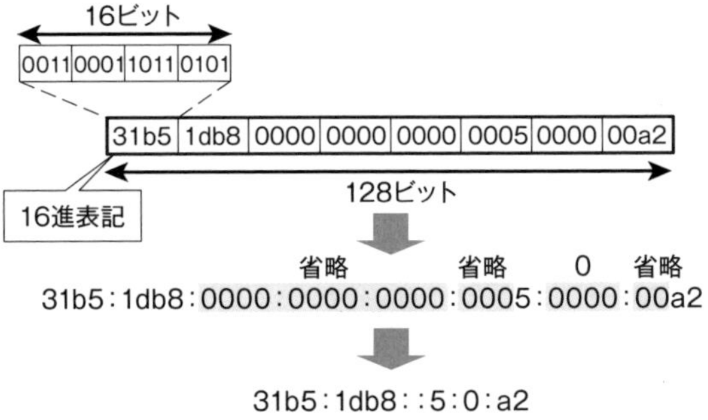

▶図1.3.25　IPv6アドレスと表記例

ネットワークを識別するため，ネットワークプレフィックスをIPv4のCIDRと同様，

IPv6アドレス / プレフィックス長

で表記する。

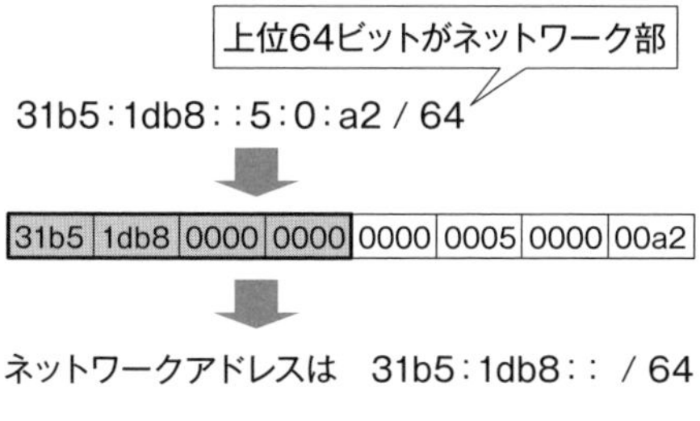
上位64ビットがネットワーク部
31b5:1db8::5:0:a2 / 64
31b5 1db8 0000 0000 0000 0005 0000 00a2
ネットワークアドレスは　31b5:1db8:: / 64

▶図1.3.26　プレフィックス

2 アドレスの種類

送信先に注目したとき，IPv6アドレスは**ユニキャストアドレス**，**マルチキャストアドレス**，**エニーキャストアドレス**に分類できる。

▶**表1.3.6　IPv6アドレスの分類**

ユニキャストアドレス	・1対1で，宛先ホストにパケットを送信するためのアドレス	送信元 宛先
マルチキャストアドレス ff00::/8	・同じマルチキャストアドレスを持つ複数のホストに対して，1対多でパケットを送信するためのアドレス	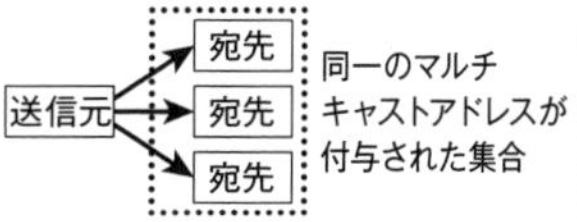送信元 宛先 宛先 宛先 同一のマルチキャストアドレスが付与された集合
エニーキャストアドレス	・同じエニーキャストアドレスを持つ複数のホストのうち，最も近いホストに送信するためのアドレス ・DNSの負荷分散などに利用される ※アドレス構造はユニキャストアドレスと同じ ※距離はルーティングプロトコル基準	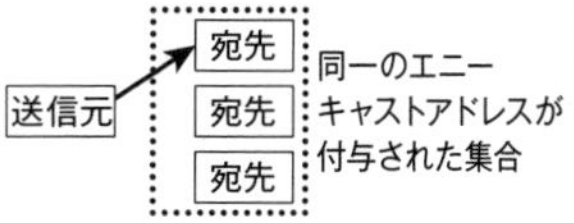送信元 宛先 宛先 宛先 同一のエニーキャストアドレスが付与された集合

ユニキャストアドレスは，IPv4と同様にプライベートアドレスとグローバルアドレスに分けられる。IPv6のプライベートアドレスはさらに細かく，**リンクローカルアドレス**と**ユニークローカルアドレス**に分けられる。

▶表1.3.7　ユニキャストアドレスの分類

グローバルアドレス 2000::/3	・上位3ビットが001で始まるアドレス ・IPv4のグローバルアドレスに該当し，インターネット上の任意のホストに対する通信に用いる
ユニークローカルアドレス fc00::/7	・上位7ビットが1111110で始まるアドレス ・IPv4のプライベートアドレスに該当し，組織内でのホスト間の通信に用いる インターネット接続用途としては用いない
リンクローカルアドレス fe80::/10	・上位10ビットが1111111010，引き続く54ビットが0であるアドレス ・同一リンク（ルータを越えない範囲）内のホストに対する通信に用いる 他のリンクには中継されない

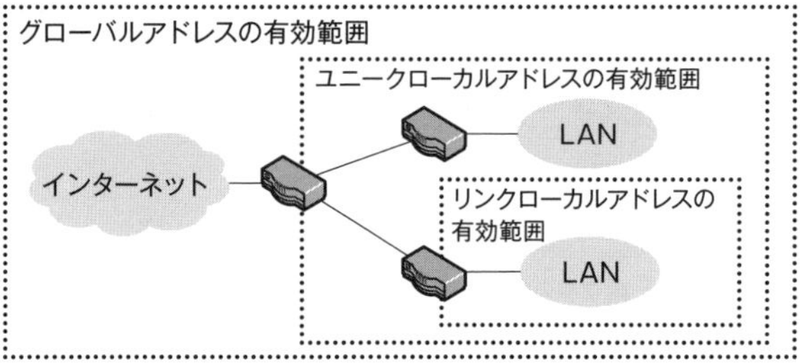

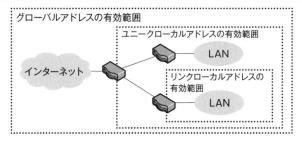

さらに，特殊な目的で使用される，次のアドレスがある。

▶表1.3.8　特殊なIPv6アドレス

未指定アドレス [::/128]	アドレスが割り振られる前に送信元アドレスとして使用されるアドレス
ループバックアドレス [::1/128]	自分自身にパケットを送信する際に使用するアドレス。ホスト内でループバックするため，インタフェースからパケットは送出されない
IPv4射影アドレス [::ffff:0:0/96]	IPv6サーバがIPv4ネットワーク上で運用されるとき，サーバ内でのみ使用されるアドレスである。下位32ビットにIPv4アドレスが入る

過去にIPv6のマルチキャストアドレスのプレフィックスが問われたことがありました。わかりますか？

ア　2000::/3　イ　FC00::/7　ウ　FE80::/10　エ　FF00::/8

答え　エ

3 IPv6パケットの構造

IPv6パケットは，ヘッダとペイロードで構成される。ヘッダは送信元IPアドレス，宛先IPアドレスを含む40バイト固定長のIPv6ヘッダと，拡張ヘッダと呼ばれる追加する付加サービスについての情報を格納する領域からなる。ペイロードにはTCPやUDPなどの上位層のパケットが格納される。IPv6では，パケットを中継するルータは不要な拡張ヘッダの情報をチェックしないことで負荷を減らすよう工夫されている。

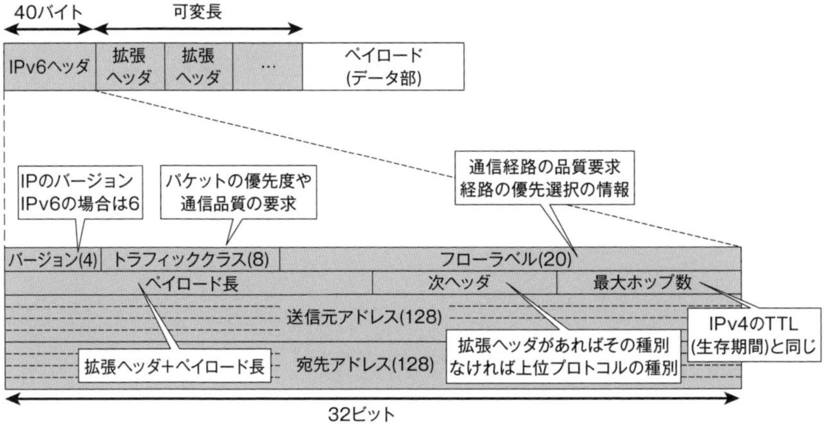

▶図1.3.27　IPv6パケットのフォーマット

IPv6ヘッダの**フローラベル**は，IPv6で新たに導入されたフィールドで，通信経路の品質確保に用いられる。これにより，ルータに確保された予約帯域の利用が可能になり，マルチメディア伝送の品質を維持しやすくなる。

4 拡張ヘッダ

IPv6では，IPv4から強化されたオプション機能がある。これらの機能は**拡張ヘッダ**を追加することで使用できる。複数の機能を利用するためには，それぞれの拡張ヘッダを付加する。

▶表1.3.9　拡張ヘッダの種類

格納順	拡張ヘッダ	概要
1	ホップバイホップオプションヘッダ	中継ルータが処理する内容
2	終点オプションヘッダ	宛先ノードが処理する内容
3	ルーティングヘッダ	パケットが経由するノードのアドレスのリスト
4	フラグメントヘッダ	送信元ノードでパケットを分割（フラグメント）し，宛先ノードで再構築するための情報
5	認証ヘッダ（AH）	認証情報
6	暗号化ペイロード（ESP）ヘッダ	暗号化と認証の情報
7	終点オプションヘッダ（ルーティングヘッダと併用する場合）	宛先ノードが処理する内容

拡張ヘッダのAHやESPは，後述するIPsecのセキュリティ機能です。IPv6では，このようなIPsecのサポートが必須となりました。

5 IPv4とIPv6の共存環境での通信

現在のネットワークは，IPv4からIPv6に移行中であり，両方のネットワークが混在している。異なるIPプロトコル間で通信するためには状況に応じて次のような技術を利用する必要がある。

▶表1.3.10　IPv4とIPv6の共存技術

<table>
<tr><td rowspan="3">デュアルスタック</td><td colspan="2">・ネットワーク上のホストがIPv4とIPv6の両方に対応すること
・ネットワーク上にはIPv4とIPv6のパケットが混在して流れる
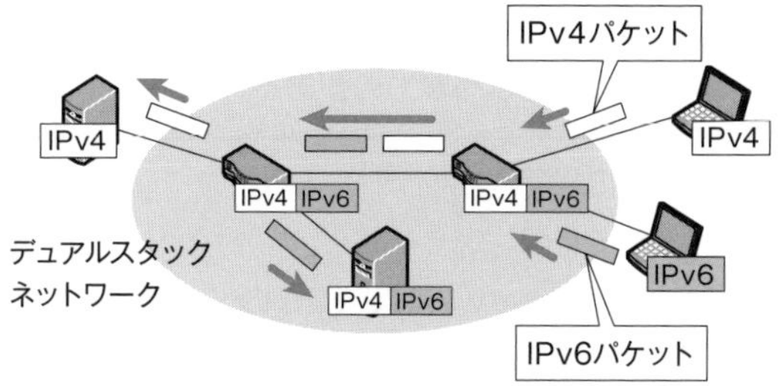
</td></tr>
<tr><td>利点</td><td>・IPv6に完全移行した場合でも，そのまま利用できる
・プロトコル変換のためのオーバヘッドがない</td></tr>
<tr><td>欠点</td><td>・通信経路上のすべての機器がIPv4とIPv6の両方に対応する必要があり，コストが高い</td></tr>
<tr><td rowspan="3">トンネリング</td><td colspan="2">・トンネリングは，IPパケットを異なるバージョンのIPパケットでカプセル化すること
・図は，IPv6ネットワークをIPv4ネットワークで接続した例(6to4)
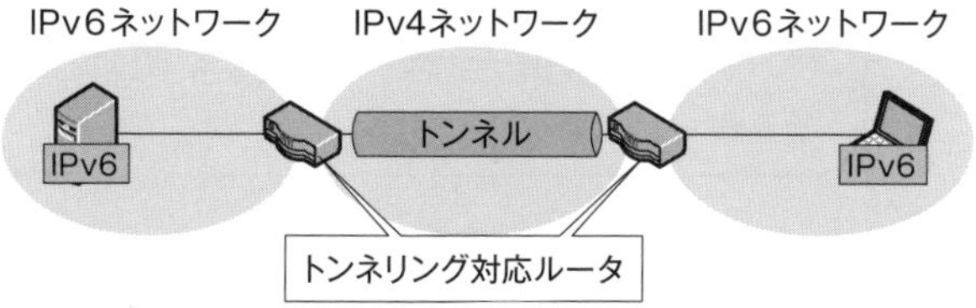
</td></tr>
<tr><td>利点</td><td>・既存回線が利用できるため，導入コストが抑えられる</td></tr>
<tr><td>欠点</td><td>・トンネリングのオーバヘッドによりトラフィック性能が低下する</td></tr>
<tr><td rowspan="3">トランスレーション</td><td colspan="2">デュアルスタックで動作するトランスレータが，IPv4とIPv6のパケットを相互に変換する
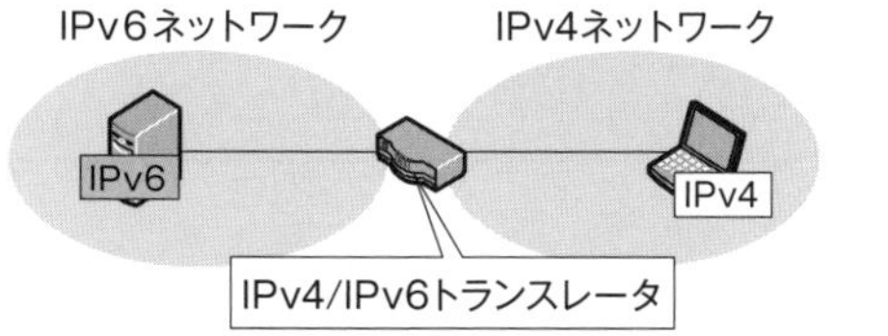
</td></tr>
<tr><td>利点</td><td>・IPv4とIPv6のホストが相互に通信できる</td></tr>
<tr><td>欠点</td><td>・プロトコル変換処理がトランスレータに集中するため，トラフィック性能が低下する</td></tr>
</table>

6 ICMPv6 (Internet Control Message Protocol for IPv6)

ICMPv6は，パケット転送中にエラーが発生した場合などに，IPv6の通信を制御するためのエラーメッセージや通知メッセージを運搬するプロトコルである。

ICMPv6の機能には，次のようなものがある。

- エラーメッセージの送受信
- 通知メッセージの送受信
- ND（Neighbor Discovery：近隣探索）のメッセージの運搬

近隣探索とは，同一リンク上に存在するIPv6機器を探索することで，例えば同一リンク上に接続されたルータの位置を特定することができる。また，近隣機器のアドレスを解決する機能も含んでいるため，IPv4におけるARP機能を実現できる。

IPv4 における ARP は IPv6 には引き継がれず，ICMPv6 に統合されました。IPv4 の ARP 要求は ICMPv6 の近隣要請（NS）メッセージに，IPv4 の ARP 応答は ICMPv6 の近隣広告（NA）メッセージにそれぞれ置き換わっています。

Focus RIP

RIP は伝統的なルーティングプロトコルですが，現在では企業規模のネットワークで RIP を採用する例はほとんどありません。そのためか，午後問題への出題も見られなくなりました。それでもなおここで RIP を取りあげるのは，RIP がシンプルな考え方に基づいており，ルーティングの入門として適切だからです。ルーティングを理解する題材として，RIP を学んでください。

■ 基礎編のおさらい

RIPについて，基礎編で説明した事項を確認しておく。

- ホップ数（中継ルータ数）をメトリックとする，ディスタンスベクタ型のルーティングプロトコルである。→ ホップ数が最小の経路を選択。
- 最大ホップ数は15に制限されている。
- 隣接ルータ間でのみ，経路情報を交換するため，コンバージェンス（情報の収束）が遅い。→ ネットワークの構成変化が全体に伝わるまで時間を要する（最長で7分半かかる）。

■ ルーティングテーブルの更新

RIPルータは，自身の経路情報をアップデートメッセージとして，30秒ごとに隣接ルータに通知する。また，隣接ルータからの経路情報を受信すると，ルータは受信した経路情報のメトリックに1を加え，次の処理によってルーティングテーブルを更新する。

- 経路情報がルーティングテーブルに存在しない場合，経路情報を追加する。
- 経路情報の送信元が，ルーティングテーブルに登録されたルータと等しく，メトリックが変更された場合は，ルーティングテーブルを更新する。
- 経路情報の送信元が，ルーティングテーブルに登録されたルータと異なり，メトリックがルーティングテーブルに登録された経路情報より優れている（メトリックの値が小さい）場合は，ルーティングテーブルを更新する。

経路情報が伝搬する例を，次に示す。

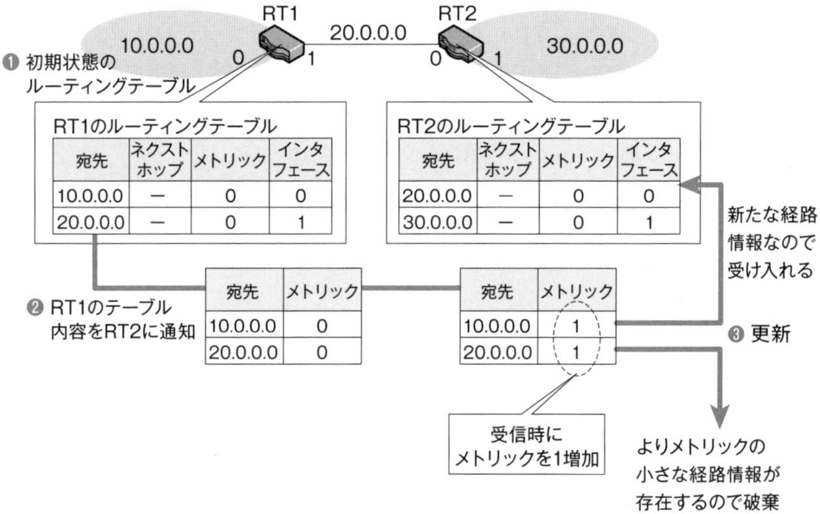

▶図1.3.28　ルーティングテーブルの更新

❶初期状態のルーティングテーブル

ルータRT1，RT2は，それぞれのインタフェースから「直接つながっているネットワーク」の情報を取得し，初期状態のルーティングテーブルを作成する。

❷ルーティングテーブルの通知

各ルータは自身のルーティングテーブルの内容を，隣接ルータへ通知する。▶図1.3.28は，RT1のルーティングテーブルの内容を，RT2に通知する例である。

❸ルーティングテーブルの更新

ルーティングテーブルの通知を受信した各ルータは，自身のルーティングテーブルを更新する。▶図1.3.28は，RT1から通知されたルーティングテーブルをもとに，RT2のルーティングテーブルを更新する例である。受信した経路情報のうち，10.0.0.0の情報は新たな経路情報なのでこれを受け入れる。20.0.0.0については，よりメトリックの小さな経路情報がすでにRT2に記録されているため，反映しない。

このような通知・更新を繰り返すことで，経路情報がネットワーク全体に伝播し，やがて全ルータが最適な経路情報を記録して安定（収束）する。

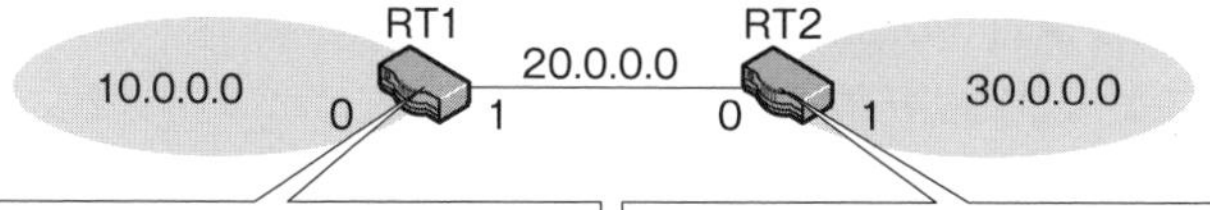

RT1のルーティングテーブル

宛先	ネクストホップ	メトリック	インタフェース
10.0.0.0	ー	0	0
20.0.0.0	ー	0	1
30.0.0.0	RT2	1	1

RT2のルーティングテーブル

宛先	ネクストホップ	メトリック	インタフェース
10.0.0.0	RT1	1	0
20.0.0.0	ー	0	0
30.0.0.0	ー	0	1

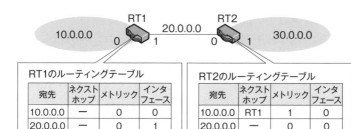

▶図1.3.29　最終的なルーティングテーブルの内容

RIPはルータ単位で経路情報を通知するため，大規模なネットワークでは経路情報が収束するまでに時間がかかる。そのため，現在では使用されなくなりつつある。

Focus OSPF

古色蒼然としたRIPに替わり，ルーティングプロトコルの主役に躍り出たのがOSPFです。OSPFは企業ネットワークの構築には欠くことができず，午後試験にも数多く取りあげられています。得点力向上のためだけではなく，ネットワーク技術者としての基盤作りとして，しっかり学んでください。

■基礎編のおさらい

OSPFについて，基礎編で説明した事項を確認しておく。

- ・ネットワークのコストをもとにした，リンクステート型のルーティングプロトコルである。→コストが最小の経路を選択。
- ・コストは回線速度などをもとに，自動あるいは手動で設定する。
- ・大規模なネットワークを構築する際には，エリア管理を行う。

■経路情報の作成手順

OSPFで交換される経路情報を**LSA**（**Link-State Advertisement；リンクステート広告**）と呼ぶ。OSPFでは，各ルータが隣接するルータとLSAを交換する。

LSAには，各ルータのインタフェースに接続されたネットワークやコスト（優先度）といった情報が含まれ，各ルータはLSAの情報を**LSDB**に格納する。つまり，すべてのルータは同一のLSDBを持つことになる。

各ルータは，LSDBに格納されたネットワークやリンクのコストに関する情報をもとに，ダイクストラアルゴリズムを適用して自身を根とした最短木を構築し，この最短木からルーティングテーブルを生成する。

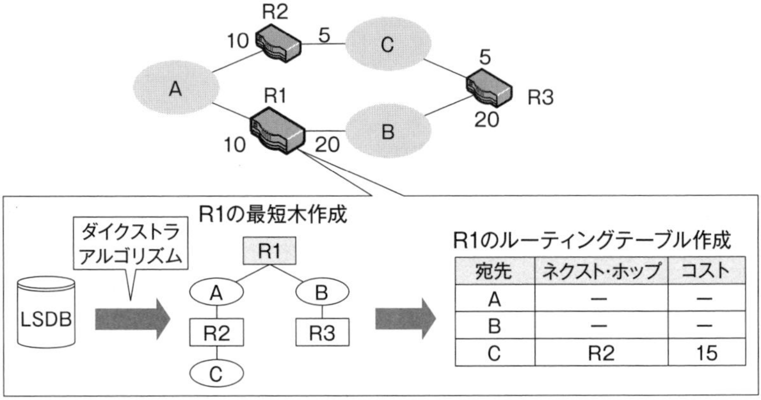

宛先	ネクスト・ホップ	コスト
A	—	—
B	—	—
C	R2	15

▶図1.3.30　ルーティングテーブルの生成

■ コスト

OSPFでは，コストをもとに最短木を作成し，各ネットワークに到達までにコストの合計値が最小となる経路を選択する。したがって，伝送速度が高速なネットワークのように積極的に利用したい経路にはより小さな値を，極力利用したくない経路には大きな値を設定することで，意図的に経路を指定することが可能となる。また，このコストはネットワーク（厳密にはルータの出口となるインタフェース）ごとに割り当てられているため，往復のパケットの経路をコントロールすることも可能となる。

さらに，OSPFには**等コスト負荷分散**という機能があり，コストの合計値が等しい経路が複数存在する場合，各経路に分散してパケットを転送する。このため，複数のネットワーク帯域を有効に使うことも可能となっている。

■ 代表ルータ（DR：Designated Router）

OSPFでは，ネットワークに属するルータが持つLSAからLSDBを作成する。ただし，全ルータが直接LSAをやり取りするのは効率が悪い。そこで，ネットワークごとにネットワークを代表する **DR**（**Designated Router；代表ルータ**）と**BDR**（**Backup Designated Router；バックアップ代表ルータ**）を選出する。ルータは

DR（とBDR）とのみLSAを交換する。また，更新などが発生した場合にも，DRが代表して各ルータに通知する。

このために，次のマルチキャストアドレスが用いられ，効率的にLSAを交換する。

224.0.0.5：すべてのルータを宛先とするマルチキャスト

224.0.0.6：DRおよびBDRを宛先とするマルチキャスト

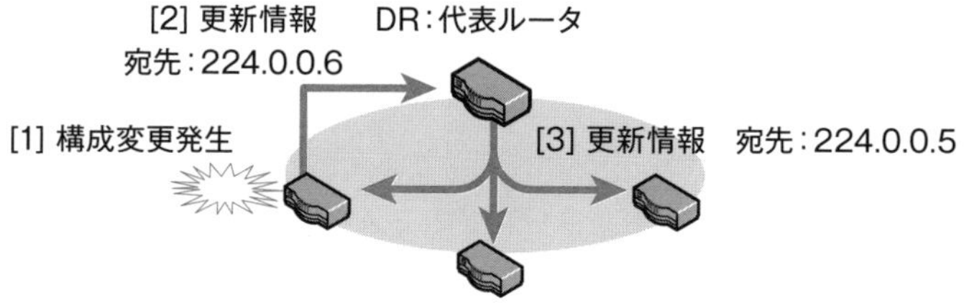

▶図1.3.31　代表ルータ

■ エリアによるOSPFルータの分類

エリア管理を導入するとき，OSPFルータはエリアにおける役割によって，次のように分類できる。

▶表1.3.11　ルータの分類

内部ルータ（IR）	OSPFエリア内部に所属するルータ
エリア境界ルータ（ABR）	エリアの境界に位置し，複数のOSPFエリアを接続するルータ
AS境界ルータ（ASBR）	OSPFドメインと非OSPFドメインの境界に位置し，OSPFネットワークと外部ネットワークを接続するルータ

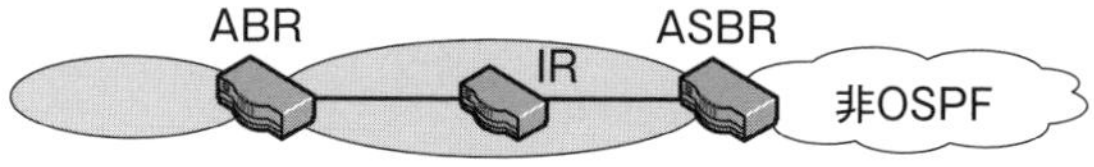

▶図1.3.32　ルータの分類

■ LSAタイプ

OSPFで交換されるLSAは，目的に応じていくつかのタイプに分けられる。ここでは，Type1〜3について簡単に説明する。

▶表1.3.12　主なLSAタイプ

Type1	ルータLSA	OSPFルータのリンク情報を他のルータへ伝達する
Type2	ネットワークLSA	OSPFエリアの経路情報をエリア内のルータへ伝達する
Type3	サマリーLSA	OSPFエリアのネットワーク情報を他のエリアへ伝達する
Type4	ASBRサマリーLSA	非OSPFドメインを接続するルータの情報を伝達する
Type5	AS外部LSA	非OSPFドメインのネットワーク情報を伝達する

❶Type1：ルータLSA

ルータLSAはすべてのルータが作成するLSAで，自ルータに接続されるリンク情報（ルータID，リンク数，各リンクのコスト情報）を同一エリア内のすべてのルータへ伝達するために用いられる。ルータLSAは，それを作成したルータが属するエリアにのみ伝播される。

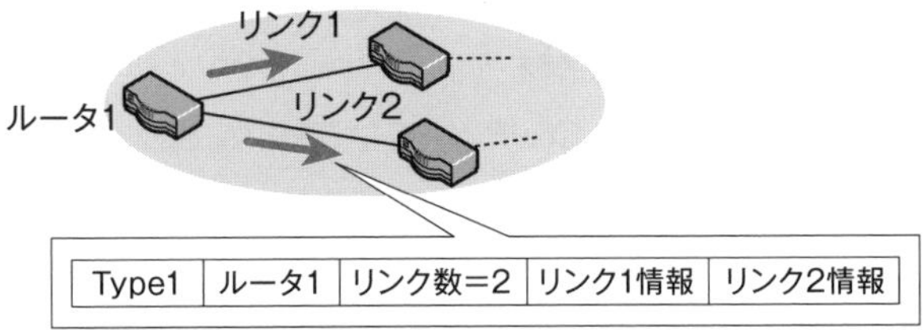

▶図1.3.33　ルータLSA

❷Type2：ネットワークLSA

ネットワークLSAは代表ルータが作成するLSAで，代表ルータ（DR）が存在するネットワーク内の情報（代表ルータのIPアドレス，ネットワークのサブネットマスク，ネットワーク内のルータIDのリスト）を同一エリア内のすべてのルータへ伝達するために用いられる。ネットワークLSAは，それを作成した代表ルータが属するエリアにのみ伝播される。

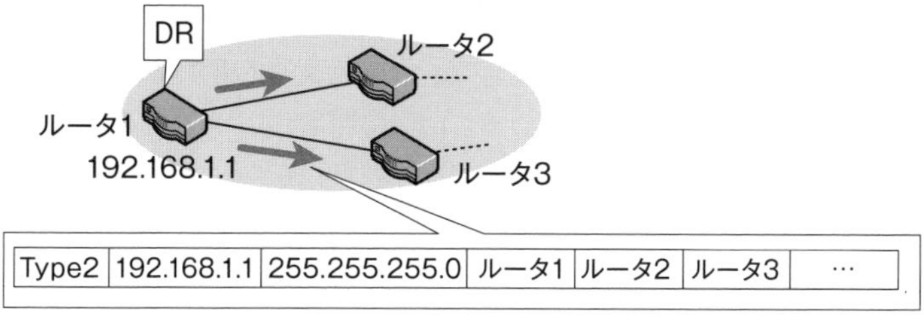

▶図1.3.34　ネットワークLSA

❸Type3：サマリーLSA

　サマリーLSAはエリア境界ルータ（ABR）が作成するLSAで，ABRが接続するネットワークの情報（ネットワークアドレス，サブネットマスク，コスト）を他方のネットワークへ伝達するために用いられる。

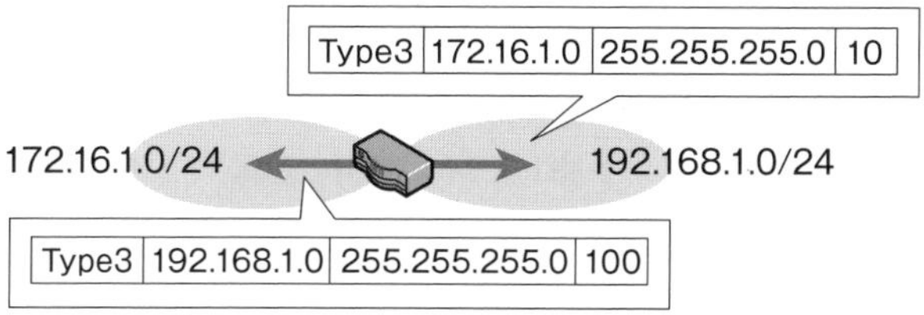

▶図1.3.35　サマリーLSA

【参考】　～ルータID

　OSPFルータには，一意のルータIDが付与される。ルータIDは，IPv4アドレスと同形式の32ビットアドレスで，８ビットごとの10進値をドットで区切って表記する。LSAタイプを説明する図中で，ルータ１やルータ２などの名称を用いているが，正確には名称ではなくルータIDが用いられる。

　ルータIDは，次の優先順位で決定される。

　　優先順位１：手動で設定した値
　　優先順位２：ループバックインタフェースの中で最大のIPアドレス
　　優先順位３：物理インタフェースの中で最大のIPアドレス

■ 経路集約

大規模なネットワークでは，同一エリア内に多くのネットワークが存在することがある。例えば▶図1.3.36のように，同一エリアに172.16.0.0/24～172.16.15.0/24という16個のネットワークが存在するとき，ABRであるルータ1はそれぞれのネットワーク情報をサマリーLSAでルータ2へ伝達する。その結果，ルータ2は16個の経路情報をルーティングテーブルに格納することになる。結果として，ルーティングテーブルのサイズが大きくなり，ルーティングの負荷が高くなる。

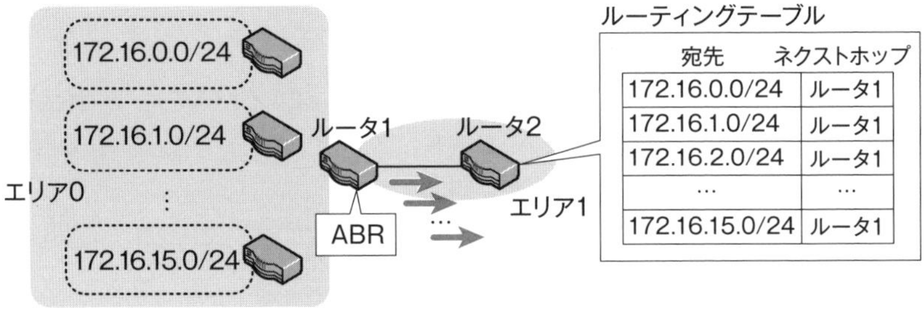

▶図1.3.36　経路の記録

これを避けるため，OSPFにはエリア間で経路集約を行う機能がある。▶図1.3.36で例示した172.16.0.0/24～172.16.15.0/24は，172.16.0.0/20に集約できるため，これをサマリーLSAで通知することで，ルーティングテーブルのサイズを小さくすることができる。

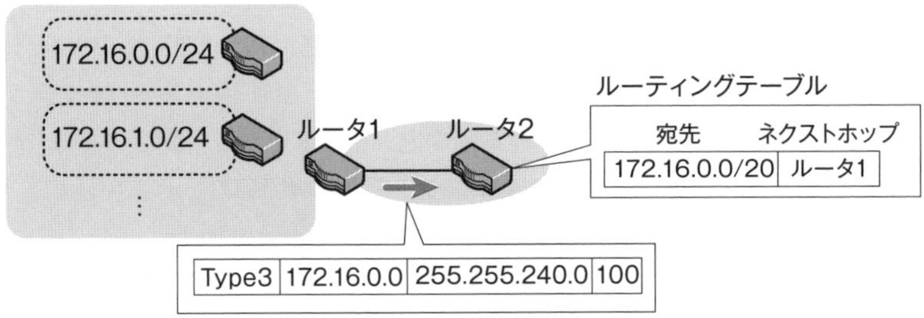

▶図1.3.37　経路の集約

■ バーチャルリンク

OSPFのすべてのエリアは，バックボーンエリアであるエリア０に直接接続されていなければならず，エリア０以外に直接接続されたエリアは「不正なエリア」となり，通信を行うことができない。ところが，ネットワークの構成上どうしても不正なエリアが生じることがある。そのような場合には，エリア０と不正エリアのエリア境界ルータ同士をポイントツーポイントのバーチャルリンクで結ぶことで，エリア０を仮想的に延長し，不正エリアを防ぐことができる。

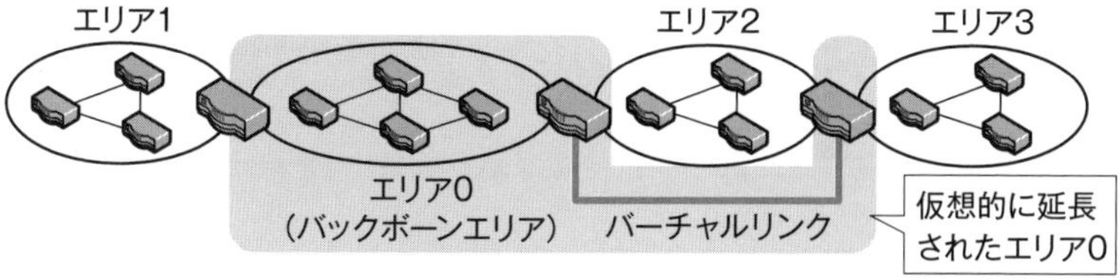

▶図1.3.38　バーチャルリンク

■ 出題の切り口1

平成28年の午後Ⅱ問２に，OSPFとIPsecを関連させた事例が出題された。設問では，「IPsecでは，ユニキャストのIPパケットをカプセル化して転送する」と説明したうえで，次が問われた。

① 検討中のIPsecルータが，OSPFの通常の設定では，リンクステート情報の交換パケットをカプセル化できない理由を述べよ。

【解説】

■代表ルータで説明したとおり，ルータは代表ルータとリンクステート情報（経路情報）をマルチキャストで交換している。そのため，マルチキャストがサポートされていないIPsecでは，リンクステート情報を交換できないのである。OSPFの特徴について，言葉だけで覚えるのではなく，仕組みを正しく理解しておこう。

【解答】

① OSPFのリンクステート情報交換は，IPマルチキャスト通信で行われるから

■ 出題の切り口2

前記と同じ問題で，OSPFによる経路選択について問われた。少し長くなるが，次のネットワーク構成図とアクセス経路の一覧を引用する。

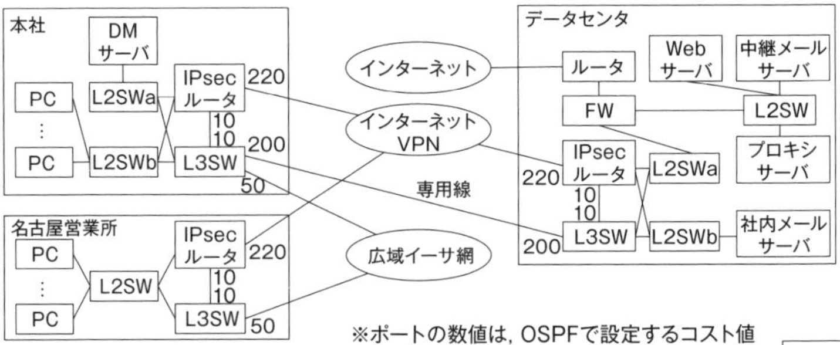

②の経路

障害箇所	送信元	宛先	経路
なし	本社のPC	インターネット	PC → 専用線 → データセンタ → プロキシサーバ → インターネット
	営業所のPC	データセンタのサーバ	PC → インターネットVPN → データセンタ → サーバ
		インターネット	PC → インターネットVPN → データセンタ → プロキシサーバ → インターネット
		DMサーバ	PC → 広域イーサ網 → 本社 → DMサーバ
名古屋営業所のインターネットVPN接続	名古屋営業所のPC	データセンタのサーバ	PC → ③ → データセンタ → サーバ
		インターネット	PC → ③ → データセンタ → プロキシサーバ → インターネット
名古屋営業所の広域イーサ網接続	名古屋営業所のPC	DMサーバ	PC → ④ → 本社 → DMサーバ

※出題に関係する経路のみ抜粋

▶図1.3.39　平成28年の午後Ⅱ問2より図表の引用

このネットワーク構成について，条件を説明したうえで，経路に関する問いがなされた。

・各拠点のL3SWとIPsecルータ間でVRRPを稼働している
・PCが接続するVRRPのマスタルータは，L3SWで稼働しているものとする
・インターネットVPNは，データセンタと本社間，及びデータセンタと営業所間で接続する（本社と営業所間はインターネットVPNでは接続しない）

②　▶図1.3.39の表中の下線部について，インターネットVPN経由となら

ないことを，コスト値を示して述べよ。
③④　▶図1.3.39の表中の［ ③ ］［ ④ ］に入る適切な経路を，表中の表記に従ってすべて列挙せよ。
（ヒント）「回線 → 拠点 → 回線」が入る

【解説】

②について，本社PCはL3SWを経由するので，

専用線経由：

PC…L3SW → 専用線 → データセンタ …

インターネットVPN経由：

PC…L3SW → IPsecルータ → インターネットVPN → データセンタ …

となる。OSPFエリアにおけるそれぞれのコストは，専用線経由が200，インターネットVPN経由が10＋220＝230となるため，コストの小さい専用線経由が選択されることを説明すればよい。

③④について，正常時の名古屋営業所からの経路は，▶図1.3.39の障害箇所「なし」，送信元「営業所のPC」に示されている。

［ ③ ］については，インターネットVPNが使えない以上は，広域イーサ網と専用線を用いて本社経由でデータセンタにアクセスするしか方法がない。

［ ④ ］については，名古屋営業所と本社間が広域イーサ網では接続できないことに注意すれば，▶図1.3.40に示す二つのルートが考えられるので，コストが小さい方を選択すればよい。

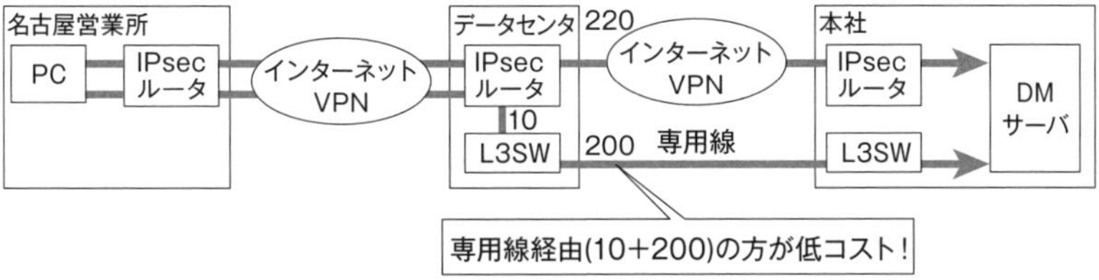

▶**図1.3.40　経路の選択**

【解答】

② インターネットVPN経由のコスト値が最小230であるのに対して，専用線経由のコスト値は200で最も小さい

③ 広域イーサ網 → 本社 → 専用線

④ インターネットVPN → データセンタ → 専用線

経路（接続）の条件を見落とすことなくチェックし，正確にコストを算出できるようにしておきましょう。

■出題の切り口3

令和3年午後Ｉの問２に，OSPFを用いたネットワーク構成を問う問題が出題された。OSPFの細かな知識が要求される難問であった。

まず，次のようなD社ネットワークが提示された。

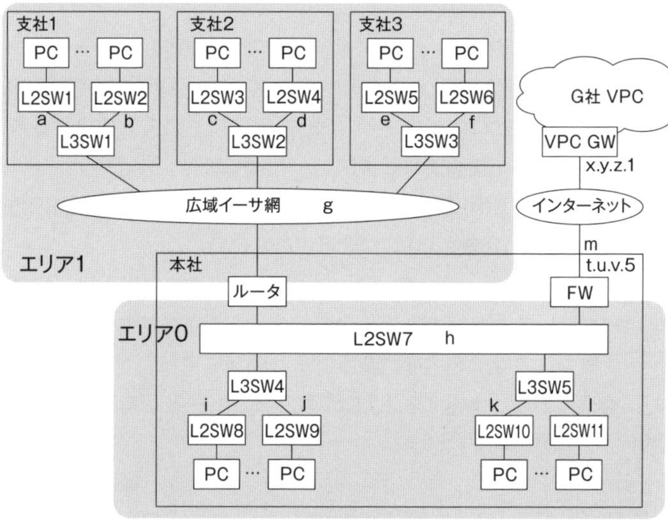

セグメント	IP アドレス	セグメント	IP アドレス
a	172.16.0.0/23	h	172.17.0.0/25
b	172.16.2.0/23	i	172.17.2.0/23
c	172.16.4.0/23	j	172.17.4.0/23
d	172.16.6.0/23	k	172.17.6.0/23
e	172.16.8.0/23	l	172.17.8.0/23
f	172.16.10.0/23	m	t.u.v.4/30
g	172.16.12.64/26	n	192.168.1.0/24

▶図1.3.41　令和３年午後Ｉ問２より図表の引用

この構成を前提として，OSPFルータが交換するLSAに関する次の空欄補充が出題された。

OSPFルータは，隣接するルータ同士でLSAと呼ばれる情報を交換することで，ネットワークトポロジのデータベースLSDBを構築する。LSAにはいくつかの種別があり，それぞれのTypeが定められている。例えば［①］LSAと呼ばれるType1のLSAは，OSPFエリア内の［①］に関する情報であり，その情報には［②］と呼ばれるメトリック値などが含まれている。また，Type2のLSAは，ネットワークLSAと呼ばれる。OSPFエリア内の各ルータは，集められたLSAの情報を基にして，［③］アルゴリズムを用いた最短経路計算を行って，ルーティングテーブルを動的に作成する。

①～③ ［①］～［③］に入る適切な字句を答えよ。

次に，D社のネットワーク構成を踏まえて経路集約を問う問題が出題された。

D社では，支社へのネットワーク経路を集約することを目的に，複数の経路を一つに集約する経路集約機能を設定している。

④ 支社ネットワーク機能を集約する目的を25字以内で答えよ。

⑤ 経路集約機能が設定された機器を，ネットワーク構成図から選んで答えよ。

⑥ 経路集約によって，ネットワーク構成図中のa ～ gは，［⑥］/16に集約される。

【解説】

①は，Type1のLSAがルータLSAと呼ばれることを知っていれば答えられる。LSAの名称は些末な知識ではあるが，一度出題されたからには次回以降も問われる可能性がある。名称と役割は覚えておこう。

②は，OSPFのメトリック値であるコストを答える。

③のアルゴリズムは，ダイクストラアルゴリズムである。最短経路探索の代表的なアルゴリズムなので，これも覚えておこう。

④は，ルーティングテーブルのサイズを小さくすることを答える。

⑤は，サマリーLSAを用いた経路集約の仕組みを理解していれば答えられる。この事例では，図中のルータがエリア１の経路を集約し，エリア０に伝達する。

⑥は，IPアドレスの集約に関する問題である。図中のa ～ gのアドレスの上

位16ビットに共通する値は172.16であるため，集約アドレスは172.16.0.0/16となる。

なお，経路集約を行うにあたっては，集約対象となる経路のアドレスも厳密に設定しておくことが望ましい。というのも，不連続なアドレス空間を集約すると，使用しないアドレスも集約されてしまうからである。本問でもやや強引なアドレス集約が行われている。

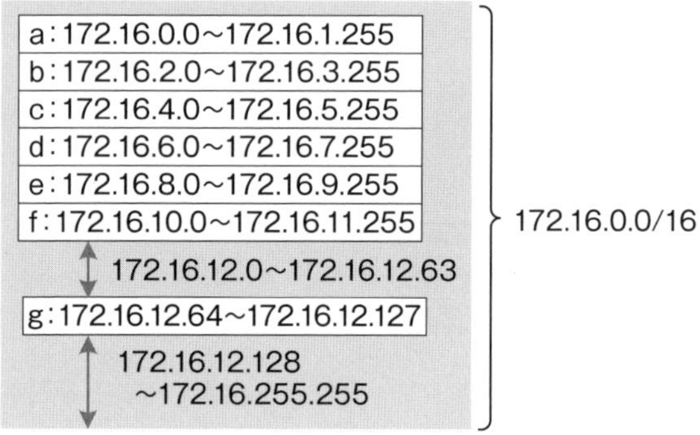

▶**図1.3.42　IPアドレスの集約**

このような，強引なアドレス集約の結果，例えば本社のPCから未使用のIPアドレスである172.16.14.1を宛先とするパケットが送信されたとき，

[1] 集約経路172.16.0.0/16に該当するため，本社のL3SWはルータに転送する
[2] 存在しないアドレスなので，ルータはデフォルトゲートウェイであるFWに転送する
[3] 集約経路172.16.0.0/16に該当するため，FWはルータに転送する

と転送が繰り返され，ルータとFW間でループが発生することになる。

令和３年午後Ｉの問２では，このようなループの発生やその解決方法に関する出題もあった。

【解答】

①　ルータ　②　コスト　③　ダイクストラ
④　ルーティングテーブルサイズを小さくする
⑤　ルータ　⑥　172.16.0.0

Focus BGP-4

大企業のネットワークは，内部のネットワーク要素が複雑に絡み合うため，OSPF では経路情報の管理が行き届かないこともあります。そのような場合に BGP が用いられることがあります。BGP は OSPF に比べるとまだまだ出題頻度は多くはありませんが，今後出題が増えることも十分考えられます。

■ 基礎編のおさらい

BGPについて，基礎編で説明した事項を確認しておく。

- AS間の経路を決定するためのパスベクタ型ルーティングプロトコル。
- AS間で経路情報を交換するeBGPと，AS内で経路情報を中継するiBGPがある。
- 経路情報の交換負荷を減少させるため，ルートリフレクションを行う。
- ルートリフレクションは，代表となるルータ（ルートリフレクタ）が他ルータと経路情報を交換する。

■ BGPとAS番号

BGPは，AS番号とCIDRのアドレスのブロックの組合せでルーティングを実現するルーティングプロトコルである。公的な機関から割り当てられるAS番号は，16ビットのユニークな番号（1～65,534）で，組織内の通信のみであればプライベートAS番号（64,512～65,534）の範囲を使うこともできる。

BGPは，インターネットのようなAS間のルーティングに使われるプロトコルであったが，**AS 内部のネットワーク構造が複雑になるに従い，AS内部のルーティングにも利用**されるようになってきている。

■ BGPピア

BGPを用いた経路制御では，BGPルータ間に**ピア**と呼ばれるコネクションを設定する。このコネクションは，TCPポート番号の179番を使用して経路情報の交換を行う。

BGPでは，AS内部の経路情報の交換とAS間での経路情報の交換では，処理の方式が異なる。そのため，AS内部で用いられる**iBGPピア**とAS間で用いられる**eBGP**

ピアは区別される。

iBGPピア	AS内部のルータ間を結ぶBGPピア
eBGPピア	AS間のルータを結ぶBGPピア

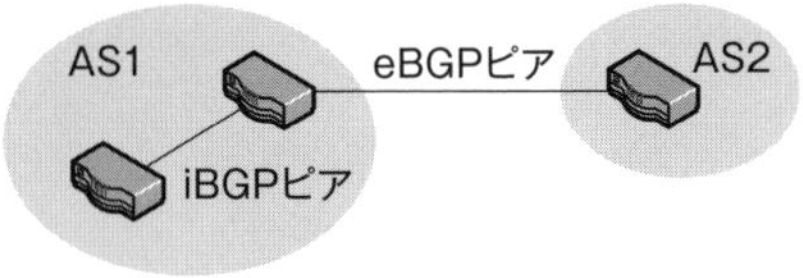

▶図1.3.43　BGPピア

■ BGPの動作

BGPピアの確立を終えたルータは，次のメッセージを交換しながら，経路情報を維持する。

▶表1.3.13　BGPで交換されるメッセージ

OPEN	BGPピアを確立したルータ間で最初に交換されるメッセージ
UPDATE	経路情報の伝達のために交換されるメッセージ
KEEPALIVE	ルータの生存確認のため，一定間隔で交換されるメッセージ
NOTIFICATION	ピアの継続が不可能になるエラーの発生を通知するメッセージ

①BGP基本情報の交換

TCPコネクションを確立したルータ間で**OPENメッセージ**を交換する。このOPENメッセージには，AS番号やルータIDなどのBGPの基本情報が含まれている。OPENメッセージの交換が正しく行われた時点で BGPセッションが確立される。

②経路情報の交換

BGPセッションを確立したルータ間で**UPDATEメッセージ**（経路情報を含むメッセージ）を相互に交換する。

③ルータの生存確認

TCPコネクションを確立したルータ間では，一定間隔で**KEEPALIVEメッセージ**（生存確認のメッセージ）を交換する。KEEPALIVEメッセージを受信できなかった場合，BGPセッションを切断し，相手ルータを経由する経路を経路情報から削除する。

④**エラーの発生**

ピアの継続が不可能になるエラーが発生した場合は，これを検知したルータが**NOTIFICATIONメッセージ**を送信し，BGPセッションを切断する。

⑤**経路変更情報の交換**

経路情報に変更（追加・削除）があった場合，変更部分のみをUPDATEメッセージで通知する。同一の宛先に対して複数の経路を利用できる場合，BGPではパス属性を比較して最適経路を決定する。

■ パス属性

UPDATEメッセージに含まれる経路情報は，経路ごとに次の**パス属性**を持つ。

▶**表1.3.14　主なパス属性**

AS_PATH	経路情報が経由したAS番号のリスト
NEXT_HOP	宛先ネットワークへのネクストホップのIPアドレス
MED	自AS内に存在する宛先ネットワークの優先度
LOCAL_PREF	外部のAS内に存在する宛先ネットワークの優先度

①**AS_PATH属性**

AS_PATH属性は，経路情報が経由したAS番号のリストである。AS_PATH属性を用いたルーティングでは，リストの短い（経由したASが少ない）経路を優先経路とする。

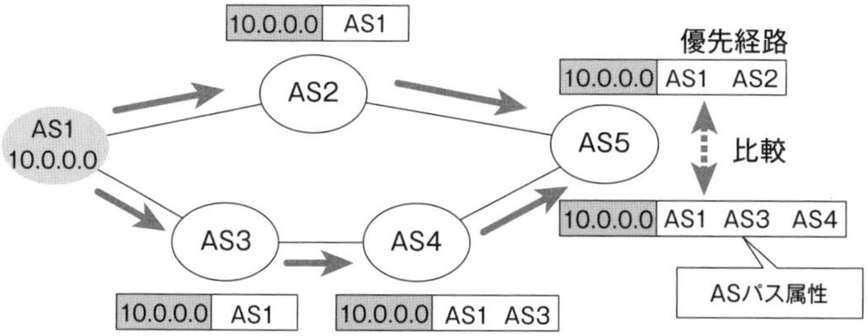

▶**図1.3.44　AS_PATH属性**

なお，経路のループを防ぐため，相手ルータから受け取ったパス属性のAS_PATHリストに自AS番号が含まれていた場合には，そのパス属性を破棄する。

②NEXT_HOP属性

NEXT_HOP属性は，宛先ネットワークアドレスへのネクストホップのIPアドレスを示す。ネクストホップのIPアドレスは，ルータがパケットを転送する宛先を示す。

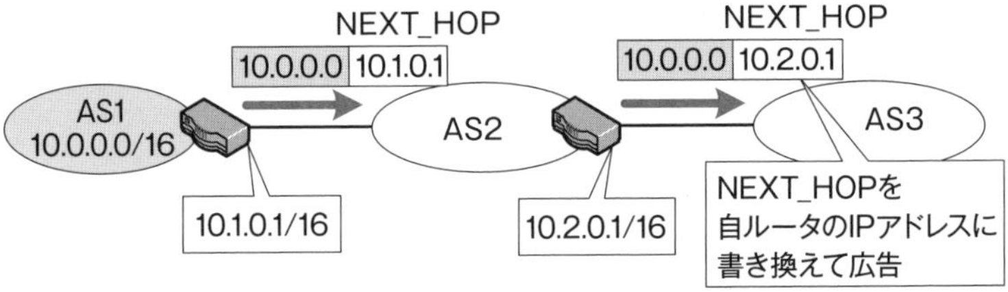

▶図1.3.45　NEXT_HOP属性

③MED属性

MED属性は，自AS内に存在する宛先ネットワークアドレスの優先度で，**値の小さい方を優先する**。MED属性は，自ASに複数の入口があるとき，どちらを優先すべきかを隣接ASに通知する目的で使用する。

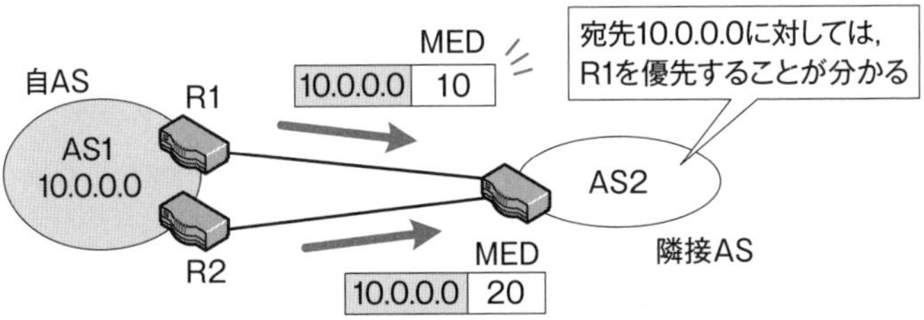

▶図1.3.46　MED属性

④LOCAL_PREF属性

LOCAL_PREF属性は，外部のASに存在する宛先ネットワークアドレスの優先度で，**値の大きい方を優先する**。LOCAL_PREF属性は，自AS内に複数の出口があるとき，どちらを優先すべきかを指定する目的でAS内でのみ使用する。

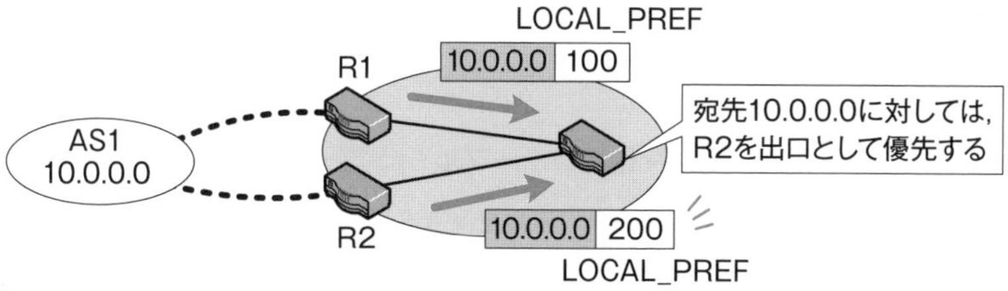

▶図1.3.47　LOCAL_PREF属性

【参考】～ NEXT_HOPの広告

NEXT_HOPの広告について，一つ非常に分かりづらい性質がある。それは，NEXT_HOPを他AS（eBGPピア）へ広告するとき，NEXT_HOPを自ルータのIPアドレスに書き換えて広告するが，自AS（iBGPピア）へ広告する際は，書き換えずに広告する，というものである。そのため，何も対処を行わなければ，▶図1.3.48に示したNEXT_HOPの広告により「R3のネクストホップはR1（10.2.0.1)」となり，R2への転送ができなくなってしまう。

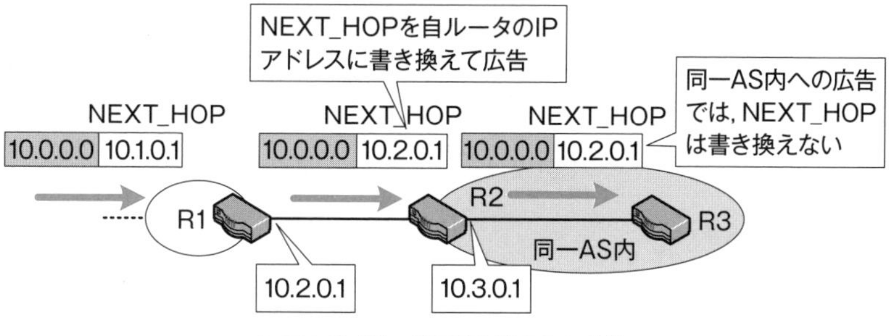

▶図1.3.48　NEXT_HOPの広告

対処としては，

・AS内では経路をスタティックに設定する。
・同一AS内は，next-hop-selfコマンドを用いてNEXT_HOPを広告する。

などがある。next-hop-selfコマンドを用いると，同一AS内でもNEXT_HOPに自ルータのIPアドレスを広告するため，スタティックな経路設定は不要となる。

■ BGPルータが記録するテーブル

BGPでルーティングを行うため，ルータは次のテーブルを保持する。

▶表1.3.15　BGPルータが記録するテーブル

ネイバーテーブル	隣接ルータの情報を保持するテーブル
BGPテーブル	パス属性の送受信によって記録したルート情報を保持するテーブル
ルーティングテーブル	実際のパケット転送で用いるテーブル。BGPテーブルの最適経路が記録される

▶図1.3.49に，BGPテーブルの例を示す。なお，LOCAL_PREFには，10.10.0.1を優先する設定が行われているものとする。

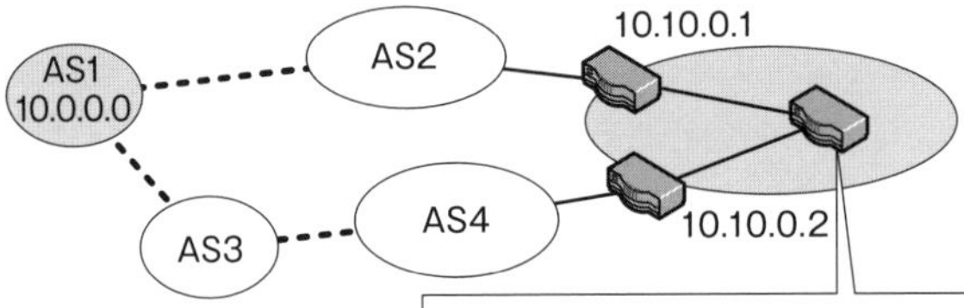

宛先	AS_PATH	MED	LOCAL_PREF	NEXT_HOP
10.0.0.0	AS1 AS2	0	200	10.10.0.1
10.0.0.0	AS1 AS3 AS4	0	100	10.10.0.2

※NEXT_HOPは正しく設定されている

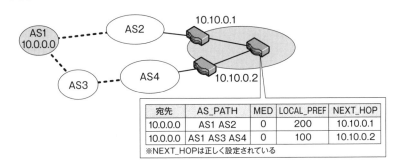

▶図1.3.49　BGPテーブルの例

■ BGP経路の冗長化

障害に備えてBGP経路を冗長化することも多い。このとき，物理インタフェースごとにBGPピアを管理すると，複数のBGPピアを管理することになる。また，インタフェースに障害が発生したとき，不通となったBGPピアの削除なども必要となる。このような管理はネットワークに負担を与えるため，通常はBGPルータにループバックインタフェースを用意し，ループバックインタフェース同士を結ぶ単一のBGPピアで管理することが多い。

ループバックインタフェースでBGPピアを管理することで，物理インタフェースに障害が生じた場合でも，BGPピア情報を変更することなく経路を切り替えることができる。

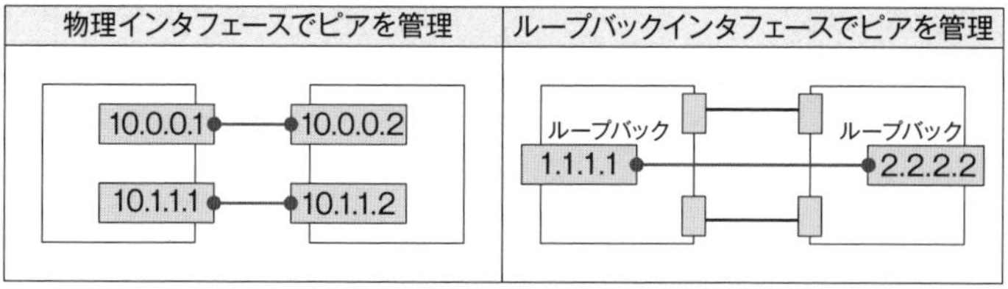

▶図1.3.50　BGP経路の冗長化

■ BGPマルチパス

BGPルータのルーティングテーブルには，BGPテーブルに格納された経路のうち「最適な経路」のみが反映される。BGPによるパケット転送は，そのルーティングテーブルに従って行われるので，通常のBGPでは最適経路のみが用いられ，冗長経路を用いた負荷分散は行われない。

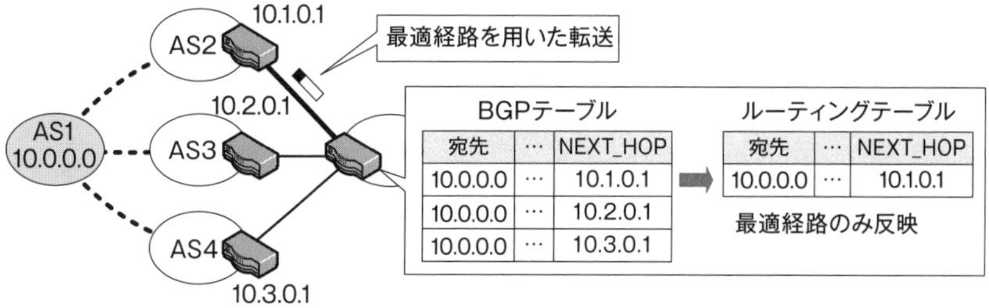

▶図1.3.51　最適経路を用いた転送

BGPマルチパスは，コストが等しい経路を用いて負荷分散を実現する技術である。BGPマルチパスを有効にすると，BGPテーブル内のLOCAL_PREFやAS_PATH，MEDの値が同じでNEXT_HOPだけが異なる複数経路がルーティングテーブルに反映され，それらを用いてトラフィックを分散することができる。

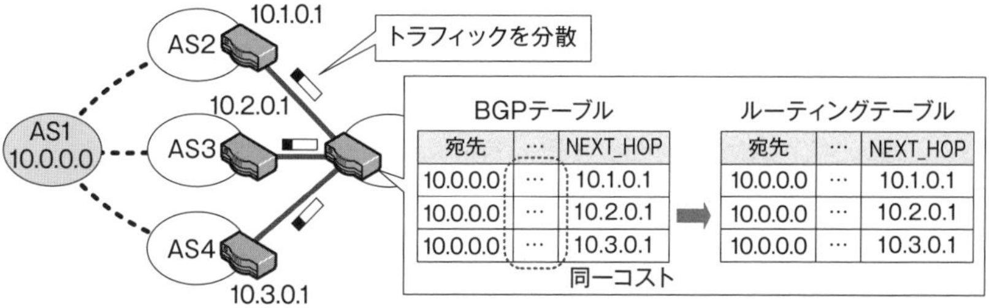

▶図1.3.52　BGPマルチパス

■ 出題の切り口 1

平成29年の午後Ⅰ問3に，BGPとOSPFを併用するネットワーク構成が出題された。

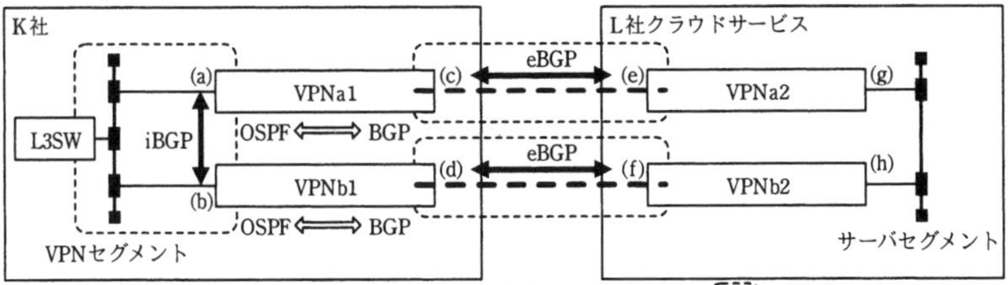

注記1　太い破線は，VPNトンネルを示す。　⟷：BGPピア　（破線枠）：OSPFエリア
注記2　(a)～(h)は，VPNルータに割り当てたプライベートIPアドレスを示す。

▶図1.3.53　平成29年午後Ⅰ問3　「図2　K社NWとL社クラウドサービスとの経路情報の交換の概要」

このネットワーク構成を題材として，BGPの基本的な性質やBGPの動的経路制御を利用する利点が問われた。

BGPはルーティングプロトコルの一つであり，特定のルーティングポリシで管理されたルータの集まりを示す［　①　］の間で，経路情報の交換を行うために開発されたプロトコルである。

BGP接続を行う２台のルータ間ではトランスポートプロトコルの一つである［　②　］のポート179番を使用し，経路情報の交換を行う。このコネクションのことをBGPピアと呼ぶ。

①② ［　①　］［　②　］に入る適切な字句を答えよ。

③　K社とL社クラウドサービスとのネットワーク接続では，静的経路制御，又はBGPを用いた動的経路制御を選択できる。BGPを用いた動的経路制御を選択した利点を40字以内で述べよ。

【解説】

①はAS，②はTCPである。BGPピアの確立についてよく覚えておこう。

③については，K社とL社を２回線で接続していることに注目すればよい。このような２重化構成とすることで，障害時のう回路を確保することができる。さらに，BGPなどの動的経路制御を組み合わせることで，KEEPALIVEメッセージの状況やNOTIFICATIONメッセージの受信によって障害を自動的に検出

し，データをう回させることができる。この利点を解答すればよい。

一度出題された問題は難度を上げて繰返し出題される傾向があります。次はポート番号やBGPピアという名称，メッセージの名称が出題されるかもしれません。よく覚えておきましょう。

【解答】

① AS　② TCP

③ BGPによって回線断や機器障害を検知し，トラフィックをう回できる。

■ 出題の切り口2

令和３年午後Ⅱ問２に，BGPを用いてインターネット接続を冗長化する問題が出題された。BGPの性質を学習できる良問であった。

問題の中で，次のような冗長化案が提示された。

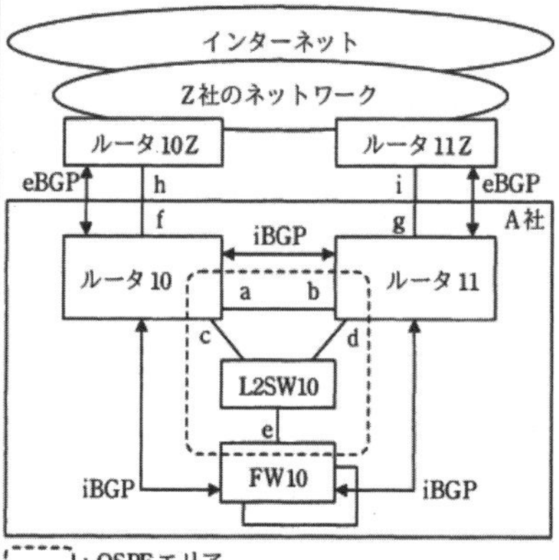

各機器に付与されているアドレス一覧

機器名	インタフェース	IPアドレス/ネットマスク
ルータ10Z	h	α.β.γ.1/30
ルータ11Z	i	α.β.γ.5/30
ルータ10	a	α.β.γ.13/30
	c	α.β.γ.17/29
	f	α.β.γ.2/30
	ループバック	α.β.γ.8/32
ルータ11	b	α.β.γ.14/30
	d	α.β.γ.18/29
	g	α.β.γ.6/30
	ループバック	α.β.γ.9/32
FW10	e	α.β.γ.19/29

[破線枠]：OSPFエリア

注記1　L2SWは冗長構成であるが，図では省略している。
注記2　a～iは，各機器の物理インタフェースを示す。
注記3　FWはクラスタ構成であり，物理的に2台のFWが論理的に1台のFWとして動作している。
注記4　表中のIPアドレスは，グローバルIPアドレスである。
注記5　←→ は，BGPピアを示す。

▶図1.3.54　令和３年午後Ⅱ問２「図２　Z社の提案した構成（抜粋）」

この構成について，まず次が問われた。

① ルータ10とルータ11はループバックインタフェースに設定したIPアドレスを利用し，FW10はeに設定したIPアドレスを利用して，互いにiBGPのピアリングを行う。iBGPのピアリングにループバックインタフ

ェースに設定したIPアドレスを利用するのはなぜか。FW10とのインタフェースの数の違いに着目し，60字以内で述べよ。

次に，BGPの経路選択アルゴリズムについて，次の空欄補充が出題された。

BGPルータは，BGPテーブルに格納された経路情報の中から，次の評価順で最適経路を一つだけ選択し，ルーティングテーブルに反映する。

▶表1.3.16　令和３年午後Ⅱ問２「表３　最適経路選択アルゴリズムの仕様」

評価順	説明
1	LOCAL_PREFの値が最も大きい経路情報を選択する。
2	AS_PATHの長さが最も[　②　]経路情報を選択する。
3	ORIGINの値でIGP，EGP，Incompleteの順で選択する。
4	MEDの値が最も[　③　]経路情報を選択する。

※評価順５以降は省略

②③　[　②　][　③　]に入る適切な字句を答えよ。

さらに，デフォルトルートの経路情報について，FW10に格納されたBGPテーブルとルーティングテーブルの内容が問われた。

ルータ10Zとルータ11Zはデフォルトルートの経路情報の広告を行う。ルータ10とルータ11も，付与されたIPアドレスの広告を行う。この結果，FW10のBGPテーブルとルーティングテーブルの内容は次のようになる。

▶表1.3.17　令和３年午後Ⅱ問２より表の引用

FW10のBGPテーブル

宛先	AS_PATH	MED	LOCAL_PREF	NEXT_HOP
0.0.0.0/0	64496	0	200	[　④　]
0.0.0.0/0	64496	0	100	[　⑤　]

FW10のルーティングテーブル

宛先	ネクストホップ	インタフェース
0.0.0.0/0	α.β.γ.8	e
α.β.γ.8/32	⑥	e
α.β.γ.9/32	⑦	e

④〜⑦ ［④］〜［⑦］に入る適切なIPアドレスを答えよ。なお，FW10からインターネットへ接続する際は，ルータ10の経路を優先する。

この他にも，BGPルータ同士が交換するメッセージや，BGPマルチパスなどの問題も出題された。BGPを深く学ぶためにも，ぜひチャレンジしたい問題であった。

【解説】

①は，■**BGP経路の冗長化**で述べた，BGPピアを変更することなく経路を切り替えることができる性質に着目する。例えば，ルータ10とFW10のiBGPピアを物理インタフェースc，eで管理しているとき，インタフェースcの障害（例えばケーブル抜け）によってルータ10とFW10のiBGPピアが切れてしまうことになる。ところが，インタフェースcに障害が発生したとしても，ルータ10そのものに障害が及んでいないとき，ルータ10とFW10は「ルータ11を経由する迂回ルート」で通信を継続できる。このような場合に，物理インタフェースではなくループバックインタフェースでBGPピアを作っておけば，ルータ10とFW10のiBGPピアが切れることなく，迂回ルートを用いることができる。この迂回ルートはOSPFレベルで構成され，ルータ10とFW10のiBGPピアには影響を与えない。このOSPFエリアの設定により，相手ルータのループバックアドレスにアクセスできる。

②③は，■**パス属性**で述べた内容で解答できる。AS_PATH属性は「経由するASのリスト」であり，これが最も短い経路が最適経路となる。MED属性は「経路の優先度」であり，値が小さい経路を優先する。

④⑤を答えるBGPテーブルは，BGPが交換するパス属性を記録するテーブルである。

・デフォルトルートにはルータ10の経路とルータ11の経路がある。

・BGPピアは，ルータのループバックアドレスを用いて構築されている。

・ルータ10の経路が優先される。

ということを考えれば，LOCAL_PREFの値が大きな行の④にルータ10のループバックアドレスが，⑤にルータ11のループバックアドレスが入ることが分かる。

ルータのループバックアドレスを記録するBGPテーブルとは異なり，ルーティングテーブルには実際の転送に必要な物理インタフェースのアドレスを記録する。したがって，⑥にはルータ10のインタフェースcのアドレスが，⑦にはルータ11のインタフェースdのアドレスが入る。

【解答】

① ルータ10とルータ11はOSPFを構成するインタフェースが二つあり，迂回路を構成できるから

② 短い　③ 小さい　④ $\alpha.\beta.\gamma.8$　⑤ $\alpha.\beta.\gamma.9$

⑥ $\alpha.\beta.\gamma.17$　⑦ $\alpha.\beta.\gamma.18$

1.4 トランスポート層

Point!

ネットワーク層は，IPアドレスによって個々のホストを識別するが，ホスト上で稼働する個々のプロセス（アプリケーション）は識別できない。トランスポート層は，ネットワーク層の上位に位置し，通信を行う個々のプロセスを識別することで，プロセス間のデータ転送を実現する。

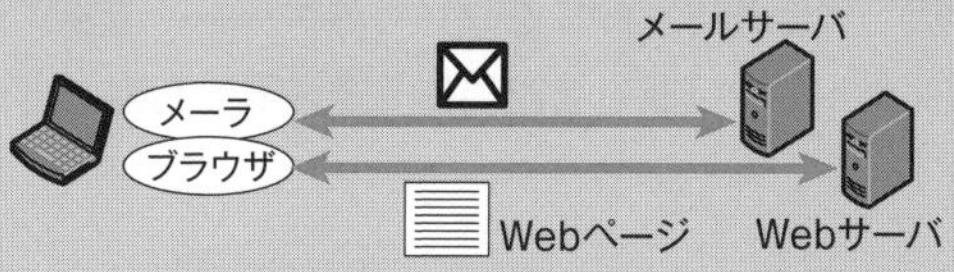

プロセスの識別とデータ転送

情報処理技術者試験では，トランスポート層の機能を「エンドプロセス間の透過的な通信を実現する」と表現することがあります。

… 30秒チェック！ …
Super Summary

1 コネクション／コネクションレス

【目標】トランスポート層の通信方式について知る。

□コネクション型方式…信頼性を重視した通信方式

□コネクションレス型方式…速度を重視した通信方式

2 ポート番号

【目標】ポート番号について役割と大まかな割当てを知る。

3 TCP

【目標】コネクション型のプロトコルであるTCPについて通信制御の方式を知る。

□ハンドシェイク…コネクションの確立と維持のために行われる一連のやり取り
□３ウェイハンドシェイク…TCPが行うハンドシェイクの方式
□パケットの連続送信…パケットの応答確認を待たずに連続送信するTCPの機能
□ウィンドウ制御…パケットの連続送信を実現する制御の仕組み
□スライディングウィンドウ制御…TCPが行うウィンドウ制御の方式
□一括応答確認…数パケット分をまとめて確認応答する仕組み
□フロー制御…受信側の状態にあわせてパケットを送信する制御
□BBR…パケットのやり取りを監視して通信量を制御

4 UDP

【目標】コネクションレス型のプロトコルであるUDPについて概要を知る。

1 コネクション／コネクションレス

トランスポート層の通信は，信頼性を重視した**コネクション型通信**と，速度を重視した**コネクションレス型通信**に分けることができる。

コネクション型通信は，通信に先立って相手ホストとの論理的な通信路（コネクション）を確立する方式である。コネクションを管理することで，データの到達やパケットの順序を保証し，高い信頼性を確保することができる。

コネクションレス型通信とは，コネクションの管理を行わず，受信側のプロセスに対して一方的に通信を行う方式である。コネクション管理を省略しているため，効率の良い高速な通信を実現できるが，データに発生した誤りを回復する機能はない。

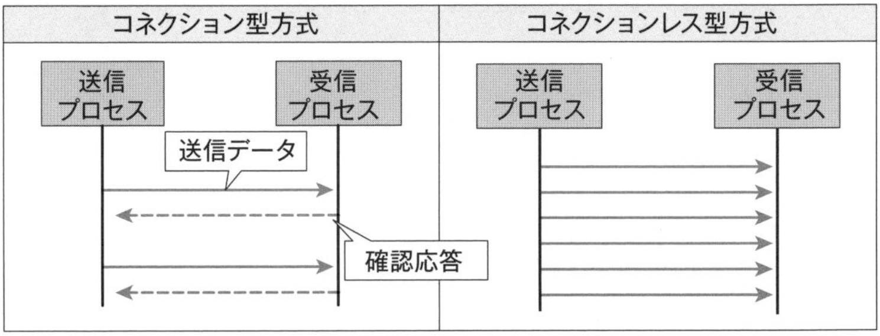

▶図1.4.1　コネクションとコネクションレス

TCP/IPには，コネクション型のプロトコルとしてTCPが，コネクションレス型のプロトコルとしてUDPが用意されている。

2 ポート番号

通信において，IPアドレスで特定されたホスト上では，複数の通信プロセスが稼働している。**ポート番号**とは，これらのプロセスの中から通信するプロセスを特定するための番号である。トランスポート層は，ポート番号を用いてデータ通信を行うプロセスを識別している。

ネットワーク上のポート番号は，16ビットからなり，0～65535の10進数で表記される。

▶表1.4.1 ポート番号の割当て

ポート番号	内容
0～1023	ウェルノウンポート番号。サーバプロセス用に予約されたポート番号（25:SMTP，80:HTTPなど）
1024～49151	特定のアプリケーションによって予約されたポート番号（1521:Oracle DB，8080:Apache Tomcatなど）
49152～65535	クライアントプロセスに割り当てるポート番号

サーバのポート番号は固定ですが，クライアントのポート番号はクライアントプロセスの起動時に，OSによって動的に割り当てられます。

3 TCP（Transmission Control Protocol）

TCPは，データを正確に通信できるように制御するコネクション型のトランスポート層プロトコルである。TCPで高信頼性が確保できるため，TCPを利用する上位層のアプリケーションは自動的に高い信頼性を得ることができる。

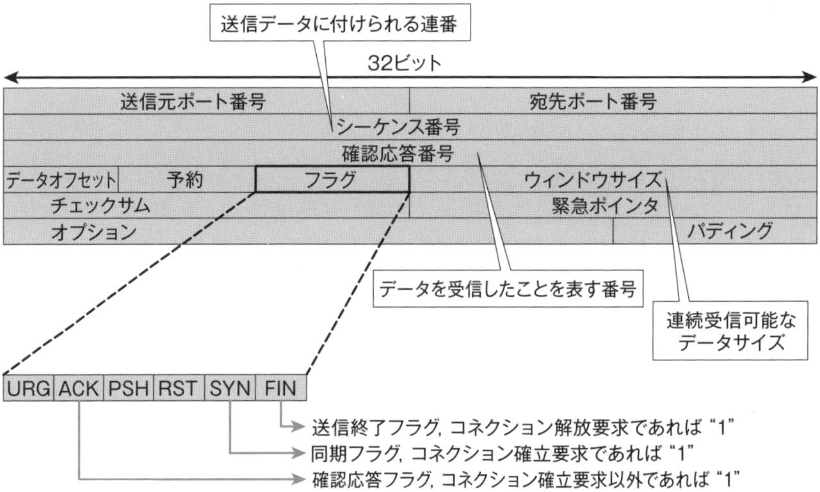

▶図1.4.2　TCPのヘッダフォーマット

TCPは，TCPヘッダの**シーケンス番号**と**確認応答番号**を用いて，データパケットが正しく送受信できていることを確認する。**シーケンス番号は，直前に受信したパケットの確認応答番号が入り，確認応答番号は受信パケットのシーケンス番号に受信データ長を加えた値が入る**。なお，コネクションの確立および終了時のみ，特例として，確認応答番号は受信パケットのシーケンス番号に1を加えた値となる。

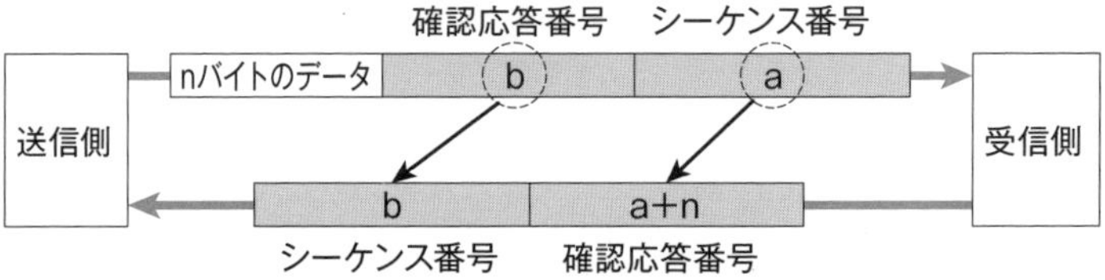

▶図1.4.3　シーケンス番号と確認応答番号

1 ハンドシェイク

TCPでは，送信側が送ったデータパケットに対して，受信側が確認応答を送ることでコネクションを維持する。このような協調的な通信を「送信者と受信者が互いに手を取り合う」ことに例えて，**ハンドシェイク**と呼ぶ。

TCPによる通信は次の手順で行われる。

［1］コネクションの確立

送信側と受信側で通信可能であることを確認することで，コネクションを確立する。コネクション確立時に，双方のシーケンス番号の初期値などが共有される。なお，シーケンス番号の初期値にはランダムな値が設定される。

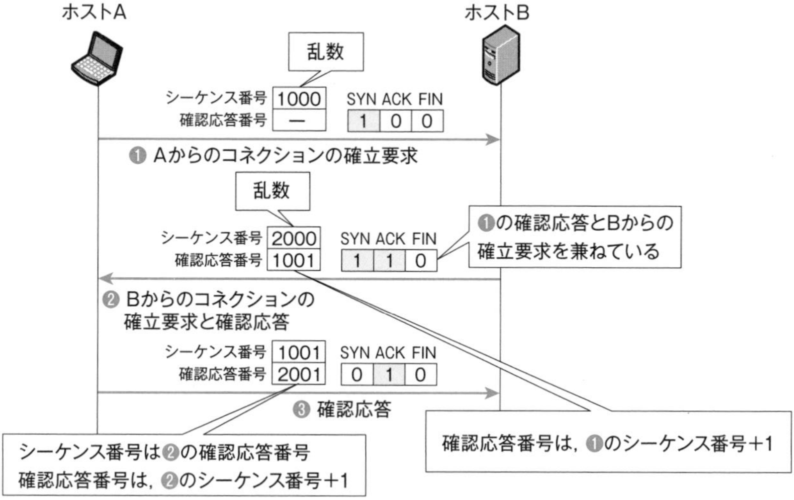

▶図1.4.4　TCPのコネクション確立

▶図1.4.4で示したとおり，コネクションの確立には送受信者間で３回のやり取りが必要になる。そのため，TCPにおけるコネクションの確立手順は，**3ウェイハンドシェイク**という名称が付けられている。

［2］データ通信

送信側がデータを送信し，受信側は確認応答パケットを返信する。
送信パケットのシーケンス番号は，最後に受信した確認応答パケットの確認応答番号となる。これに対する確認応答パケットでは，確認応答番号とシーケンス番号に，

確認応答番号：受信パケットのシーケンス番号+データのサイズ（バイト数）
シーケンス番号：受信パケットの確認応答番号

をそれぞれ設定して送信する。

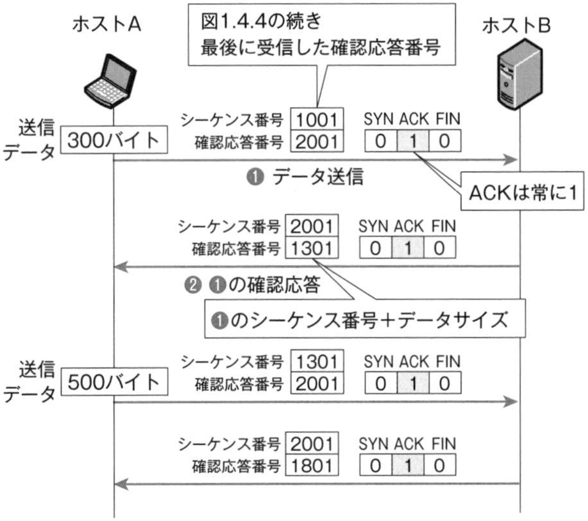

▶図1.4.5　TCPのデータ通信

[3] コネクションの切断

通信を行った両者が互いにFINパケットを送りあうことで，コネクションを切断する。FINパケットを受け取ったときに未送信データが残っていれば，それらの送信を終えてからFINパケットを送信する。

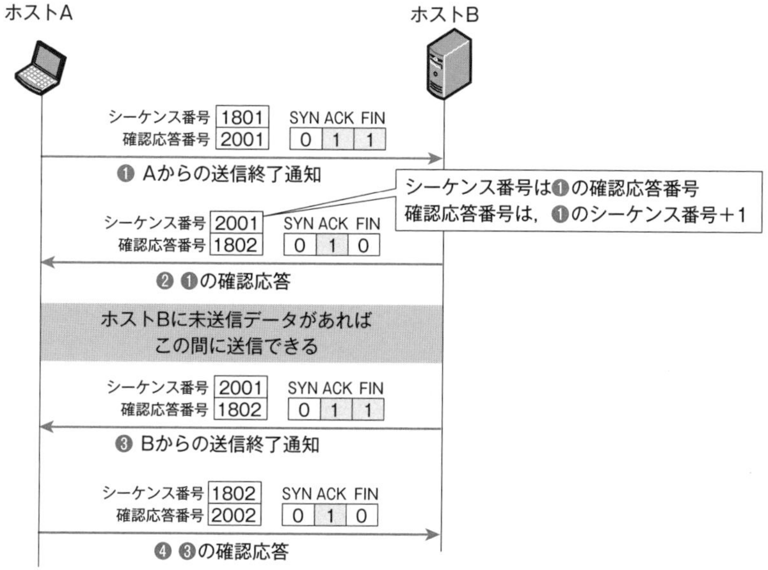

▶図1.4.6　TCPのコネクション切断

2 パケットの連続送信

1つのデータパケットごとに確認応答を行うと，送信側は次のパケットを送るまでパケットが往復する時間待つため通信効率が悪い。TCPでは，パケットごとの確認応答を待たずに複数のパケットを連続送信し，後から確認応答を受信することで通信効率を上げることができる。

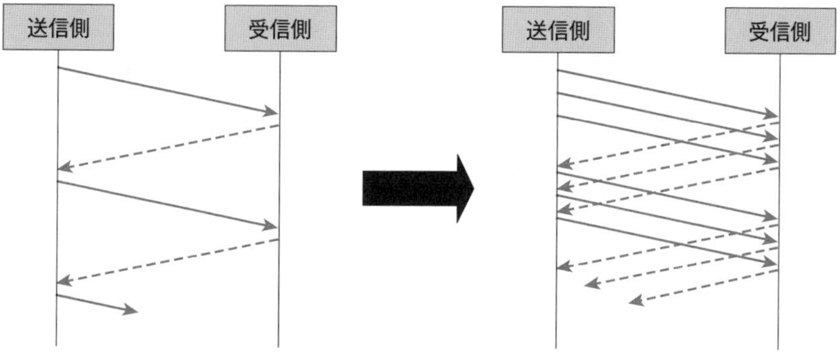

▶図1.4.7　パケットの連続送信

3 ウィンドウ制御

パケットの連続送信を実現するために，受信側は**ウィンドウ**と呼ばれる「データを連続受信できる領域」を用意し，領域の大きさ（ウィンドウサイズ）を送信側に通知する。送信側は，ウィンドウサイズ内でパケットを連続送信できる。

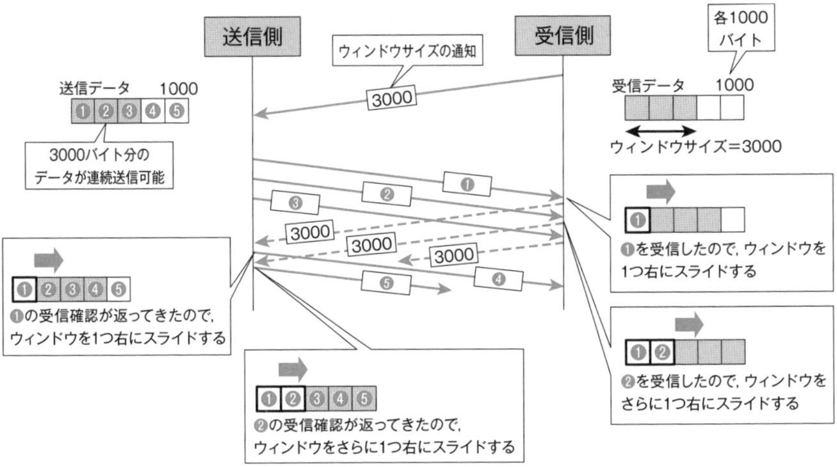

▶図1.4.8　ウィンドウ制御

▶図1.4.8のイメージに沿って，**ウィンドウ制御**の流れを説明する。

コネクションの確立時に，受信側は送信側にウィンドウサイズを通知する。図では，3000バイトのウィンドウサイズを設定している。

この通知を受けた送信側は，パケット❶～❸を連続送信する。

❶を受けた受信側は，受信データをバッファに格納する。このとき，受信バッファ（ウィンドウ）にはまだ余裕があるので，ウィンドウを１つ右にスライドさせ，ウィンドウサイズ（変わらず3000）を含めて確認応答する。

❶の確認応答を受けた送信側は，ウィンドウを１つ右にスライドさせる。これにより，送信側はパケット❷～❹の連続送信が可能であることを知るが，❷および❸はすでに送信済みなので，パケット❹を送信する。

以降，このようなやり取りを続けながら，パケットが送受信される。パケットが送受信されるたびに，送信側と受信側のウィンドウがスライドするため，この制御を**スライディングウィンドウ制御**と呼ぶこともある。

4 一括応答確認

受信側は，受信したパケットに逐一確認応答を行うのではなく，数パケット分をまとめて確認応答を返すこともできる。

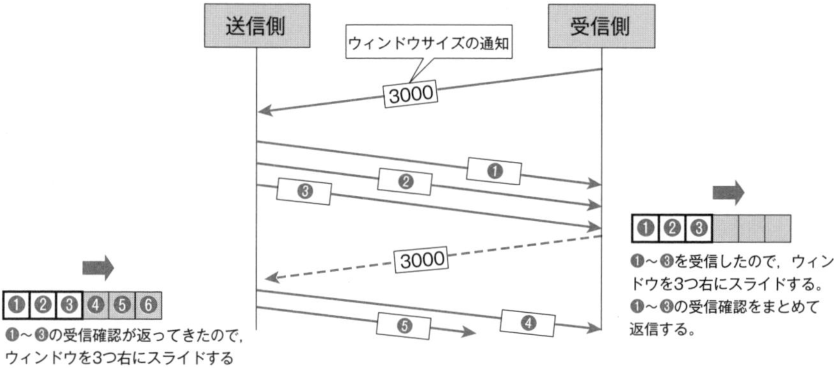

▶図1.4.9　スライディングウィンドウ制御

5 フロー制御

パケットが連続送信されたとき，受信側の状態によっては受信処理が追いつかなくなり，受信バッファがオーバフローするおそれがある。これを避けるため，受信側は自身の状態を送信側へフィードバックし，送信のタイミングを調整することができる。このような仕組みを，**フロー制御**と呼ぶ。TCPでは，ウィンドウサイズの値を調整することで，フロー制御を実現する。このため，TCPにおけるフロー制御を，**ウィンドウフロー制御**と呼ぶこともある。

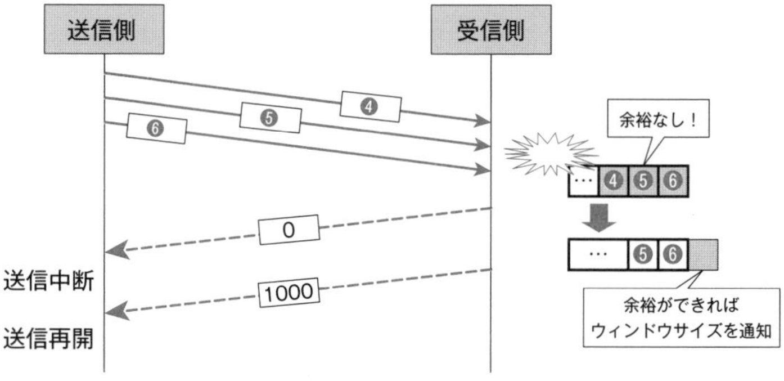

▶図1.4.10　フロー制御

6 BBR (Bottleneck Bandwidth and Round-trip propagation time)

BBRはTCPで用いられる輻輳制御の１つで，通信パケットのやり取りを監視することで帯域幅と応答時間を予測し，遅延が発生する手前の最適な状況を保つよう通信量を制御する。これは従来のパケットロスが発生してから制御する方式に比べ，輻輳を抑えることが期待できる。

4 UDP（User Datagram Protocol）

UDPは，ポート番号によるプロセスの識別とチェックサムによる誤り検出のみを行うコネクションレス型のトランスポート層プロトコルである。TCPに見られた「確認応答を用いた信頼性の確保」を省略しているため，オーバヘッドの少ない効率的な通信を実現できる。

UDPはリアルタイム性を重視するIP電話やDNSによる名前解決などに利用されている。

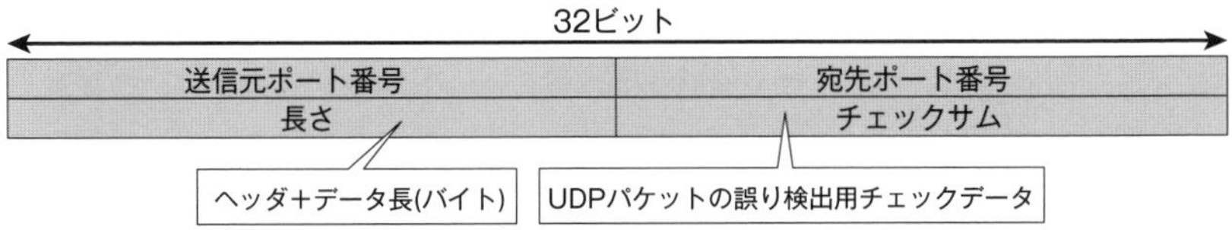

▶図1.4.11　UDPのヘッダフォーマット

【参考】 ～チェックサムによる整合性検査

TCPおよびUDPでは，ヘッダ中のチェックサムフィールドを用いた整合性検査が行われる。**チェックサムはヘッダ部分とデータ部分が対象**となる。なお，UDPは高速化のため，この整合性検査も省略することができる。

このようなチェックサムフィールドは，実はIPヘッダにも用意されている。そのため，ネットワーク層でも整合性検査が行われる。ただし，**ネットワーク層の整合性検査は，IPヘッダ部分のみが対象**であり，データ部分のチェックは行われない。

1.5 アプリケーション層

Point! TCP/IPにおけるアプリケーション層は，トランスポート層の上位に位置し，各アプリケーションが提供する具体的な機能について，その仕様や通信手順，データ形式などを定めている。

1 アプリケーション層のプロトコル

TCP/IPのアプリケーション層のプロトコルには，次のものがある。

▶表1.5.1　代表的なアプリケーションプロトコル

プロトコル	ポート番号	主な機能
DNS（Domain Name System）	53	ドメイン名に対するIPアドレスの解決
HTTP（HyperText Transfer Protocol）	80	Webサーバとクライアントであるブラウザの間の情報転送
SMTP（Simple Mail Transfer Protocol）	25	電子メールの送信
POP3（Post Office Protocol version 3）	110	電子メールの受信
FTP（File Transfer Protocol）	20，21	ファイルの転送
DHCP（Dynamic Host Configuration Protocol）	67，68	ネットワーク構成をホストに設定
NTP（Network Time Protocol）	123	ホスト同士の時刻同期
SNMP（Simple Network Management Protocol）	161，162	ネットワーク機器の管理
LDAP（Lightweight Directory Access Protocol）	389	ディレクトリサービスを提供
SSH（Secure SHell）	22	安全な端末接続

アプリケーション層の個々のプロトコルについては，代表的なものを第３章で取りあげて説明します。ここでは，プロトコル階層の一つとして，概要のみ捉えてください。

2 TCP/IPのプロトコルスタック

アプリケーション層に属する各プロトコルは，トランスポート層にTCPまたはUDPを，ネットワーク層にはIPを使用している。▶図1.5.1に，OSI基本参照モデルとの対比も含めて，TCP/IPの階層（プロトコルスタック）を一覧しておく。

OSI基本参照モデル		TCP/IP	TPC/IPのプロトコルの例	
アプリケーション層 プレゼンテーション層 セション層	⟷	アプリケーション層	DNS，HTTP SMTP，POP3 FTP，…	DNS，DHCP NTP，SNMP TFTP，…
トランスポート層	⟷	トランスポート層	TCP	UDP
ネットワーク層	⟷	ネットワーク層	IP，ARP，ICMP	
データリンク層 物理層	⟷	データリンク層	LAN，WANのプロトコル	

▶**図1.5.1　TCP/IPプロトコルスタック**

▶図1.5.1に示したとおり，TCP/IPのアプリケーション層は，OSI基本参照モデルにおけるプレゼンテーション層やセション層を含んでいる。つまり，ログインに関わるセション管理などは，TCP/IPではアプリケーションごとに実装しなければならない。

アプリケーション層のプロトコルは，信頼性を重視するか速度を重視するかにより，トランスポート層のプロトコルとしてTCPまたはUDPを選ぶことができる。例えば電子メール（SMTP，POP3）やWebサービス（HTTP）は，TCPを用いることで信頼性を確保している。これに対し，ネットワーク管理に用いるSNMPは，ネットワークに与える負荷を考え，UDPを用いている。DNSは利用局面によって，TCPとUDPを使い分けている。

TCP/IP のネットワーク層は，正式には「インターネット層」という名称ですが，試験ではネットワーク層や第３層で呼ばれます。同様に TCP/IP のデータリンク層の正式名称は「ネットワークインタフェース層」です。

午前Ⅱ試験 確認問題

問1 ☑☐ ☐☐ IEEE 802.3-2005におけるイーサネットフレームのプリアンブルに関する記述として，適切なものはどれか。 (H23問8)

ア 同期用の信号として使うためにフレームの先頭に置かれる。

イ フレーム内のデータ誤りを検出するためにフレームの最後に置かれる。

ウ フレーム内のデータを取り出すためにデータの前後に置かれる。

エ フレームの長さを調整するためにフレームの最後に置かれる。

問1 解答解説

IEEE802.3-2005におけるイーサネットフレームの先頭には，LAN内のインタフェースの同期をとるための信号として，プリアンブルが置かれる。

IEEE802.3形式　　（ ）内単位：バイト

プリアンブル (7)	SFD (1)	宛先MAC アドレス (6)	送信元MAC アドレス (6)	タイプ/フレーム長 (2)	データ (46～1,500)	FCS (4)

←宛先MACアドレス～タイプ/フレーム長：ヘッダ→　←FCS：トレーラ→

イ FCS（Frame Check Sequence）に関する記述である。フレームの最後にFCSが設定され，CRCアルゴリズムを用いてエラーチェックを行う。

ウ ヘッダおよびパディングに関する記述である。イーサネットフレームのデータ部は46～1,500バイトの可変長である。データが46バイトに満たないときは，パディングデータが埋められる。

エ ギガビットイーサネットのキャリアエクステンションに関する記述である。

《解答》ア

問2 ☑☐ ☐☐ 図のイーサネットパケットのMTU（Maximum Transmission Unit）は，どの部分の最大長のことか。 (H30問4)

プリアンブル	MACヘッダ	IPヘッダ	TCPヘッダ	データ	FCS

ア IPヘッダ＋TCPヘッダ＋データ

イ MACヘッダ＋IPヘッダ＋TCPヘッダ＋データ

ウ　MACヘッダ＋IPヘッダ＋TCPヘッダ＋データ＋FCS
エ　プリアンブル＋MACヘッダ＋IPヘッダ＋TCPヘッダ＋データ＋FCS

問2　解答解説

MTU（Maximum Transmission Unit）とは，1回のデータ転送で送信可能な最大転送単位のことである。問題の図に提示されたイーサネットパケットにおいては，「IPヘッダ＋TCPヘッダ＋データ」の最大長がMTUに該当する。MTUサイズは伝送媒体によって異なり，イーサネットは1,500バイトである。
《解答》ア

問3

☑□
□□　IEEE 802.3のイーサネットパケットが図の構成のとき，IPv4とIPv6によって異なるものはどれか。（R4問10）

プリアンブル	SFD	宛先MACアドレス	送信元MACアドレス	タイプ	データ	FCS

ア　SFDの値
イ　宛先MACアドレスと送信元MACアドレスの長さ
ウ　タイプの値
エ　データの最大長

問3　解答解説

IEEE802.3のイーサネットパケットは次図のような構成になっている。

（ ）内単位：バイト

プリアンブル (7)	SFD (1)	宛先MACアドレス (6)	送信元MACアドレス (6)	タイプ (2)	データ (46～1,500)	FCS (4)
	ヘッダ	ヘッダ	ヘッダ	ヘッダ		トレーラ

各フィールドには次のような情報が格納される。このうちIPv4とIPv6で異なるのは，「タイプ」である。

プリアンブル：フレーム受信のタイミングをとるための領域
SFD（Start Frame Delimiter）：プリアンブルが終了し，フレームが開始することを表す符号

宛先MACアドレス：フレームの宛先となる機器のMACアドレス
送信元MACアドレス：フレームの送信元となる機器のMACアドレス
タイプ：ネットワーク層のプロトコル番号（IPv4：0800，IPv6：86dd，ARP：0806等）
データ：送受信するデータ（IPパケットなど）
FCS（Frame Check Sequence）：受信したフレームの伝送誤りを検出するための CRC（Cyclic Redundancy Check）符号

ア　SFDの値は「10101011」固定であり，上位層プロトコルによって変わることはない。
イ　MACアドレスは機器に付与された48ビット（6バイト）固定長のアドレスである。
エ　データの最大長であるMTU（最大転送単位）はイーサネットでは1,500バイトである。

《解答》ウ

問4 ☑☐☐☐　CSMA/CAやCSMA/CDのLANの制御に共通しているCSMA方式に関する記述として，適切なものはどれか。（R3問5，H30問2，H24問6）

ア　キャリア信号を検出し，データの送信を制御する。
イ　送信権をもつメッセージ（トークン）を得た端末がデータを送信する。
ウ　データ送信中に衝突が起こった場合は，直ちに再送を行う。
エ　伝送路が使用中でもデータの送信はできる。

問4　解答解説

CSMA（Carrier Sense Multiple Access；搬送波感知多重アクセス）方式は，搬送波（キャリア信号）の状態を感知することによって，伝送路にデータ信号が流れていないことを確認し，データを送出するという単純なアクセス方式である。このため，伝送路上に接続されている複数のトランシーバ（信号変換装置）は，伝送路上の状態の変化を常時監視し，端末データの送信を制御する。

イ　トークンパッシング方式に関する記述である。
ウ　イーサネットの媒体アクセス制御方式であるCSMA/CD方式では，衝突検出後，ランダムな時間待機してから再送する。
エ　伝送路が使用中の場合はデータを送信せず，搬送波が感知されなくなるまで待ってから送信する。

《解答》ア

問5 ☑☐☐☐　IPv4ネットワークでTCPを使用するとき，フラグメント化されることなく送信できるデータの最大長は何オクテットか。ここでTCPパケットのフレーム構成は図のとおりであり，ネットワークのMTUは1,500オク

テットとする。また，（　）内はフィールド長をオクテットで表したものである。　(R5問5)

MACヘッダー (14)	IPヘッダー (20)	TCPヘッダー (20)	データ	FCS (4)

ア 1,446　　イ 1,456　　ウ 1,460　　エ 1,480

問5 解答解説

パケットを送信する場合，伝送媒体のMTU（Maximum Transmission Unit）を超える大きさのIPデータグラムを中継する場合に，ルータでIPデータグラムを分割（フラグメント化）する。MTUとは，1回のデータ転送で送信可能な最大転送単位のことで，問題の図に提示されたTCPパケット（IPデータグラム）においては，「IPヘッダー＋TCPヘッダー＋データ」の最大長がMTUに該当する。したがって，フラグメント化されない最大データ長は，MTUからIPヘッダー長とTCPヘッダー長を引いて，

1,500－(20＋20)＝1,460［オクテット］

となる。　《解答》ウ

問6 ☑☐☐☐ IPv4のアドレス割当てを行う際に，クラスA～Cといった区分にとらわれずに，ネットワークアドレス部とホストアドレス部を任意のブロック単位に区切り，IPアドレスを無駄なく効率的に割り当てる方式はどれか。　(R元問6)

ア CIDR　　イ DHCP　　ウ DNS　　エ NAPT

問6 解答解説

CIDR（Classless Inter-Domain Routing）は，クラスという概念を使用せず，連続する複数の同じクラスに属するネットワークアドレスを一つの大きなネットワーク（スーパネットワーク）として扱って，IPアドレスを割り当てる方法である。CIDRでは，サブネットによってネットワークアドレス部分がどこであるかを示している。

DHCP（Dynamic Host Configuration Protocol）：クライアントがサーバに登録されている情報を使って，自動的にIPアドレス，サブネットマスク，デフォルトゲートウェイなどのネットワーク構成情報を設定するプロトコル

DNS（Domain Name System）：ドメイン名とIPアドレスを対応づけるためのシステムである。DNSサーバに名前解決を依頼することにより，ホストのドメイン名

から，ホストのIPアドレスを取得することができる
NAPT（Network Address Port Translation）：グローバルIPアドレスとプライベートIPアドレスを1対多で変換するプロトコルである。IPマスカレード，NAT+とも呼ばれている

《解答》ア

問7 ☑☐☐☐ クラスBのIPアドレスで，サブネットマスクが16進数のFFFFFF80である場合，利用可能なホスト数は最大幾つか。 （H30問10，H26問13）

ア 126　　イ 127　　ウ 254　　エ 255

問7 解答解説

サブネットマスクは，IPアドレスのネットワーク部とホスト部の境界を明確に識別するために用いられる。あるIPアドレスに対して，サブネットマスクが上位から連続する1のビットの部分がネットワーク部を示し，それ以降の0の部分がホスト部を示す。

16進数のFFFFFF80を2進数に変換すると，

11111111 11111111 11111111 10000000

となることから，ホスト部は下位7ビットになる。7ビットで表現できる値は2^7＝128個あるが，そのうち7ビットがすべて1の場合とすべて0の場合の二つの値は，ホストに割り当てることはできない。よって，利用可能なホスト数は126となる。 《解答》ア

問8 ☑☐☐☐ クラスCのIPアドレスを分割して，10個の同じ大きさのサブネットを使用したい。ホスト数が最も多くなるように分割した場合のサブネットマスクはどれか。 （H22問15）

ア 255.255.255.192　　イ 255.255.255.224
ウ 255.255.255.240　　エ 255.255.255.248

問8 解答解説

サブネットを10個使用するということは，クラスCのホストアドレス部である8ビットのうち，2^n≧10となるようなnビットを，サブネット識別用に用いなければならない。また，「ホスト数が最も多くなるように」という条件より，n の値はこの不等式を満たす値のうちの最小値でなければならない。よって，2^4＝16よりn＝4となる。

よって，サブネットマスクは

11111111 11111111 11111111 11110000
↓

255.255.255.240

となる。　《解答》ウ

問9 ☑☐ ☐☐ サブネットマスクが255.255.255.0である四つのネットワーク192.168.32.0，192.168.33.0，192.168.34.0，192.168.35.0を，CIDRを使って最小のスーパーネットにしたときの，ネットワークアドレスとサブネットマスクの組合せとして，適切なものはどれか。

（R6問12，H27問14，H23問13，H21問14）

	ネットワークアドレス	サブネットマスク
ア	192.168.32.0	255.255.248.0
イ	192.168.32.0	255.255.252.0
ウ	192.168.35.0	255.255.248.0
エ	192.168.35.0	255.255.252.0

問9 解答解説

IPアドレスは，ホストが属するネットワークを一意に識別するためのネットワーク部と，そのネットワーク内で一意に識別するためのホスト部から構成されている。ネットワーク部とホスト部は，初期のIPでは，クラスによって分割されていたが，現在ではCIDR（Classless Inter-Domain Routing）が用いられ，サブネットマスクでネットワーク部とホスト部を分割している。

スーパーネット化とは，連続する複数のネットワークを，一つの大きなネットワークにまとめることであり，ネットワーク部の共通する部分を，新たなネットワーク部として利用する。その際に，新たなネットワーク部に，管理を行っていないIPアドレスを含むことがないように注意する。

192.168.32.0，192.168.33.0，192.168.34.0，192.168.35.0を2進数を用いて表すと，

11000000.10101000.00100000.00000000
11000000.10101000.00100001.00000000
11000000.10101000.00100010.00000000
11000000.10101000.00100011.00000000

となる。このとき，サブネットマスクが255.255.255.0であるから，先頭24ビットがネットワーク部，末尾8ビットがホスト部である。

これらを一つの最小のスーパーネットにまとめるには，ネットワーク部のうち共通する先頭22ビットを新たなネットワーク部とし，末尾10ビットを新たなホスト部とすればよい。

そのネットワークアドレスは，新たなネットワーク部とする先頭22ビットを取り出した

11000000.10101000.00100000.00000000

となり，サブネットマスクは先頭22ビットがネットワーク部，末尾10ビットがホスト部となるように，

11111111.11111111.11111100.00000000

とする。これを10進数で表記すると，ネットワークアドレスは192.168.32.0，サブネットマスクは255.255.252.0となる。

《解答》イ

問10 ☑□ □□ ネットワークアドレス192.168.10.192/28のサブネットにおけるブロードキャストアドレスはどれか。（R3問14，H29問12，H19問33）

ア 192.168.10.199　　イ 192.168.10.207

ウ 192.168.10.223　　エ 192.168.10.255

問10 解答解説

192.168.10.192/28のサブネットでは，上位28ビットがネットワーク部，下位4ビット（32−28=4）がホスト部となる。ブロードキャストアドレスとは，ホスト部がすべて1のIPアドレスのことである。そこで，第4オクテットの192に着目して2進数で表記すると“11000000”となり，この下位4ビットをすべて1にすると“11001111”となる。これを10進数で表すと207となる。よって，ブロードキャストアドレスは，“192.168.10.207”となる。

《解答》イ

問11 ☑□ □□ IPv4のマルチキャストに関する記述のうち，適切なものはどれか。（R4問13，H30問11，H26問4）

ア 全てのマルチキャストアドレスは，アドレスごとにあらかじめ用途が固定的に決められている。

イ マルチキャストアドレスには，クラスDのアドレスが使用される。

ウ マルチキャストパケットは，TTL値に関係なくIPマルチキャスト対応ルータによって中継される。

エ マルチキャストパケットは，ネットワーク上の全てのホストによって受信され，IPよりも上位の層で，必要なデータか否かが判断される。

問11 解答解説

マルチキャストとは，特定のグループにIPパケットを一斉に送信することである。IPv4では，マルチキャストアドレスとしてクラスD（IPアドレスの先頭4ビットが1110）のアドレ

スが使用される。

ア　OSPFやNTPで用いられるマルチキャストアドレスのように用途が固定されているものもあるが，すべてのマルチキャストアドレスの用途があらかじめ決められているわけではない。

ウ　マルチキャストパケットは，TTLが1より大きい場合のみ，IPマルチキャスト対応ルータによって中継される。TTLの値によって，マルチキャストパケットを配信する範囲を制御することができる。

エ　マルチキャストパケットは，マルチキャストアドレスに対応したグループに属するホストによって受信される。グループの構成は固定したものではなく，ホストは，IGMP（Internet Group Management Protocol）を用いて，グループへの参加や離脱を行うことができる。

《解答》イ

問12 ☑□ □□　ネットワークを構成するホストのIPアドレスとして用いることができるものはどれか。（R6問13，R4問12）

ア　127.16.10.255/8　　イ　172.16.10.255/16

ウ　192.168.255.255/24　　エ　224.168.10.255/8

問12　解答解説

172.16.10.255/16は，クラスBのプライベートIPアドレスの範囲に含まれ，ホストのIPアドレスとして用いることができる。

ア　127.16.10.255/8は，ループバックアドレスとして使用するために割り当てられている127.0.0.0/8に含まれているので，ホストのIPアドレスとして用いることはできない。

ウ　192.168.255.255/24は，クラスCのプライベートIPアドレスの範囲に含まれるが，ホスト部がすべて1でブロードキャストアドレスとして利用されるため，ホストのIPアドレスとして用いることはできない。

エ　224.168.10.255/8は，マルチキャストで利用されるクラスDの224.0.0.0～239.255.255.255のアドレス空間に含まれ，ホストのIPアドレスとして用いることはできない。

《解答》イ

問13 ☑□ □□　送信元IPアドレスがA，送信元ポート番号が80/tcpのSYN/ACKパケットを，未使用のIPアドレス空間であるダークネットにおいて大量に観測した場合，推定できる攻撃はどれか。（R元問18）

ア　IPアドレスAを攻撃先とするサービス妨害攻撃

イ　IPアドレスAを攻撃先とするパスワードリスト攻撃

ウ　IPアドレスAを攻撃元とするサービス妨害攻撃
エ　IPアドレスAを攻撃元とするパスワードリスト攻撃

問13 解答解説

ダークネットは未使用のIPアドレス空間であり，本来であればダークネットへの通信は行われないはずである。しかし，送信元をダークネットのIPアドレスに偽装した攻撃などによって，ダークネットのIPアドレス宛てに通信が行われることがある。

SYN/ACKパケットは，TCPコネクション確立の3ウェイハンドシェイクにおいて，コネクション確立要求SYNパケットに対する確認応答とコネクション確立要求を行うパケットである。送信元IPアドレスがA，送信元ポート番号が80/tcp のSYN/ACKパケットをダークネットが受信したということは，IPアドレスAに対してダークネットからSYNパケットを送信したということになる。攻撃者が送信元をダークネットのIPアドレスに偽装したSYNパケットをIPアドレスA宛てに大量に送信すると，IPアドレスAはSYN/ACKパケットを返信するが，その返信先がダークネットなのでその確認応答ACKパケットが送信されず，IPアドレスA側にハーフコネクション状態があふれてしまい，正常なサービス提供を維持できなくなる。このようなDoS攻撃のことをSYN Flood攻撃という。

よって，推定できる攻撃としては，IPアドレスAを攻撃先とするサービス妨害攻撃となる。

《解答》 ア

問14 ✔□ □□　図のようなルータ6台から成るネットワークにおいて，宛先IPアドレス10.100.100.1のIPパケットをルータYから受け取ったルータZは，どのルータに転送するか。ここで，ルータZは次に示すルーティングテーブルを用い，最長一致法（longest-match algorithm）によってルーティングするものとする。（H28問13）

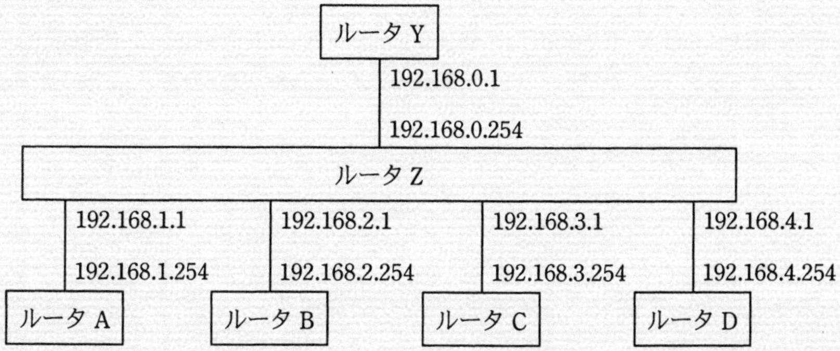

〔ルータZのルーティングテーブル〕

宛先アドレス	サブネットマスク	ネクストホップ
10.0.0.0	255.0.0.0	192.168.1.254
10.64.0.0	255.224.0.0	192.168.2.254
10.96.0.0	255.252.0.0	192.168.3.254
10.128.0.0	255.128.0.0	192.168.4.254
0.0.0.0	0.0.0.0	192.168.0.1

ア　ルータA　　イ　ルータB　　ウ　ルータC　　エ　ルータD

問14　解答解説

ルータZのルーティングテーブルの各行の宛先アドレスとサブネットマスクのANDを取り，ネットワーク部を取り出すと，次のようになる。

1行目	宛先アドレス	00001010 00000000 00000000 00000000	(10.0.0.0)
	サブネットマスク	11111111 00000000 00000000 00000000	(255.0.0.0)
	ネットワーク部	00001010	
2行目	宛先アドレス	00001010 01000000 00000000 00000000	(10.64.0.0)
	サブネットマスク	11111111 11100000 00000000 00000000	(255.224.0.0)
	ネットワーク部	00001010 010	
3行目	宛先アドレス	00001010 01100000 00000000 00000000	(10.96.0.0)
	サブネットマスク	11111111 11111100 00000000 00000000	(255.252.0.0)
	ネットワーク部	00001010 011000	
4行目	宛先アドレス	00001010 10000000 00000000 00000000	(10.128.0.0)
	サブネットマスク	11111111 10000000 00000000 00000000	(255.128.0.0)
	ネットワーク部	00001010 1	

一方，宛先IPアドレス10.100.100.1を2進数に変換すると，次のようになる。

00001010 01100100 01100100 00000001

ルータZのルーティングテーブルの宛先アドレスに10.100.100.1が含まれる（ネットワーク部が一致する）のは，1行目のみである。よって，1行目のネクストホップの192.168.1.254，すなわちルータAにIPパケットを転送する。　《解答》ア

問15 ☑□ □□ 二つのルーティングプロトコルRIP-2とOSPFとを比較したとき，OSPFだけに当てはまる特徴はどれか。 (R6問4，R元問3，H29問3)

ア 可変長サブネットマスクに対応している。
イ リンク状態のデータベースを使用している。
ウ ルーティング情報の更新にマルチキャストを使用している。
エ ルーティング情報の更新を30秒ごとに行う。

問15 解答解説

RIPは，ホップ数が最小の経路を選択するディスタンスベクタ型のルーティングプロトコルである。RIP-2は，RIPバージョン2であり，次のような特徴がある。

・最大ホップ数は15に制限される。
・ルーティング更新情報は30秒ごとにマルチキャストで送信される。
・可変長サブネットマスクに対応している。

一方，OSPFは，コストが最小となる経路を選択するリンクステート型のルーティングプロトコルで，次のような特徴がある。

・各ルータがLSA（リンクステート広告）を交換し合い，リンク状態のデータベースを作成して最短木を生成する。
・ネットワーク構成に変更が生じた場合に，LSAをマルチキャストで送信する。
・可変長サブネットマスクに対応している。
・複数経路に同一コストを設定すると，負荷分散を行うことができる。

これらより，OSPFだけに当てはまるのは，「リンク状態のデータベースを使用している」こととなる。

ア，ウ RIP-2とOSPFの両者に共通の特徴である。
エ RIP-2だけに当てはまる特徴である。

《解答》イ

問16 ☑□ □□ IPv4ネットワークにおけるOSPFの仕様に当てはまるものはどれか。 (H27問4)

ア 経路選択に距離ベクトルアルゴリズムを用いる。
イ 異なる自律システム（ルーティングドメイン）間でのルーティング情報交換プロトコルである。

ウ　サブネットマスク情報を伝達する機能があり，可変長サブネットに対応している。
エ　到達可能なネットワークは最大ホップ数15という制限がある。

問16　解答解説

ルーティングプロトコルは，AS（Autonomous System；自律システム）内部のルーティングを行うIGP（Interior Gateway Protocol）と，AS間のルーティングを行うEGP（Exterior Gateway Protocol）に大別される。IPv4ネットワークにおけるIGPには，RIP（Routing Information Protocol）やOSPF（Open Shortest Path First）などがあり，EGPにはBGP-4（Border Gateway Protocol version 4）などがある。

RIP：ディスタンスベクタ型のルーティングプロトコル。経路を決定するメトリックとしてホップ数（中継するルータ数）を用い，最大メトリックは15に制限されている。RIPv2は可変長サブネットマスク（VLSM）に対応している

OSPF：リンクステート型のルーティングプロトコル。コスト値が最小の経路を選択する。LSA（リンクステート広告）を用いて，隣接するルータ間で経路情報を伝達する。LSAにはサブネットマスクの情報が含まれており，可変長サブネットマスクに対応している

BGP-4：パスベクタ型のルーティングプロトコル。ルータ間でパス属性を交換し，最適経路を決定する

ア　OSPFではなく，RIPなどに関する記述である。
イ　OSPFではなく，BGP-4などのEGPに関する記述である。
エ　OSPFではなく，RIPおよびRIPv2に関する記述である。　《解答》ウ

問17

☑☐
☐☐

図は，OSPFを使用するルータa～iのネットワーク構成を示す。拠点1と拠点3の間の通信はWAN1を，拠点2と拠点3の間の通信はWAN2を通過するようにしたい。xとyに設定するコストとして，適切な組合せはどれか。ここで，図中の数字はOSPFコストを示す。

（R元問2，H28問4，H25問4）

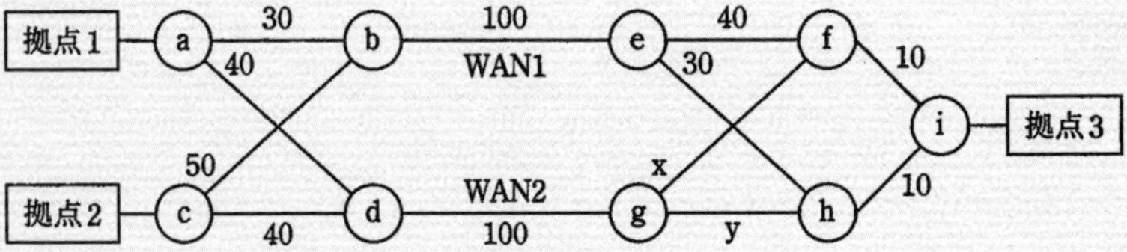

	x	y
ア	20	20
イ	30	30
ウ	40	40
エ	50	50

問17 解答解説

OSPF（Open Shortest Path First）では，隣接するルータ同士がノードのエリア，インタフェースに接続されたリンクのコストといったリンクステートの情報を互いに交換することで経路を選択する。ネットワークの回線速度が速いほどコスト値を低く設定し，「コスト値の合計が少ない経路」を選択することになる。

拠点1から拠点3へのWAN1を通過する経路は，拠点1→a→b→e→h→i→拠点3であり，コスト値は170である。

拠点1から拠点3へのWAN2を通過する経路は，拠点1→a→d→g→f→i→拠点3，または拠点1→a→d→g→h→i→拠点3であり，コスト値はそれぞれ150+x，150+yである。

一方，拠点2から拠点3へのWAN1を通過する経路は，拠点2→c→b→e→h→i→拠点3であり，コスト値は190である。

また，拠点2から拠点3へのWAN2を通過する経路は，拠点2→c→d→g→f→i→拠点3，または拠点2→c→d→g→h→i→拠点3であり，コスト値はそれぞれ150+x，150+yである。

拠点1と拠点3の間の通信はWAN1を，拠点2と拠点3の間の通信はWAN2を通過するようにしたいのであるから，コスト値は次の関係を満たす必要がある。

170<150+x，170<150+y　　……拠点1と拠点3の間でWAN1を通過させる
150+x<190，150+y<190　　……拠点2と拠点3の間でWAN2を通過させる

これらを満足するxとyのコスト値は，選択肢の中では，ともに30となる。　《解答》イ

問18 ☑☐☐☐ ルーティングプロトコルであるBGP-4の説明として，適切なものはどれか。（R元問5，H26問7，H22問8）

ア　自律システム間で，経路情報に付加されたパス属性を使用し，ポリシに基づいて経路を選択するパスベクタ方式のプロトコルである。

イ　全てのノードが同一のリンク状態データベースを用い，コストが最小となる経路を最適経路とするプロトコルである。

ウ　到達可能な宛先アドレスまでのホップ数が最小となる経路を，最適経路とするプ

ロトコルである。
エ　パケットが転送される経路のノードを，送信元ノードが明示的に指定するプロトコルである。

問18　解答解説

BGP-4（Border Gateway Protocol-4）は，自律システム（AS：Autonomous System）間でのルーティングを行うためのパスベクタ方式のプロトコルであり，AS番号とCIDRのアドレスのブロックの組合せでルーティングを実現する。BGP-4の経路情報にはパス属性が含まれており，最適経路を決定する際に使用される。

イ　OSPF（Open Shortest Path First）の説明である。
ウ　RIP（Routing Information Protocol）の説明である。
エ　ソースルーティングの説明である。TCP/IPでは通常はルータが経路を自動的に決定するが，ソースルーティングを利用すると送信者が経路を明示的に指定することができる。

《解答》ア

問19 ☑☐☐☐　IPv4ネットワークにおいて，交換する経路情報の中にサブネットマスクが<u>含まれていない</u>ダイナミックルーティングプロトコルはどれか。

（R4問11）

ア　BGP-4　　イ　OSPF　　ウ　RIP-1　　エ　RIP-2

問19　解答解説

サブネットマスクはIPアドレスのネットワーク部とホスト部の境界を識別するためのビット列である。サブネットマスクを用いることによって，ネットワーク部とホスト部の長さを自由に決められるようになり，クラスの概念にとらわれないクラスレスアドレッシングを実現することができる。

RIP-1はクラスレスアドレッシングが登場する前からあるクラスフルなルーティングプロトコルである。そのため，RIP-1が交換する経路情報にはサブネットマスクは含まれていない。そのほかのBGP-4，OSPF，RIP-2はサブネットマスクに対応している。

BGP-4：AS（Autonomous System）間の経路を決定するためのパスベクタ型のルーティングプロトコル。パス属性を設定することで柔軟な経路設計が可能となっている
OSPF：リンクステート型のルーティングプロトコル。リンクごとにコストを設定し，コストの合計値が最小となる経路を最短経路として選択する

RIP-1：ディスタンスベクタ型のルーティングプロトコル。ホップ数（中継ルータ数）が最小の経路を最短経路として選択する。最大ホップ数が15に制限されているので，大規模ネットワークでは利用できない
RIP-2：RIP-1を改良したルーティングプロトコル。クラスレスルーティングを行う，認証機能を持つ，アップデートメッセージをブロードキャストではなくマルチキャストするなどの特徴がある。最大ホップ数はRIP-1と同様に15である

《解答》ウ

問20 ☑□□□ TCP/IPネットワークで使用されるARPの説明として，適切なものはどれか。 (H21問7)

ア IPアドレスからMACアドレスを得るためのプロトコル
イ IPアドレスからホスト名（ドメイン名）を得るためのプロトコル
ウ MACアドレスからIPアドレスを得るためのプロトコル
エ ホスト名（ドメイン名）からIPアドレスを得るためのプロトコル

問20 解答解説

ARP（Address Resolution Protocol）は，ホストやルータがIPアドレスからMACアドレスを取得するときに使用するアドレス解決プロトコルである。ARPリクエストパケットをブロードキャストして，同一ネットワーク内の機器からのARPレスポンスパケットを受信し，宛先MACアドレスを取得する。

イ IPアドレスからホスト名（ドメイン名）への変換は，ホスト名とIPアドレスの対を管理しているDNS（Domain Name System）サーバに問い合わせて行う。
ウ RARP（Reverse Address Resolution Protocol）の説明である。
エ ホスト名（ドメイン名）からIPアドレスへの変換は，ホスト名とIPアドレスの対を管理しているDNS（Domain Name System）サーバに問い合わせて行う。 《解答》ア

問21 ☑□□□ IPv4でのARPを利用したGratuitous ARPの説明として，適切なものはどれか。 (H28問6)

ア ターゲットIPアドレスフィールドに自端末が使用するIPアドレスを入れて，MACアドレスを問い合わせる。
イ ターゲットIPアドレスフィールドに通信したい相手のIPアドレスを入れて，MACアドレスを問い合わせる。
ウ ターゲットMACアドレスフィールドに自端末が使用するMACアドレスを入れ

て，IPアドレスを問い合わせる。

エ　ターゲットMACアドレスフィールドに通信したい相手のMACアドレスを入れて，IPアドレスを問い合わせる。

問21 解答解説

IPアドレスに対応するMACアドレスを取得するプロトコルをARP（Address Resolution Protocol）という。ターゲットIPアドレスにARP要求を行うホスト自身のIPアドレスを設定してMACアドレスを取得するARPをGratuitous ARPという。Gratuitous ARPは，IPアドレスの重複検出や，同一セグメント内のホストのARPキャッシュを強制的に更新させる場合などに利用される。

《解答》ア

問22 ☑☐ ☐☐ 電源オフ時にIPアドレスを保持することができない装置が，電源オン時に自装置のMACアドレスから自装置に割り当てられているIPアドレスを知るために用いるデータリンク層のプロトコルであり，ブロードキャストを利用するものはどれか。（H25問12，H23問11，H21問11）

ア　ARP　　イ　DHCP　　ウ　DNS　　エ　RARP

問22 解答解説

RARP（Reverse Address Resolution Protocol）は，ARPとは逆に，MACアドレスからIPアドレスを取得するためのプロトコルである。電源オフ時にIPアドレスを保持できない端末をIPネットワークに接続して利用できるようにするために，端末に装備されているNIC（Network Interface Card）のROMに書き込まれているMACアドレスをデータリンク層でブロードキャストし，その端末に割り当てられているIPアドレスを管理しているRARPサーバからIPアドレスを取得する。

ARP（Address Resolution Protocol）：IPアドレスからMACアドレスを取得するためのプロトコル

DHCP（Dynamic Host Configuration Protocol）：クライアントがサーバに登録されている情報を使って，自動的にネットワーク構成情報を設定するプロトコル。DHCPを用いて設定可能なネットワーク構成情報として，IPアドレス，サブネットマスク，デフォルトゲートウェイ，DNSサーバのIPアドレスなどがある

DNS（Domain Name System）：ドメインホスト名（FQDN：Fully Qualified Domain Name）からIPアドレスを取得できるようにするために，ドメイン空間（ゾーン）を階層構造で管理し，分散問合せを可能にしたサービス

《解答》エ

問23 ☑☐ ☐☐ TCP/IP環境において，pingによってホストの接続確認をするときに使用されるプロトコルはどれか。 (H20問31)

ア CHAP　イ ICMP　ウ SMTP　エ SNMP

問23 解答解説

ICMP（Internet Control Message Protocol）は，インターネット層レベルで障害が発生した際のエラーメッセージや，ルータ相互での状態確認などに用いられるプロトコルである。pingコマンドやtracerouteコマンドの機能は，ICMPを利用して実現されており，いずれも，主にエンドツーエンド間のネットワーク診断に用いられる。

CHAP（Challenge Handshake Authentication Protocol）：チャレンジレスポンス方式による認証プロトコル
SMTP（Simple Mail Transfer Protocol）：電子メールを配信するためのプロトコル
SNMP（Simple Network Management Protocol）：ネットワーク管理を行うプロトコル。ネットワーク機器にエージェントを実装し，管理ステーションに実装されたマネージャの要求に応答する形態でネットワーク管理情報を収集する

《解答》イ

問24 ☑☐ ☐☐ IPv4におけるICMPのメッセージに関する説明として，適切なものはどれか。 (R4問6，H29問7，H27問7)

ア 送信元が設定したソースルーティングが失敗した場合は，Echo Replyを返す。
イ 転送されてきたデータグラムを受信したルータが，そのネットワークの最適なルータを送信元に通知して経路の変更を要請するには，Redirectを使用する。
ウ フラグメントの再組立て中にタイムアウトが発生した場合は，データグラムを破棄してParameter Problemを返す。
エ ルータでメッセージを転送する際に，受信側のバッファがあふれた場合はTime Exceededを送り，送信ホストに送信を抑制することを促す。

問24 解答解説

ICMP（Internet Control Message Protocol）は，ネットワーク上の異常を検出し，送信元ホストに異常発生を通知するプロトコルである。ルータは，受信したデータグラムの宛

先までの経路に，より良い経路がある場合，ICMPのRedirect（経路変更）メッセージにその最適経路のルータのIPアドレスを設定して，送信元に通知する。

ア　ソースルーティングが失敗した場合は，Destination Unreachable（宛先到達不能）メッセージを返す。

ウ　フラグメントの再組立て中にタイムアウトが発生した場合は，Time Exceeded（時間超過）メッセージを返す。

エ　受信側のバッファがあふれた場合は，Source Quench（送信抑制）メッセージを返す。

《解答》イ

問25 ☑☐☐☐ IPv6においてIPv4から仕様変更された内容の説明として，適切なものはどれか。（H27問9，H22問11，H19問25）

ア　IPヘッダのTOSフィールドを使用し，特定のクラスのパケットに対する資源予約ができるようになった。

イ　IPヘッダのアドレス空間が，32ビットから64ビットに拡張されている。

ウ　IPヘッダのチェックサムフィールドを追加し，誤り検出機能を強化している。

エ　IPレベルのセキュリティ機能（IPsec）である認証と改ざん検出機能のサポートが必須となり，パケットを暗号化したり送信元を認証したりすることができる。

問25 解答解説

IPv4の問題点として，セキュリティ機能を考慮した設計になっていないことが挙げられる。そのため，ネットワーク上を流れるデータに対するセキュリティ対策を別途講じる必要があった。IPv6では，IPsec機能の制御情報を拡張ヘッダとして付加できることが標準仕様として定められているので，ネットワーク上を流れるデータに対するセキュリティ対策を独自に講じる必要がない。具体的には，暗号化ペイロード（ESP：Encapsulating Security Payload）や認証ヘッダ（AH：Authentication Header）を拡張ヘッダとして設定することによって，パケットを暗号化したり，送信元を認証したりすることが可能になる。

ア　TOS（Type Of Service）フィールドはIPv4の仕様であり，IPv6にはない。IPv6ではフローラベルフィールドを用いて特定の処理を必要とするパケットを識別し，RSVP（Resource ReSerVation Protocol）で資源を予約する。

イ　64ビットではなく，128ビットに拡張されている。

ウ　チェックサムフィールドはIPv4の仕様であり，IPv6にはない。IPv6では拡張ヘッダに指定可能な認証ヘッダなどでデータの改ざんを検出する。

《解答》エ

問26 ☑□ □□ OSI基本参照モデルのトランスポート層の機能として，適切なものはどれか。 (H27問3，H17問31)

ア 経路選択機能や中継機能をもち，透過的なデータ転送を行う。
イ 情報をフレーム化し，伝送誤りを検出するためのビット列を付加する。
ウ 伝送をつかさどる各種通信網の品質の差を補完し，透過的なデータ転送を行う。
エ ルータにおいてパケット中継処理を行う。

問26 解答解説

トランスポート層は，ネットワーク層以下で生じる転送誤り率やスループットなどのサービス品質の違いを吸収し，上位層が要求する品質の透過的なデータ転送を実現する。

ア 経路選択機能や中継機能を持つのは，ネットワーク層である。
イ フレームを誤りなく伝送する機能を実現するのは，データリンク層である。
エ ルータは，異なるネットワーク同士をネットワーク層のレベルで接続し，エンドシステム間の通信を実現する装置である。

《解答》ウ

問27 ☑□ □□ インターネットプロトコルのTCPとUDP両方のヘッダーに存在するものはどれか。 (R6問10，R3問13，H28問10)

ア 宛先IPアドレス　　イ 宛先MACアドレス
ウ 生存時間（TTL）　　エ 送信元ポート番号

問27 解答解説

TCPとUDPはともにトランスポート層のプロトコルである。トランスポート層のプロトコルはいずれもヘッダー内に宛先と送信元のポート番号を含む。

ア 宛先IPアドレスはIPヘッダーに含まれる。
イ 宛先MACアドレスはイーサネットフレームのヘッダーに含まれる。
ウ 生存時間（TTL）はIPヘッダーに含まれる。IPデータグラムが通過することができるルータの上限数を表し，ルータを通過すると1ずつ減り，0になるとIPデータグラムは破棄される。

《解答》エ

問28 ☑☐ ☐☐ クライアントとサーバ間で３ウェイハンドシェイクを使用し，次の順序でTCPセッションを確立するとき，サーバから送信されたSYN/ACKパケットのシーケンス番号Aと確認応答番号Bの正しい組合せはどれか。

(H23問12)

順序	パケット	パケットの送信方向	シーケンス番号	確認応答番号
1	SYN	クライアントからサーバ	11111	なし
2	SYN/ACK	サーバからクライアント	A	B
3	ACK	クライアントからサーバ	11112	22223

	A	B
ア	11111	22222
イ	11112	22223
ウ	22222	11112
エ	22223	11111

問28 解答解説

シーケンス番号と確認応答番号の関連について問われている。確認応答番号には，次に送信してほしいデータの先頭の番号，すなわち，シーケンス番号＋データ部分（TCPペイロード）のサイズが設定される。

3ウェイハンドシェイクにおいては，シーケンス番号の初期値はランダムに割り当てられ，その確認応答番号は，データ部分はないが「シーケンス番号＋1」の値を設定して返信することがRFC793に規定されている。

したがって，順序2のSYN/ACKパケットの確認応答番号Bは順序1のシーケンス番号11111に1を加えた11112である。また，順序2のSYN/ACKパケットのシーケンス番号Aは順序3の確認応答番号が22223であることから1を引いて22222となる。　《解答》ウ

問29 ☑☐ ☐☐ TCPヘッダ中のウィンドウサイズの説明として，適切なものはどれか。

(H28問12)

ア　受信エラー時の再送に備えて送信側が保持しているデータのサイズを受信側に知らせるために使用される。

イ　受信側からの確認応答を待たずに，データを続けて送信できるかどうかの判断に使用される。

ウ　送信側と受信側の最適なバッファサイズを接続開始時のハンドシェイクで決定するために使用される。

エ　複数セグメントから成るデータの送信時，後続するセグメント数を受信側に知らせるために使用される。

問29　解答解説

TCPでは，ウィンドウと呼ばれる概念を用いて，受信側からの確認応答を待たずに，複数のセグメントを連続送信することを可能にするフロー制御を行う。これをウィンドウフロー制御という。TCPヘッダ中のウィンドウサイズによって，連続送信可能なセグメント数が定まる。送信側では，受信側からの確認応答時にウィンドウサイズが知らされると，セグメントを連続送信可能と判断し，通知されたウィンドウサイズ内でセグメントを連続送信する。すなわち，受信側からの確認応答セグメントのTCPヘッダ中のウィンドウサイズが，受信側からの確認応答を待たずに，データを続けて送信できるかどうかの判断に使用される。

ア　受信エラー時の再送に備えて，送信側ではなく，受信側が受信可能なデータのサイズを送信側に知らせるために使用される。

ウ　スロースタートアルゴリズムに基づくデータのサイズを，3ウェイハンドシェイク時に受信側が送信側に通知するために使用される。

エ　複数セグメントからなるデータ受信時の確認応答で，その後のセグメントの連続受信可能なサイズを受信側が送信側に知らせるために使用される。

《解答》イ

問30 ☑☐ ☐☐

ネットワークの制御に関する記述のうち，適切なものはどれか。

（R元問11，H29問11，H26問14）

ア　TCPでは，ウィンドウサイズが固定で輻輳（ふくそう）回避ができないので，輻輳が起きると，データに対してタイムアウト処理が必要になる。

イ　誤り制御方式の一つであるフォワード誤り訂正方式は，受信側で誤りを検出し，送信側にデータの再送を要求する方式である。

ウ　ウィンドウによるフロー制御では，応答確認があったブロック数だけウィンドウをずらすことによって，複数のデータをまとめて送ることができる。

エ　データグラム方式では，両端を結ぶ仮想の通信路を確立し，以降は全てその経路を通すことによって，経路選択のオーバヘッドを小さくしている。

問30　解答解説

受信側からの応答確認を待たずに連続転送できるデータ量のことを，ウィンドウサイズという。TCPヘッダには，ウィンドウサイズ（バイト単位）を指定する16ビットの領域があり，受信側から送信側へウィンドウサイズを通知することによってデータ送信量を制御することを，フロー制御という。応答確認できたセグメントの分だけウィンドウをずらしながら複数のセグメントを連続転送している。

ア　ウィンドウサイズは固定ではなく，受信側のバッファがあふれそうになった場合，受信側でウィンドウサイズを小さくして送信側へ通知することによってデータ送信量を制限し，バッファあふれを回避する。

イ　フォワード誤り訂正（FEC：Forward Error Correction）方式は，送信側で冗長ビットを付加し，受信側で誤り訂正を行うので，再送要求はしない。受信側で誤りを検出したら，データの再送を送信側に要求する方式は，オートマティックリピートリクエスト（ARQ）方式という。

エ　両端を結ぶ仮想の通信路（これを仮想ポートという）を確立するのはTCPである。UDPで用いられるデータグラム方式では，コネクションレス型（パケットあるいはウィンドウサイズ単位での確認応答をせず，パケット単位で最適経路を選択する方式）の通信を行い，高速性を実現している。

《解答》ウ

第2章

ネットワーク構築

前章でプロトコルを学んだあとは，いよいよネットワークの構築に移ります。

ネットワークを構築するには通信回線が必要で，回線同士を結ぶ中継機器も必要になります。また，そのような機器要素ばかりではなく，仮想化やセキュリティなどの技術要素もネットワーク構築に欠かせません。本章では，ネットワークの構築に必要な基本的な要素を取りあげて，一つひとつ説明します。

2.1 ネットワーク回線

Point!

当たり前の話であるが，ネットワークを構築するためには，コンピュータ同士を接続する回線が必要である。ここで，どのような回線を選択するかによって，ネットワークの性格が大きく変わってくる。つまり，ネットワークの規格は，回線の種別ごとに存在するといってもよい。

ここでは，そのような規格について，LANの媒体（有線，無線，光）ごとに分類して説明する。用語が数多く登場するが，試験突破のためによく整理して覚えてほしい。

… 30秒チェック！ …

Super Summary

1 有線ネットワーク

【目標】イーサネットに代表される通信方式や規格名称，回線種別などを知る。

□イーサネット … 最も幅広く利用されているLAN規格。IEEE802.3がベース

□PoE … LANケーブルを給電に利用する機能

□PLC … 家庭の電力線を通信回線に用いる方式

2 無線ネットワーク

【目標】無線LANの通信方式や代表的な規格，接続形態などを知る。

□IEEE802.11 … 無線LANのベース規格。これを拡張したIEEE802.11acなどがある

□無線LANの接続形態

　□インフラストラクチャモード … アクセスポイントを用いる形態

　□アドホックモード … アクセスポイントを介さない形態

□アクセスポイントの検索・接続方式

　□パッシブスキャン … アクセスポイントが発するビーコンを受けて接続する方式

　□アクティブスキャン … 端末が自らアクセスポイントを検索し接続する方式

□無線LANの高速化

□チャネルボンディング … 隣接する複数チャネルをまとめて利用する方式
□MIMO … 複数のアンテナを同時に利用する方式
□DL MU-MIMO … 複数の端末に対してMIMOで送信できる方式
□OFDM … 複数の周波数帯を同時に利用できる変調方式
□LTE … 3.9Gに位置づけられる携帯電話の通信規格
□WiMAX … LTEとともに提供されている固定／移動体通信規格
□Bluetooth … 近距離用の無線通信規格
□IoTに利用するネットワーク … モノのインターネットに利用される無線通信規格
□Bluetooth LE … 省電力に対応したBluetooth規格
□ZigBee … センサネットワークに用いられる低消費電力規格
□6LoWPAN … ZigBeeやBluetooth上でTCP/IPを実装する規約
□Wi-SUN … マルチホップによる長距離伝送が可能な方式
□軽量プロトコル … IoTに向く，オーバヘッドの小さなプロトコル
□CoAP … M2M型の軽量プロトコル
□MQTT … publish/subscribe型の軽量プロトコル

3 光ネットワーク

【目標】光ファイバケーブルを用いた代表的な通信方式を知る。
□FDDI … トークンリング方式のネットワーク方式
□FTTH … 光ファイバを用いて各家庭に引き込むネットワーク方式
□WDM … 波長の異なる光信号を１本の光ファイバケーブルで伝送する方式
□SONET/SDH … 複数の電話回線を束ねて光回線に多重化する仕組み

4 ストレージネットワーク

【目標】記憶媒体とサーバを結ぶストレージネットワークの種類や名称を知る。
□SAN … ファイバチャネルを用いたストレージ専用ネットワーク
□FCoE … ファイバチャネルフレームをイーサネットで転送するプロトコル
□IP-SAN … サーバとストレージをIP網で結ぶSAN

1 有線ネットワーク

有線ネットワークは，金属や光を用いたケーブルを用いたネットワークであり，その代表規格がイーサネットである。

1 LANケーブル

ネットワークの伝送媒体であるLANケーブルには，**ツイストペアケーブル**と呼ばれる金属性のより対線(ついせん)や**光ファイバケーブル**などがある。それぞれのケーブルの特徴を踏まえ，用途に応じたケーブルを使用する。

▶表2.1.1　ツイストペアケーブルと光ファイバケーブルの特徴

ケーブル	価格	利便性	耐ノイズ性	通信距離
ツイストペアケーブル	安価	曲げに強い	強い	近，中距離
光ファイバケーブル	高価	曲げに弱い	極めて強い	中，長距離

ツイストペアケーブルは２本の電線を“よる（ねじり合わせる）”ことで外部からのノイズを防いでいる。ツイストペアケーブルには，ノイズの影響を抑えるためにシールドを施した**STP**（Shielded Twisted Pair）とシールドを行わない**UTP**（Unshielded Twisted Pair）がある。ケーブルの品質や性能はカテゴリによって分類されるが，カテゴリ６（最大10Gbps）までのケーブルはすべてUTPである。

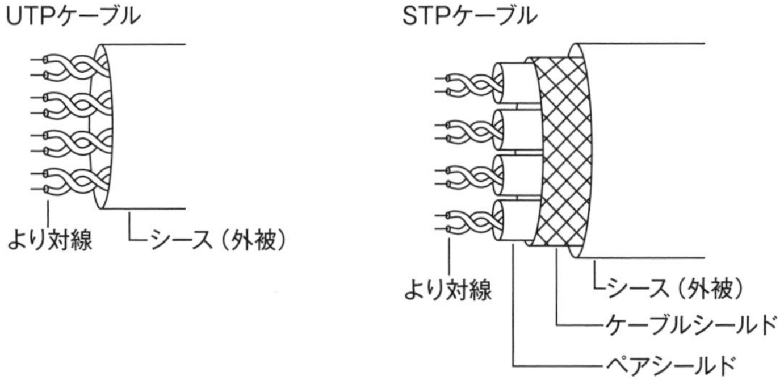

▶図2.1.1　ツイストペアケーブル

光ファイバケーブルは，**コア**と**クラッド**と呼ばれる二層構造になっており，それぞれ光を通す屈折率の異なる素材を組み合わせて形成される。屈折率の違いにより，光信号はコア内を全反射しながら伝送される。

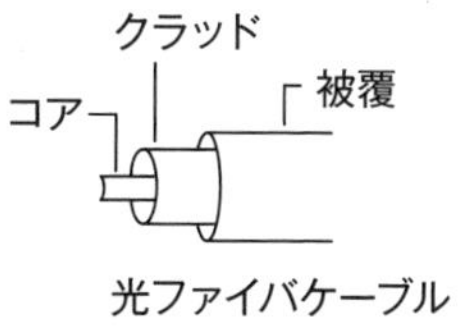

▶図2.1.2　光ファイバケーブル

2 イーサネット

イーサネットは現在最も幅広く利用されているLAN規格で，OSI基本参照モデルの物理層とデータリンク層を規定している。最初の規格である**IEEE802.3**をもとに，さまざまな拡張版が規定されている。

イーサネットで利用するツイストペアケーブルの規格では，4対8芯のケーブルと，RJ-45という規格のコネクタが利用される。イーサネットの規格名は，通信速度，変調方式，通信路などが表現されている。例えば，「10BASE-T」は，通信速度が10Mbps，ベースバンド伝送方式（0，1のデータを直接的に電圧の高低に対応づけて送る方式），ツイストペアケーブルで伝送という意味である。

▶表2.1.2　イーサネット仕様

名称	通信速度	規格	ケーブルのカテゴリ
10BASE-T	10Mbps	IEEE802.3i	Cat.3
100BASE-TX	100Mbps	IEEE802.3u	Cat.5
1000BASE-T	1000Mbps	IEEE802.3ab	Cat.5e
10GBASE-T	10Gbps	IEEE802.3an	Cat.6

イーサネットで利用する光ファイバでもツイストペアケーブルと同様の規格名が用いられる。通信路は種類によってさまざまなタイプがある。

▶表2.1.3　イーサネット仕様（光通信）

名称	通信速度	規格	備考
100BASE-F	100Mbps	IEEE802.3u	
1000BASE-X	1000Mbps	IEEE802.3z	
10GBASE-R	10Gbps	IEEE802.3ae	LAN用
10GBASE-X			低速伝送を多重化
10GBASE-W			WAN用　SONET/SDH（２重リング）
40GBASE-R	40Gbps	IEEE802.3ba	
100GBASE-R	100Gbps		

3 PoE (Power over Ethernet)

PoEは，Webカメラ，IP電話，無線LANのアクセスポイントなどに**LANケーブルのみで電力を供給する機能**である。

10M/100Mbpsのイーサネットでは，４対のケーブルのうち２対のみを通信用に使用しており，残り２対は未使用となっている。PoEの給電方式には，通信用の２対を用いて信号とともに電力を供給するType A（Alternative A）方式と，未使用の２対を利用するType B（Alternative B）方式がある。１Gbps以上のイーサネットでは，４対すべてを通信用途に使用するため，そのうちの２対もしくは４対を給電と併用している。

▶表2.1.4　PoE給電仕様

名称	クラス	給電電力	ケーブル	規格
PoE	0～3	15.4W	Cat.3（２対）	IEEE802.3af
PoE+	4	30W	Cat.5e（２対）	IEEE802.3at
PoE++	5～8	45W ～90W※	Cat.5e（４対）	IEEE802.3bt

※　クラスに応じて供給電力が調整される

4 PLC(Power Line Communication:電力線搬送通信)

PLCは，**家庭用の電力線（屋内配線）を通信回線に利用する方式**である。家庭のPCをインターネットに接続するための用途として用いられてきたが，無線LANの普及に伴い利用されなくなりつつある。

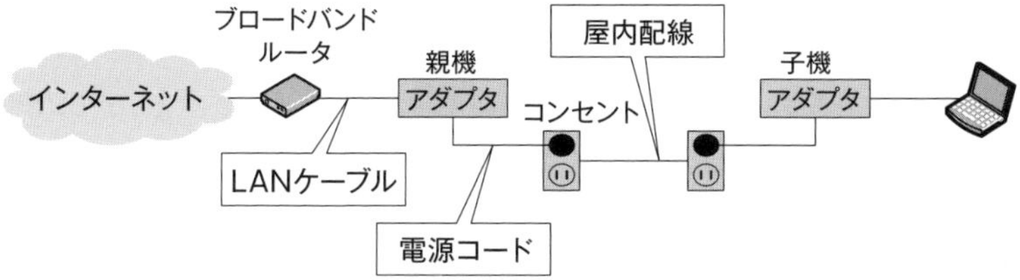

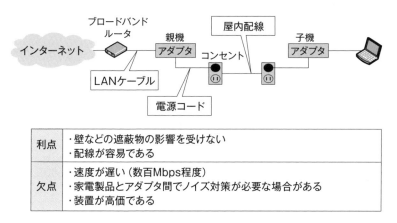

利点	・壁などの遮蔽物の影響を受けない ・配線が容易である
欠点	・速度が遅い（数百Mbps程度） ・家電製品とアダプタ間でノイズ対策が必要な場合がある ・装置が高価である

▶図2.1.3　PLC

【参考】　～ADSL

(Asymmetric Digital Subscriber Line：非対称デジタル加入者線)

ADSLは，アナログ電話回線を利用したデータ通信サービスである。**アップロードよりもダウンロードの通信速度が速くなるよう帯域を確保する**非対称通信となっている。光回線が普及するまでの「つなぎ」として利用されてきた。

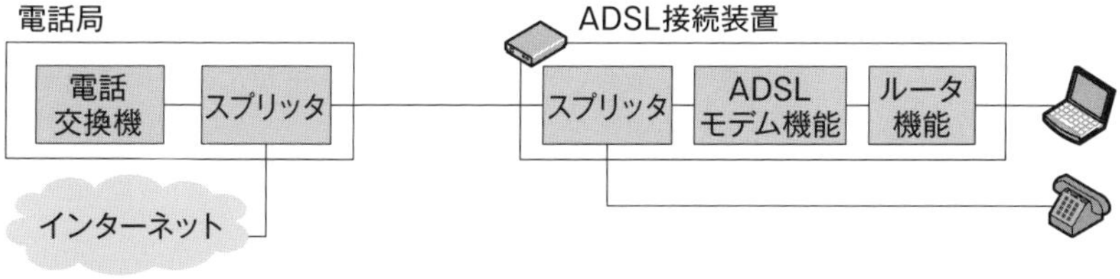

利点	・既存のアナログ電話回線が使用できる
欠点	・電話局との距離が離れると，通信速度が低下する ・(光回線に比べ) 速度が遅い（数百k～数十Mbps程度）

▶図2.1.4　ADSLのネットワーク構成

ADSL接続装置には**スプリッタ**が内蔵されており，送信時には通話の音声信号とデジタル信号を重ね，受信時には分離する。スプリッタは電話局側でも使われている。電話局側で分離された音声信号は電話交換機に接続され，デジタル信号は各プロバイダのネットワークに接続される。

2 無線ネットワーク

無線ネットワークは，文字どおり無線を用いたネットワークである。その代表は無線LANであるが，携帯電話と基地局，携帯機器同士，IoT機器との接続など，その用途は幅広い。

1 無線LAN

無線LANは，電波を利用したLANである。無線LANの規格は，**IEEE802.11**の拡張規格が最も普及している。

▶表2.1.5　無線LANの主な規格

Wi-Fi世代	IEEE規格	周波数帯	最大速度
	IEEE802.11b	2.4GHz帯	11Mbps
	IEEE802.11a	5GHz帯	54Mbps
	IEEE802.11g	2.4GHz帯	54Mbps
Wi-Fi 4	IEEE802.11n	2.4/5GHz帯	600Mbps
Wi-Fi 5	IEEE802.11ac	5GHz帯	6.9Gbps
Wi-Fi 6	IEEE802.11ax	2.4/5GHz帯	9.6Gbps
Wi-Fi 6E	IEEE802.11ax	2.4/5/6GHz帯	9.6Gbps

無線LAN製品のうち，業界団体であるWi-Fi Allianceが認定した製品には「**Wi-Fi**」認定が与えられ，機器同士の相互接続が保証される。

2 無線LANの周波数帯とチャネル

無線LANで用いられる周波数帯は，**2.4GHz**帯，**5GHz**帯，**6GHz**帯を利用する。2.4GHz帯は，電子レンジ，コードレス電話，Bluetoothなどでも利用されており，5GHz帯の一部は，船舶用レーダーや気象用レーダーに利用されていることから電波干渉が生じることがある。6GHz帯は，他の利用も少ないため，電波干渉が生じにくい。電波の周波数は高いほど電波の回り込みが少なくなり，伝送距離が短くなる半面，電波干渉は少なくなる。

各周波数帯には，複数のチャネルと呼ばれる伝送路が設定されており，**重なっていないチャネル同士であれば，同時に利用することができる。**

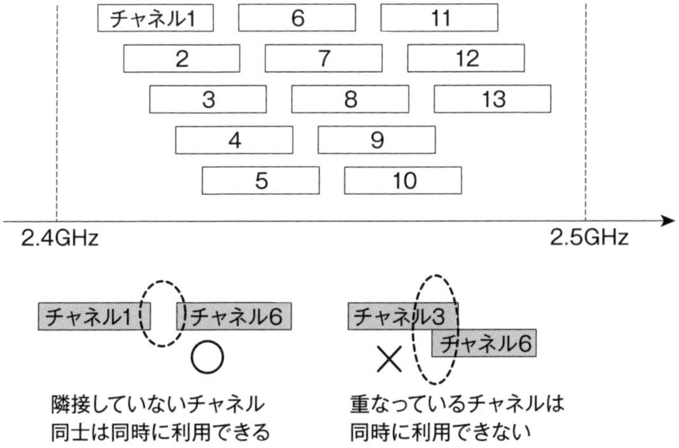

▶図2.1.5　無線LANの周波数帯とチャネル

▶図2.1.5は，IEEE802.11gのチャネル構成である。IEEE802.11gは13チャネル分が利用できるが，それぞれのチャネルの帯域が被っているため，5チャネル以上離れたチャネルでなければ同時に利用できない。したがって，同時に利用できるのは例えばチャネル1，6，11など，最大3チャネルまでとなる。

3 無線LANの接続形態

無線LANの接続形態には，次の２種類がある。

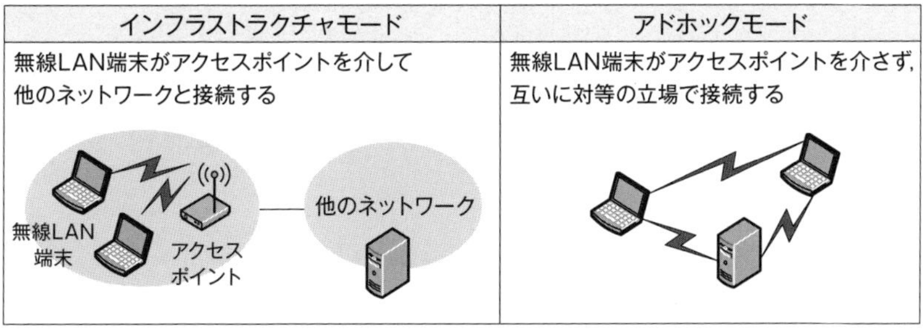

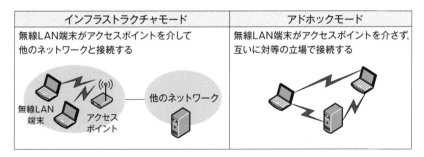

▶図2.1.6　無線LANの接続形態

例えばPCが無線LANを使ってインターネットに接続する場合，PCは**インフラスト**

ラクチャモードで，インターネットに接続しているアクセスポイントに接続する。また，携帯ゲーム機同士のデータ交換を行う場合などは，互いに**アドホックモード**で接続する。

4 アクセスポイントへの接続

インフラストラクチャモードの接続では，アクセスポイントに**ESS-ID**または**SSID**と呼ばれる識別子を設定する。無線端末がアクセスポイントに接続するとき，他の無線LANセグメントとの混信防止のために，このESS-IDによって接続を許可する仕組みになっている。

無線端末は，最寄りのアクセスポイントを探し接続する。この方法には，次の２通りがある。

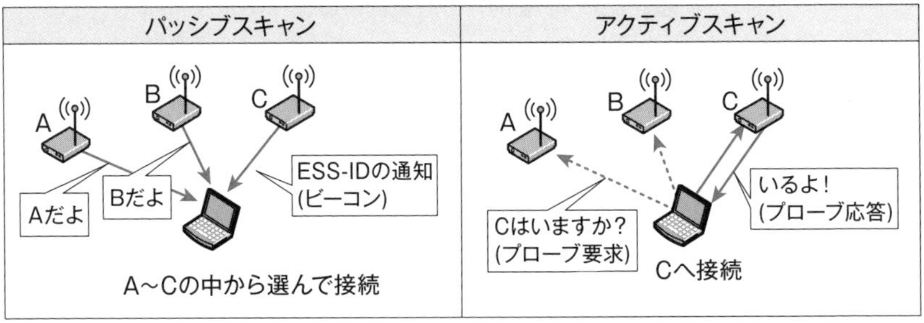

▶図2.1.7　アクセスポイントへの接続方式

パッシブスキャンでは，アクセスポイントが定期的に発信しているビーコンを受信することでアクセスポイントを認識する。一方，**アクティブスキャン**では，無線端末側から接続したいアクセスポイントのESS-IDをブロードキャストし（プローブ要求），アクセスポイントからのプローブ応答を確認することでアクセスポイントを認識する。

5 無線LANの高速化

無線LANの規格は時代とともに高速化している。現在主流のIEEE802.11n以降の規格では次図の高速化技術が採用されている。

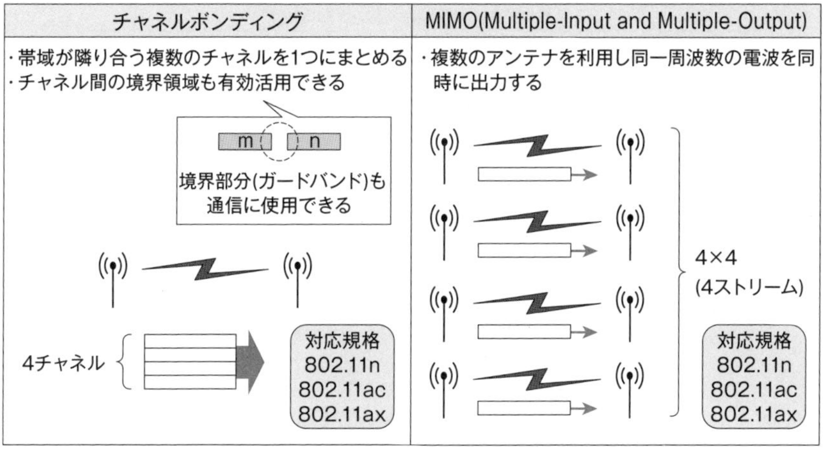

▶図2.1.8　無線LANの高速化技術

チャネルボンディングは，ガードバンドと呼ばれるチャネル間の境界領域も有効活用できる。そのため，2つのチャネルをまとめた場合でも，2倍強の伝送速度を得ることができる。802.11nでは，2つのチャネルをまとめる2チャネルボンディングが可能である。802.11acや802.11axになると，4チャネルボンディングや8チャネルボンディングを利用できる。

MIMOにおける，1つの電波の通り道を**ストリーム**と呼ぶ。例えば，送信機4と受信機4の組（4×4）で最大4ストリームを使用することで4倍の伝送が可能となる。802.11nでは最大4ストリーム，802.11acと802.11axでは最大8ストリームの同時送信が可能である。

6 マルチユーザ化

MIMOを用いた同時送信は，あくまでもアクセスポイントと無線端末が1：1の場合でのみ行われる。これを，複数の無線端末で利用できるよう拡張した方式が，**MU-MIMO**（**Multi User MIMO**）である。なお，アクセスポイントから端末側への送信（ダウンリンク）に対応しているMU-MIMOは**DL MU-MIMO**（**Down Link MU-MIMO**），端末側からアクセスポイントへの送信（アップリンク）に対応しているMU-MIMOは**UL MU-MIMO**（**Up Link MU-MIMO**）と呼ばれる。

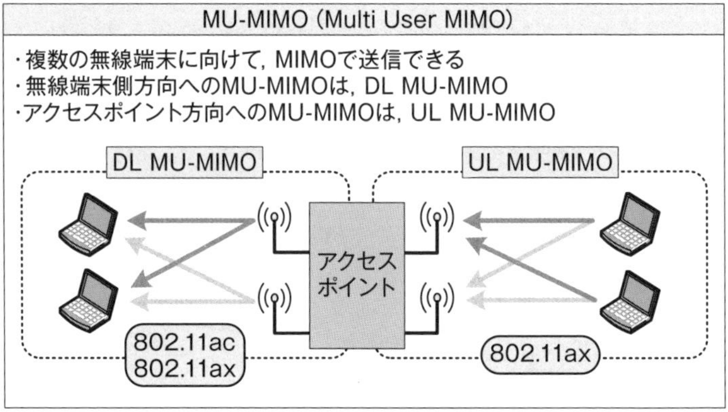

▶図2.1.9　MU-MIMO方式

802.11acはDL MU-MIMOに対応し，その最大ストリーム数８を最大４台の無線端末に向けて，１台あたり最大４ストリームの同時送信が可能である。

802.11axはDL/UL MU-MIMOに対応し，その最大ストリーム数８を最大８台の無線端末に向けて同時送信が可能である。

7 OFDM（直交周波数分割多重方式）

IEEE802.11a～IEEE802.11acの無線LANでは，**OFDM**（Orthogonal Frequency Division Multiplexing）と呼ばれる変調方式が用いられている。これは，複数の**サブキャリア**と呼ばれる周波数帯を複数同時に使用することにより通信速度を高める方式である。**各サブキャリアは互いに干渉しないように（信号が分離できるように）周波数が割り当てられており，１つのチャネルを効率よく利用できる**。この方式により，１つのチャネルで複数ビットの情報を同時に伝送できる。

8 OFDMA（直交周波数分割多元接続）

IEEE802.11axの無線LANでは，OFDMを進化させた**OFDMA**（Orthogonal Frequency Division Multiple Access）と呼ばれる変調方式が用いられている。OFDMでは1つのチャネルのサブキャリアを1台の無線端末が占有するが，OFDMAではサブキャリアごとに異なる無線端末に割り当てることができる。これにより，同時に使用する無線端末が多い場合でも，各端末の待ち時間を減らすことができる。

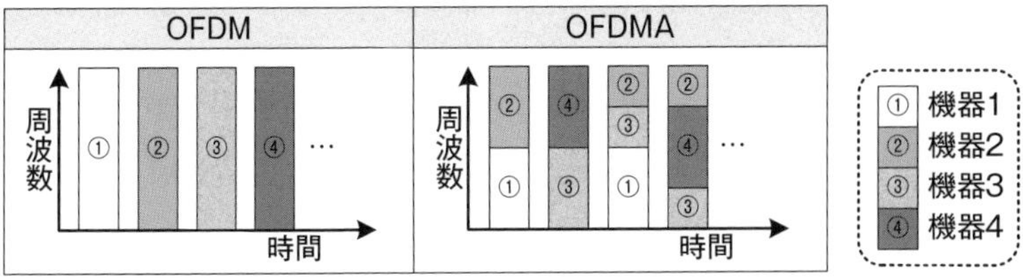

▶図2.1.10　OFDMとOFDMA

9 無線LANのまとめ

これまで述べた事項について，無線LANの代表規格であるIEEE802.11n/ac/axについて，整理しておく。

▶表2.1.6　IEEE802.11n/ac/axの仕様

規格	周波数帯域	最大伝送速度	変調方式（二次）	チャネルボンディング	MIMO	MU-MIMO
IEEE802.11n	2.4GHz, 5GHz	600Mbps	OFDM	2チャネル(20MHz×2)	4ストリーム	未対応
IEEE802.11ac	5GHz	6.93Gbps	OFDM	2チャネル(20MHz×2) 4チャネル(20MHz×4) 8チャネル(20MHz×8)	8ストリーム	DLのみ対応 4台
IEEE802.11ax	2.4GHz, 5GHz, 6GHz	9.6Gbps	OFDMA			DL/ULに対応 8台

10 無線通信サービス

携帯電話などに向けた無線通信サービスは，3GからLTEを挟んで4G，5Gへと変化している。**LTE**は3.9Gに位置づけられた通信サービスで，無線LANで用いているOFDMを１：多で利用できるようにしたOFDMAが用いられた。4GはLTEをさらに発展させた**LTE-Advanced**などの技術が採用された。

5Gは，ITUが定めた規定（IMT-2020）に則り，さらなる高速大容量，低遅延，多数同時接続を実現する通信サービスであり，整備が進められている。5Gは4Gでは用いられていなかったミリ波やSub6と呼ばれる帯域も利用する。

【参考】 ～ローカル5G

ローカル5Gは，5Gサービスが展開されていない地域でも，企業や自治体が個別に免許を取得することで利用できる5G通信サービスである。自己の土地や建物内での利用が基本である。

11 WiMAX (Worldwide Interoperability for Microwave Access)

WiMAXは固定通信向けの無線通信技術として，IEEE802.16-2004として策定された。移動通信向けには，IEEE802.16e-2005で移動中に基地局を切り替えるハンドオーバーの機能などを備えている。WiMAXでも他の無線通信と同様，MIMOとキャリアアグリゲーションの技術を使用し，通信速度を高速化している。WiMAX2.1は携帯電話の第４世代（４G）に相当する技術である。国内の移動通信向けWiMAXは，2020年４月以降はWiMAX2.1のみとなる。

▶表2.1.7　移動端末向けWiMAX

	Mobile WiMAX	WiMAX2.0	WiMAX2.1
規格名	IEEE802.16e-2005	IEEE802.16m	
最大伝送距離	１～３km		
最大伝送速度（ダウンロード）	約64Mbps	約300Mbps	１Gbps以上
使用周波数帯	2.5GHz帯		
MIMO	２×２	４×４	８×８

12 Bluetooth

Bluetoothは近距離（数m）用の無線通信規格で，IEEE802.15.1として規定されている。Bluetoothを用いて接続するデバイスには，種類ごとにプロトコルが規定されており，これを**プロファイル**と呼び管理している。このプロファイルが一致した場合のみ，そのプロファイルの機能を利用することができる。初めて接続する際に，通信する機器同士が「ペアリング」と呼ばれる手順で相互認証を行う。一度ペアリングした機器同士は，次回からは自動で接続できる。

▶表2.1.8　Bluetoothの規格

	伝送速度
Bluetooth 1.0～1.2 BR：Basic Rate	1Mbps
Bluetooth 2.0, 2.1 EDR：Enhanced Data Rate	2Mbps, 3Mbps
Bluetooth 3.0 HS：High Speed	24Mbps
Bluetooth 4.0～5.0 LE：Low Energy	125kbps, 500kbps, 1Mbps, 2Mbps

Bluetoothは2.4GHz帯を利用することから，同じ帯域を利用する無線LANや電子レンジなどの影響を受ける。このため，利用する周波数を短い時間でランダムに変える「周波数ホッピング」という手法で混信を避けている。また，電波状況に応じてエラー訂正符号を付加することもできる。

Bluetooth が採用する誤り訂正方式には，ビットを３回繰り返す方式やハミング符号を用いた方式があります。もちろん，誤り訂正を行わないことも可能です。

13 IoTに利用するネットワーク

IoT（**Internet of Things**：モノのインターネット）とは，インターネットに多様かつ多数の物が接続され，利用されることを表す言葉である。

IoTを実現するためには，接続する機器の数，省電力性，コストなどが重要な要素となる。そのため，通信速度ではなく，これらの特性を重要視する独自のプロトコルを用いることが多い。

▶**表2.1.9　IoTの無線通信方式**

Bluetooth LE（Low Energy）
・Bluetooth4.0以降の省電力に対応したモード ・既存規格のBR/EDRとは互換性がない ・スマートフォンとの接続で利用できる
ZigBee
・無線通信規格でIEEE802.15.4として規定 ・通信速度よりも低消費電力を重視している ・複数のセンサが計測データをやり取りするセンサネットワークに適している
6LoWPAN（IPv6 over Low-Power Wireless Personal Area Networks）
・物理層にZigBeeと同じIEEE802.15.4やBluetoothを用いて，TCP/IPを実装する規約
Wi-SUN（Wireless Smart Utility Network）
・物理層にIEEE802.15.4g（IEEE802.15.4の拡張）を用いた日本発の方式 ・マルチホップを用いた長距離伝送が可能

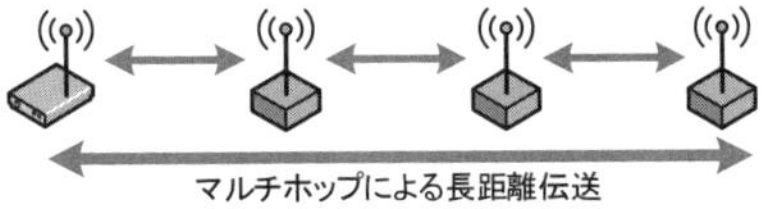

ZigBeeは消費電力を抑えるため，デバイスをスリープ状態で待機させ，データ送信時のみ給電する。

Wi-SUNについて「マルチホップを使用して500mを超える通信が可能である」という特徴が出題されたことがあります。この500mという距離は，Wi-SUNの開発目標である「単三形乾電池３本で10年以上動作し，(ノード間の)通信距離は最大500m程度」に由来しています。マルチホップを使えば，500mの通信距離をさらに延長し，数kmにわたる通信が可能になります。

▶**表2.1.10　IoTにおける無線通信方式の比較**

	Wi-Fi	Bluetooth LE	ZigBee
周波数帯	2.4GHz，5GHz	2.4GHz	2.4GHz
最大接続ノード数	数十	無制限（2^{32}）	65536
通信距離	100m	数m～400m	1m～3km
通信速度	11Mbps～数Gbps	125kbps～2Mbps	20kbps～250kbps
消費電力	大きい	極めて少ない	極めて少ない

14 軽量プロトコル

ZigBeeなどのセンサネットワークが収集するデータは小容量であるため，これをHTTPなどの汎用プロトコルで送受するとプロトコルオーバヘッドが大きくなり効率が悪い。IoTを実現するためには，送受できるデータ量は少なくても，シンプルでオーバヘッドの小さなプロトコルが望まれる。このような特徴を持つプロトコルを，**軽量プロトコル**と呼ぶ。

軽量プロトコルには，次のものがある。

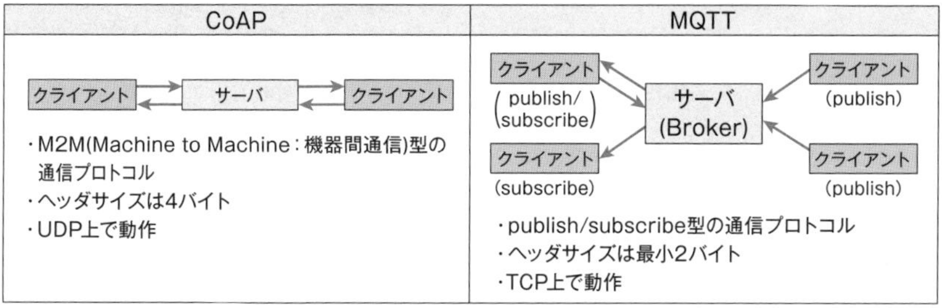

▶図2.1.11　軽量プロトコル

CoAP，**MQTT**のヘッダサイズは，HTTPの数十～数百バイトに比べると非常に小さく，通信量やプロトコル処理の削減につながる。

CoAPは機器間での1：1の通信を行うが，MQTTはpublish（送信者）/subscribe（受信者）型の通信を行う。送信者は中央のBrokerを介して同時に複数の受信者へ通信を行うことができる。

3 光ネットワーク

光ネットワークは，光回線を用いたネットワークである。初期の光ネットワークは，FDDIのようなLANで発展したが，現在では通信事業者が構築するWANで用いられることがほとんどである。

1 FDDI (Fiber Distributed Data Interface)

FDDIは，光ファイバを用いたトークンリング方式の二重リング構成のネットワークである。リングやノードに障害が発生したとき，リングを折り返すことで障害部分を切り離す。

FDDIは伝送速度が100Mbps程度であり，現在では利用されなくなっている。

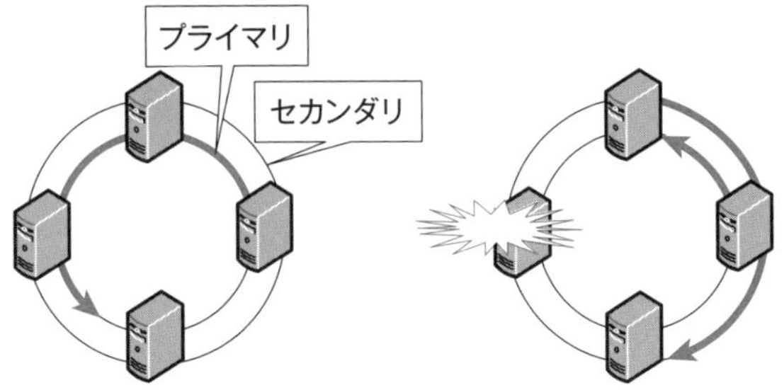

▶図2.1.12　FDDI

2 FTTH (Fiber To The Home)

FTTHは，光ファイバを伝送路として家庭向けに引き込むネットワーク構成方式である。通信速度が100Mbps～10Gbpsの通信サービスが提供されている。マンションや地域によっては，加入者宅と収容局（電話局）の間で複数の回線を集約／分岐させる装置として光スプリッタが利用される場合がある。この場合には，共有している加入者で帯域を分け合うことになる。

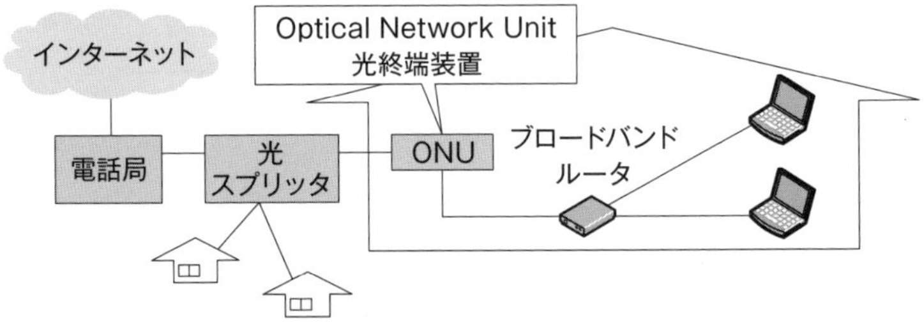

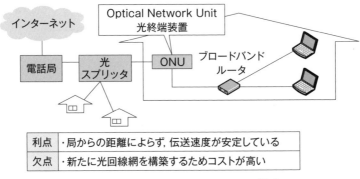

利点	・局からの距離によらず，伝送速度が安定している
欠点	・新たに光回線網を構築するためコストが高い

▶図2.1.13　FTTHのネットワーク構成

3 WDM (Wavelength Division Multiplex：波長分割多重通信)

WDMは，１本の光ファイバにケーブルで複数の波長の異なる光信号を同時に送る方式である。この方式により数Tbpsのデータ転送ができる。

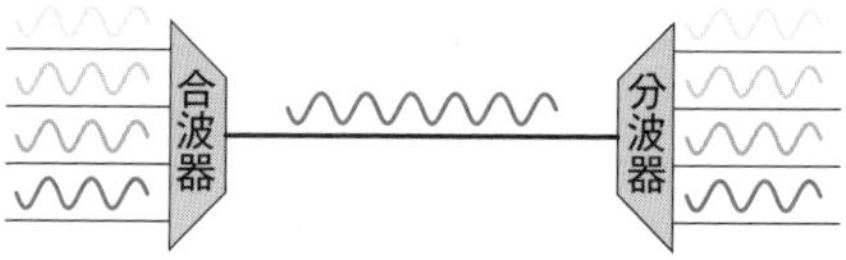

▶図2.1.14　WDM

4 SONET/SDH

SONET/SDH（Synchronous Optical NETwork/Synchronous Digital Hierarchy）は，複数の電話回線を束ねて光回線に多重化する仕組みである。これを用いることで，同じ光回線上に通話とデータ通信を混在させて伝送することができる。さまざまな回線を束ねて伝送することができるため，通信事業者の局間を結ぶバックボーン回線用途に利用される。

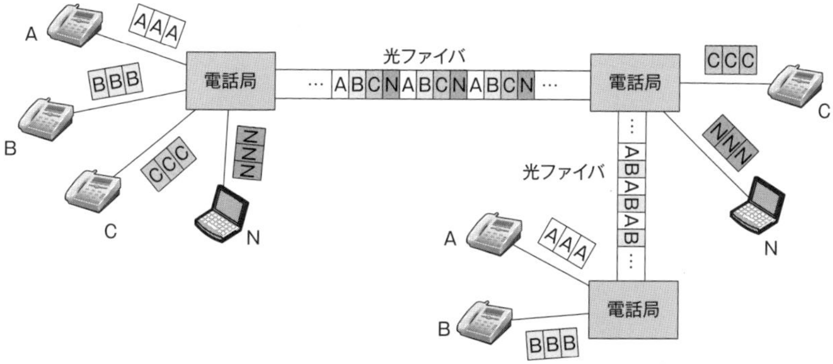

▶図2.1.15　SONET/SDH

プロトコル階層で見たとき，SONET/SDHは物理層の規格であり，10Gビットイーサネットの規格であるIEEE802.3aeとの相互接続性が保証されている。

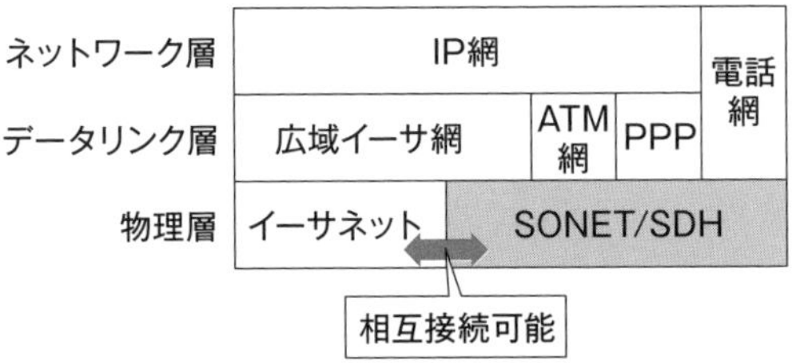

▶図2.1.16　SONET/SDHとプロトコル階層

4 ストレージネットワーク

ストレージネットワークは，ハードディスクなどの記憶媒体とサーバを結ぶ高速なネットワークで，データセンタなど巨大な記憶容量が必要な場面で用いられる。

1 SAN (Storage Area Network)

SANは，データ通信ネットワークとは独立して構築されるストレージ専用のネットワークである。データ転送のプロトコルには，ファイバチャネル（FC：Fiber Channel）を用いる。

SANのストレージ制御は，ファイバチャネル上でSCSIコマンドを送受信することで行われる。

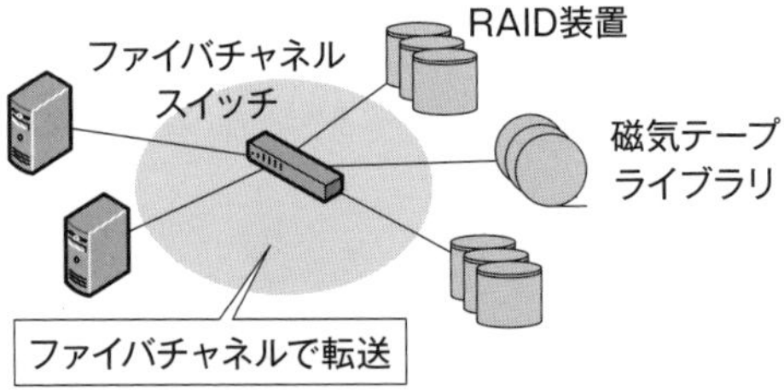

▶図2.1.17　SAN

【参考】　～ファイバチャネル

ファイバチャネルは，主に光ファイバケーブルを用いた高速かつ長距離伝送を実現するプロトコルである。現在では主にSANの構築に用いられる。

【参考】 ～SCSI（Small Computer System Interface）コマンド

SCSIは，コンピュータと周辺機器との間でデータ転送を行うインタフェース規格の一つである。SCSIコマンドは，コンピュータからSCSIで接続された周辺機器に送る命令群で，READ/WRITE/SEEKなど制御に必要なコマンドが定義されている。

過去に本試験でSANが問われたことがあります。「LANとは独立した」「ファイバチャネルを用いた専用ネットワーク」であることが出題のポイントでした。

2 FCoE (Fiber Channel over Ethernet)

FCoEは，ファイバチャネルフレームをカプセル化し，**イーサネット上で転送する**プロトコルである。イーサネットを利用してSANを構築する場合に用いられる。

3 IP-SAN

IP-SANは，サーバとストレージの間にIPネットワークを利用したSANである。プロトコルにSCSIコマンドをカプセル化してIP通信を行うiSCSI（internet SCSI）が用いられる。

▶表2.1.11 ストレージネットワークの比較

	SAN	FCoE	IP-SAN
速度	超高速	高速	低速
コスト	高	中	低

【参考】 ～NASとDAS

SANのようなストレージ専用のネットワークは構築しないものの，「ストレージを接続する」ことのみに注目すれば，SANのほかにもNASやDASという方式もある。

▶表2.1.12　NASとDAS

NAS Network Attached Storage	・ネットワークに直接接続するファイルサーバ型のストレージ ・NAS上でNFSやCIFSなどのファイル共有プロトコルが動作 → ファイル単位のデータ共有が可能 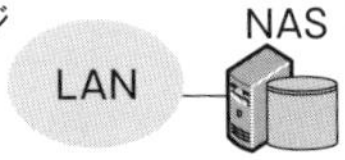
DAS Direct Attached Storage	・サーバにストレージを直接接続する形態，またはそのようなストレージのこと ・ストレージの接続にはATA，SATA，SCSI，SASなどが用いられる 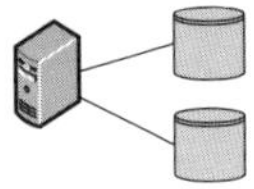

Focus 無線LANの詳細

無線LANは簡便で柔軟性の高いネットワークを提供しますが，電波の届く範囲や外来電波の影響，モバイル端末が移動する場合のハンドオーバ（ローミング）など，検討すべき事項は少なくありません。本試験でも，主に午後Ⅱ試験の一側面として，それらの検討事項が出題されることがあります。注意を払うべき分野です。

■ 基礎編のおさらい

無線LANとそのアクセス制御方式であるCSMA/CAについて，基礎編で説明した事項を確認しておく。

・CSMA/CAは衝突を回避する制御を行う。
・回線の空きを待つ無線端末は，バックオフと呼ばれる時間，待機を繰り返す。
・隠れ端末問題に対処するRTS/CTS制御という仕組みがある。

■ 無線LANのセグメント

アドホックモードで構成された無線LANのセグメントや，インフラストラクチャモードによって１つのアクセスポイントを利用して構成された無線LANのセグメントのことを，**BSS**（**Basic Service Set**）と呼ぶ。各BSSを識別する識別子を**BSS-ID**と呼ぶ。BSS-IDには通常はアクセスポイントのMACアドレスが用いられる。

企業などの組織では，複数のBSSをまとめて１つのLANを構築することが多い。このとき，複数のBSSを相互に接続したものを**ESS**（**Extended Service Set**）という。各ESSには，配下のBSSをまとめるための共通の識別子が付与される。その識別子が，基礎編で述べた**ESS-ID**である。なお，一般的にSSIDと表記した場合は，ESS-IDを指すことが多い。

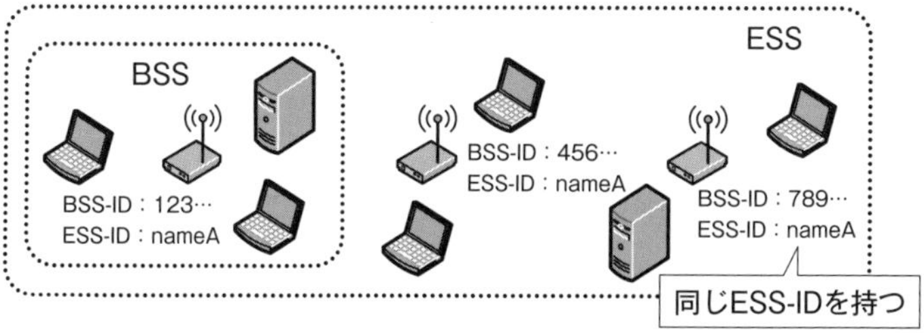

▶図2.1.18　BSSとESS

■ ローミング

ローミングは，無線端末がアクセスポイントを動的に切り替える（ハンドオーバする）機能である。この機能によって，より受信状態の良いアクセスポイントを利用したり，大規模な無線LANにおいて，無線端末を最寄りのアクセスポイントに接続してLANに参入したりするなどの使い方ができる。ローミングを行うためには，**ローミングサービスを提供するアクセスポイントと無線端末に同じ値のESS-IDを設定しておく**必要がある。また，電波干渉を考慮して，アクセスポイントごとに適切な使用チャネルを設定する場合もある。

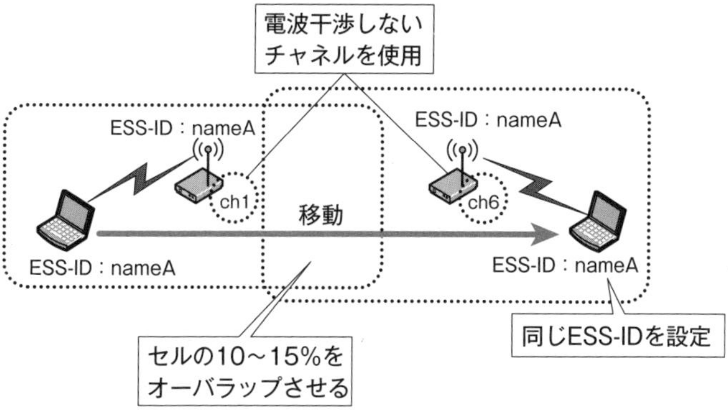

▶図2.1.19　ローミング

図にも示したとおり，セッションを切らずにローミングするために，セル（電波が届く範囲）の10～15%をオーバラップさせることが望ましい。オーバラップの範囲を自動的に調整する製品もある。

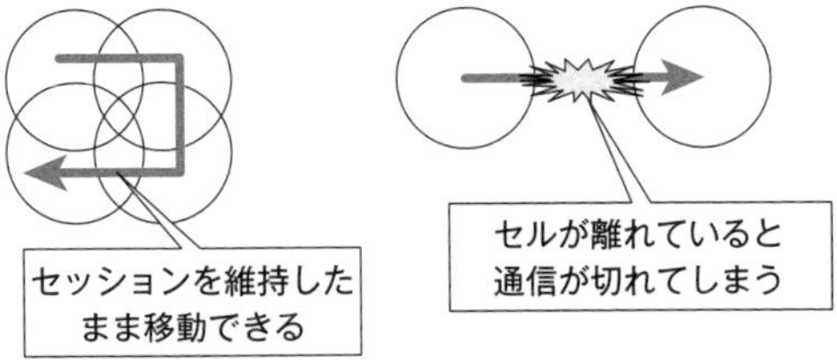

▶図2.1.20　セルのオーバラップ

セルをオーバラップさせる効果として，セッションを切らずにローミングする以外にも，複数のアクセスポイントを利用して「アクセスポイントの負荷を分散する」ことが挙げられます。

【参考】　～通信サービスにおけるローミング

用語としての**ローミング**は，携帯電話などの通信サービスでも用いられる。ただし，通信サービスにおけるローミングは，通信事業者間の提携関係によって「端末を契約外のエリアに持ち込んでも通信を継続できる」ことを意味する。無線LANにおけるローミング（ハンドオーバ）とは意味合いが異なるので注意しよう。

■ メッシュ Wi-Fi

ローミングとよく似たエリア拡張の仕組みに，**メッシュ Wi-Fi**がある。メッシュWi-Fiは，ルータ（親機）とサテライト（子機）を用いたネットワークで，公衆Wi-Fiの構築や家庭でのWi-Fiエリアの拡張に用いられる。親機と子機間は無線で接続されるため，子機を設置するだけで簡単にエリアを増設することができる。反面，複数ベンダの製品を組み合わせることが困難なので，導入コストが高価になる傾向がある。

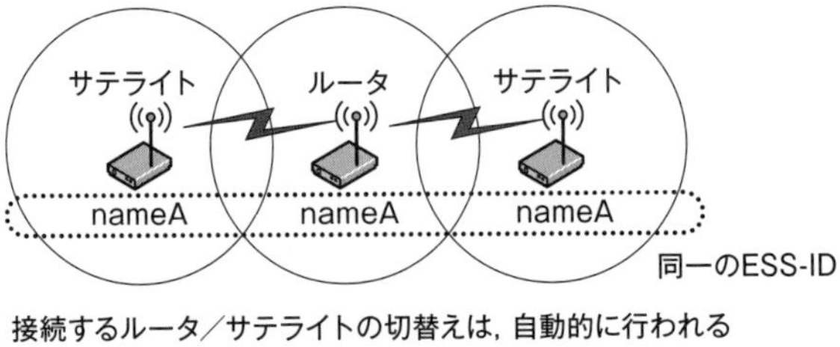

▶図2.1.21　メッシュ Wi-Fi

■ 電波干渉

無線LANが使用する2.4GHz帯は，**ISMバンド**と呼ばれ，一般的な工業製品が自由に使用できる電波帯域である。そのため，**外来電波との干渉によって通信障害が発生しやすい**。これを避けるため，無線LANを設置する際には電波の状況を十分調査し，電波干渉が生じないチャネルを使用するなどの対処を行う。

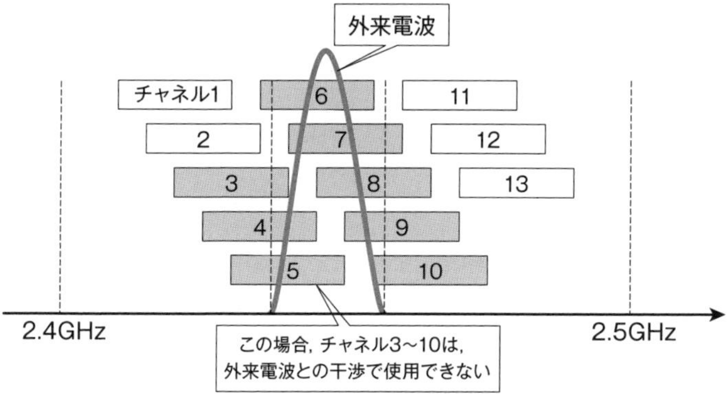

▶図2.1.22　外来電波と干渉

■ WLC（Wireless LAN Controller）

WLCは，**複数のアクセスポイントを一元管理する機器**である。多くのアクセスポイントを持つ企業ネットワークに導入される。

WLCの機能は製品によって異なるが，主に次のような機能を持つ。

- SSIDや周波数チャネルなどの設定を一元管理する。
- 設定変更やファームウェアのアップデートなどの処理を一括して実施する。
- アクセスポイントの負荷分散や，端末の移動に伴うハンドオーバを制御する。
- 利用者認証やセキュリティポリシの適用，VLANの管理などを実施する。

WLCの接続構成には，アクセスポイントとWLCを直接接続する構成と，スイッチなどを介して間接的に接続する構成がある。前者の構成は，WLCの障害がネットワーク全体の障害に波及する。後者の構成では，WLCを多重化することができるため，前者に比べより高い信頼性を得ることができる。

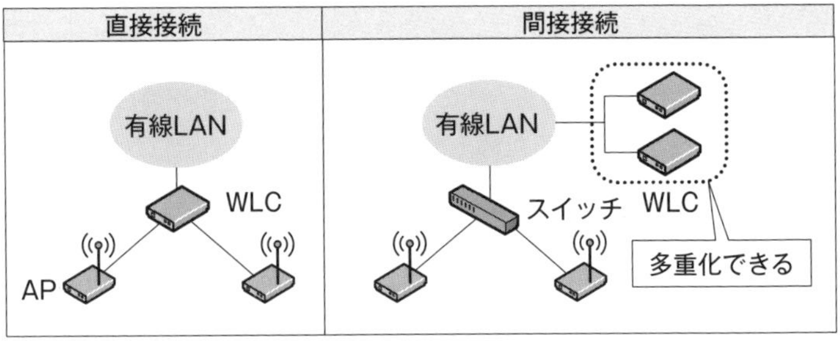

▶図2.1.23　WLCの接続構成

WLC自身の動作モードにも，アクセスポイント間の通信をすべてWLC経由で行うモードと，利用者認証のみWLCに接続し，以降の通信はWLCを経由しないモードがある。後者のモード（メーカによってFlexConnectなどと呼ばれる）を用いることで，WLCを多重化しない場合であっても，WLCの障害がデータ通信そのものに影響しないため，前者に比べると高い信頼性を得ることができる。

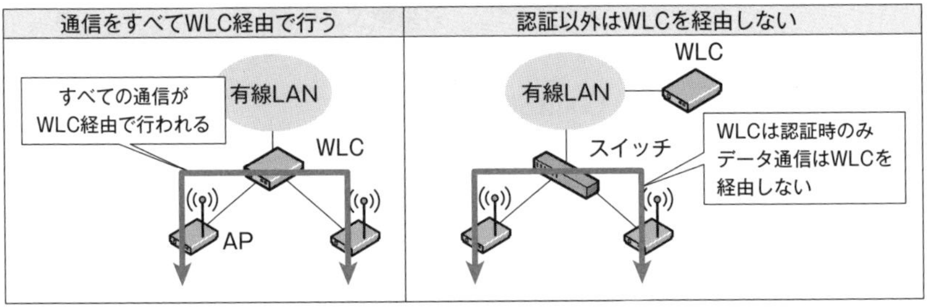

▶図2.1.24　WLCの動作モード

■ 出題の切り口１

平成29年午後Ⅱ問２に，無線LANの基礎的な知識を問う設問が出題された。まず，無線LANで使用する周波数帯域について，次のような空欄が出題された。

▶表2.1.13　平成29年午後Ⅱ問２「表１　IEEE802.11で使用される周波数帯域」

規格	周波数帯	伝送速度
802.11n	［　①　］GHz，［　②　］GHz	最大 600M ビット／秒
802.11ac	［　②　］GHz	最大 6.93G ビット／秒

①② [①] [②] に入れる適切な数値を答えよ。

次に，IEEE802.11ac規格と検討中のアクセスポイントの仕様を考慮したうえで，チャネルボンディングとMIMOによる高速化を問う問題が出題された。

IEEE802.11ac規格では，八つのチャネルを束ねる８チャネルボンディング（160MHzの帯域幅）を行えば，アンテナ１本当たり最大約867Mビット／秒の通信が可能である。８チャネルボンディングと８本のアンテナによるMIMO（Multiple Input Multiple Output）で８ストリームの同時伝送を行えば，理論上最大約6.93Gビット／秒で通信できる。検討しているAP製品は，４チャネルボンディング（80MHzの帯域幅）まで行え，３本のアンテナが搭載されているので，１Gビット／秒以上の通信速度が達成できる。

③ 下線部について，検討しているAP製品で最大約867Mビット／秒の通信速度を得るのに，最低限必要な周波数帯域とアンテナ本数を，それぞれ答えよ。

さらに，社内へのアクセスポイントの設置イメージと，セルのイメージを提示し，電波干渉を起こさないために必要な周波数グループの数や，セルを重ねる利点について問われた。

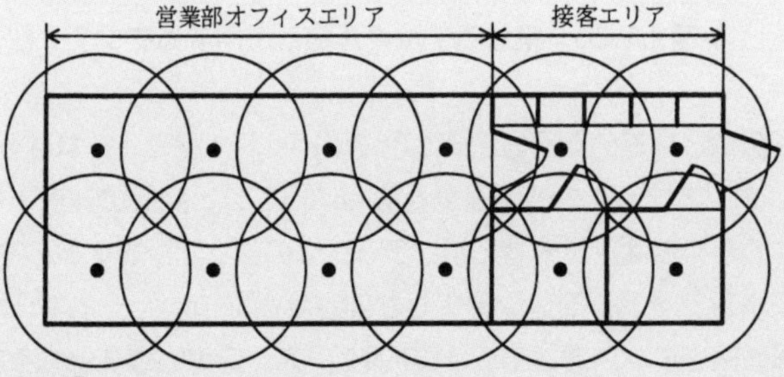

注記　図中の円弧は，APがカバーするエリア（以下，セルという）を示す。

▶図2.1.25　平成29年午後Ⅱ問２「図３　営業部フロアへのAPの設置イメージ」

④　図の構成でAPを設置してチャネルボンディングした周波数帯が重ならないようにするためには，少なくとも幾つの周波数帯グループが必要になるかを答えよ。
⑤　各APのセルを重ねる目的を，25字以内で述べよ。

【解説】

①は2.4，②は5である。無線LANの周波数帯域は，ネットワークスペシャリストの基礎知識なので覚えておきたい。

③は，通信速度が，

束ねるチャネル数×使用するアンテナ数

に比例することを理解できていれば解答できる。つまり，下図の通信速度は理論上はすべて等しいことになる。

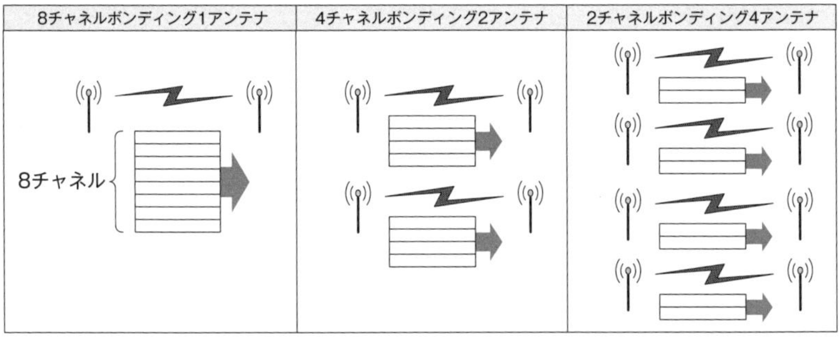

▶図2.1.26　束ねるチャネル数と使用するアンテナ数

さて，目標としている通信速度は867Mビット／秒で，これは８チャネルボンディング１アンテナの通信速度と等しい。これと同等の速度を検討中のAPで実現するためには，チャネルボンディングの数とアンテナ数の制限から，４チャネルボンディング２アンテナしか組合せがない。１チャネルが20MHzなので，最低限必要な周波数帯域は80MHz，アンテナ数は２となる。

なお，チャネルボンディング数は「なし（１チャネル）→ ２ → ４ → ８」と変化するので，３チャネルボンディングを行うことはできない。

④は，営業部フロアで最大４つのセルが重なっていることに注目する。この重なり部分で周波数帯が重ならないようにするためには，少なくとも（排他的な）４グループの周波数帯が必要であることが分かる。

⑤のセルを重ねる目的については，「ローミング」で述べたとおり，

・セッション（または通信）を切らずにローミングする
（ハンドオーバをスムーズに行わせる）
・APの負荷分散を行わせる

のいずれかを答えればよい。

【解答】

① 2.4　② 5
③ 周波数帯域：80MHz　アンテナ数：2
④ 4
⑤ ・ハンドオーバをスムーズに行わせるため
・APの負荷分散を行わせるため

■ 出題の切り口2

平成25年午後Ⅱ問１にも，VLANとの関連で無線LANについての問題が出題された。長くなるので引用を一つに絞るが，無線LANにおけるローミングの設定について，次の空欄が問われた。

> 無線LANにおいて，モバイル端末が異なるAP間を渡り歩けるような機能のことをローミングという。ローミングのためには，ローミングの対象となる全てのAPについて，ネットワークの識別子である［⑥］が同じである必要がある。
>
> ⑥ ［⑥］に入れる適切な字句を答えよ。

【解説】

無線LANにおける「ネットワークの識別子」という言葉から，すぐにESS-IDという用語が引き出せるようにしておきたい。

【解答】

⑥ ESS-ID（ESSID，SSID）

2.2 ネットワーク間接続機器

Point!

企業ネットワークは，実際にはいくつかのセグメントに分けて運用されている。それらのセグメントを相互に接続する機器が，ネットワーク間接続機器である。ただ，一口にネットワーク間接続機器といっても，サポートするプロトコルの階層によってさまざまな機器があり，機能や役割に大きな違いがある。ここでは，それらの機器を，プロトコル階層に分けて説明する。

… 30秒チェック！ …
Super Summary

1 ネットワーク間接続機器の一覧

【目標】各接続機器の名称とプロトコル階層を対応させて覚える。

2 リピータ／リピータハブ

【目標】リピータ／リピータハブについて機能や制限を知る。

□カスケード接続制限 … 4リピータ/ 5セグメント，2リピータ/ 3セグメントがある

□Automatic MDI/MDI-X … ケーブルの使い分けを不要にする機能

3 ブリッジ／L2スイッチ（レイヤ2スイッチ）

【目標】ブリッジ／L2スイッチについて機能や方式を知る。

□コリジョンドメイン … フレーム衝突の影響を受けるネットワークの範囲

□MACアドレスの学習 … ポートとMACアドレスの対応を学習する機能

□ブロードキャストドメイン … ブロードキャストが到達するネットワークの範囲

□スパニングツリー … 物理的なループをツリー構造にして解消する機能

□STP … スパニングツリー化に用いられるプロトコル

□RSTP … ツリーの再構成を高速化するSTPの改良プロトコル

□MSTP … RSTPをベースにVLAN用に改良したプロトコル

□リンクアグリゲーション … 複数ケーブルをまとめて利用する高速化方式

4 ルータ／L3スイッチ（レイヤ3スイッチ）

【目標】ルータ／L3スイッチについて機能や制御方式を知る。

□NAPT … 限られたグローバルIPアドレスでインターネットに接続する機能

□マルチキャストグループ … マルチキャスト通信を受信するグループ

□IGMP … マルチキャストグループへの参加，離脱を行うプロトコル

□PIM … マルチキャストグループの情報をルータ同士が交換するプロトコル

□IGMPスヌーピング … IGMPメッセージを監視し，必要なポートにのみマルチキャストパケットを転送する機能

5 ゲートウェイ

【目標】ゲートウェイの役割を知る。

1 ネットワーク間接続機器の一覧

まずは，ネットワーク間接続機器の種類を，サポートするプロトコル階層とともに一覧する。使用するプロトコル階層は，物理層とデータリンク層が明確に区別されているOSI基本参照モデルを用いる。

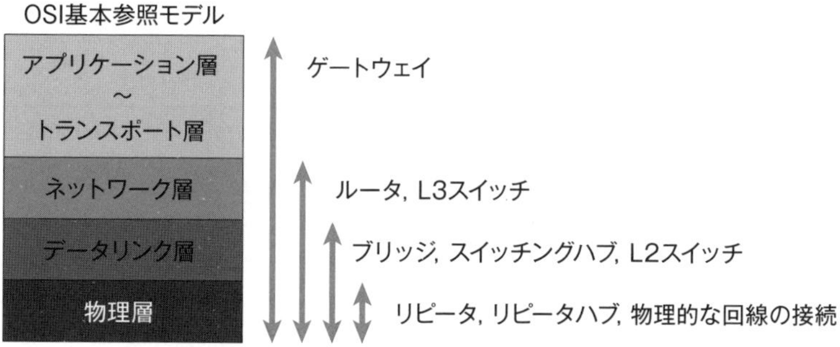

▶図2.2.1 ネットワーク間接続機器とプロトコル階層

2 リピータ／リピータハブ

リピータは，物理層のレベルでデータを中継するネットワーク間接続機器である。入力した電気信号を整形して出力することで減衰に対応し，伝送距離を延ばす働きを持つ。そのため，リピータはネットワーク間接続機器ではなく，LANの延長機器という理解が正しい。リピータハブは，複数の回線を接続するリピータである。

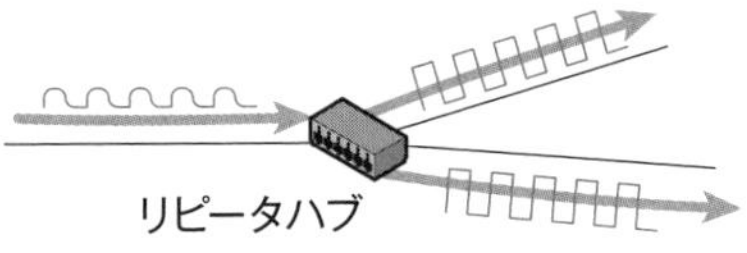

▶図2.2.2　リピータ／リピータハブ

1 カスケード接続制限

カスケード接続とは，リピータの多段接続のことである。カスケード接続において，10BASE-Tでは**4リピータ/ 5セグメント**，100BASE-TXでは**2リピータ/ 3セグメント**という制限がある。

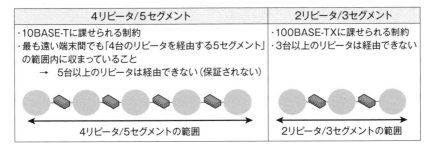

4リピータ/5セグメント	2リピータ/3セグメント
・10BASE-Tに課せられる制約 ・最も遠い端末間でも「4台のリピータを経由する5セグメント」の範囲内に収まっていること →　5台以上のリピータは経由できない（保証されない）	・100BASE-TXに課せられる制約 ・3台以上のリピータは経由できない
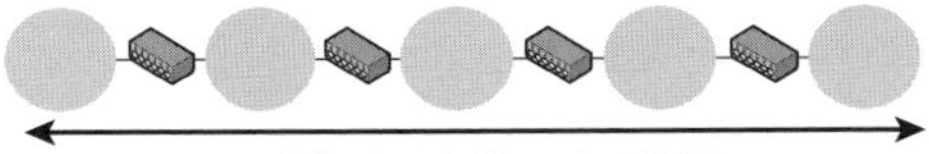	
4リピータ/5セグメントの範囲	2リピータ/3セグメントの範囲

▶図2.2.3　リピータハブのカスケード接続制限

例えば，10BASE-Tで▶図2.2.4左のようなネットワークを構築したとき，クライアントとサーバ❶間の通信は可能であるが，クライアントとサーバ❷間は「5台のリピータを経由する6セグメント間の通信」となるため通信が保証されない。すべての機器が4リピータ/ 5セグメントの範囲に収まるよう，例えば▶図2.2.4右のようにネットワーク構成を見直す必要がある。

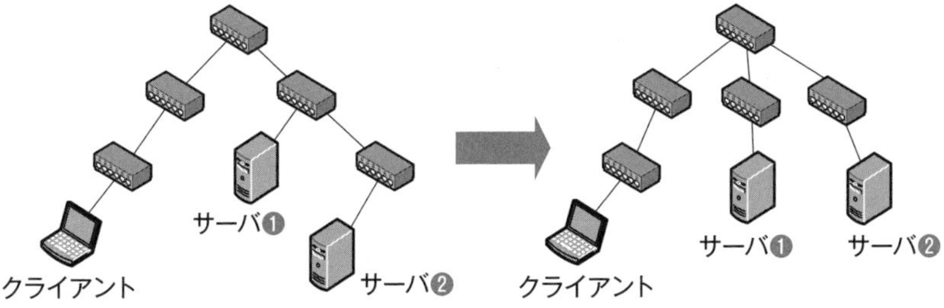

▶図2.2.4　4リピータ/ 5セグメント

2 Automatic MDI/MDI-X

Automatic MDI/MDI-Xは，接続先ポートのピン割り当てを自動判別して，ケーブルの使い分けを不要にする機能である。

機器同士をツイストペアケーブルで接続する場合には，一方の送信端子を相手の受信端子に結ぶように接続しなければならない。このため，接続機器のポート種別によって，**クロスケーブル**と**ストレートケーブル**を使い分けなければならない。

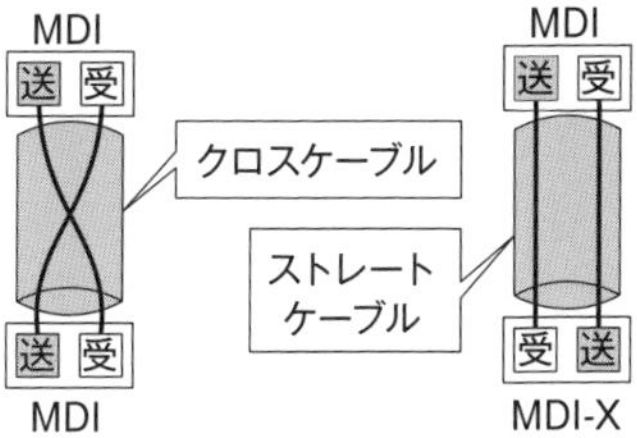

MDI	PCやハブ，スイッチのアップリンクポートに多く採用されるポート
MDI-X	ハブやスイッチに多く採用されるポート。送受信の端子がMDIとは逆に配置されている

MDI：Medium Dependent Interface
MDI-X：MDI Crossover

▶図2.2.5　MDI/MDI-X

Automatic MDI/MDI-Xに対応したリピータハブやスイッチを用いれば，このようなケーブルの使い分けが不要となる。つまり，**接続先のポートの種別によらず，ストレートケーブルまたはクロスケーブルのいずれでも接続することができる。**

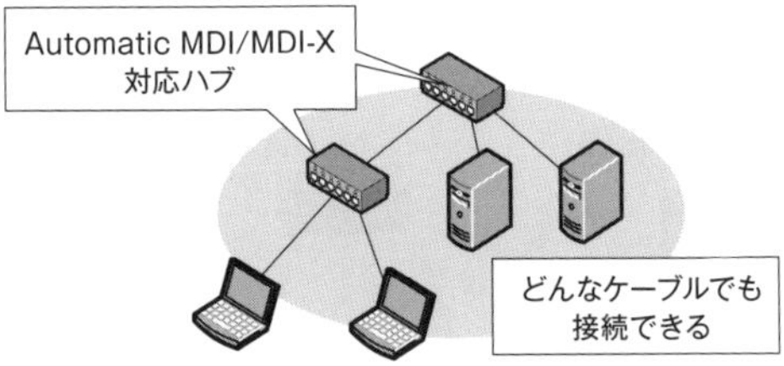

▶図2.2.6　Automatic MDI/MDI-X

【参考】　～コリジョンドメイン

コリジョンドメインは，フレーム同士の衝突（コリジョン）の影響を受ける範囲をいう。リピータで接続した範囲で衝突が発生したとき，その範囲すべてにジャム信号が中継される。そのため，リピータハブで接続した範囲は同一のコリジョンドメインとなる。

3　ブリッジ／L2スイッチ（レイヤ2スイッチ）

ブリッジは，LANセグメントをデータリンク層（レイヤ2）で接続し，フレームを中継するネットワーク間接続装置である。**L2スイッチ**は**スイッチングハブ**とも呼ばれ，複数の接続ポートを持つブリッジとして動作する。ブリッジやL2スイッチはフレームの解析を行い，フレームの効率的な中継を行う。

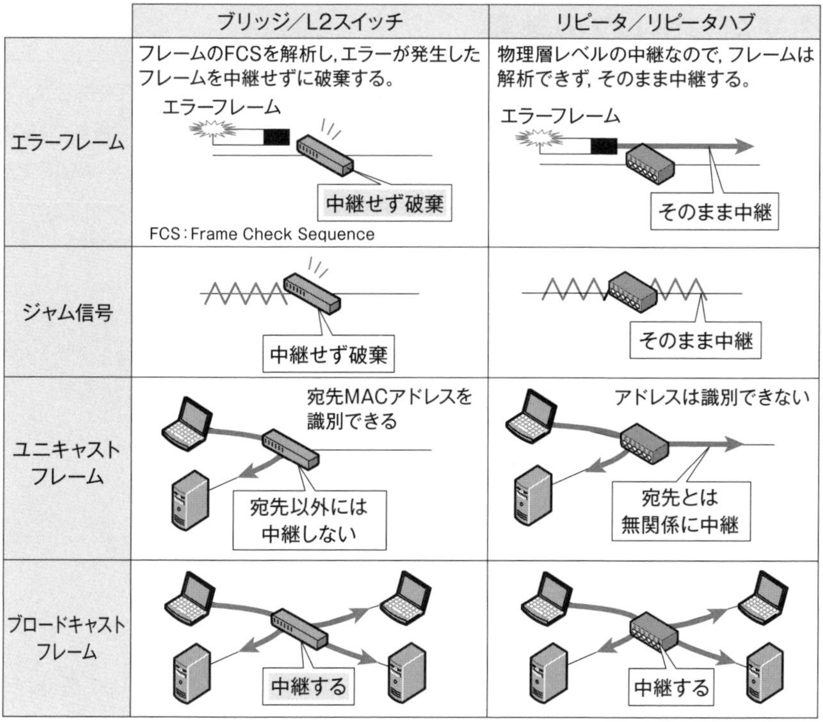

▶図2.2.7　ブリッジ／L2スイッチとリピータ／リピータハブの比較

1 コリジョンドメインの分割

上でも述べたとおり，ブリッジ／L2スイッチはコリジョンが発生したドメインのジャム信号を中継しないため，**コリジョンの影響が他のドメインに及ぶことがない**。すなわち，コリジョンドメインが分割される。

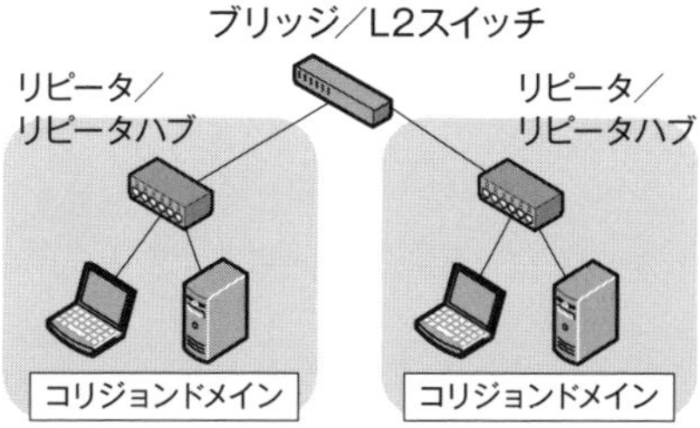

▶図2.2.8　コリジョンドメインの分割

2 MACアドレスの学習

ブリッジ／L2スイッチは，中継するフレーム中の送信元MACアドレスをもとに「どのポートにどのMACアドレスを持つ機器が接続されているか」という情報を，**MACアドレステーブル**に登録する。以下に，▶図2.2.9のネットワークを例に，MACアドレスの学習過程を概説する。なお，MACアドレステーブルは学習が行われていない状態とする。

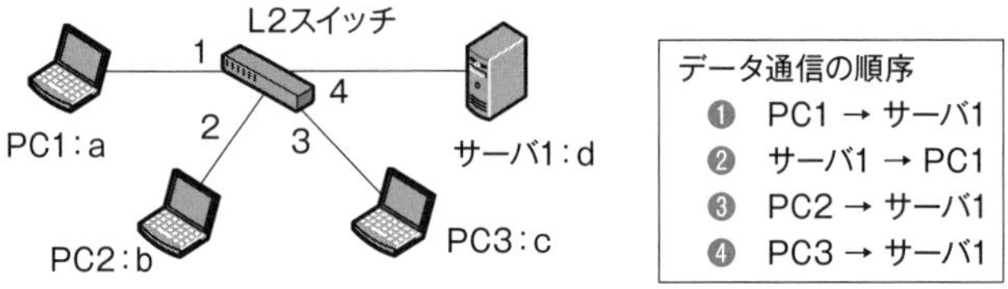

a～d：MACアドレス，1～4：L2スイッチの接続ポートの番号

▶図2.2.9 ネットワークとデータ通信の例

❶ PC1 → サーバ1

このフレームをポート１から受けたL2スイッチは，「MACアドレスaの機器がポート１に接続されている」ことを学習する。MACアドレスdの機器は未学習であるので，受信ポート以外のすべてのポートへフレームを中継する（フラッディング）。

❷ サーバ1 → PC1

このフレームをポート４から受けたL2スイッチは，「MACアドレスdの機器がポート４に接続されている」ことを学習する。宛先のMACアドレスaは学習済みなので，ポート１のみにフレームを中継し，他のポートへは中継しない（フィルタリング）。

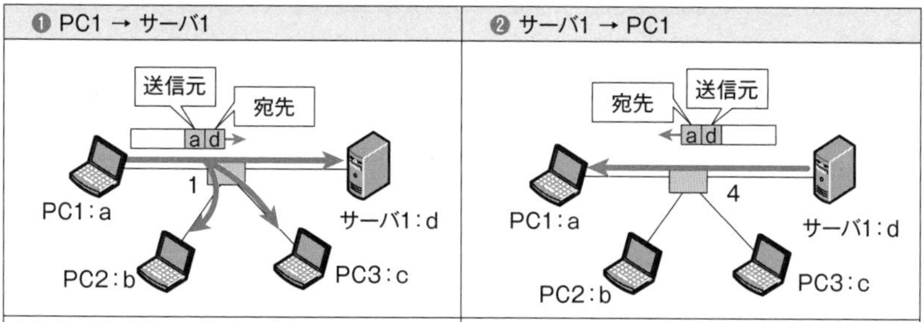

(MACアドレステーブルの変化)

❶ PC1 → サーバ1（変化前）

接続ポート	MACアドレス

➡（変化後）

接続ポート	MACアドレス
1	a

❷ サーバ1 → PC1（変化前）

接続ポート	MACアドレス
1	a

➡（変化後）

接続ポート	MACアドレス
1	a
4	d

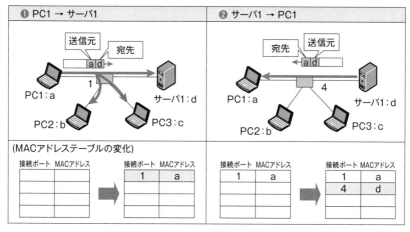

▶図2.2.10　MACアドレスの学習（1）

❸　PC2 → サーバ1

L2スイッチは「MACアドレスbの機器がポート２に接続されている」ことを学習する。宛先MACアドレスdは学習済みなので，フレームをポート４へ中継する。

❹　PC3 → サーバ1

L2スイッチは「MACアドレスcの機器がポート３に接続されている」ことを学習する。フレームをポート４へ中継する。

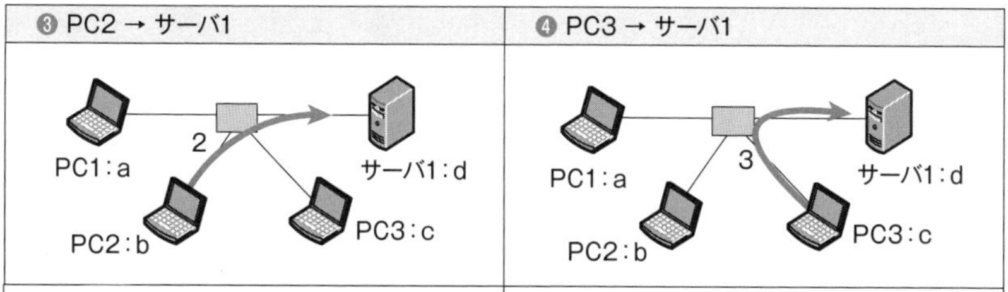

(MACアドレステーブルの変化)

❸ PC2 → サーバ1（変化前）

接続ポート	MACアドレス
1	a
4	d

➡（変化後）

接続ポート	MACアドレス
1	a
4	d
2	b

❹ PC3 → サーバ1（変化前）

接続ポート	MACアドレス
1	a
4	d
2	b

➡（変化後）

接続ポート	MACアドレス
1	a
4	d
2	b
3	c

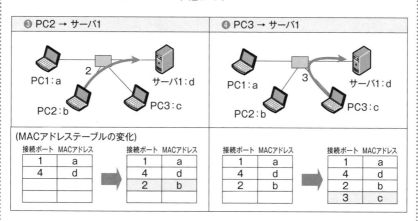

▶図2.2.11　MACアドレスの学習（2）

> **【参考】 ～ブロードキャストドメイン**
> ARP問合せなどのブロードキャストフレームが到達する範囲を**ブロードキャストドメイン**と呼ぶ。ブリッジやL2スイッチはブロードキャストフレームを中継するため，これらで接続された範囲はブロードキャストドメインとなる。

3 スパニングツリー

スパニングツリーは，ブリッジ／L2スイッチを用いたLANに生じたループを解消する機能である。

ブリッジ／L2スイッチを利用してネットワークを冗長化する際に，ネットワークの一部にループが生じることがある。このようなループがあると，ブロードキャストフレームがフラッディングによってループ上を永遠に中継される現象（**ブロードキャストストーム**）が生じる。結果として，ネットワークの帯域が圧迫され，ネットワーク機能がダウンしてしまう。

スパニングツリーは，ループを構成する一部のポートを無効化することで，ループを論理的なツリー構造とする。

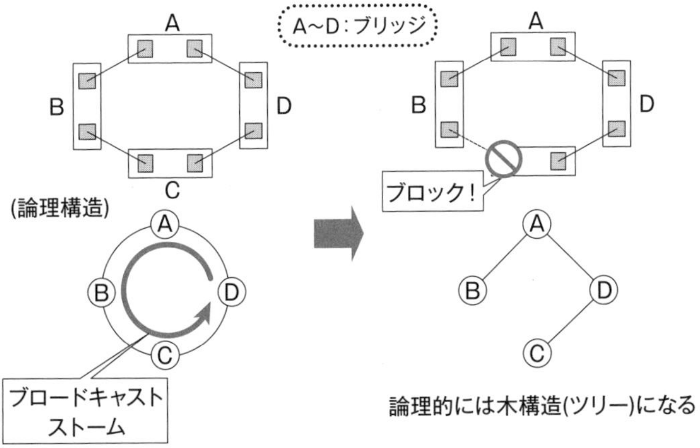

▶図2.2.12 スパニングツリー

4 STP (Spanning Tree Protocol)

STPは，ループをスパニングツリーとするプロトコルで，IEEE802.1Dで規格化されている。STPに対応したブリッジ／L2スイッチでネットワークを構築することで，ネットワークを自律的にツリー構造とする。

以下に，▶図2.2.13のネットワークを例にSTPの流れを説明する。

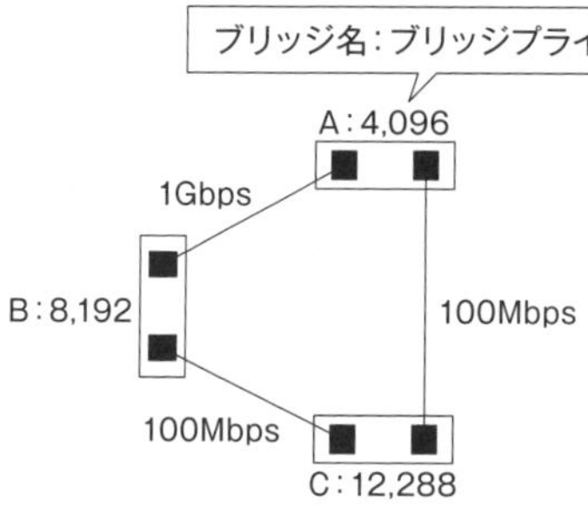

回線速度	パスコスト
10Gbps	2
1Gbps	4
100Mbps	19
10Mbps	100

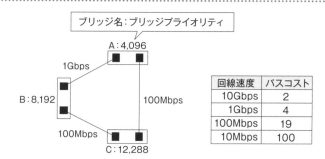

▶図2.2.13　ネットワークとパスコストの例

❶BPDU（Bridge Protocol Data Unit）交換

BPDUは，ブリッジID，パスコストなどが格納された情報で，ブリッジ間でこれを交換する。**ブリッジIDは，ブリッジプライオリティ（優先順位）とMACアドレスで構成**されている。ブリッジプライオリティ値は，小さいほど優先順位が高い。

❷ルートブリッジの決定

交換したBPDUをもとに，「ブリッジIDが最も小さいブリッジ」をルートブリッジとする。ここでは，ブリッジAがルートブリッジに選ばれたものとする。

❸ルートポートの決定

ブリッジの各ポートについて，ルートブリッジまでのパスコストの合計を求める。例えばブリッジBについて，ブリッジAと直接結ばれたポートのパスコスト合計は4，Cを経由するポートのパスコスト合計は38となる。

各ブリッジについて，パスコスト合計が最も小さいポートをルートポートとする。

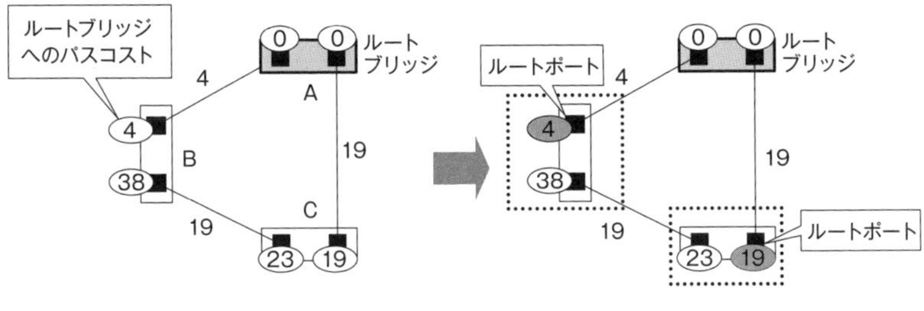

▶図2.2.14　STP（1）

❹指定ポートの決定

セグメント（図では回線）ごとに，ルートブリッジに近い側のポートを指定ポートとする。

❺ブロックするポートの決定

ルートポートでも指定ポートでもないポートをブロックする。

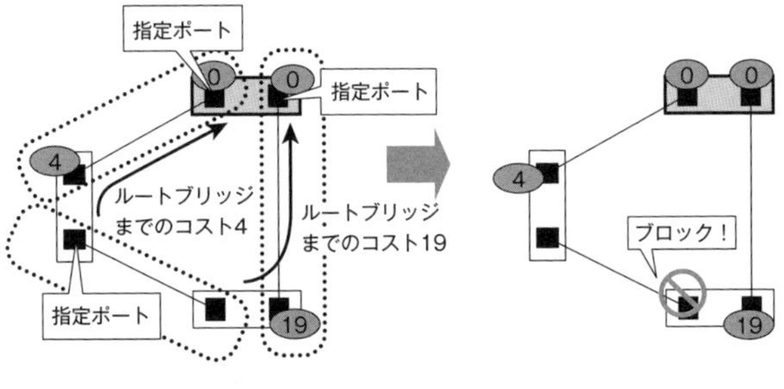

▶図2.2.15　STP（2）

ルートブリッジには，「ブリッジ ID が最も小さい」ものが選出されます。そのため，ブリッジプライオリティ値に差がない場合は，MAC アドレスが最も小さいものが選出されます。初期状態ではブリッジプライオリティ値は同一なので，特に指定しない場合は MAC アドレスで優先順位が決定します。

5 STPの改良

STPを改良したプロトコルに，**RSTP**（**Rapid STP**）や**MSTP**（**Multiple STP**）が

ある。RSTPはスパニングツリーの再構成を高速に行えるよう改良し，MSTPはRSTPをベースに複数のVLANをまとめたインスタンスを対象に，スパニングツリーを構成する。

▶表2.2.1 STP，RSTP，MSTPの比較

プロトコル	規格	再構成
STP	IEEE802.1D	遅い（50秒）
RSTP	IEEE802.1w	速い（数秒）
MSTP	IEEE802.1s	速い（数秒）

6 リンクアグリゲーション

ブリッジやL2スイッチ同士を２本のケーブルで接続すると，ネットワークにループ状態が生じ，STPによって一方の回線がブロックされて使用できなくなってしまう。

リンクアグリゲーションは，ブリッジ／L2スイッチ同士を複数のケーブルで接続したとき，複数のポートを１つの論理ポートとみなすことで回線を集約する機能である。この機能により，機器間の帯域を増やすことができる。リンクアグリゲーションは，IEEE802.3adで標準化されている。

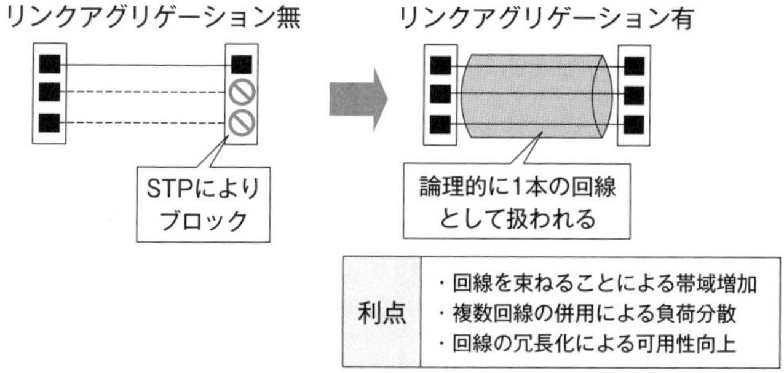

▶図2.2.16 リンクアグリゲーション

【参考】 ～リンクアグリゲーションの設定

リンクアグリゲーションには手動で設定するスタティックな方法と，**LACP**（**Link Aggregation Control Protocol**）を用いたダイナミックな方法がある。LACPは，状況に合わせた設定を自動で行う。

4 ルータ／L3スイッチ（レイヤ3スイッチ）

ルータ／L3スイッチは，LANをネットワーク層（レイヤ3）で接続し，IPパケットを中継するネットワーク間接続装置である。ルーティング機能やフィルタリング機能を持つ。

ルータは，インターネットやWAN回線との接続や，大規模LANをサブネットワークに分割する目的に利用されている。L3スイッチは，ルータと同等の処理をハードウェアで実装することで高速化されており，社内LANの分割に用いられることが多い。

ルータ／L3スイッチはブロードキャストをフィルタリングする。そのため，これらを設置することでブロードキャストドメインが分割され，ブロードキャストの影響を抑えることができる。

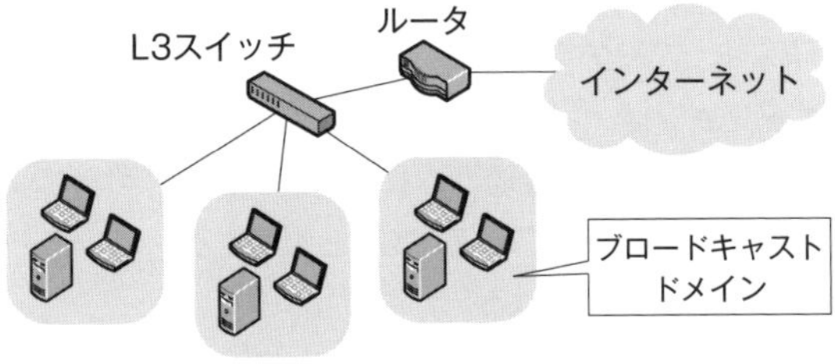

▶図2.2.17　ルータ／L3スイッチ

1 NAPT (Network Address Port Translation)

現在，IPv4のIPアドレスは枯渇状態にあり，多くのグローバルIPアドレスを１つの組織に割り当てることは非常に困難である。**NAPT**は，数少ないグローバルIPアドレスを組織内で共有することで，IPアドレスの枯渇に対応する仕組みである。

NAPTを利用するとき，組織内のホストにはプライベートIPアドレスを付与し，インターネットとの接点にNAPT対応ルータを設置する。NAPT対応ルータのインターネット側の接点にはグローバルIPアドレスが付与されている。

送信パケットがNAPT対応ルータを通過する際，NAPT対応ルータはパケット中のプライベートIPアドレスを自身のグローバルIPアドレスに付け替えてインターネットへ送出する。インターネットからパケットを受信したとき，NAPT対応ルータは送信時と逆の変換を行い，パケットを内部ネットワークに送出する。

変換に際しては，１つのグローバルIPアドレスに複数のプライベートIPアドレスを対応づけるため，IPアドレスとポート番号の組を記録して相互に変換する。

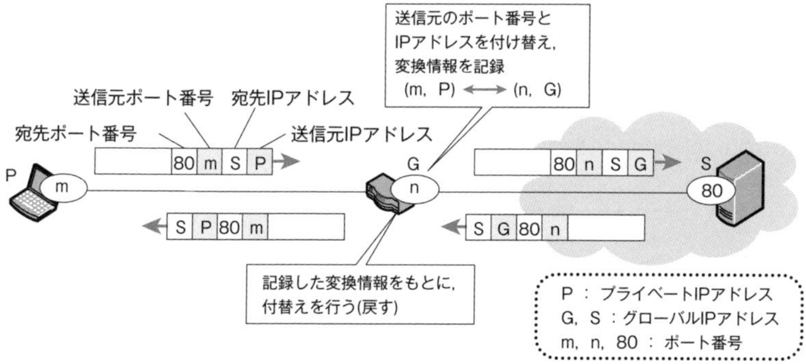

▶図2.2.18　NAPT

NAPT対応ルータでIPアドレスとポート番号の組で変換することによって，１つのグローバルIPアドレスを用いて，同時に複数のホストがインターネットに接続できる。

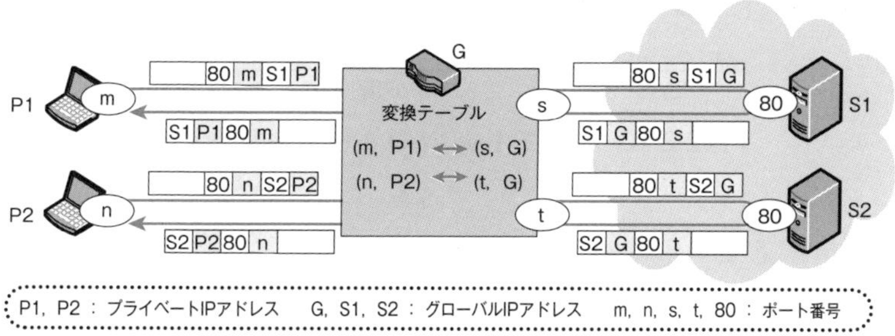

▶図2.2.19　NAPT：複数ホストのインターネット接続

2 マルチキャストグループの制御

マルチキャスト通信では，複数のホストで構成される特定のグループ（**マルチキャストグループ**）を指定し，そのグループに所属しているホストへ一斉にパケットを送信する。グループの構成は固定ではなく，ホストはグループに参加したり，グループから離脱したりすることができる。マルチキャスト対応ルータは，どのようなホストがグループに参加しているかという情報を管理し，ルータ同士で情報を交換している。

これらの「マルチキャストグループの制御」に用いられるプロトコルに，**IGMP**と

PIMがある。

▶表2.2.1　IGMPとPIM

IGMP（Internet Group Management Protocol）	ホストがマルチキャストグループへの参加や離脱をルータに通知する際に利用されるプロトコル
PIM（Protocol Independent Multicast）	ルータが他のルータとマルチキャストグループに関する情報を交換するためのプロトコル。マルチキャストルーティングの実現に用いられる

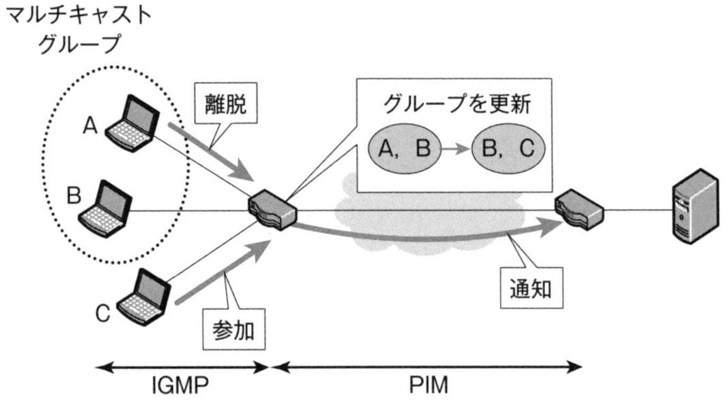

▶図2.2.20　マルチキャストグループの更新と通知

3 IGMPスヌーピング

マルチキャストパケットは，スイッチによってすべてのポートにフラッディングされるため，マルチキャストグループに所属していないホストに不要なパケットが送られてしまう。これを回避するためのスイッチの機能が，**IGMPスヌーピング**である。IGMPスヌーピング機能があるスイッチは，IGMPメッセージを監視し，マルチキャストグループが存在するポートを学習することで，必要なポートに対してのみマルチキャストパケットを転送する。

5 ゲートウェイ

ゲートウェイは，プロトコルの異なるネットワーク同士をプロトコル変換することで相互接続する。接続する階層は物理層からアプリケーション層まですべての階層が対象となる。

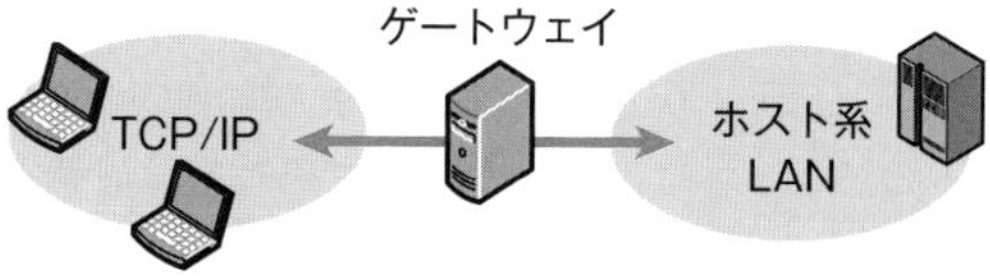

▶図2.2.21 ゲートウェイ

ゲートウェイには，ファイアウォール，プロキシサーバ，VoIPゲートウェイなどがある。詳細は第３章で個別に説明する。

Focus マルチキャストとIGMP

マルチキャストは複数のホストで構成されるグループに対して同時にデータを送信する仕組みであり，「××生放送」などの動画の生配信（ライブストリーミング配信）サービスなどで利用されます。当初見られた品質上の問題も徐々に改善され，普及が進んでいます。TV放送を代替するメディアに成長する日が来るのかもしれません。ネットワークスペシャリストにとっても，注目の分野といえるでしょう。

■ 基礎編のおさらい

マルチキャストとIGMPについて，基礎編で説明した事項を確認しておく。

・マルチキャストはあらかじめ設定されたマルチキャストグループを宛先とする通信。
・マルチキャストアドレス（IPv4，MAC）は次の値をとる。
　IPv4：224.0.0.0～239.255.255.255
　MAC：01:00:5E:XX:XX:XX　(Xは任意)
・マルチキャストIPアドレスはクラスDに属している。
・マルチキャストグループの制御に用いられるプロトコルに，IGMPとPIMがある。
・スイッチのIGMPスヌーピング機能で，必要なポートのみに転送できる。

■ マルチキャストパケットの転送

マルチキャストは動画の配信などに用いられる通信方式で，パケットは宛先に指定されたマルチキャストグループに属するすべてのホストに届けられる。動画の配信の場合，配信サーバ（ビデオサーバ）がSender，視聴者の端末がReceiverとなる。

マルチキャストのパケットは，ルータの通常処理では破棄される。そのため，SenderとReceiverの間にはマルチキャスト対応ルータを設置し，マルチキャストルーティング機能を有効にする。

マルチキャストのフレームは，スイッチでは送信ポート以外の全ポートにフラッディングされる。フラッディングされたフレームは，マルチキャストグループに属するReceiverのみ受け取り，無関係なホストはこれを破棄する。

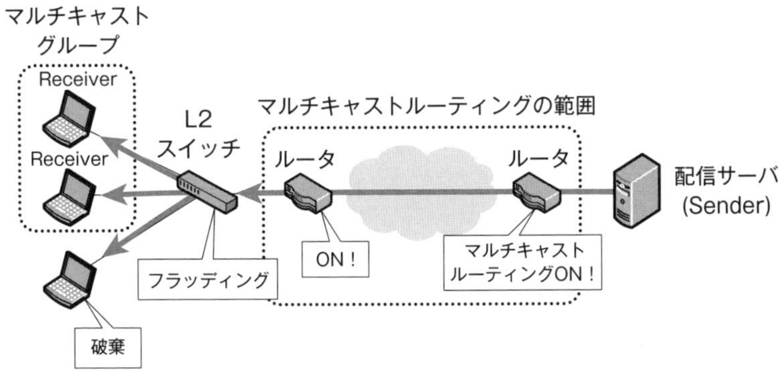

▶**図2.2.22　マルチキャストパケットの転送**

この構成で，配信サーバはマルチキャストパケットを送信する側なので，マルチキャストルーティングの範囲には含まれない。**L2スイッチは，原則としてマルチキャストフレームをフラッディングするが，後述するIGMPスヌーピングを用いれば，無関係なポートにはフレームを送出しない。**

■ マルチキャストIPアドレス（IPv4）

IPv4のマルチキャストアドレスは，上位４ビットが1110で始まるアドレスで，**リンクローカルアドレス**，**グローバルアドレス**，**プライベートアドレス**に分けられる。

▶表2.2.2　マルチキャストIPアドレス

リンクローカルアドレス	224.0.0.0 ～ 224.0.0.255	同一リンク（ルータを越えない範囲）内のホストに対する通信に用いる。ルータで破棄され，他のリンクには中継されない。
グローバルアドレス	224.0.1.0 ～ 238.255.255.255	組織間やインターネットを介した通信で用いる。
プライベートアドレス	239.0.0.0 ～ 239.255.255.255	組織内で利用するアドレス

動画の配信サービスは，一般的に事業者がインターネットを介して顧客に配信する形態をとるため，マルチキャストグループにはグローバルアドレスを設定する。

なお，マルチキャストIPアドレスのうち，224.0.0.1や224.0.0.2などの一部のアドレスは予約されている。

▶表2.2.3　予約されたマルチキャストIPアドレス

224.0.0.1	同一リンク上のすべてのマルチキャスト対応のホスト
224.0.0.2	同一リンク上のすべてのマルチキャスト対応のルータ

■ マルチキャストMACアドレス

マルチキャストMACアドレスはマルチキャストIPアドレスから導出される。具体的には，マルチキャストMACアドレスの上位24ビットは固定値（01:00:5E）で，下位24ビットのうち，先頭ビットが0，残り23ビットがマルチキャストIPアドレスの下位23ビットとなる。

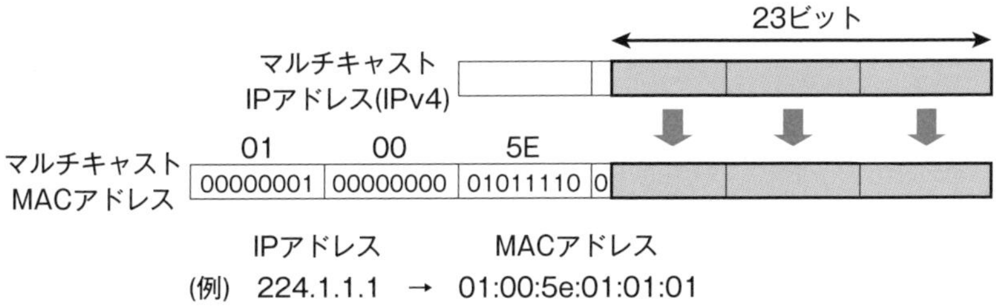

▶図2.2.23　マルチキャストMACアドレス

■ IGMPメッセージ

IGMPは，ルータとホストの間で次のメッセージをやり取りする。

▶表2.2.4　IGMPメッセージ

Membership Report	ホスト → ルータ	ホストが参加するマルチキャストグループをルータに通知する。
Membership Query	ルータ → ホスト	マルチキャストグループに参加しているホストを問い合わせる。ルータは定期的にMembership Queryを発信する。
Leave Group	ホスト → ルータ	ホストがマルチキャストグループから脱退することをルータに通知する。

これらのメッセージを用いて，IGMPはマルチキャストグループに対する「ホストの参加／維持／脱退」を制御する。

▶表2.2.5　ホストの参加／維持／脱退

参加	ホストが，マルチキャストグループのアドレスを宛先とするMembership Reportをルータに送信する	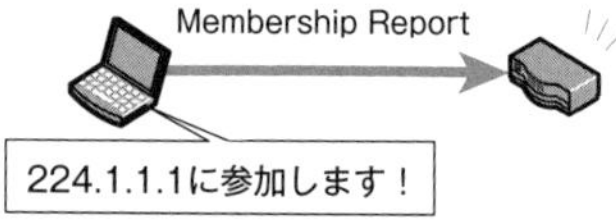
維持	ルータが全ホストに対しMembership Queryを発信し，ホストが自分の参加するマルチキャストグループを答える	
脱退	ホストが，脱退するマルチキャストグループを指定したLeave Groupを，全ルータへ発信する	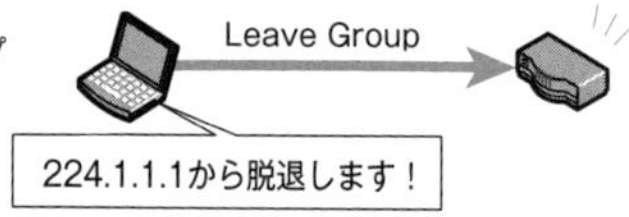

なお，マルチキャストグループに参加するために送信するMembership Reportを，**IGMP join**，脱退のために送信するLeave Groupを，**IGMP leave**と呼ぶ。

■ IGMPスヌーピング

L2スイッチは，中継するフレーム中の送信元MACアドレスをもとに「どのポートにどのMACアドレスを持つ機器が接続されているか」という情報を学習する。ところが，マルチキャストMACアドレスは，送信元に設定されることがないため，通常のL2スイッチはマルチキャストMACアドレスを学習できない。

IGMPスヌーピングは，IGMPメッセージの中身をL2スイッチが「のぞき見する」

ことでマルチキャストMACアドレスを学習する機能である。これを行うことで，L2スイッチは自身のMACアドレステーブルにマルチキャストグループを追加・更新することができる。具体的には，IGMP joinを受信したとき，テーブルのマルチキャストMACアドレスの行に受信ポートを追加する。IGMP leaveを受信したとき，テーブルのマルチキャストMACアドレスの行から受信ポートを削除する。

例えば，あるリンクに属するホストがL2スイッチに対して次の順序でIGMPメッセージを送信した場合を考える。

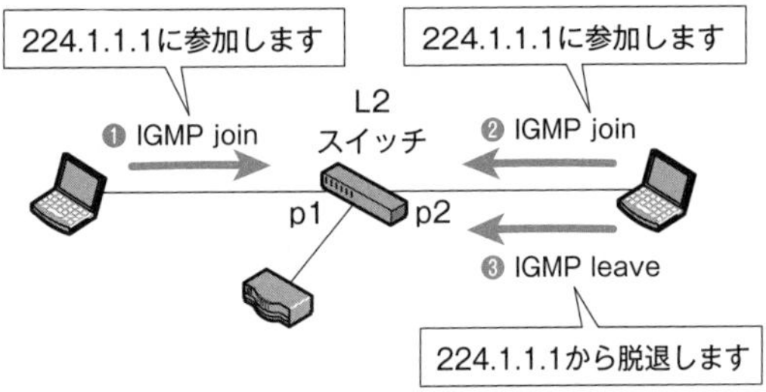

▶図2.2.24　IGMPメッセージの送信例

これをのぞき見したL2スイッチは，自身のMACアドレステーブルに，224.1.1.1に対応するMACアドレス01:00:5e:01:01:01の行を次のように変化させる。

❶受信直後

MACアドレス	ポート
01:00:5e:01:01:01	p1

❷受信直後

MACアドレス	ポート
01:00:5e:01:01:01	p1，p2

❸受信直後

MACアドレス	ポート
01:00:5e:01:01:01	p1

▶図2.2.25　L2スイッチのMACアドレステーブルの変化

■ 出題の切り口1

平成27年午後Ⅱ問２にマルチキャストとIGMPに関する問題が出題された。まずは，マルチキャストの基本を問う空欄が出題された。

・マルチキャストIPアドレスは，クラス［　①　］のIPアドレスである。
・マルチキャストIPアドレスが設定されたPCでは，当該マルチキャストIPアドレスを基に生成される［　②　］宛てのフレームを受信するように，NIC（Network Interface Card）が動作する。

①② [①][②]に入れる適切な字句を答えよ。

次に，マルチキャストフレームについて，通常のL2SW（L2スイッチ）が，マルチキャストフレームを受信ポート以外のすべてのポートにフラッディングすることを述べたうえで，次が問われた。

③ マルチキャストフレームがL2SWでフラッディングされるのは，マルチキャストMACアドレスが学習されないからである。その理由を40字以内で述べよ。

【解説】

①は，マルチキャストアドレスのクラスが“D”であることを知っている必要がある。②は，マルチキャストIPアドレスからマルチキャストMACアドレスが生成されることを知っていれば答えられたが，それを知らなくてもマルチキャストフレームを受信するためには，自分が参加するグループのマルチキャストMACアドレスを受信するような設定が必要であることから，素直に答えられる。

③は，マルチキャストMACアドレスが送信元アドレスに設定されないことを答えればよい。L2SWは，受信したフレームについて「送信元MACアドレスと受信ポート」の組を学習するが，マルチキャストMACアドレスは宛先には指定されるが送信元に指定されることはない。つまり，学習の対象とはならないのである。これを学習するためには，IGMPスヌーピングが必要である。

【解答】

① D　② マルチキャストMACアドレス

③ マルチキャストMACアドレスが送信元アドレスになることがないから

■ 出題の切り口2

「出題の切り口1」で述べた流れを受けて，IGMPスヌーピング機能を持つL2SWについて，マルチキャストMACアドレスの学習を問う空欄が出題された。

まず，ビデオサーバからマルチキャストグループ224.1.1.1宛ての画像データが配信されているときのIGMPの通信例として，次のようなネットワーク構成とL2SW（IGMPスヌーピング機能を有する）が受信するフレーム（[1] ～

[3]）が提示された。

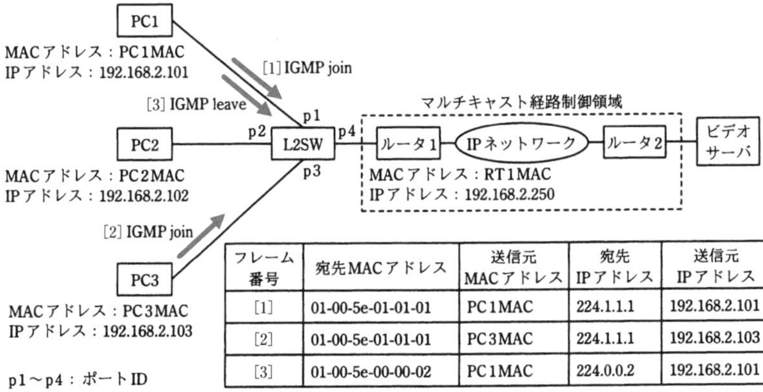

フレーム番号	宛先MACアドレス	送信元MACアドレス	宛先IPアドレス	送信元IPアドレス
[1]	01-00-5e-01-01-01	PC1MAC	224.1.1.1	192.168.2.101
[2]	01-00-5e-01-01-01	PC3MAC	224.1.1.1	192.168.2.103
[3]	01-00-5e-00-00-02	PC1MAC	224.0.0.2	192.168.2.101

注記1　ルータ1が，L2SWから転送されるIGMPパケットによって知ったマルチキャストグループの情報は，IPマルチキャストルーティングプロトコルによってルータ2に届けられる。
注記2　マルチキャストグループは，224.1.1.1である。

▶図2.2.26　平成27年午後Ⅱ問2「図5　IGMPの通信例」

IGMPスヌーピングを有するL2SWは，IGMP joinやIGMP leaveメッセージの内容をのぞき見して，マルチキャストMACアドレスとポートの組を学習する。このL2SWに作成されるMACアドレステーブルについて，その内容が問われた。

▶表2.2.6　平成27年午後Ⅱ問2「表2　L2SWに作成されるMACアドレステーブル」

MACアドレス	ポートID
PC1MAC	p1
PC3MAC	p3
④	⑤

④　［④］に入れる適切なマルチキャストMACアドレスを答えよ。
⑤　［⑤］に入れるポートIDを，[1]を受信したとき，[2]を受信したとき，[3]を受信したときのそれぞれについて答えよ。

【解説】

④には，マルチキャストグループのMACアドレスが入る。マルチキャストグループのIPアドレスが「224.1.1.1」であること，マルチキャストIPアドレ

スの下位23ビットが，マルチキャストMACアドレスの下位23ビットにマッピングされることから，④に入るMACアドレスは「01-00-5e-01-01-01」であることが分かる。

⑤は，［1］受信時にp1が加えられ，さらに［2］受信時にp3が加えられ，［3］を受信してp1が取り消されることを理解していれば答えられる。同様の流れを前述しているので参考にしてほしい。なお，［3］のフレームは，宛先IPアドレスが224.0.0.2となっており，すべてのルータを表しているので，01-00-5e-00-00-02というグループから離脱するわけではない。

【解答】

④　01-00-5e-01-01-01

⑤　［1］受信時：p1　［2］受信時：p1，p3　［3］受信時：p3

2.3 ネットワークの仮想化

Point!

現在のネットワークは仮想化が進み，物理的な構成と論理的な構成を分けて構築できるようになった。例えば１台のスイッチを用いて，複数のLANを構築することも可能である。
このような仮想化の流れは，サーバにも及んでいる。１台のサーバマシンで複数の環境を動作させることで，論理的には複数台のサーバを稼働させることができる。
ここでは，そのような仮想化に関する知識を説明する。最近出題が増加している分野なので，しっかり覚えてほしい。

… 30秒チェック！ …
Super Summary

1 VLAN（Virtual LAN）

【目標】VLANの役割と構成方法を知る。

□VLANグループ … L2スイッチ上に構成された仮想LAN
□ポートベースVLAN … ポート単位でVLANグループを構成する方式
□タグVLAN … 複数のスイッチをまたいでVLANグループを構成する方式

2 SDN

【目標】SDNの仕組みや方式を知る。

□SDN … 構成をソフトウェアで定めたネットワーク
□OpenFlow … SDNを構築するためのプロトコル

3 ネットワークの仮想化

【目標】機器を含めたネットワーク全体を仮想化する技術を知る。

□仮想サーバ … １台の物理サーバ上に複数の仮想的なサーバを稼働させる技術
□NFV … ネットワーク機能を仮想化環境上で実現する概念
□VDI … 仮想PCを稼働させる代表的な技術

1 VLAN（Virtual LAN）

VLANは，L2スイッチの機能により，物理的な接続構成に依存しない複数の仮想的なLANをL2スイッチ上に構築する技術である。L2スイッチ上に構成された仮想LANは**VLANグループ**と呼ばれ，**VID**（VLAN ID）の値（1～4094）で管理され独立したネットワークとなる。

1 ポートベースVLAN/タグVLAN

ポートベースVLANは，L2スイッチのポート単位でVLANグループを構成する方法である。ポートごとにVIDを設定することで，VLANグループを識別する。

▶図2.3.1にポートベースVLANによる構成例を示す。このように設定したとき，同じVIDを付与したポートのみ通信が可能となるため，VLAN1とVLAN2はそれぞれ独立したネットワークとして扱われることになる。

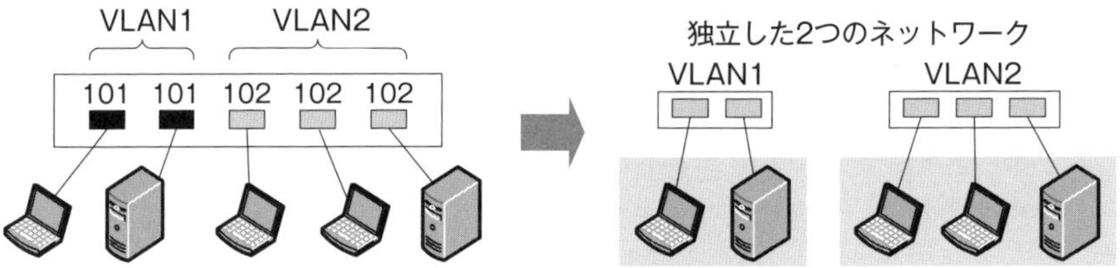

▶図2.3.1　ポートベースVLAN

タグVLANは，複数のVLANスイッチにまたがってVLANを構築する仕組みである。VLANスイッチに共有ポートを設け，共有ポート同士を接続することで，VLANスイッチを簡単に接続できる。共有ポートを通るフレームを識別するため，MACフレームにIEEE802.1Qで規定した識別情報（**VLANタグ**）を埋め込む。なお，タグVLANにおける共有ポートを**トランクポート**，トランクポート同士を結ぶ回線を**トランクリンク**と呼ぶ。

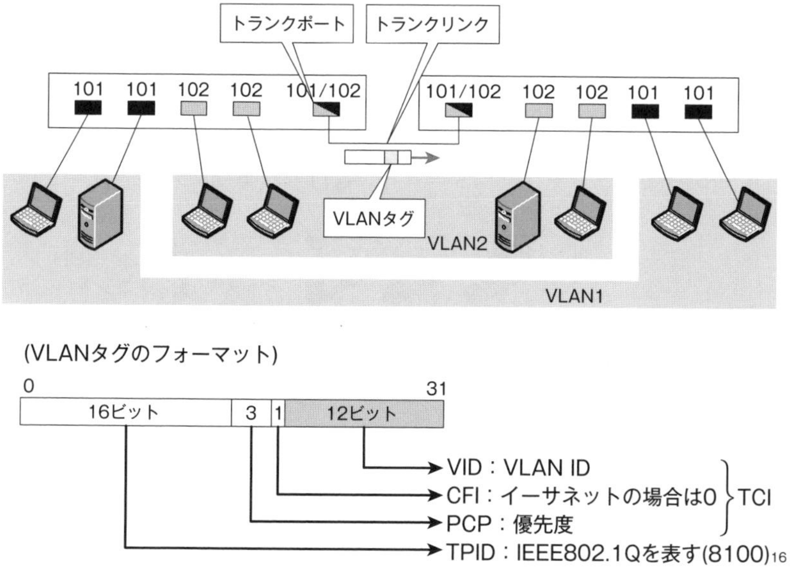

▶図2.3.2　タグVLAN

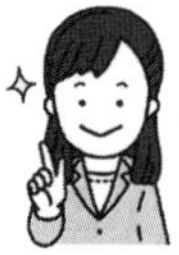

VIDは12ビットなので0～4095を識別できますが，0と4095は予約されているため，実際に使用できるVIDは1～4094の範囲です。

VLANスイッチもスイッチであることには変わりないため，同一のVLANグループ内で環状に接続する場合には，スパニングツリー機能が必要です。VLAN上で効率よくスパニングツリーを構築するプロトコルに，MSTP（Multiple Spanning Tree Protocol）があります。

2　SDN（Software Defined Network）

VLANには，大規模なネットワークを仮想化しにくいという欠点がある。そこで，さらに仮想化を進め「ネットワーク構成をソフトウェアで定める」という考えが生まれた。これに基づくネットワークを**SDN**と呼ぶ。

▶図2.3.3では，SDN対応機器が導入されていれば，クライアントやサーバは物理的にはどのスイッチに接続されていても構わない。無秩序に接続されていたとしても，SDNコントローラによってネットワーク構造が定義され，論理的には整理されたネットワークで運用することができる。

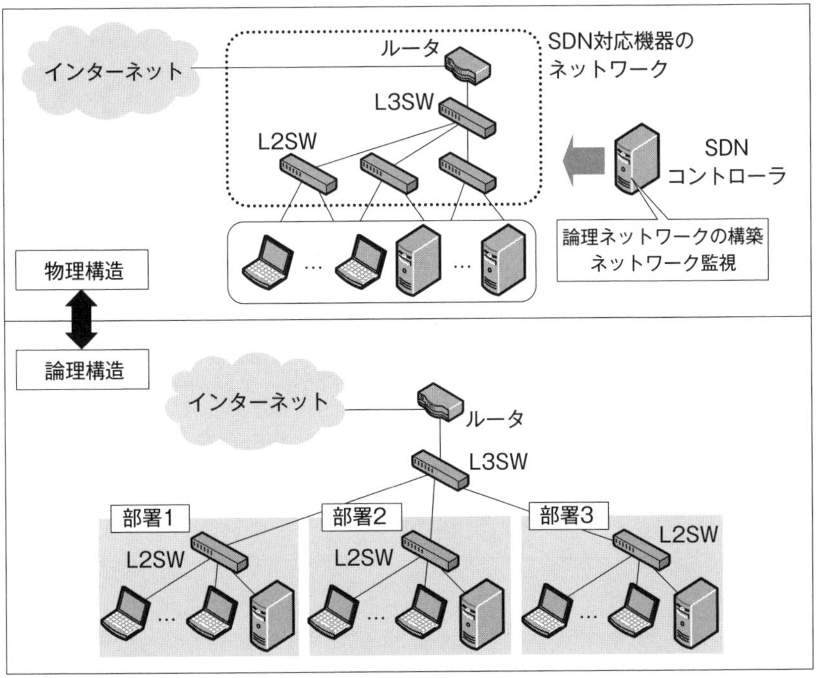

▶図2.3.3　SDN

SDNを導入することで，ネットワーク機器の運用管理負担の軽減や，ネットワーク構成の柔軟な変更を実現することができる。

SDNの開発と標準化を行う団体が，ONF（Open Networking Foundation）です。

1 OpenFlow

OpenFlowは，SDNを構築するためのプロトコルである。OpenFlowは，ネットワーク制御機能を持つ**OpenFlowコントローラ**とデータ転送機能を持つ**OpenFlow**

スイッチから構成される。スイッチにはパケットを受け取った際の処理方法（転送／破棄／宛先の書き換え）が登録されている。

❶パケットを受け取ったスイッチは，❷まず自身の**フローテーブル**から処理方法を検索する。❷' 該当するエントリがなければ，コントローラに問い合わせ，❸パケットを処理する。

コントローラとスイッチとの間は，信頼性や安全性を担保するため，TCPやTLSを用いて接続される。

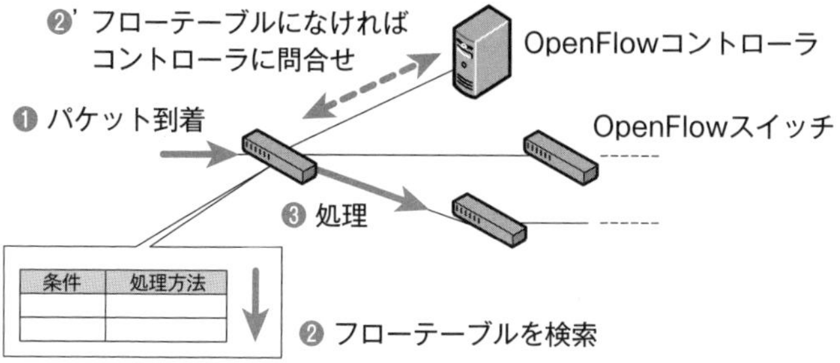

▶図2.3.4　SDNとOpenFlow

2 SD-WAN (Software Defined WAN)

SDNは，企業やプロバイダ内の個々のネットワークを構成するのに利用される。これに対し，**SD-WAN**は，WANを含めた企業ネットワーク全体を一元管理するための技術である。SDNと同様に，コントローラによってWANを含めた自社ネットワーク全体の構成を管理することができる。SD-WANを導入することで，次のようなメリットがある。

・WANを含めたネットワーク構成を自由に変更できる
・アプリケーションごとのトラフィック制御が可能である
・拠点ごとの設定作業を行わずにネットワークを一元管理できる

3 ネットワーク全体の仮想化

VLANやSDNは「ネットワーク構造の仮想化」であり，サーバやルータ，スイッチなど物理的な機器を用いている点では物理的なネットワークと変わらない。これらに対し，機器を含めたネットワーク全体を仮想化する試みも行われてきた。

1 仮想サーバ

仮想サーバとは，1台の物理サーバ上に複数の論理的なサーバを稼働させる技術である。

仮想サーバを導入するために，物理サーバ上に仮想的なハードウェア（仮想マシン）が動作する環境（仮想化環境）を構築する。仮想サーバは，個々の仮想マシン上に構築され，仮想NICに割り当てられた仮想MACアドレスを用いて通信を行う。これらの仮想サーバがネットワークに接続するために，仮想化環境内に仮想スイッチなどを用いた仮想ネットワークを構成する必要がある。

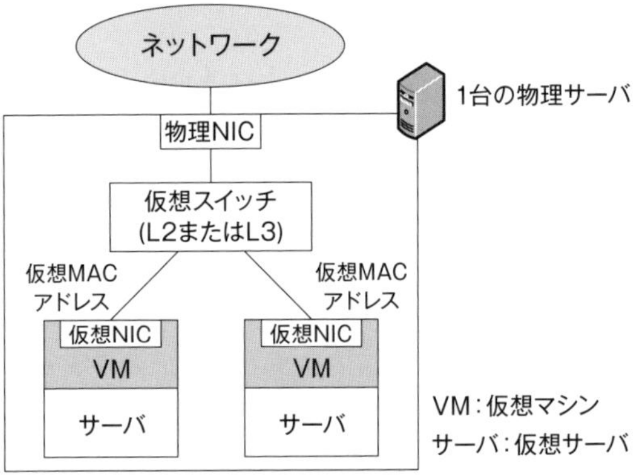

▶図2.3.5　仮想サーバ

2 NFV (Network Functions Virtualization)

NFVとは，ネットワーク機能を仮想環境上で実現する概念である。これを用いることで，スイッチ，ルータ，ファイアウォールなどのネットワーク機能が仮想化され，設備費用や運用費用の削減につながる。また，ネットワーク機能を動的に増減させることができるため，ネットワーク構成の変更に迅速かつ柔軟に対応することが可能となる。

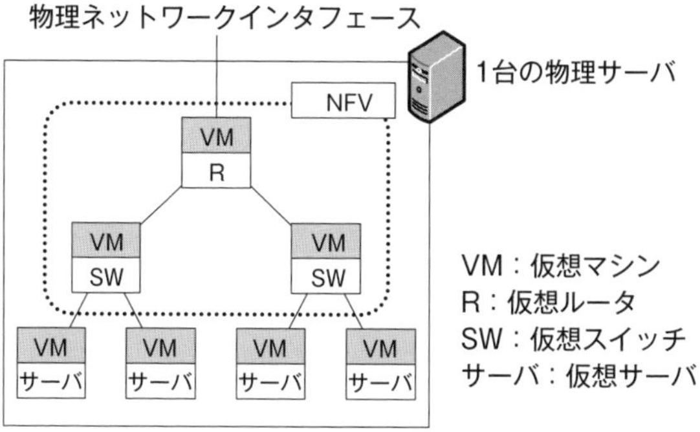

▶図2.3.6　仮想サーバとNFV

3 仮想PC

仮想化はサーバだけではなく，PCにも及んでいる。その代表的な技術が**VDI**（**Virtual Desktop Infrastructure**）である。

VDIは，PCなどを仮想PCとしてサーバ上で稼働させ，端末では画面表示やキーボード操作のみを行うPC実行環境の基盤である。端末にはデータ蓄積機能がなく，プログラムの実行は仮想PCが動作するサーバ側で行われるため，端末は非力なCPUで動作可能である。PCの操作や結果の表示は通信によって行われるため，ネットワークには常時接続しなければならない。

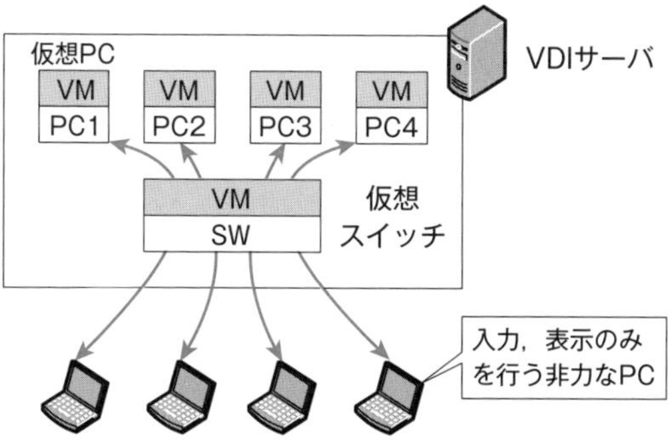

▶図2.3.7　VDI

Focus VLANトンネリング

近年のネットワークスペシャリストの出題は，舞台を企業固有のネットワークからサービスプロバイダへ移しつつあります。VLANトンネリングは，数多くのVLANを「互いに影響することなく」運用する技術で，まさにサービスプロバイダのための技術といえるでしょう。今後も注目すべきテーマです。

■ 基礎編のおさらい

VLANについて，基礎編で説明した事項を確認しておく。

- ・VLANにはポートベースVLANとタグVLANがある。
- ・タグVLANはMACフレームにVLANタグを埋め込む。
- ・VLANタグには12ビットのVLAN識別子（VID）が含まれる。

■ VLANトンネリング

VLANトンネリングとは，複数のVLANのデータを基盤となるVLANに集約して中継する機能である。VLANのデータを，他のVLANに影響を与えることなくやり取りすることができる。

VLANトンネリングは，IEEE802.1Qで規定されたVLANタグを用いて実現する。ただし，顧客や利用者側のVLANで既にタグ付きのフレームが利用されているため，これを集約する基盤側ではさらに別のVLANタグを付けて二重にカプセル化する(**ダブルタグ**)。

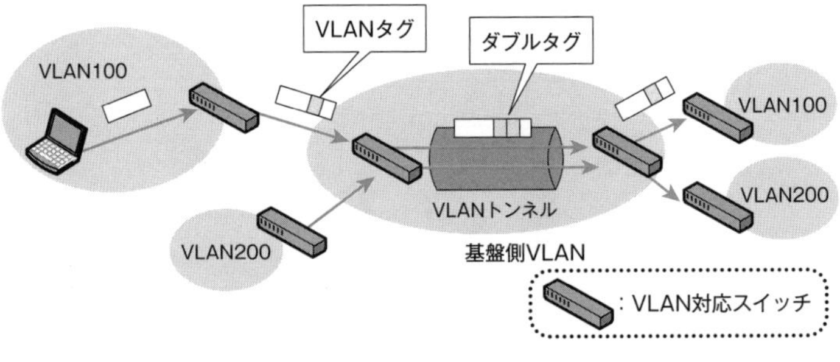

▶図2.3.8　VLANトンネリング

■ フレーム構成

VLANおよびVLANトンネリングでやり取りするフレームの構成を示す。

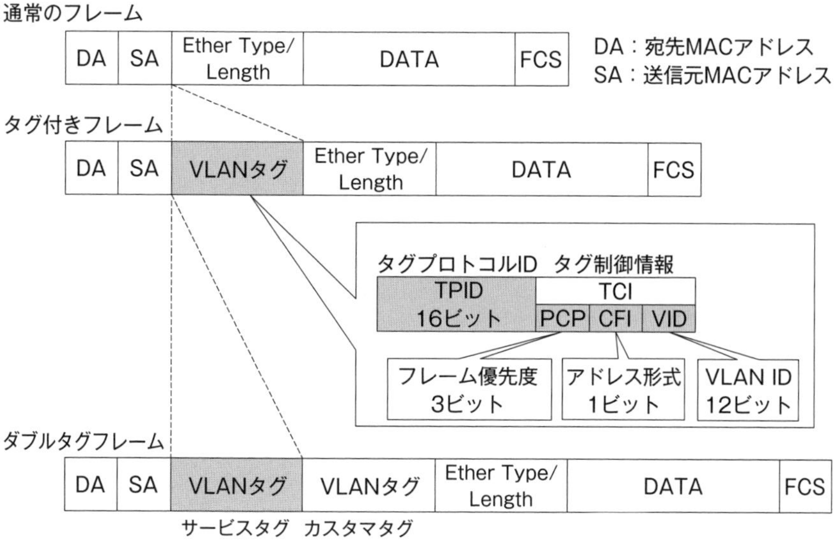

▶**図2.3.9　フレーム構成**

利用者のクライアントが送出するフレームは，通常のフレームである。VLANタグは，VLAN対応スイッチがフレームに加える。

VLANタグは**TPID**（**タグプロトコルID**）と**TCI**に分けられる。TPIDはタグプロトコルを識別するIDで，IEEE802.1QによるVLANタグであれば，$(8100)_{16}$が格納される。TCIの下位12ビットは利用者のVLANを識別するID（VID）で，1～4094の値が入る。

タグ付きフレームが，プロバイダなどの基幹VLANに集約されるとき，基幹VLANのVLAN対応スイッチにより，さらにVLANタグが付け加えられる（**ダブルタギング**）。このとき，利用者側が付与したVLANタグを**カスタマタグ**，プロバイダ側が付与したVLANタグを**サービスタグ**と呼ぶ。このようなダブルタギングはIEEE802.1adで規定されている。なお，IEEE802.1adの規定では，サービスタグのTPIDには$(88a8)_{16}$を格納することになってはいるが，別の値が使われることもある。

■ 出題の切り口

平成25年の午後Ⅰ問3に，ネットワークの再構築の問題が出題され，その実装技術としてIEEE802.1QによるVLANおよびVLANトンネリングが問われた。

まず，VLANの基礎知識について，次が問われた。

VLAN用の［　①　］は，32ビットで構成され，VIDには［　②　］ビットが割り当てられる。しかし，VLANを使用する複数の顧客に対して，物理的に共用するNW（ネットワーク）を提供する場合，幾つかの問題が発生してしまう。なお，VLAN IDは顧客側が管理している。

①②　［　①　］［　②　］に入る適切な字句を答えよ。
③ 下線部の問題を二つ挙げ，それぞれ30字以内で答えよ。

さらに，このような問題点を避けるためVLANトンネリングが必要だと述べた後，同一セグメント上の異なるフロアにある顧客αのサーバ間（SV1からSV2へのフレーム送出）におけるネットワークの概念図とフレーム構造が提示され，次が問われた。

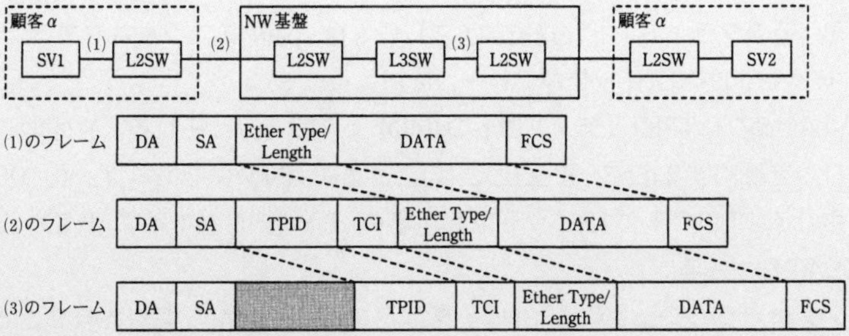

注記　設問のため，網掛け部分を省略している。

▶図2.3.10　平成25年午後Ⅰ問3「図2　VLANトンネリング時のフレーム」

④　SAおよびDAのアドレスの種別を答えよ。
⑤　サーバ1（SV1）からサーバ2（SV2）へフレームを送ったとき，フレーム番号(1)～(3)のDA，SAの該当機器名を答えよ。
⑥　フレーム番号(3)の網掛け部分を適切に分割し，フィールド名を記入せよ。

【解説】

①は“タグ”，②は“12”が入る。図に示したVLANタグのフォーマットを覚えておこう。

③について，下線部の問題はVLAN IDが原因で発生する。VLANを識別するVIDは12ビットで，全ビットが0と全ビットが1の値を除いた1～4094を設定できる。つまり，4094個のVLANを識別できることになる。ところが，大規模なネットワークを提供するプロバイダでは，VLAN数がその上限を超えてしまうことがある。また，VLAN IDの管理が顧客に任されているため，顧客同士でVLAN IDの重複が生じる恐れがある。これらの問題点を答えればよい。

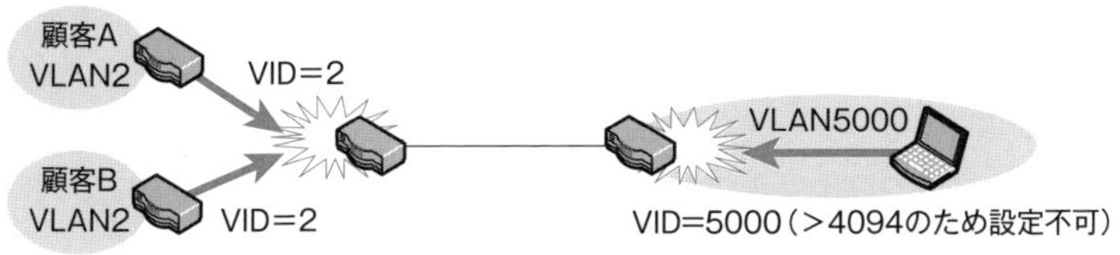

▶図2.3.11　VLAN IDの問題点

④について，本問のVLANはデータリンク層のスイッチ（L2SW）で実現している。そのため，(1)～(3)のフレームはデータリンク層のフレーム（MACフレーム）であり，そのアドレスSAおよびDAはMACアドレスである。

⑤について，SV1からSV2へのフレームは物理的には多くのネットワーク機器を経由するが，論理的にはSV1とSV2は「同一のLAN」にある。そのため，(1)～(3)のDA（Destination Address），SA（Source Address）の値は共通して“DA（宛先）：SV2，SA（送信元）：SV1”である。

⑥はTPIDとTCIに分ければよい。サービスタグ，カスタマタグと名称は異なっていても，タグの形式は同じ802.1Qヘッダである。

【解答】

① タグ　② 12

③ ・別々の顧客で使用しているVLAN IDが重複する。
　・VLAN 数に制限があるが，これを超える。

④ MACアドレス

⑤ (1)～(3)とも，DA：SV2　SA：SV1

⑥ TPIDとTCI

Focus VXLAN（Virtual eXtensible LAN）

従来型のVLANでは，ルータで分割されたドメインを同一のVLANで扱うことができませんでした。そのため，インフラが大規模になればなるほど，VLANの構築はさまざまな制約を受ける困難な作業になりました。VXLANは，そのような制約を取り払い，大規模VLANを構築する１つの手段といえるでしょう。

■ VXLANとは

VXLANは，L3ネットワーク上にL2ネットワークを構築する（L2 over L3）プロトコルである。従来のVLANのみでは，ルータやL3スイッチをまたぐ仮想LAN（同一のVLANグループ）を構築できないが，VXLANを用いることでルータを経由したネットワーク同士も１つの仮想LANとして構成することができる。

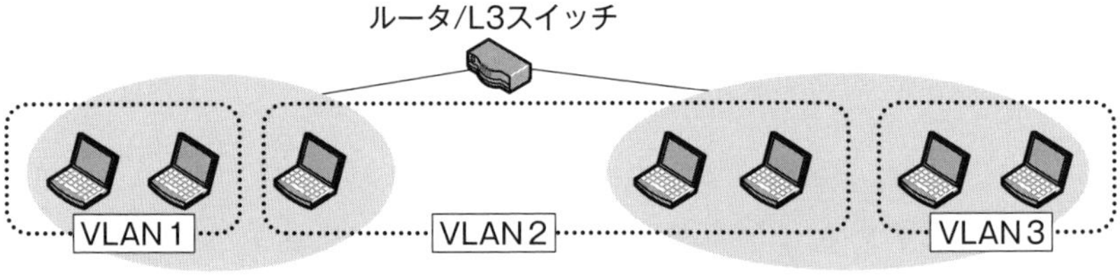

▶図2.3.12　VXLAN

VXLANでは，VXLANフレームはルータやL3スイッチを越えて送信される。また，VXLANで構成された仮想LAN（以下，VXLANネットワーク）は，実際にはマルチキャストグループとなる。そのため，VXLANの構築に際しては，ネットワークに次の機能が必要となる。

- OSPFやBGPなどのルーティング機能
- IGMPやPIMなどのマルチキャスト機能

■ VXLANのフレーム構造

VXLANは，イーサネットフレームをカプセル化してIPネットワーク上を転送させるトンネリングプロトコルである。トンネルの両端に位置する機器を**VTEP**（**VXLAN Tunnel End Point**）と呼ぶ。

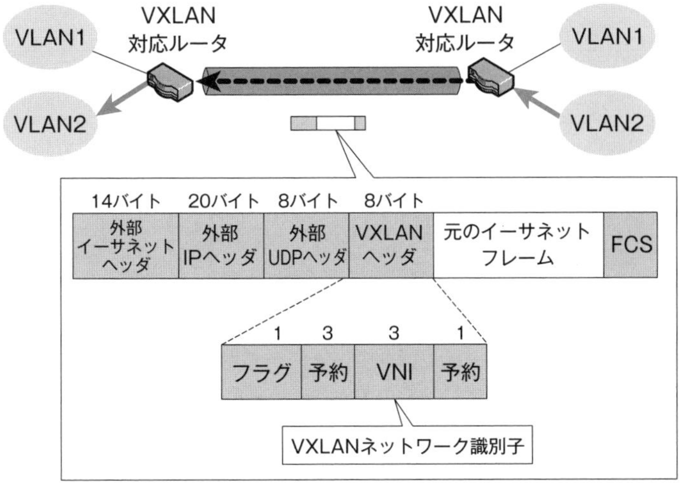

▶**図2.3.13　VXLANのフレーム構造**

外部IPヘッダの送信元IPアドレスには，送信元となるVTEPのIPアドレスが，外部IPヘッダの宛先IPアドレスには，宛先となるVTEPのIPアドレスがそれぞれ設定される。宛先が未知，未学習である場合や，ブロードキャストの場合は，宛先にはマルチキャストアドレスが設定される。

VXLANヘッダのフラグには，**VNI**（**VXLAN Network Identifier**）が有効であることを表す値（08）$_{16}$が，VNIにはVXLANネットワークの識別子が入る。**VNIは3バイト＝24ビットなので，約1,677万個の論理セグメントを構成できる。そのため，VLANタグにおけるVLAN数の制限（4,094）はほぼ解消される。**

VXLAN はヘッダが長くなるため，その分ペイロードが減少します。ところが，RFC では VXLAN パケットをフラグメントしないことが規定されているため，**ジャンボフレームへの対応など MTU の調整が必要です。**

■ VXLANフレームの転送

VXLANは仮想化環境をベースに出題されることが多い。そこで，次の仮想化環境のネットワーク構成を例に，VXLANフレームの転送例をいくつか見ることにする。なお，VM1，2，4，5は同一のVLANグループ（VNI＝100）に属しており，マルチキャストIPアドレスMが設定されている。

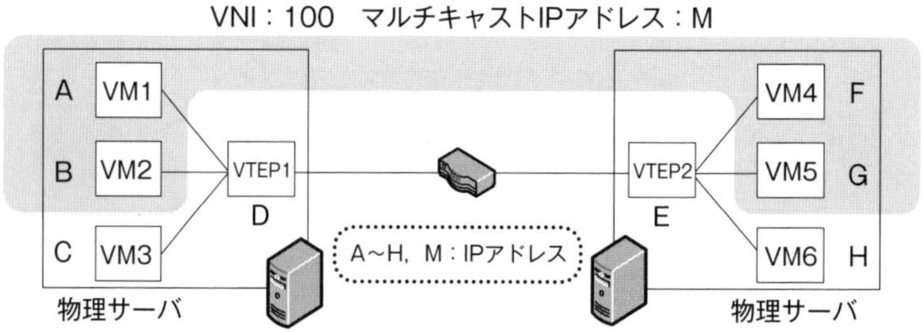

▶図2.3.14　ネットワーク構成

1. 送信元と宛先が，同一の物理マシン上にある場合（例：VM1 → VM2）
　このとき，フレームにはVXLANのカプセル化は行われず，L3スイッチである仮想スイッチ（VTEP1）によってそのまま転送される。
2. 送信元と宛先が，同一のVTEP上にない場合（例：VM1 → VM4）
　VM1が送出したフレームは，VTEP1で「VTEP2を宛先とするVXLANフレーム」へカプセル化される。このVXLANフレームはVTEP2でカプセルが解かれ，元のフレームがVM4へ転送される。
3. VXLANネットワークへのブロードキャスト（VM1によるブロードキャスト）
　VM1が送出したブロードキャストフレームは，VTEP1で同じVLANグループ内にブロードキャストされるとともに，「VNI＝100のVLANグループに対応するマルチキャスト」を表すVXLANフレームにカプセル化される。このVXLANフレームはVTEP2でカプセルが解かれ，元のフレームがブロードキャストでVM4，VM5へ転送される。

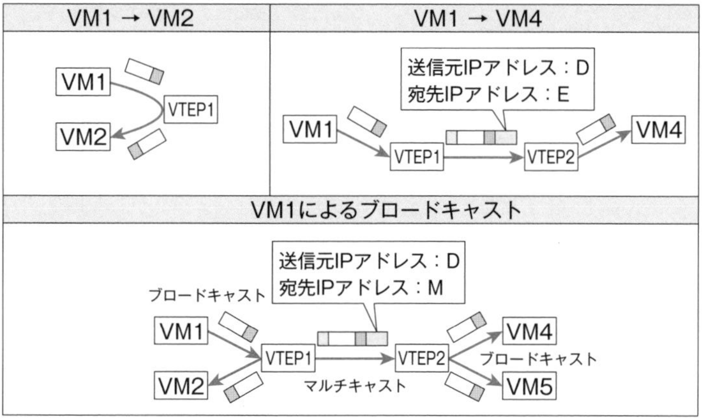

▶図2.3.15　VXLANフレームの転送例

■ **出題の切り口**

平成27年午後Ⅱ問２にVXLANに関する基本的な問題が出題された。

まずは，「VXLANヘッダのVNIが24ビットである」ことを示したうえで，次が問われた。

① VXLANを導入すれば，VLAN数の制限を緩和できる。その理由を25字以内で述べよ。

次に，以下のネットワーク構成図と，VM2とVM3間の通信手順について問われた。

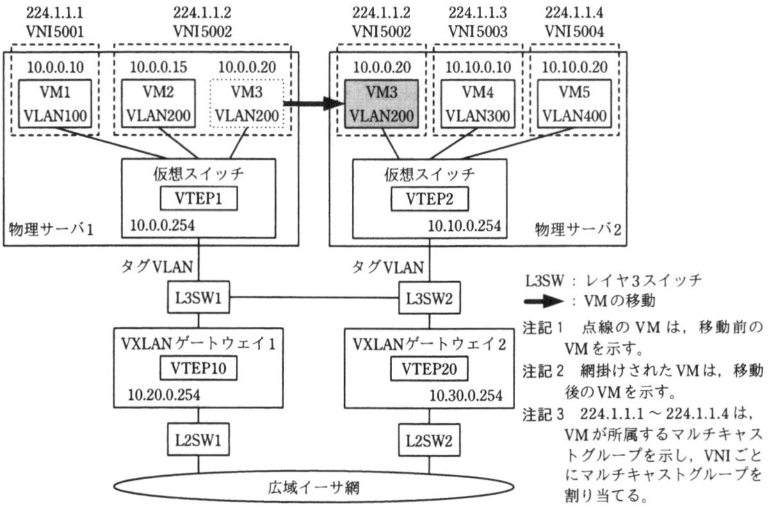

▶図2.3.16　平成27年午後Ⅱ問2「図7　基盤ネットワークへのVXLAN導入構成案」

VM3が物理サーバ2に移動したときの，VM2とVM3間の通信手順を次のようにまとめた。

［1］ VM2は，VM3のMACアドレスを取得するために，ARP要求を送信する。

［2］ ARP要求を受信したVTEP1は，VXLANのフレームへのカプセル化を行い，VXLANフレームを送信する。

［3］ …後略…

② ［2］におけるVXLANの通信は，マルチキャストで行われる。ユニキャストで行われない理由を20字以内で述べよ。

③ ［2］のVXLANフレームの宛先IPアドレスと送信元IPアドレスをそれぞれ答えよ。

【解説】

①は，24ビットのVNIによって約1,677万個の論理セグメントを構成できることを字数内でまとめればよい。従来型のVLAN（IEEE802.1Q）におけるVLAN IDは12ビットで，VLAN数の制限は0～4095のうち，0および4095

を除く4094である。これに比べると，VXLANは「ほぼ制限なし」といってもよいくらいである。

②は，VM2とVM3間の通信手順［2］において，VTEP1がマルチキャストを送信する理由を考える。宛先となるVM3は，すでにVTEP1からVTEP2配下に移っている。VTEP1はVM3が自身の配下に存在しないことは分かるが，どこに存在するかまでは分からない。つまり，宛先を指定するユニキャストでVXLANフレームを送信することはできない。よって，ユニキャストで行われない理由は，宛先となる「VMの存在場所が不明だから」となる。

③は，［2］で送信されるフレームの宛先および送信元IPアドレスを答える。このフレームはVTEP1とVTEP2を結ぶトンネルで送信されるため，送信元IPアドレスはVTEP1のアドレスとなる。また，通信はマルチキャストで行われるため，宛先はVM3の属するマルチキャストアドレスを答えればよい。

【解答】

① 2^{24}の VXLANセグメントが構成できるから
② 宛先となるVMの存在場所が不明だから
③ 宛先IPアドレス：224.1.1.2　送信元IPアドレス：10.0.0.254

Focus OpenFlow

ネットワークは大規模化・複雑化する一方であり，それに伴いSDN（Software Defined Network）の重要性は増大しています。それを反映してか，午後試験でも数年に一度の割合で取り上げられるようになりました。もはや定番テーマの一つといえそうです。ここでは，SDN の方式の一つである OpenFlow を掘り下げます。

■ 基礎編のおさらい

OpenFlowについて，基礎編で説明した事項を確認しておく。

- SDNを構築するプロトコルである。
- ネットワークはOpenFlowコントローラとOpenFlowスイッチから構成される。

・OpenFlowスイッチはパケットの処理方法をフローテーブルに格納する。
・フローテーブルにエントリのないパケットは，OpenFlowコントローラに問い合わせる。

■ パケット転送の仕組み（フローテーブルにエントリがある場合）

OpenFlow方式によるパケット転送の様子を▶図2.3.17に示す。なお，図中の1～4はOpenFlowスイッチの物理ポートの番号で，a～fは端末のMACアドレスである。

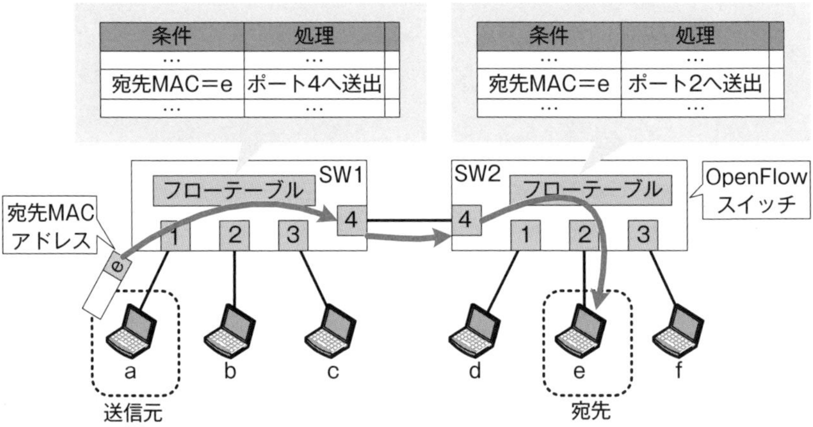

▶**図2.3.17　パケット転送①**

端末が送信したパケットは，転送機能をもつOpenFlowスイッチが受け取り，スイッチ内部のフローテーブルで処理が決定される。図ではフローテーブルに「宛先MACアドレスがeであるエントリ」が見つかったので，エントリが指定する処理を行う。その結果，パケットは正しく宛先へ届けられる。

■ パケット転送の仕組み（フローテーブルにエントリがない場合）

OpenFlowスイッチのフローテーブルに，受け取ったパケットに対応するエントリがない場合，OpenFlowスイッチはOpenFlowコントローラに処理方法を問い合わせる。OpenFlowコントローラは，LLDP（Link Layer Discovery Protocol）などのプロトコルを用いてネットワーク情報を収集しているので，パケットの適切な処理方法を知っている。

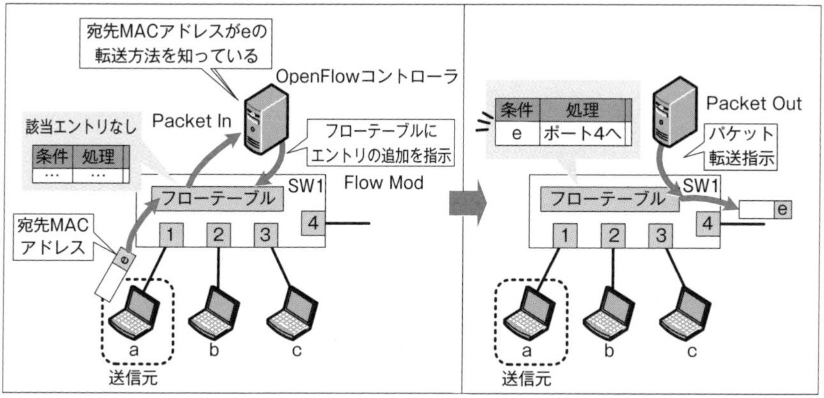

▶図2.3.18　パケット転送②（SW1の処理）

宛先MACアドレスeのパケットを受け取ったSW1は，自身のフローテーブルに該当するエントリがないため，処理方法をOpenFlowコントローラに問い合わせる。OpenFlowコントローラは，

・MACアドレスeの機器はSW2のポート２に接続されている
・SW2はSW1のポート４に接続されている

ことを知っているため，SW1に対して「宛先MACアドレスeのパケットはポート４へ送出する」という新たなエントリをフローテーブルに追加するよう指示する。同時にSW2に対しては「宛先MACアドレスeのパケットはポート２へ送出する」ことをフローテーブルに追加するよう指示する。

フローテーブルの更新後，OpenFlowコントローラはSW1へ改めてパケットの転送を指示する。SW1は，追加されたエントリに従って，パケットをポート４へ転送する。

図 2.3.18 の例で，OpenFlow コントローラがパケットを SW2 へ直接転送することも可能です。OpenFlow コントローラには「パケットの処理方法を OpenFlow スイッチに指示する」ことのほか，「例外的なパケットの処理を OpenFlow スイッチに代わって行う」などの役割を持たせることができるのです。

■ フローテーブルの詳細

フローテーブルはOpenFlowスイッチが持つテーブルで，条件（マッチング条件)，優先度，カウンタ，処理（インストラクション）などの項目からなる。

▶表2.3.1　フローテーブルの項目

条件	エントリを検索する際のマッチング条件
優先度	エントリの優先度で，優先度の高いエントリから適用される
カウンタ	エントリで処理したパケット数などの統計情報
処理	条件にマッチしたパケットに対して行う処理

フローテーブルの条件は，パケットを受信した物理ポートや，パケットのヘッダ情報を用いてさまざまなレベルで指定できる。処理にはデータの転送，破棄，書換えを指定できる。▶表2.3.2に条件に使用できる値の例と処理に指定できる動作例，フローテーブルの設定例を示す。

▶表2.3.2　フローテーブルに使用できる値，フローテーブルの例

条件に使用できる値の例

レイヤ	内容
L1	受信物理ポート番号
L2	宛先／送信元MACアドレス
	イーサネットタイプ
	VLAN ID ／ VLAN Priority
L3	送信元／宛先IPアドレス
	IPプロトコル種別／ ToS値
L4	送信元／宛先ポート番号

※平成25年午後Ⅱ問２より

処理の例

名称	意味
Output	パケットを指定物理ポートやOpenFlowコントローラに転送する。
Drop	パケットを破棄する。
Set-Field	パケットの指定フィールドを書き換える。

※平成25年午後Ⅱ問２より

フローテーブルの例

条件	処理	優先度	カウンタ
宛先MACアドレス＝mac1	ポートxへ転送	1000	10
送信元MACアドレス＝mac2	VLAN ID＝nを付けてポートyへ転送	500	22
送信元IPアドレス＝IP1	パケットを破棄	500	25
イーサネットタイプ＝eType1	OpenFlowコントローラへ転送	500	16
宛先IPアドレス＝IP2, 宛先ポート番号＝P	ポートzへ転送	100	5

Set-Field処理を用いることで，OpenFlowスイッチは通常のL2スイッチにはできない多様な機能を実現できる。例えば，宛先や送信元のIPアドレスを書き換えれば，NATルータの役割を果たすことができる。これにポート番号の書換えを加えると，NAPTを実装できる。また，VLANヘッダの追加や削除，VLAN IDの書換えを行うことで，VLANに対応することもできる。

■ OpenFlowができること

OpenFlowはフローテーブルの設定次第で，多様なパケット転送を行うことができる。

例えば，フローテーブルに複数の転送経路を設定すれば，う回経路を利用した負荷分散を行うことができる。

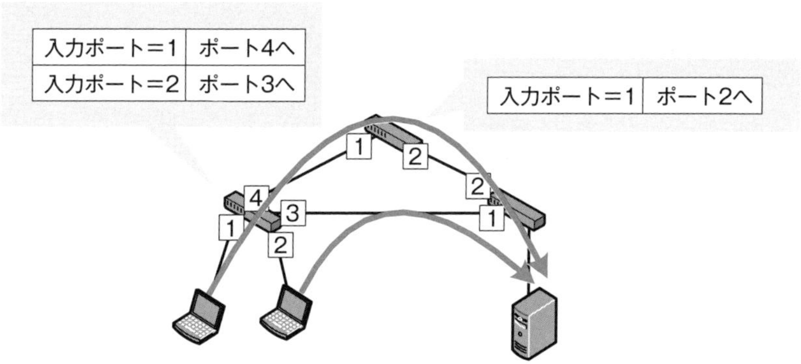

▶図2.3.19　負荷分散

また，負荷分散とは逆にパケットを一方の経路に集中させれば，他方の経路上にあるスイッチをメンテナンスすることができる。

■ OpenFlowスイッチとOpenFlowコントローラ間のやり取り

OpenFlowスイッチとOpenFlowコントローラは，OpenFlowメッセージを用いてやり取りを行う。▶表2.3.3に代表的なOpenFlowメッセージを示す。▶図2.3.19と合わせて確認して欲しい。

▶表2.3.3　OpenFlowメッセージ

メッセージ名	処理
Packet In	スイッチが受信したパケット，関連情報をコントローラへ転送する 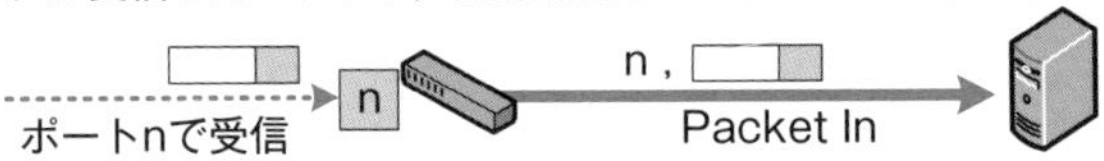
Flow Mod	コントローラが，スイッチのフローテーブルの更新を指示する 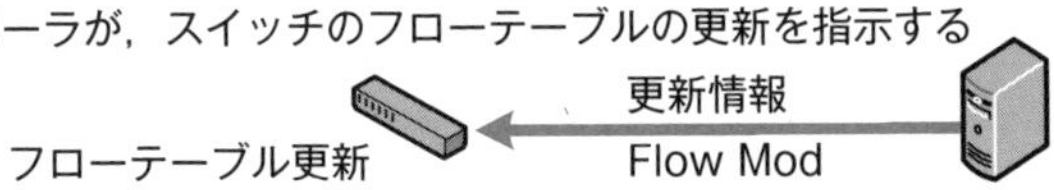
Packet Out	コントローラが，スイッチにパケットの送信を要求する 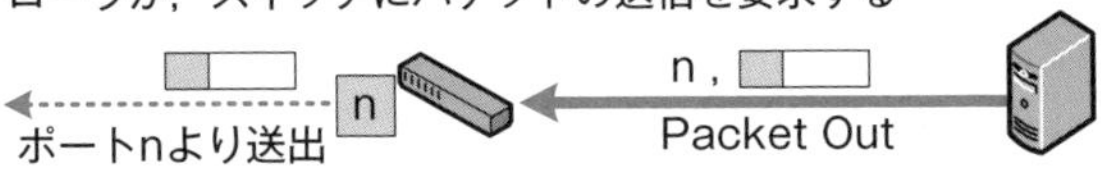

Packet Inメッセージは，OpenFlowスイッチからOpenFlowコントローラへパケットを転送する場合に用いる。メッセージにはパケット全体を含めることができる。Packet Inメッセージは，フローテーブルにエントリが見つからないパケットについて，処理をOpenFlowコントローラに問い合わせたり，パケットの転送をOpenFlowコントローラへ任せる場合に用いる。

Flow Modメッセージは，OpenFlowスイッチへフローテーブルの更新を要求する場合に用いる。

Packet Outメッセージは，OpenFlowコントローラからOpenFlowスイッチへパケットの転送を指示する場合に用いる。メッセージにはパケット全体を含めることができる。

■ 出題の切り口

平成25年午後Ⅱ問2に，OpenFlowに関する問題が出題された。OpenFlowの基本的な性質を問う良問であった。

まず，OpenFlowの利点について，次が問われた。

> ① OF（OpenFlow）方式は，TRILL（Transparent Interconnection of Lots of Links）方式と異なり，経路選択に柔軟性があるので回線を有効利用できる。TRILL方式と比較したときの柔軟性を，20字以内で答えよ。

次に，以下のネットワーク構成図と通信方式が提示され，OFS（OpenFlowスイッチ）2とOFC（OpenFlowコントローラ）間のメッセージのやり取りが問われた。

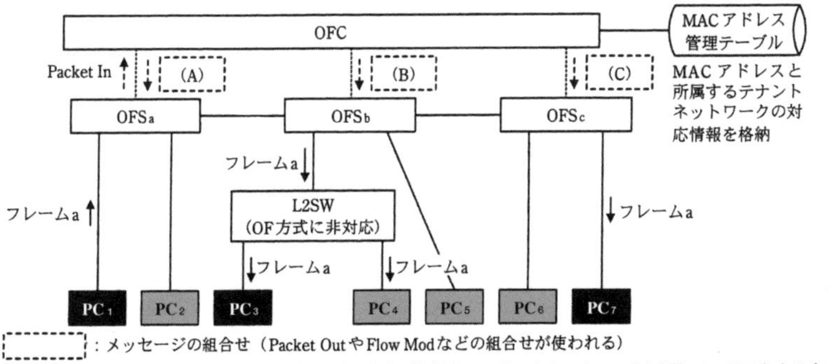

▶図2.3.20　平成25年午後Ⅱ問2「図4　テナントネットワーク実現のためのOFCとOFSの動作説明図」

(ユニキャストフレームを転送する場合)

ARPによるアドレス解決がされていれば，テナントネットワークに関係なく宛先MACアドレスを持つ端末に向けてフレームを中継する。

(ブロードキャストフレームを転送する場合)

送信元端末の属するテナントネットワークに限定してフレームを送出する必要があるため，OFCにあらかじめ登録されている端末とテナントネットワークの対応情報をもとに，同一のテナントネットワークに属する機器が接続されているポートを持つOFSに対し，OFCが直接ブロードキャストフレーム（複製）の送信を指示する。

② ネットワーク構成図中のPC_1からPC_7へユニキャストフレームを送信する場合について，OFSのフローテーブルに一致する条件がなかった場合，図中の（A），（B），（C）においてどのようなメッセージが交換されるか，その組合せを答えよ。

③ PC_1がPC_7のアドレスを問い合わせるARP要求（ブロードキャスト）を送信するとき，図中の（A），（B），（C）においてどのようなメッセージが交換されるか，その組合せを答えよ。

	(A)	(B)	(C)
②の組合せ		Flow Mod	
③の組合せ		Packet Out	

【解説】

①はTRILL方式に対するOpenFlow方式の利点が問われている。ここでTRILL方式は「最短経路が複数あるときに負荷分散を行う」方式である。ただし，最短経路以外のう回経路があったとしても，その経路は負荷分散には用いられない。これに対しOpenFlow方式は，フローテーブルの設定次第で最短経路以外のう回経路も負荷分散に利用することができる。

②は▶図2.3.18を参考にしてほしい。PC_1からPC_7を宛先とするフレームを受け取ったOFS_aは，転送経路を探すためまず自身のフローテーブルを検索する。ここで，フローテーブルに一致する条件がなかった（該当するエントリがなかった）ため，OFS_aはOFCにパケットを転送して処理を問い合わせる（Packet In）。OFCはネットワークのトポロジを把握しており，フレームをPC_7へ転送するために，それぞれのOFSがどのポートに転送すればよいかを判断できる。そこで，OFCは「PC_7への転送に必要なエントリ」の追加を，OFS_a～OFS_cのそれぞれに指示する（Flow Mod）。フローテーブルの更新終了後，OFCはOFS_aに対してパケットの転送を指示する（Packet Out）。なお，Packet Outメッセージには元々のフレームが含まれているため，フローテーブルの修正後にPacket OutメッセージをOFS_cへ直接送ってもよい。

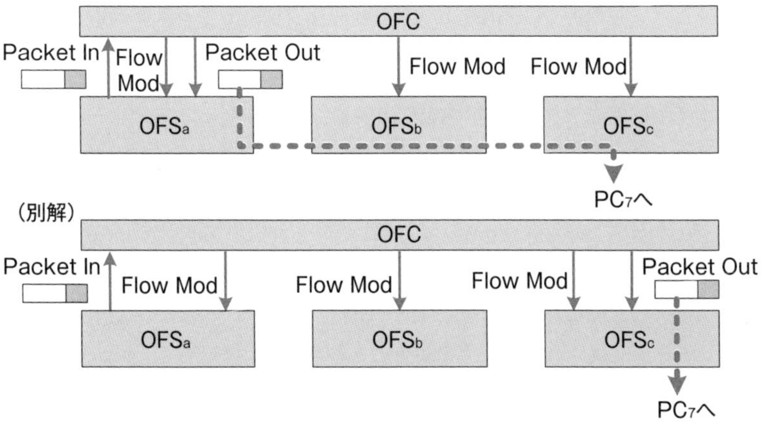

▶**図2.3.21　ユニキャストフレームの転送**

③は図中のフレームaをヒントに考える。フレームaはARP要求転送用のフレームであり，最初にこれを受信したOFS_aは，Packet Inメッセージを用いてOFCに転送し，これを受けたOFCは，Packet Outメッセージを用いて，ブロードキャストが必要なOFSに直接フレームaの送信を指示する。PCに向けてフレームaを送出するOFSはOFS_bおよびOFS_cなので，OFCはこれらにPacket Outメッセージを送信すればよい。

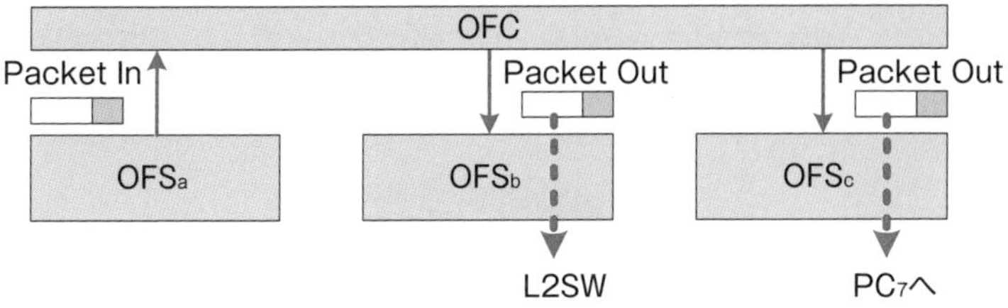

▶図2.3.22　ブロードキャストフレームの転送

【解答】

① 最短経路以外の経路が利用できること

	(A)	(B)	(C)
②の組合せ	Flow Mod Packet Out	Flow Mod	Flow Mod
②の組合せ（別解）	Flow Mod	Flow Mod	Flow Mod Packet Out
③の組合せ	なし	Packet Out	Packet Out

2.4 WAN構築

Point!

WAN（Wide Area Network）とは，通信事業者が提供する回線やサービス，インターネットを利用して拠点間を結ぶネットワークのことである。かつては，パケット交換サービスやISDNなどが通信事業者によって提供されてきたが，現在ではIP網やイーサ網（広域イーサネット）に置き換わっている。ここでは，それらのWANについて，簡単に説明する。

… 30秒チェック！ …

Super Summary

1 IP-VPN

【目標】IP-VPN網の概要や機器構成を知る。

□MPLS … IP-VPNでのパケット転送に用いられる技術。ラベルに基づいて転送する

2 広域イーサネット

【目標】広域イーサネットの概要や機器構成を知る。

1 IP-VPN

IP-VPNは，通信事業者が提供する閉域IP網を利用したVPNサービスである。契約者の拠点をIP-VPNで接続し，契約者ごとのIP網を構築することができる。

IP-VPNに接続するアクセス回線には，ADSLやFTTH，専用線などを利用することができる。アクセス回線に接続された契約者側のルータを**CER**（**Customer Edge Router**），通信事業者側のルータを**PER**（**Provider Edge Router**）という。PERは，CERからIPパケットを受け取ると，IP-VPNのバックボーンネットワークを介して宛先へ転送する。

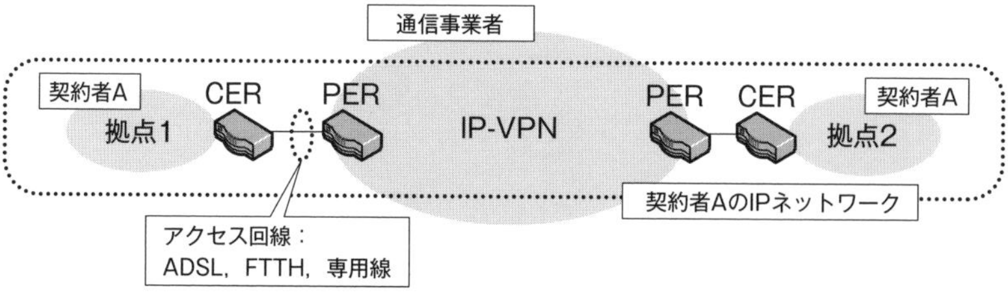

▶図2.4.1　IP-VPN

IP-VPNは契約者のみが利用する閉域網を使用するため，公開網であるインターネットに比べ安全性が高い。また，回線品質は通信事業者によって管理されているため，安定した速度で利用できる。ただし，インターネットに比べると費用が高いという欠点もある。

1 MPLS（Multi-Protocol Label Switching）

MPLSは，IP-VPNでのパケット転送に用いられる技術で，ルーティングにラベルという情報を用いることで，パケットを高速転送する。

MPLSのバックボーンネットワークを**MPLSコア**といい，MPLSコアの終端に位置するルータを**LER**（**Label Edge Router**），MPLSコアを構成するルータを**LSR**（**Label Switching Router**）という。

パケットへのラベル付けは，MPLSヘッダをもとのIPパケットに付加することで行われる。

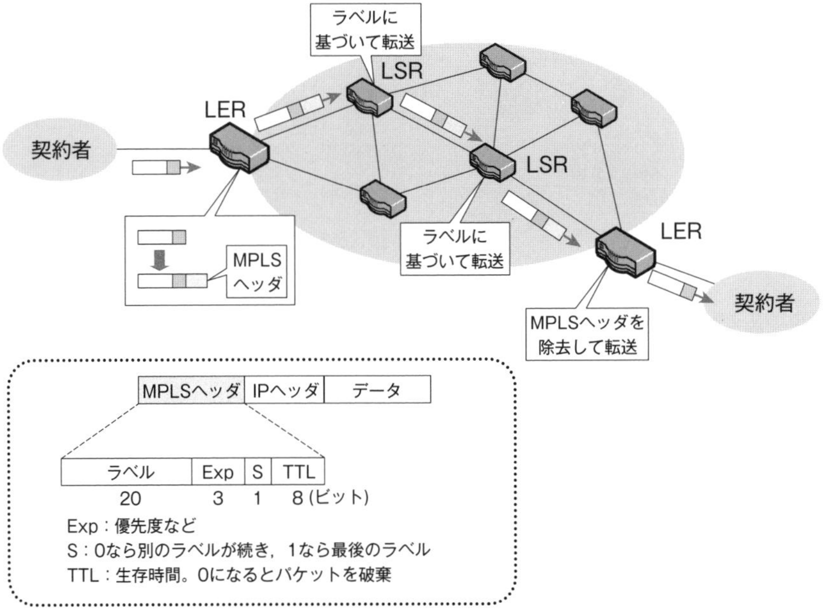

▶図2.4.2　MPLS

IP-VPNの入口にあたるLERでは，パケットの宛先IPアドレスなどに基づいてラベルを含むMPLSヘッダを付加し，出口のLERでこれを除去する。MPLSコア内でのパケット転送は，ラベルによるスイッチングのみで行われるため，**オーバヘッドの少ない効率的な転送が実現する**。

2　広域イーサネット

イーサネット技術を使用してユーザの拠点間をデータリンク層で接続するサービスを，**広域イーサネットサービス**という。ユーザ側が送信したイーサネットフレームを，その形式のまま通信事業者のバックボーンネットワーク内に伝送させる。

広域イーサネットのバックボーンネットワークは，主にスイッチと光ファイバで構成される。アクセス回線を収容する機器を**エッジスイッチ**，網の内部に位置する機器を**コアスイッチ**という。

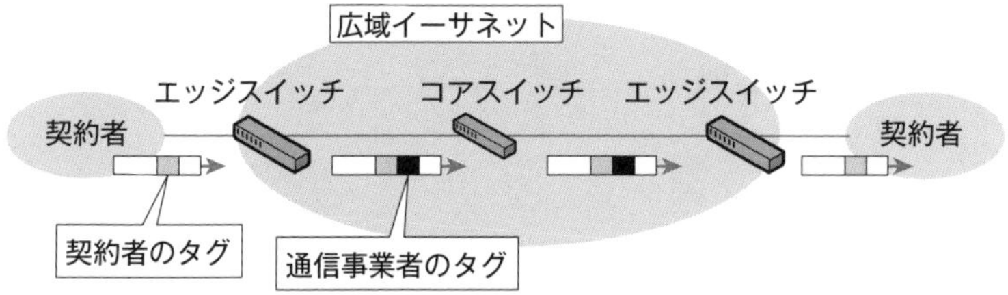

▶図2.4.3　広域イーサネット

広域イーサネットでは，契約者を識別するためIEEE802.1QなどのVLAN技術が使用される。IEEE802.1Qを利用する場合，802.1Qタグを二重に定義する（ダブルタグ）という手法などを利用する。ダブルタグなどの技術詳細については，Focus **VLANトンネリング**で取りあげている。

Focus WAN高速化装置

ネットワークスペシャリスト試験では，WAN の実装について問われることはほとんどありませんが，過去に WAN 高速化装置（WAS）について出題されたことがありました。ここでは WAS について，試験に出題されたことを中心に説明します。

■ WAN高速化装置

WANを介して接続されるネットワークでは，WANの性能がボトルネックとなり，LANの性能向上がネットワーク全体の性能向上につながらないことがある。このような場合に有効な機器が，**WAN高速化装置**（以下，**WAS：WAN Acceleration System**）である。WASは，WANの両端につながるルータに接続する。WASによる高速化を行う場合には，送信側も受信側もともにWASを経由してデータを送受する。

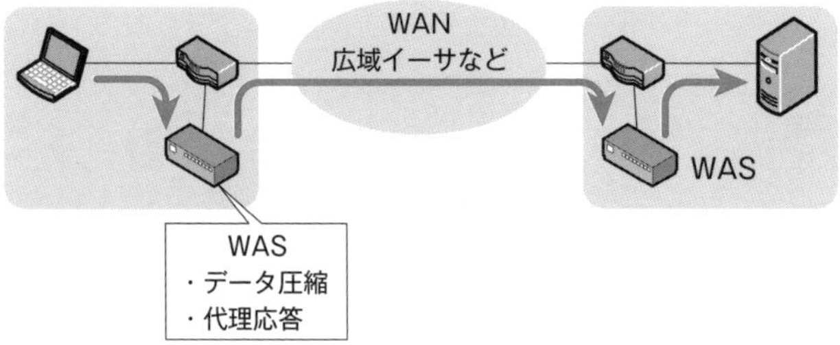

▶図2.4.4　WAN高速化装置

WASの持つ高速化機能は，データ圧縮機能，代理応答機能に大別できる。以下にそれぞれについて説明する。

■ データ圧縮機能

WASの持つデータ圧縮機能を図に示す。

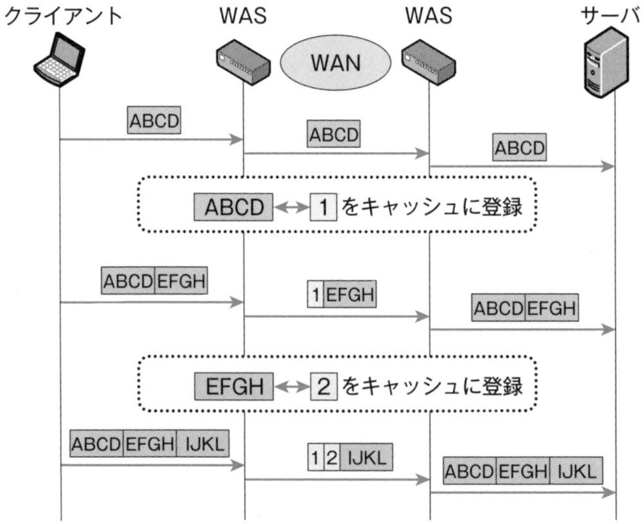

▶図2.4.5　データ圧縮機能

WASはバイト単位またはビット単位でデータを圧縮する。

あるデータ（図では“ABCD”）がWASを経由したとき，WASはそのデータに対応する圧縮パターン（図では“1”）を記録する。次に，記録済のデータを含むデータ（図では“ABCD EFGH”）がWASを通過したとき，WASは記録済の圧縮パターンを用いてデータを圧縮する（図では“1 EFGH”）。圧縮されたデータは，受信側のWASで復元される。WASを経由するデータが増えるほど，圧縮できるパターンも増加し，圧縮効率は向上する。

■ 代理応答機能

ファイル共有に用いられるCIFS（Common Internet File System）などのプロトコルは，受信側がACKを返さない限り，次のパケットを送信できない。そのため，WANを介したファイル送信などを行うと，ただでさえ速度に難のあるWANを何度も往復しなければならない。このようなプロトコルは，WANの往復時間がボトルネックとなるため，先に述べたデータ圧縮機能の効果も限られてしまうことになる。

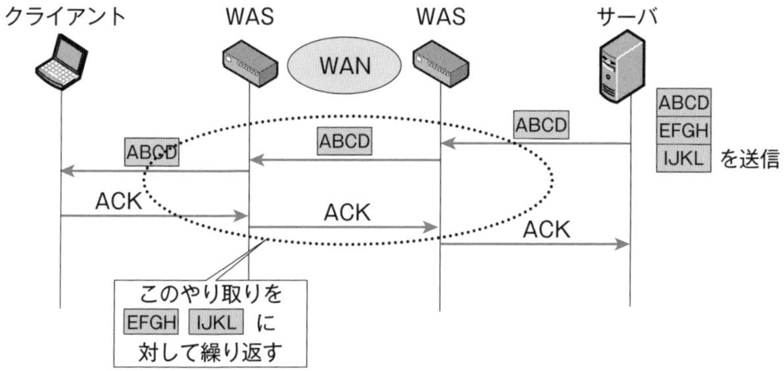

▶図2.4.6　ファイル転送（代理応答なし）

このような「無駄な往復」を避けるため，WASには代理応答機能が実装されている。具体的には，送信側のWASは受信者のACKを代理応答することで，送信者から連続してデータを受け取る。ここで受け取ったデータは，受信側のWASに転送され，受信側のWASによって受信者へ届けられる。受信者のACKは受信者のWASが受け取り，送信者へは返さない。

なお，WAS間では，データの圧縮やウィンドウサイズの拡大などの手段を用いた効率的な転送が行われる。

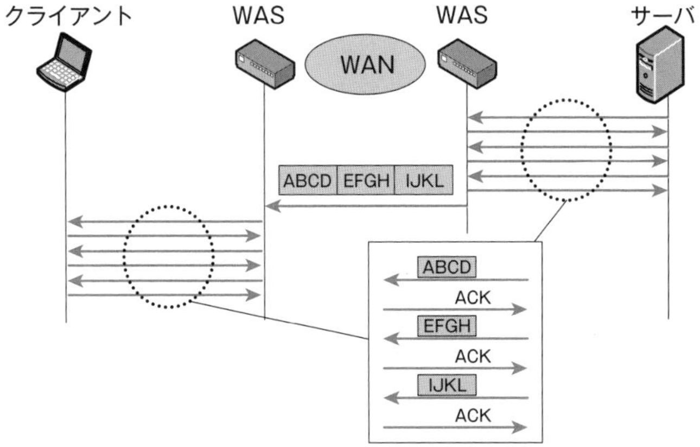

▶図2.4.7　ファイル転送（代理応答あり）

■ 高速化処理の停止

WASによる高速化は，送信側と受信側のWASが協調することで実現する。そのため，一方のWASに障害が生じた場合は，自動的に高速化処理を停止しなければならない。

■ 出題の切り口

平成26年の午後Ⅰ問1に，WASの知識に関する問題が出題された。問題の事例は，本部に設置された業務系のファイルサーバを，支部から広域イーサ網を介してアクセスする，というものであった。各支部からのファイルサーバのアクセスを高速化するため，WASが導入された。

問題文では，ネットワーク構成図を示してWASに関して次の説明が行われ，WASの特性や機能について問われた。

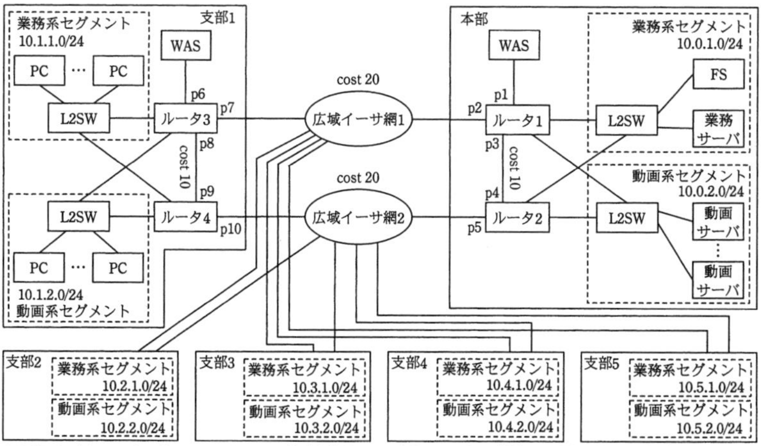

L2SW：レイヤ2スイッチ　WAS：WAN高速化装置　広域イーサ網：広域イーサネットサービス網

注記1　cost xは，OSPFで用いるコスト値を示す。
注記2　p1〜p10は，ポートIDを示す。
注記3　支部2〜支部5は，支部1と同じ機器構成である。

▶図2.4.8　平成26年午後Ⅰ問1「図1　A予備校の新ネットワーク構成（抜粋）」

N君は，PCとFS（ファイルサーバ）間でのWASによる高速化処理について調査した。調査の結果，WAS間では，データ圧縮機能による通信データ量の削減だけではなく，①データの送信元に対して代理応答を行ってデータをキャッシュに蓄積した後に，もう一方のWAS宛てに一括してデータを送信することによって，高速化を図っていることが分かった。また，②データの高速化処理を自動的に停止する機能があることを確認した。

① 下線①の処理の効果がより高くなるのは，本部と支部間の通信の特性がどのような場合か。20字以内で具体的に述べよ。
② 下線②の機能は，どのような場合に必要になるのか。20字以内で具体的に述べよ。

【解説】

問題文は，WASの代理応答機能について述べたものである。このような代理機能は，WANを介したやり取りが多くなり，データの往復に時間がかかるような場合に非常に効果的である。①は，これについて規定字数以内で答えればよい。
　②で問われている高速化処理の自動停止機能は，WASの故障時に必要な機能である。

【解答】
① ラウンドトリップ時間が大きい場合
② 片側のWASが故障した場合

IPAの解答例では，このような「TCPコネクションにおけるパケットの往復時間」を**ラウンドトリップ時間**と表現しています。問題演習を通して，徐々に語彙を増やしていきましょう。

2.5 ネットワークセキュリティ

Point!

インターネットに接続されたネットワークは，不正アクセスや盗聴などのセキュリティリスクに常にさらされている。セキュリティの構築は，ネットワーク技術者にとって必須の知識である。ここでは，ネットワークセキュリティの基盤を構築する技術について，基礎的な知識を説明する。なお，個々のアプリケーションレベルのセキュリティについては，第3章で改めて説明する。

… 30秒チェック！ …

Super Summary

1 暗号基盤

【目標】暗号化の方式や特徴，署名技術について知る。

□共通鍵暗号方式 … 暗号化と復号に同じ鍵情報を用いる暗号化方式
□公開鍵暗号方式 … 秘密鍵と公開鍵を用いる暗号化方式
□セッション鍵方式 … 共通鍵暗号方式と公開鍵暗号方式のハイブリッド
□デジタル署名 … データの正当性と作成者本人であることを保証する署名情報

2 PKI

【目標】公開鍵の正当性を保証する仕組みと技術を知る。

□認証局（CA）… 公開鍵を保証するデジタル証明書を発行する第三者機関
□認証チェーン … ルート認証局を最上位とする認証局の階層構造
□失効リスト（CRL）… 失効したデジタル証明書のリスト
□OCSP … 特定のデジタル証明書の失効状態を取得するプロトコル

3 認証

【目標】利用者の正当性を認証する方式や技術，プロトコルなどを知る。

□パスワード方式 … ユーザIDとパスワードを用いた認証方式
□チャレンジ／レスポンス方式 … パスワードをネットワーク上に流さない認証方式
□PPP … データリンク層で認証機能を提供するプロトコル

□RADIUS … 認証サーバを用いる認証プロトコル
□IEEE802.1X認証 … RADIUSなどの認証機能を利用する仕組み
□EAP … IEEE802.1X認証で利用される認証プロトコル
□シングルサインオン … 一度の認証で複数アプリケーションを利用できる仕組み
□SAML … ドメインの外に認証情報を伝達するプロトコル

4 セキュリティプロトコル

【目標】セキュリティプロトコルの種類と特徴を知る。
□IPsec … IP層でセキュリティ機能を提供するプロトコル
□SSL/TLS … TCPの上位でセキュリティ機能を提供するプロトコル
□VPN … 仮想的なプライベートネットワークを構築する技術の総称
□SSH … 安全なリモートアクセスを提供するプロトコル

5 ネットワークのセキュリティ

【目標】ネットワークに組み込むセキュリティ機器の特徴や機能を知る。
□DMZ … 外部ネットワークと内部ネットワークの中間に配置するネットワーク
□ファイアウォール … インターネットから内部ネットワークを防衛する機器
□パケットフィルタリング … パケットの通過／遮断を判断する仕組み
□IDS … 不正アクセスや攻撃を検知するシステム
□IPS … 不正アクセスや攻撃を遮断するシステム
□WAF … Webアプリケーション特有の攻撃を監視して防御するシステム
□SSLの可視化 … 暗号化を解除して，不正アクセスや攻撃を検知する
□UTM … さまざまなセキュリティ機能をまとめたゲートウェイ

6 無線LANのセキュリティ

【目標】無線LAN特有のセキュリティ機能や技術を知る。
□any接続拒否機能 … ESS-IDを指定しない機器の接続を拒否する機能
□ESS-IDステルス機能 … ESS-IDを隠蔽する機能
□MACアドレスフィルタリング機能 … 登録されたMACアドレスのみ接続を許可する機能

□プライバシセパレータ機能 … 同一APに接続する機器間の通信を禁止する機能
□WPA2 … AESで暗号化を行う無線LANの代表的なセキュリティ規格
□WPA3 … WPA2の後継となる無線LANのセキュリティ規格

1 暗号基盤

暗号は，セキュリティの最も大切な基盤である。暗号化の方式のうち，**公開鍵暗号方式**は，単に通信内容の秘匿にとどまらず，**署名技術（デジタル署名）**に応用され，さらにその正当性を保証する**PKI**につながっていく。

1 共通鍵暗号方式

共通鍵暗号方式は，暗号化と復号に同じ鍵（共通鍵，対称鍵）を用いる暗号方式のことである。共通鍵は送信者と受信者で共有し，これを用いた演算を平文や暗号文に施すことで暗号化・復号を行う。

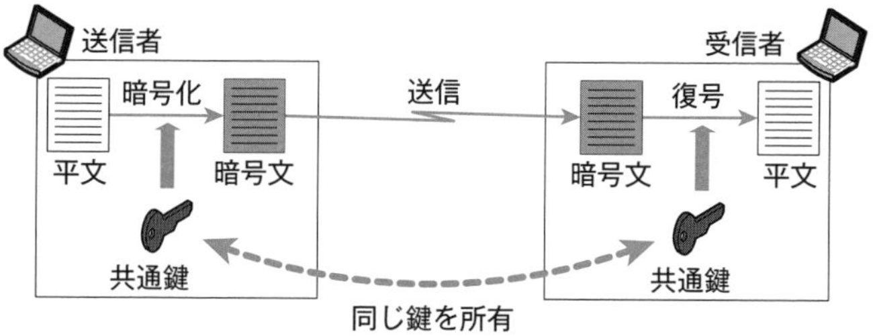

▶図2.5.1　共通鍵暗号方式

2 公開鍵暗号方式

公開鍵暗号方式は，暗号化と復号に対となる二つの鍵（鍵ペア）を利用する暗号方式である。鍵ペアは次の特徴を持つ。

・一方で暗号化したデータは，対となる鍵でのみ復号できる
・一方の鍵から，もう一方の鍵を推測できない

利用者は，一方の鍵を秘密鍵として他者に知られないよう厳重に管理し，もう一方を公開鍵として公開する。公開鍵暗号方式による暗号化通信は次のように行われる。

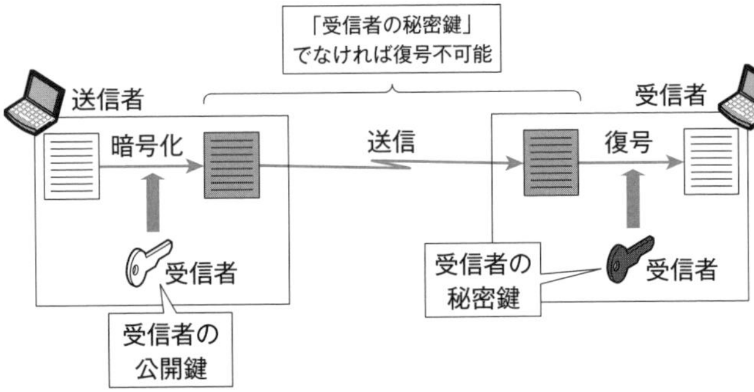

▶図2.5.2　公開鍵暗号方式

暗号化は「受信者の公開鍵」で行われる。この暗号文は，対応する「受信者の秘密鍵」でのみ復号できる。受信者の秘密鍵は受信者のみが保有するため，第三者による盗聴を防ぐことができる。

3 共通鍵暗号方式と公開鍵暗号方式の特徴

共通鍵暗号方式は，仕組みやアルゴリズムが単純なので高速に暗号化・復号処理を行うことができる。これに対し，公開鍵暗号方式の処理速度は共通鍵暗号方式に比べると低速である。

次に鍵の総数で両方式を比較する。n人の利用者が相互に暗号化通信を行うとき，共通鍵暗号方式では利用者を結ぶリンクの数だけ共通鍵が必要となるため，全体では n（n－1）／2個の共通鍵が必要となる。これに対し，公開鍵暗号方式では，各利用者が鍵ペアを持てばよいので，全体では2n個の鍵で十分である。**利用者が多くなるほど，共通鍵暗号方式の鍵の総数は爆発的に増加し，管理は困難になる**。

以下に，両方式の特徴と代表的なアルゴリズムを整理する。

▶表2.5.1　暗号方式と鍵の必要数

	共通鍵暗号方式	公開鍵暗号方式
鍵の総数（n人）	n(n−1)/2	2n
鍵の管理	困難	容易
処理速度	高速	低速
代表的なアルゴリズム	AES，DES	RSA，楕円曲線暗号

4 セッション鍵方式

セッション鍵方式は，共通鍵暗号方式と公開鍵暗号方式の長所を組み合わせた方式である。セッション鍵方式による暗号化通信は，大きく「セッション鍵の共有」と「暗号化通信」のフェーズに分けられる。

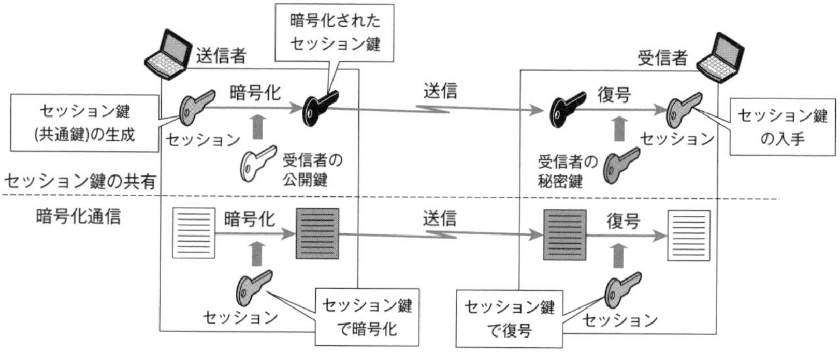

▶図2.5.3　セッション鍵方式

セッション鍵の共有では，送信者がセッション鍵を生成し，これを公開鍵暗号方式で受信者に送信する。暗号化通信では，セッション鍵を用いた共通鍵暗号方式で暗号化通信を実施する。つまり，**安全な公開鍵暗号方式を基盤としながらも，高速な共通鍵暗号方式を使用した暗号化通信を実施**している。

セッション鍵方式は，後述するSSL/TLSなどに採用されている。

5 デジタル署名

デジタル署名は，データの正当性と，送信者が本人であることを保証するために，送信者が付与するデジタル的な署名である。具体的には，送信データ（メッセージ）

の要約（ダイジェスト）を送信者の秘密鍵で暗号化したものを署名とする。

署名付きのデータを受け取った受信者は，署名を検証する。正しく検証できた場合には，受信データに対して次の事柄が保証される。

・署名者が送信者本人であること
・メッセージが改ざんされていないこと

▶図2.5.4は，送信者が署名付きデータを送信し，受信者が署名を検証する流れを示す。

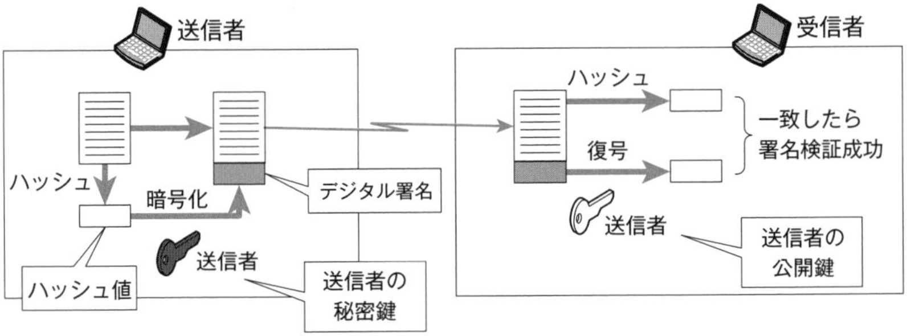

▶図2.5.4　デジタル署名

基本用語の確認

～メッセージダイジェスト

メッセージダイジェストは，メッセージからハッシュ関数によって固定長のビット列を計算したハッシュ値である。現在はSHA-2アルゴリズムによる256ビットハッシュ値（**SHA-256**）が広く利用されている。

メッセージダイジェストをデジタル署名に利用するためには，ハッシュ値やハッシュ関数は次の性質を満たさなければならない。

・**一方向性**：ハッシュ値から元のデータを復元することが困難である。
・**衝突発見困難性**：同じハッシュ値を持つ異なるデータを生成することが困難である。

2 PKI (Public Key Infrastructure：公開鍵基盤)

公開鍵暗号方式は「公開鍵が正しく本人のもの」であることを基盤として成立している。公開鍵が本人のものであることを保証するためのポリシや技術をPKIと呼ぶ。

1 認証局 (CA：Certificate Authority)

公開鍵が正しく本人のものであることは，その結びつきを信頼できる第三者が保証しなければならない。そのような信頼できる第三者機関を**認証局**（CA）と呼ぶ。

認証局は本人情報を確認のうえ，本人の公開鍵に保証を与えた証明書（**デジタル証明書／公開鍵証明書**）を発行する。利用者は証明書から「認証局が認めた公開鍵」を取得して利用する。

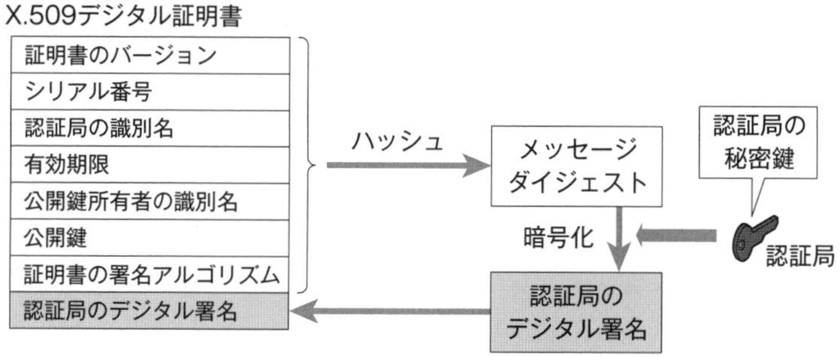

▶図2.5.5　デジタル証明書

デジタル証明書は，通信相手の認証にも用いることができる。具体的には，通信相手（認証対象）の証明書を入手し，認証局のデジタル署名を検証する。次に，証明書の内容が，正しく通信相手を指しているか（識別名などが正しいか），証明書が失効していないかなどを確認する。最後に，通信相手に，こちらから指定したデータに対して署名させ，正しく署名できているかを検証する。署名の検証に際しては，証明書中の公開鍵を用いる。すべての要件をクリアすれば，対象は認証局が保証した正当な通信相手だと確認できる。

2 認証チェーン

認証局は，**ルート認証局**を最上位とする▶図2.5.6のような階層構造をとることが多い。

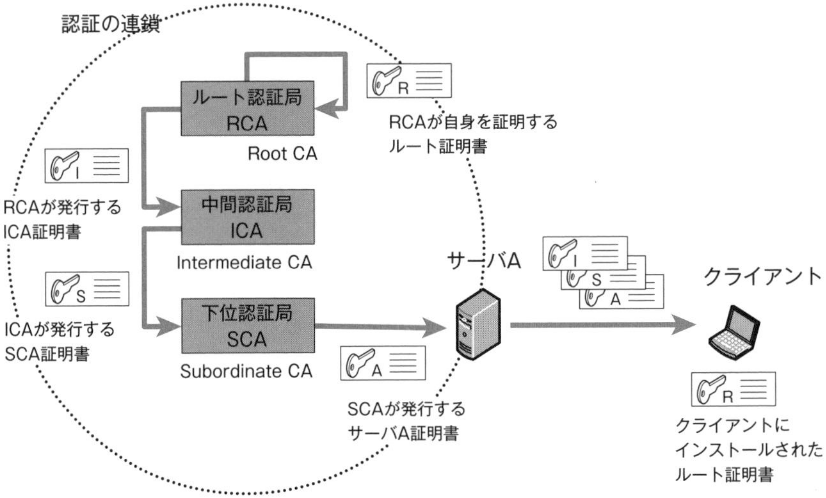

▶図2.5.6　認証チェーン

▶図2.5.6では，サーバやクライアントを下位認証局が認証し，下位認証局を中間認証局が認証し，中間認証局をルート認証局が認証する。**ルート認証局は上位局をもたないため，自分で自分を認証する**。このような認証のつながりを，認証チェーン（認証の連鎖）と呼ぶ。クライアントは，サーバから送られた証明書の中に，自分が信頼する認証局のものが含まれていることを確認し，認証チェーンに沿って署名の検証を繰返し，最終的にはサーバが正しいことを確認する。

3 失効リスト（CRL：Certificate Revocation List）

秘密鍵の漏えいや鍵ペアを使わなくなったなど，何らかの理由によって有効期間内にデジタル証明書を失効させたいことがある。このとき，**認証局から定期的に配布されている失効リストに証明書のシリアル番号が加えられる**。利用者は失効リストを確認することで，証明書が有効かどうかを確認できる。

4 OCSP（Online Certificate Status Protocol）

OCSPは，特定のデジタル証明書の失効状態を取得するための通信プロトコルで，

CRLを代替する目的で策定された。**CRLがすべての失効リストを含んでいるのに対し，OCSPでは，必要とする証明書の失効状態のみを取得できる**。OCSPはクライアント/サーバで実装される。OCSPサーバは**OCSPレスポンダ**と呼ばれ，認証局が運用している。利用者はOCSPレスポンダに問い合わせることで，デジタル証明書の最新の失効状態を確認することができる。

3 認証

ユーザ認証は正当な利用者であることを確かめる技術である。ユーザIDとパスワードを用いる伝統的な方式から，**ゼロ知識証明**を応用した**チャレンジ／レスポンス方式**，またそれらの実装方式など数多くの方式がある。

1 パスワード方式

パスワード方式は，認証時にユーザIDとパスワードを入力する認証方式である。入力されたユーザIDとパスワードはサーバに送られ，サーバの記録する認証情報と照合される。

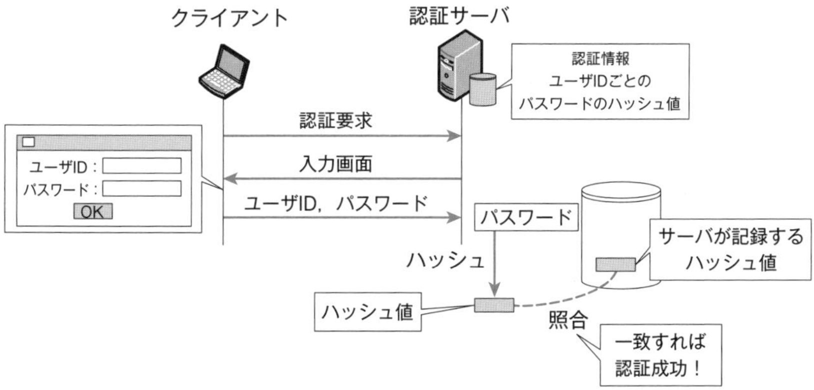

▶図2.5.7　パスワード方式

なお，**サーバは認証情報として「パスワードのハッシュ値」を記録する**。こうしておけば，万一サーバから情報が流出しても，パスワードそのものは流出しないため比較的安全だからである。

2 チャレンジ／レスポンス方式

パスワード方式は，パスワードがネットワーク上を流れるため，安全性に問題がある。たとえパスワードを暗号化したとしても，暗号化されたパスワードそのものが攻撃に悪用される危険がある。

チャレンジ／レスポンス方式は，パスワードそのものを送るのではなく「パスワードを所有することを証明する」方式である。この方式でサーバのクライアント認証は次の手順で行う。

❶クライアントが認証サーバに対して認証を要求する。

❷認証サーバは乱数などを用いた「チャレンジ」を生成し，クライアントに送信する。

❸クライアントは**チャレンジとパスワードをもとに「レスポンス」を生成**し，認証サーバに送信する。

❹認証サーバは受信したレスポンスと，自身で生成したレスポンスを比較する。両者が一致すれば認証が成功したと見なす。

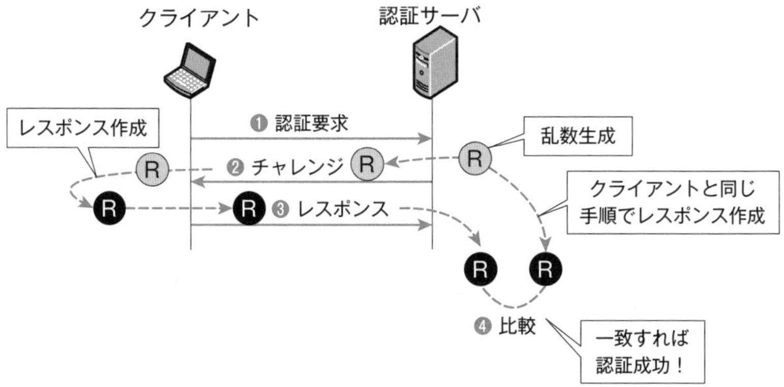

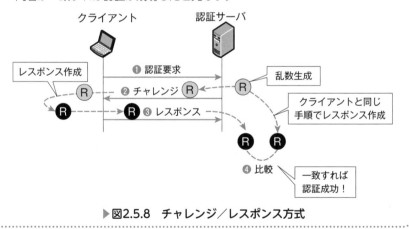

▶図2.5.8　チャレンジ／レスポンス方式

チャレンジ／レスポンス方式を用いれば，**ネットワーク上にパスワードそのものが流れない**ため，パスワードの漏えいを防ぐことができる。チャレンジとレスポンスは認証ごとに異なるため，これらが漏えいしても攻撃には用いられない。

パスワードを所有することを証明することを，**ゼロ知識証明**と呼びます。

3 PPP (Point-to-Point Protocol)

PPPは，2つの拠点間を接続し，データ通信を行うためのデータリンク層プロトコルである。専用線や電話回線を用いたインターネットへの接続に利用される。

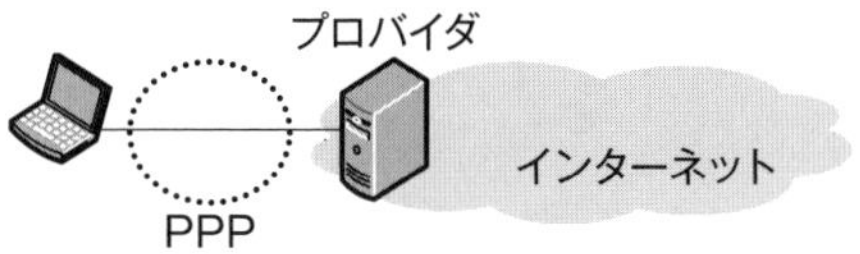

▶**図2.5.9　PPP**

PPPには，次表の認証方式による認証を選択することができる。そのため，PPPを下位層に用いることで，ネットワークに認証機能を取り入れることができる。

▶**表2.5.2　PPPの認証機能**

PAP（Password Authentication Protocol）	ユーザIDとパスワードによる認証を行う。ただし，ユーザIDとパスワードは暗号化されない。
CHAP（Challenge Handshake Authentication Protocol）	チャレンジ／レスポンス方式の認証を行う。

ADSLやFTTHなどのブロードバンドサービスへの接続時には，PPPフレームをイーサネットフレームでカプセル化する**PPPoE**（**PPP over Ethernet**）が利用されており，ユーザ認証を伴った回線接続を実現している。

現在では，局側が接続回線によって利用者を識別できるため，PPPに見られるユーザ認証は必要でなくなりつつあります。そこでIPv6では，回線接続として回線認証による**IPoE**（**IP over Ethernet**）方式が利用されるようになってきました。PPPに比べて直接インターネットに接続できるため，性能面で有利です。

4 RADIUS (Remote Authentication Dial In User Service)

RADIUSは，認証サーバ（RADIUSサーバ）を用いた認証プロトコルである。**RADIUSサーバ**は，ユーザ認証を一元管理するためのサーバであり，これを導入することで，機器やアプリケーション単位に認証情報を管理する必要がなくなる。

RADIUSサーバは，複数の独立した機器に認証機能を提供する。

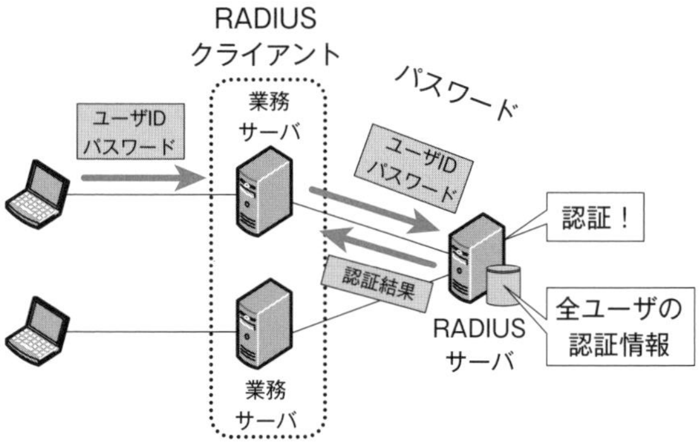

▶図2.5.10　RADIUSサーバを用いた認証

5 IEEE802.1X認証

IEEE802.1Xは，ネットワークの接続機器でRADIUSの認証機能を利用できるようにする仕組みである。これを導入することで，ユーザに対してRADIUSサーバによる認証を強制することができる。なお，IEEE802.1Xを用いたとき，端末の接続ソフトウェアを**サプリカント**，接続機器の機能を**オーセンティケータ**と呼ぶ。オーセンティケータには，VLANスイッチや無線アクセスポイントなどがある。

IEEE802.1Xを用いた認証・接続は，次の２段階で実施される。

［1］認証

オーセンティケータが，サプリカントの認証情報を受け，RADIUSサーバに中継することで認証を行う。

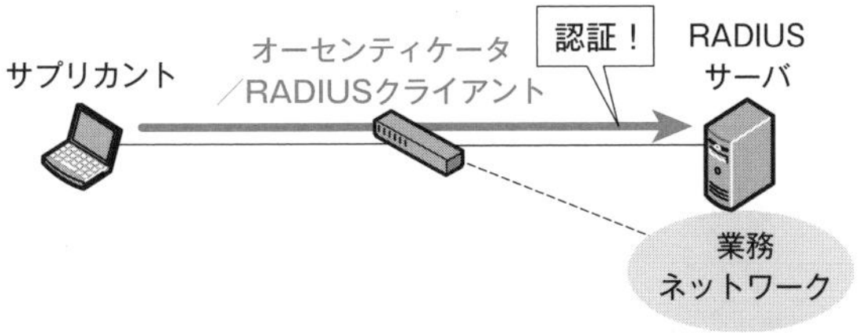

［2］接続

認証に成功したとき，オーセンティケータはサプリカントをネットワークに接続する。

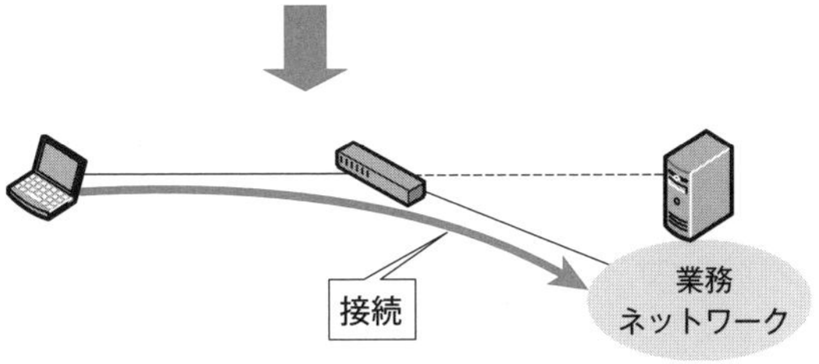

▶図2.5.11　IEEE802.1X認証

6 EAP (Extensible Authentication Protocol)

EAPは，IEEE802.1X認証で利用される認証プロトコルである。EAPは，さまざまな認証方式に対応しており，使用機器に合わせて柔軟に認証方式を選択できる。

EAPの認証方式の一つである**EAP-TLS**（**EAP Transport Layer Security**）では，サプリカントと認証サーバの両方にデジタル証明書（サプリカント側はクライアント証明書，認証サーバ側はサーバ証明書）を用意する。双方のデジタル証明書を交換して互いに検証することで，認証サーバはクライアント認証，サプリカントはサーバ認証を行う。

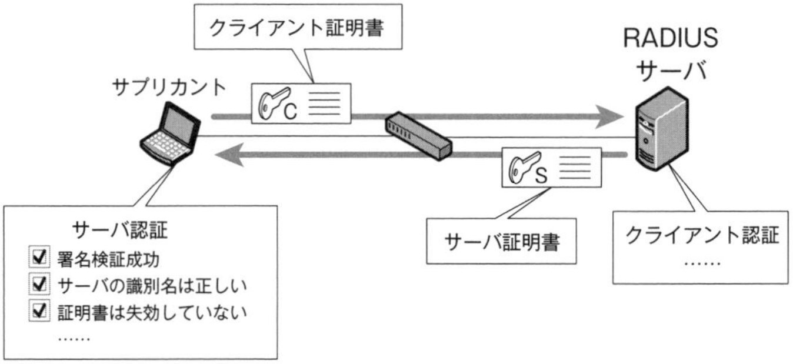

▶図2.5.12　EAP-TLS

7 シングルサインオン（SSO：Single Sign On）

シングルサインオンとは，一度認証を済ませておけば，複数のアプリケーションを「ログインすることなく」利用できる仕組みである。

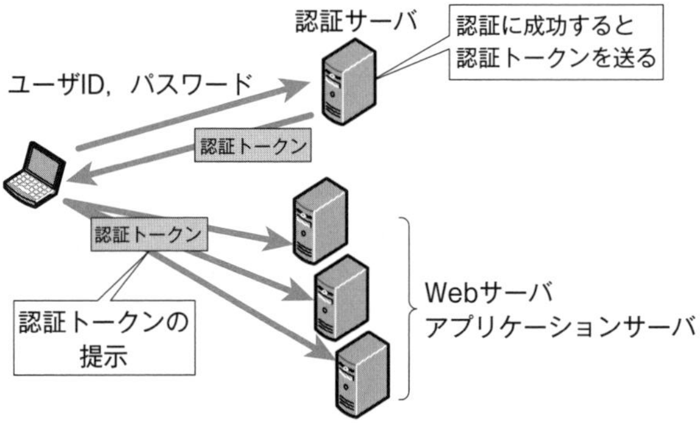

▶図2.5.13　シングルサインオン

▶図2.5.13中の認証トークンは，「クライアントが認証を済ませている」ことを表す情報で，方式によって認証クッキーなどが利用される。認証トークンが提示されたWebアプリケーションサーバは，認証サーバにトークンの正当性を確認する。これが確認できれば，クライアントは改めてログインすることなくWebアプリケーションサーバを利用できる。

シングルサインオンを実現する方式には，次のものが知られている。

▶表2.5.3　シングルサインオンの実現方式

エージェント方式	Webサーバにインストールされた「エージェントソフトウェア」が，認証トークンの正当性を認証サーバに確認する
リバースプロキシ方式	リバースプロキシサーバが，認証トークンの正当性を認証サーバに確認する
代理認証方式	Webサーバに対するユーザIDやパスワードなど入力を，リバースプロキシサーバが代理する
フェデレーション方式	異なるドメインに配置された認証サーバとWebサーバが認証情報をやり取りすることで，ドメインの枠を越えてシングルサインオンを実現する

シングルサインオンは，クッキーを用いる方式とリバースプロキシを用いる方式に分類することもできます。リバースプロキシを用いる方式では，利用者認証においてパスワードの代わりにデジタル証明書を用いることができます。

8 SAML (Security Assertion Markup Language)

SAMLは，ドメインの枠を越えて認証情報やアクセス制御情報を伝達する際に用いるWebサービスプロトコルである。フェデレーション方式などで用いられる。

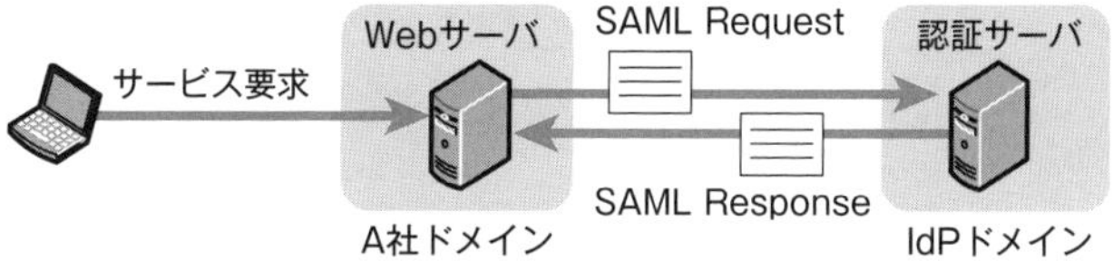

※IdP(Identity Provider)：信頼済プロバイダ

▶図2.5.14　SAML

4 セキュリティプロトコル

当初のインターネットは善意の利用者を対象としていたため，TCP/IPにはセキュリティ関係の機能は用意されてはいなかった。そのため，セキュリティは各アプリケーションが個別に実装しなければならなかった。セキュリティの重要性が高まるにつれ，**セキュリティ機能は次第にプロトコル階層に組み入れられるようになった**。その代表例が，**IPsec**や**SSL/TLS**である。

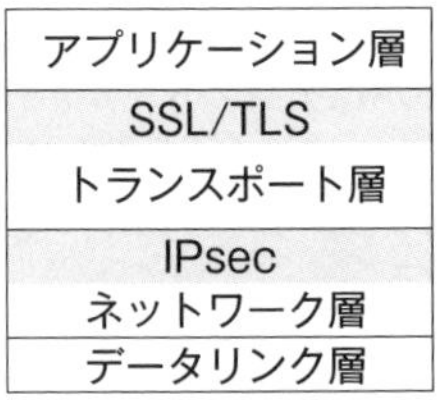

▶図2.5.15　IPsec，SSL/TLSとプロトコル階層

1 IPsec (IP security)

IPsecは，IPにパケット認証，暗号化，鍵交換などの機能を提供するプロトコルであり，RFC4301にその仕様が定義されている。IPsecを用いることで，IPパケット単位での盗聴や改ざんを防止できる。

IPsecには次の２つのモードがある。

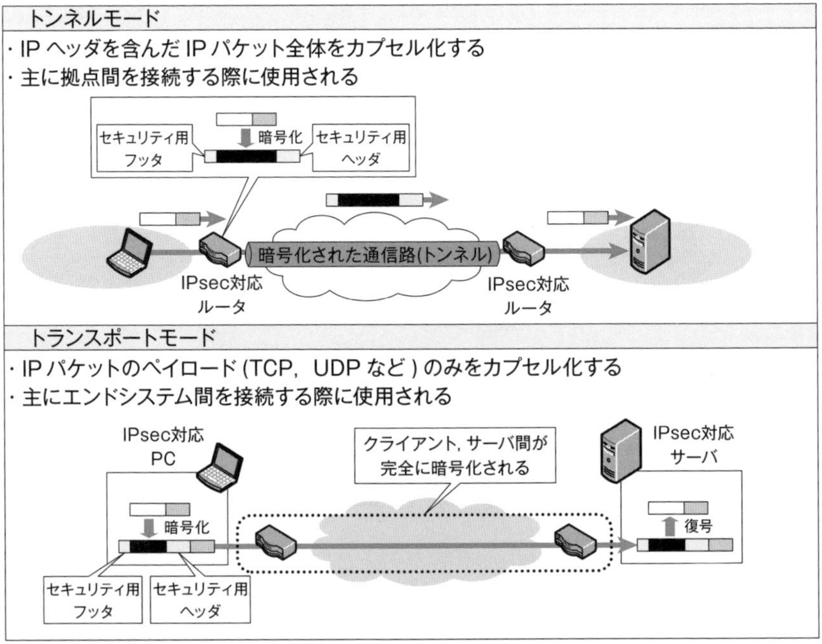

▶図2.5.16　IPsecのモード

IPsecで用いられるプロトコルは，機能の違いによって次の２つのプロトコルがある。

▶表2.5.4　IPsecのプロトコル

AH（Authentication Header）	・IPパケット全体に対する認証機能を提供する。 ・暗号化機能は提供しない。
ESP（Encapsulating Security Payload）	・IPパケットの認証と暗号化の機能を提供する。

これらのプロトコルは，AHで認証機能，ESPで暗号化機能というように組み合わせて利用することもできる。

2 SSL/TLS（Secure Sockets Layer/Transport Layer Security）

SSL/TLSは，サーバ認証，クライアント認証，通信内容の暗号化，完全性の保証などの機能を提供するプロトコルである。プロトコルの階層はトランスポート層とアプリケーション層の中間に位置するため，さまざまなアプリケーションプロトコルにセキュリティ機能を提供できる。

SSLには脆弱性（ぜい）があるため，実際にはSSLを改良したTLSが利用されている。ただし，表記上はSSL/TLSまたは単にSSLとするものも多い。

▶表2.5.5　SSL/TLSを用いたプロトコル

プロトコル	ポート番号	概要
HTTPS	443	HTTP over SSL/TLS
SMTPS	465	SMTP over SSL/TLS
LDAPS	636	LDAP over SSL/TLS
FTPS-DATA	989	FTP-DATA over SSL/TLS
FTPS	990	FTP over SSL/TLS
IMAPS	993	IMAP4 over SSL/TLS
POP3S	995	POP3 over SSL/TLS

TLSは，公開鍵暗号方式と共通鍵暗号方式の長所を組み合わせたセッション鍵方式を用いた暗号化通信を行う。具体的には，TLSクライアントがTLSサーバに対して共通鍵生成に必要な情報を送信し，クライアント，サーバそれぞれで共通鍵を作成する。

以下に，TLS1.2およびTLS1.3の通信概要を示す。

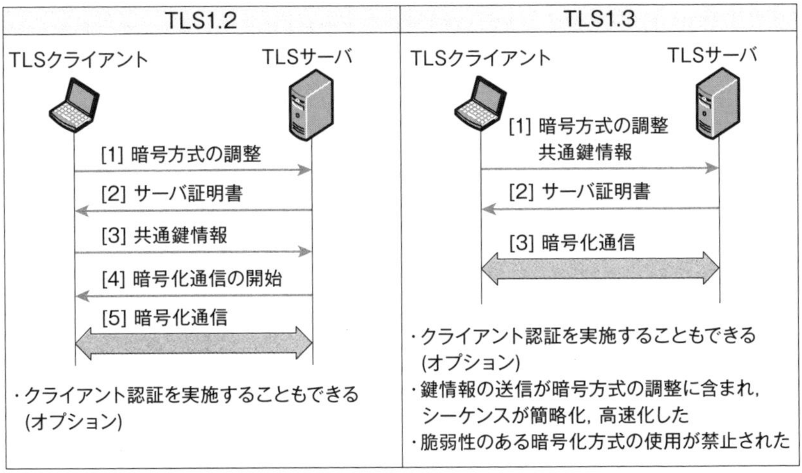

▶図2.5.17　TLS1.2とTLS1.3のシーケンス

SSLの脆弱性を避けるため，TLS1.2以上を利用することが推奨されている。 TLS1.3は，TLS1.2をもとに改良が加えられた方式で，セキュリティ面や性能面の向上が図られている。

TLSはオプションでクライアント認証を実施することもできる。クライアント認証を利用する場合，**個人番号カードなどに記録されたクライアント証明書を読み取り，TLSサーバへ送信する。**

3 VPN (Virtual Private Network)

VPNは，多数のユーザが存在するネットワーク上に「仮想的なプライベート（隔離した）ネットワーク」を構築する技術の総称である。一般的にインターネット上にVPNを構築して利用する**インターネットVPN**を指すことが多い。

VPNを実現する方式には次のような種類がある。

▶表2.5.6　VPNの実現方式

VPNの方式	利用層（OSI）	主な用途
SSL-VPN	トランスポート層／アプリケーション層	クライアント（アプリケーション）とのVPN通信
IPsec-VPN	ネットワーク層	拠点間のVPN接続
L2TP/IPsec-VPN	データリンク層	端末の拠点に対するリモートアクセス

SSL-VPNは，**TCPのポート番号443を用いる**。これは，広く利用されるHTTPSと同じポート番号であり，各組織でこれを許可する設定になっていることが一般的である。そのため，SSL-VPNはインターネット上でフィルタリングなどの制限を受けづらくトラブルが少ない。

IPsec-VPNは，IPsecを用いた方式であり，認証と暗号化の機能を利用することができる。

L2TP（Layer 2 Tunneling Protocol）/IPsec-VPNは，端末と拠点（VPNルータ）でPPPトンネルを構築するプロトコルで，IPsecが暗号化を担っている。

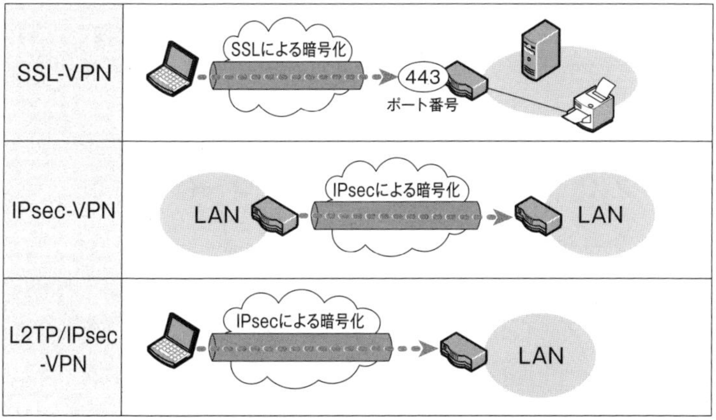

▶図2.5.18　SSL-VPN，IPsec-VPN，L2TP/IPsec-VPN

インターネットVPN以外のVPN利用として，**IP-VPN**がある。IP-VPNは，通信事業者が構築したインターネットとは別の閉域網に構築されたVPNで，インターネットVPNに比べ，より高い安全性を得ることができる。

4 SSH (Secure SHell)

SSHは，ネットワーク上で安全なリモートアクセスとサービスを実現するためのセキュリティプロトコルであり，暗号化や認証の機能を備えている。主にリモートアクセス環境での遠隔操作に用いられる。

以下に，SSHの特徴をまとめておく。

・暗号化方式

接続時に共通鍵であるセッション鍵を生成するハイブリッド暗号方式を用いる。

・認証方式

公開鍵認証，パスワード認証，ワンタイムパスワードなどを用いる。

・ポートフォワーディング機能

SSHクライアントによって指定されたホスト宛てのパケットをSSHサーバが中継することで，簡易的なVPN接続を実現する。

・SSHのバージョン

バージョン１には脆弱性があるため，バージョン２の利用が推奨されている。

5 ネットワークのセキュリティ

ネットワークのセキュリティを高めるためには，セキュリティプロトコルによる暗号化や認証以外にも，インターネットからの不正アクセスに対処しなければならない。そのために，企業は**ファイアウォール**を設置し，各種の**侵入検知システム**を導入する。ここでは，そのような不正アクセスに対する技術要素を説明する。

1 DMZ (DeMillitarized Zone：非武装地帯)

DMZは，外部ネットワークと内部ネットワークの中間に配置するネットワークである。DMZの目的は外部ネットワークと内部ネットワークを隔離し，内部ネットワークに対する直接攻撃を防ぐことにある。DMZには，外部からアクセスするための公開サーバなどを設置する。

2 ファイアウォール（Firewall：FW）

ファイアウォールは，内部ネットワークを保護する目的で，インターネットと内部ネットワークの境界に設置する機器である。ネットワークの境界でアクセス制御を行うことにより，インターネットから内部ネットワークへの接続を限定する。

ファイアウォールは，インターネット，DMZ，内部ネットワークの接続点に設置する。

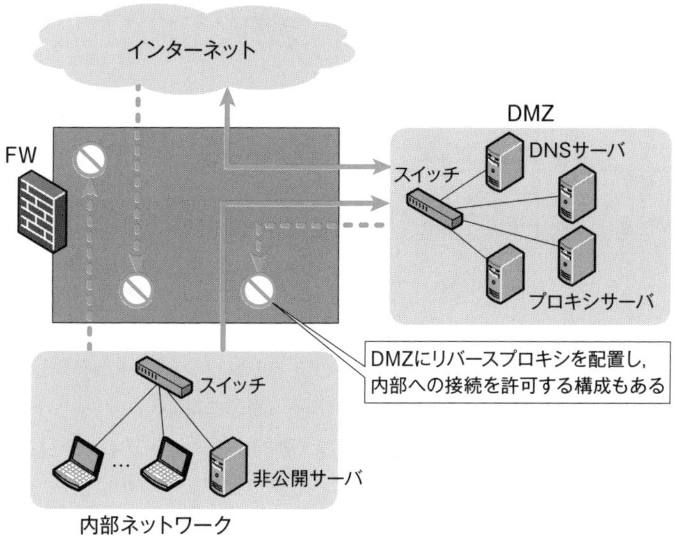

▶**図2.5.19　ファイアウォールの構成**

ファイアウォールは，インターネット－DMZ間では，公開サーバとの通信以外を禁止する。DMZ－内部ネットワーク間では，内部ネットワークから公開サーバへの通信以外を禁止する。

3 パケットフィルタリング

パケットフィルタリングは，ファイアウォールが通信パケットの通過／遮断を判断する際に用いる代表的な方式である。

パケットフィルタリング方式では，ファイアウォールは通過するパケットのIPアドレスやポート番号と，ファイアウォールに定義された通過／拒否のルール設定（**フィ**

ルタリングテーブル，アクセス制御リスト）を見比べ，ルールに基づいた処理を行う。なお，通過／拒否はプロトコル単位で決定されるため，例えば電子メールの内容をもとに制限するといった機能はない。

▶図2.5.20は，インターネット上のPCからWebサーバとメールサーバへのアクセスのみを許可するフィルタリングテーブルの例である。

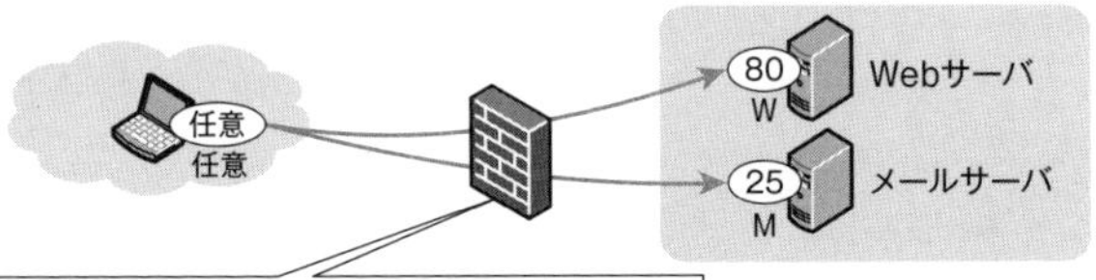

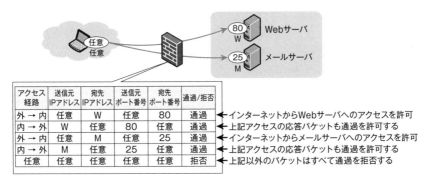

アクセス経路	送信元IPアドレス	宛先IPアドレス	送信元ポート番号	宛先ポート番号	通過/拒否	
外 → 内	任意	W	任意	80	通過	←インターネットからWebサーバへのアクセスを許可
内 → 外	W	任意	80	任意	通過	←上記アクセスの応答パケットも通過を許可する
外 → 内	任意	M	任意	25	通過	←インターネットからメールサーバへのアクセスを許可
内 → 外	M	任意	25	任意	通過	←上記アクセスの応答パケットも通過を許可する
任意	任意	任意	任意	任意	拒否	←上記以外のパケットはすべて通過を拒否する

▶図2.5.20　フィルタリングテーブルの例

パケットフィルタリングには，あらかじめフィルタリングルールを設定しておく**スタティック（静的）パケットフィルタリング**と，通信を開始したパケットに対する戻りパケットを自動的に許可する**ダイナミック（動的）パケットフィルタリング**がある。ダイナミックパケットフィルタリングのフィルタリングテーブルは，一方向のみ許可設定が定義されており，戻りパケットの許可設定は通信の都度，自動的にテーブルに挿入される。

アクセス経路	送信元IPアドレス	宛先IPアドレス	送信元ポート番号	宛先ポート番号	通過/拒否
外 → 内	任意	W	任意	80	通過
外 → 内	任意	M	任意	25	通過
任意	任意	任意	任意	任意	拒否

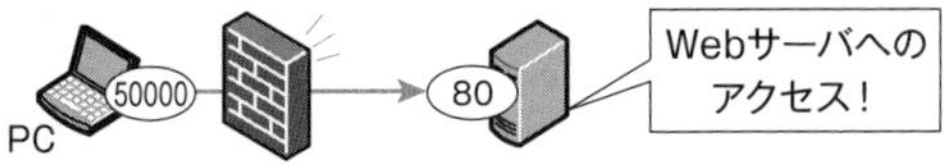

アクセス経路	送信元IPアドレス	宛先IPアドレス	送信元ポート番号	宛先ポート番号	通過/拒否
外 → 内	任意	W	任意	80	通過
内 → 外	W	PC	80	50000	通過
外 → 内	任意	M	任意	25	通過
任意	任意	任意	任意	任意	拒否

戻りパケットの通過許可設定

▶**図2.5.21　ダイナミックパケットフィルタリング**

パケットフィルタリング方式は仕組みが単純なので，ルータの基本機能としても実装されている。そのため，ルータを簡易的なファイアウォールとして利用することもできる。

【参考】　～IPスプーフィング攻撃とファイアウォール

IPスプーフィング攻撃とは，送信者がIPアドレスを偽装して他者のIPアドレスで通信する「なりすまし」を行う攻撃である。

ファイアウォールにフィルタリングルールを設定する際に，外部のIPアドレスに対しては厳しいルールを設定するが，内部のIPアドレスに対しては「甘い設定」を行うことが多い。IPスプーフィングはこのような傾向を悪用し，内部のIPアドレスを偽装することで，フィルタリングルールの隙をついてネットワークに侵入する。

対策として，**外部から入ってくるパケットであるにも関わらず，送信元IPアドレスが内部ネットワークであるようなパケットを破棄**すればよい。

4 侵入探知・防止システム

ネットワークセグメントやホストへの侵入を検知および防止するセキュリティ技術として，**IDS**と**IPS**がある。

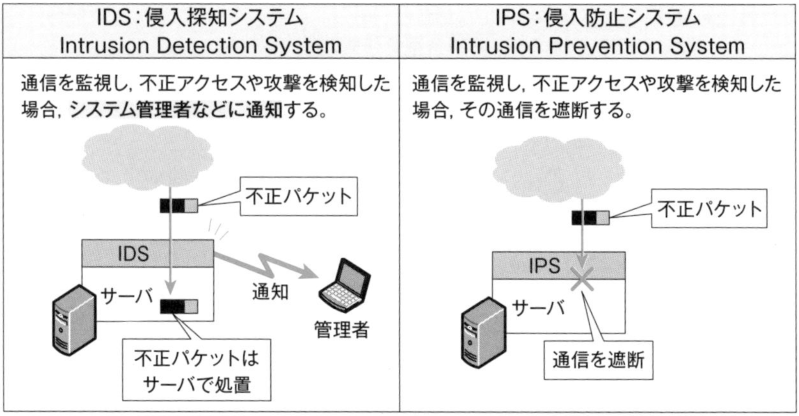

▶図2.5.22　IDSとIPS

IDS/IPSには，配置したネットワークセグメント全体を監視する**NIDS/NIPS**（**ネットワーク型 IDS/IPS**）と，特定のホストにインストールすることでそのホストを監視する**HIDS/HIPS**（**ホスト型 IDS/IPS**）がある。

NIDSは，監視対象のネットワークセグメントを流れるすべてのパケットを監視する必要があるので，**L2スイッチなどに設定したミラーポートに接続**する。

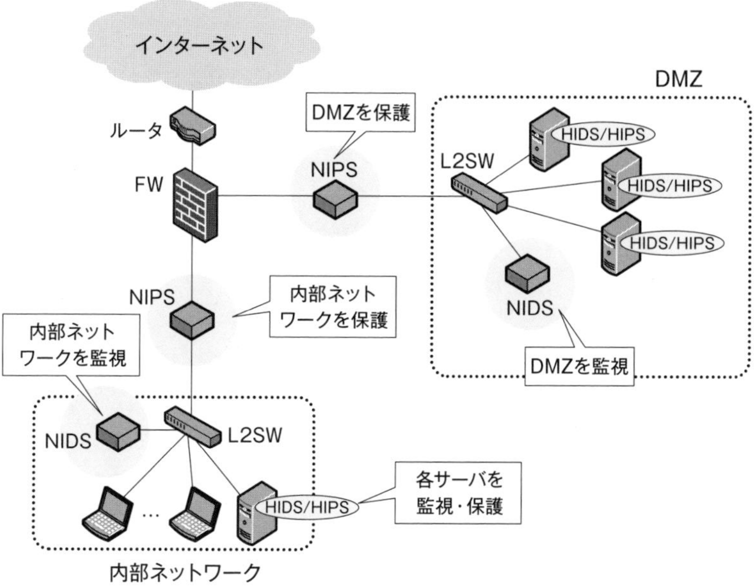

▶図2.5.23　IDS/IPSの配置と接続方法

5 WAF (Web Application Firewall)

WAFは，Webアプリケーション特有の攻撃を監視して防御するシステムである。

WAFは，Webサーバへのアクセスを監視し，バッファオーバフロー攻撃やクロスサイトスクリプティング，SQLインジェクションといったWebアプリケーションの脆弱性を利用した攻撃からシステムを保護する。HTTPSで暗号化されたパケットの監視については，SSL可視化機能が利用可能であればHTTPに変換してから監視・防御の処理を行うことができる。

6 SSLの可視化

ファイアウォールやIDS/IPSの防御手段を講じても，通信内容がSSL/TLSで暗号化されてしまうと不正アクセスや攻撃が検知できない。その対処として，**SSLの可視化**が行われる。これは，HTTPS通信の暗号を解除し，再暗号化することでセキュリティ装置がパケットの内容を監視することである。

SSL可視化機能をセキュリティ機器に実装することで，暗号化通信を一括して可視化できる。

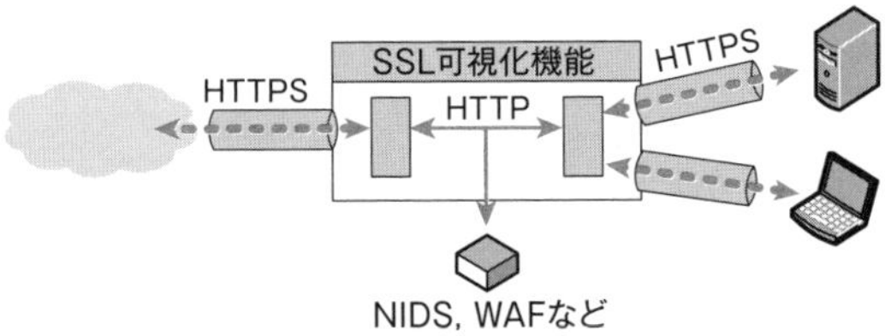

▶図2.5.24　SSLの可視化

7 UTM(Unified Threat Management:統合脅威管理)

UTMは，ファイアウォール，VPN，アンチウイルス，アンチスパム，不正侵入防御といったさまざまなセキュリティ機能をまとめたゲートウェイである。

6 無線LANのセキュリティ

無線LANは，電波の届く範囲を制御できないため，不正アクセスや盗聴などのリスクは，有線LANに比べてはるかに大きい。そのため，考慮すべきセキュリティ事項も，有線LANよりも多くなる。ここでは，無線LANの代表的なセキュリティ技術を概説する。

1 無線LANのセキュリティ

無線LANにアクセスするためには，まずアクセスポイントに接続する。アクセスポイントは，通常はアクセスポイントのIDであるESS-IDをビーコンで発信しており，利用者はESS-IDとパスワードを入力することで，該当するアクセスポイントに接続する。このとき，アクセスポイントは次のようなセキュリティ機能を用いることで，不正アクセスの抑制や利用者の保護を実現する。

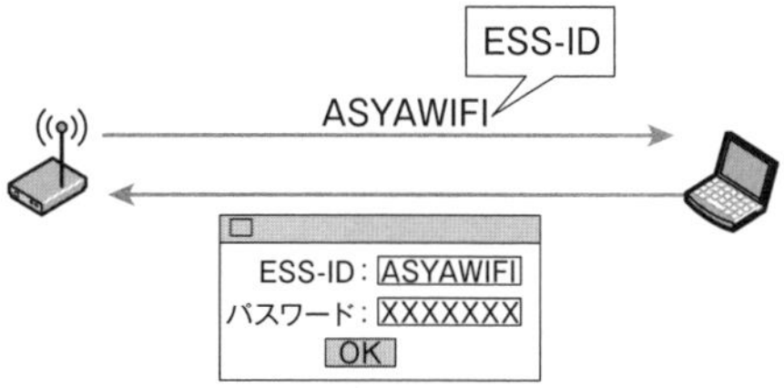

▶図2.5.25　無線LANへのアクセス

▶表2.5.7　無線LANのセキュリティ機能

any接続拒否機能	ESS-IDを指定しない端末からの接続を拒否する機能。
ESS-IDステルス機能	ESS-IDを知らせるビーコンを停止し，ESS-IDを隠ぺいする機能。any接続拒否機能と併せて使用する。
MACアドレスフィルタリング機能	アクセスポイントに登録されていない機器の接続を拒否する機能。接続可能な機器は，事前に機器のMACアドレスをアクセスポイントに登録しておく。
プライバシセパレータ機能	同じアクセスポイントに接続している機器同士の通信を禁止する機能。公衆アクセスポイントなどに接続したとき，端末の共有領域上のデータが不用意に公開されることを防止できる。アクセスポイントアイソレーション機能とも呼ぶ。

なお，ESS-IDステルス機能やMACアドレスフィルタリング機能を用いたとしても，無線LANの通信からESS-IDや登録機器のMACアドレスが解析されてしまうことがあるため，セキュリティ上の効果は少ない。そのため，**WPA2などの認証や暗号化の対策を併用しなければならない。**

2 WPA2（Wi-Fi Protected Access 2）

WPA2は，IEEE802.11iとして規格化された**CCMP**をもとに，Wi-Fi Allianceが策定した無線LANのセキュリティ規格である。CCMPは強固な共通鍵暗号方式であるAESをベースにした無線LAN用の暗号規格で，無線端末ごとに新たな暗号化鍵が生成される仕組みになっている。

▶表2.5.8　WPA2の規格

利用形態	認証	暗号化プロトコル
パーソナルモード	PSK認証	CCMP（AES暗号）
エンタープライズモード	IEEE802.1X認証	CCMP（AES暗号）

利用形態のパーソナルモードは，無線端末をアクセスポイントが認証する方式である。**エンタープライズモードは，認証サーバとしてRADIUSサーバを用意し，IEEE802.1X認証の仕組みを利用する方式である。**

PSK（Pre-Shared Key：事前共有鍵）認証は，互いに前もって設定した共有鍵（PSK）を用いて相互認証する仕組みです。WPA2 では利用者が設定した 8 ～ 63 文字のパスフレーズから PSK を自動的に生成します。

旧来の無線 LAN セキュリティ規格である WEP は，暗号化に静的な鍵を用います。これに対し WPA2 は「**絶えず変更される動的な鍵**」を用いるため，WEP に比べはるかに安全です。

3 WPA3（Wi-Fi Protected Access 3）

WPA3は，WPA2の脆弱性を改善し，セキュリティを強化した規格である。Wi-Fi 6ではセキュリティ要件としてWPA3に準拠することが求められる。接続設定においては，**Wi-Fi Easy Connect**機能によって，デバイスをQRコードやNFCを用いた設定により簡単にWi-Fiネットワークに接続することができる。また，公衆Wi-Fiへの接続には**Enhanced Open**機能により，認証せずに暗号化通信を利用することができる。

個人向けのWPA3-Personalモードでは，鍵交換と認証に**SAE（Simultaneous Authentication of Equals）**を用いることでWPA2のPSK認証の脆弱性を改善している。企業向けのWPA3-Enterpriseモードでは，192ビットセキュリティモードが利用でき，より高いセキュリティを実現できる。

Wi-Fi Easy Connect 機能と Enhanced Open 機能は正確には WPA3 の機能ではありませんが，関連性が高いので併せて覚えましょう。

Focus IPsec

ネットワークスペシャリストの午後試験では，しばしば暗号化について取りあげられますが，その二大テーマが SSL/TLS と IPsec です。この二つは，セキュリティを支える基盤技術であると同時に，試験突破に向けた最重要テーマでもあるのです。ここでは，基礎編では概要にとどめた IPsec を改めて取りあげ，その詳細を説明します。

■ 基礎編のおさらい

IPsecについて，基礎編で説明した事項を確認しておく。

- IPsecは，IPにパケット認証，暗号化，鍵交換などの機能を提供する。
- IPsecには，トンネルモードとトランスポートモードがある。
- IPsecには，認証機能を提供するAHと，認証および暗号化機能を提供するESPがある。

■ SA（Security Association）

IPsec通信を行うホスト間で共有する情報をまとめた，論理的なコネクションを**SA**という。SAは片方向のIPsec通信のコネクションなので，双方向で通信を行う場合は２つのSA が必要となる。また，SAの情報は**SAD**（**Security Association Database**）と呼ばれるデータベースに登録され，それぞれのSAがSADにエントリを持つ。これらのエントリを一意に識別するために，宛先IPアドレス，認証・暗号化プロトコル，**SPI**（**Security Parameters Index**）と呼ばれる32ビットの値が使用される。

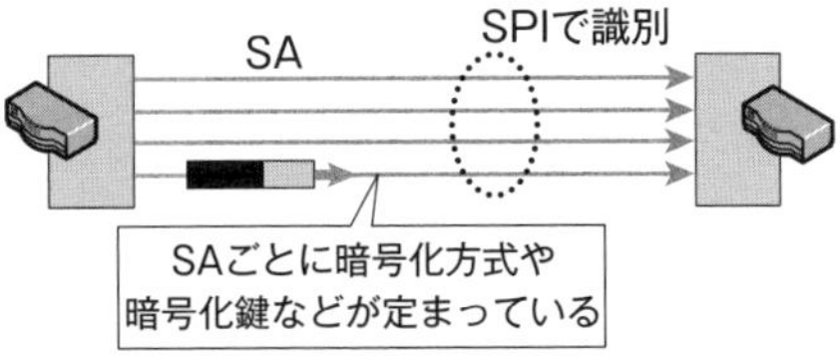

▶図2.5.26　SA

SPIは，AHやESPのヘッダ中でその値が指定される。これによって，受信側のホストが，パケットに施された暗号化の方式やどの鍵を使えばよいかを知ることができる。

■ セキュリティポリシ（SP）とセレクタ

ネットワーク内部では，暗号化を行う通信と平文のまま処理される通信が入り混じっている。そのため，IPsecルータは，通信の種類（**セレクタ**）ごとに「IPsec通信を行うか否か」，IPsec通信を行うのであれば「どのSAを用いるか」などを定めたセキュリティポリシを持つ。

IPパケットを送信するIPsecルータは，まずIPパケットに対するセキュリティポリシを選択し，次にポリシに対応するSAを選んでパケットを送信する。パケットを受信したIPsecルータは，ヘッダのSPIからSAを識別し，SAに定められた暗号化方式を用いてパケットを復号する。

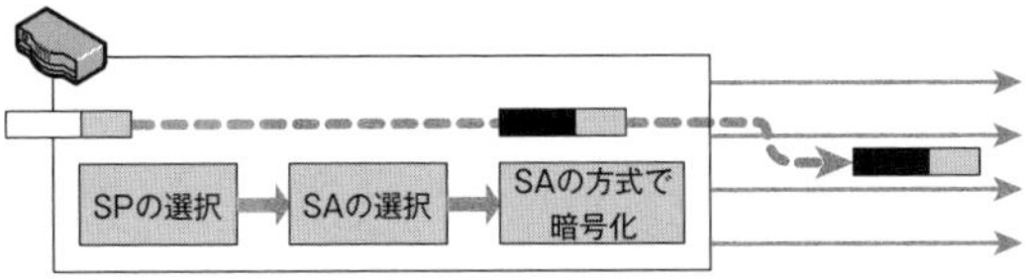

▶図2.5.27　SPの選択

セレクタには，宛先／送信元のIPアドレス，プロトコル（TCP/UDP），宛先／送信元のポート番号，ユーザ名やホスト名が使われます。

■ IKE（Internet Key Exchange）による自動鍵交換

暗号化方式や鍵は手動で設定することも不可能ではないが，実際にはそれらを自動的に交渉する**鍵交換プロトコル**（**IKE**）が用いられ，IPsecルータ間で合意される。この合意がSAである。

IKEのバージョンには**IKEv1**と**IKEv2**がある。両者のシーケンスには違いがあり，互換性はない。IKEv1は，**ISAKMP**（**Internet Security Association and Key Management Protocol**）というフレームワークに基づき，**2つのフェーズでSAを確立**する。フェーズ1では，相手の認証やフェーズ2で利用する暗号規格の決定，鍵の生成といったSA（ISAKMP SA）の確立が行われ，フェーズ2では，IPsec（理論的には他のセキュリティプロトコルを利用することも可能である）のSA（IPsec SA）が交渉される。確立されたSAはSADに登録され，以降のIPsec通信では，交渉されたSAが使用される。一方，IKEv2にはフェーズという概念はなく，IKE用のIKE SAとIPsec用のChild SAの確立が行われる。

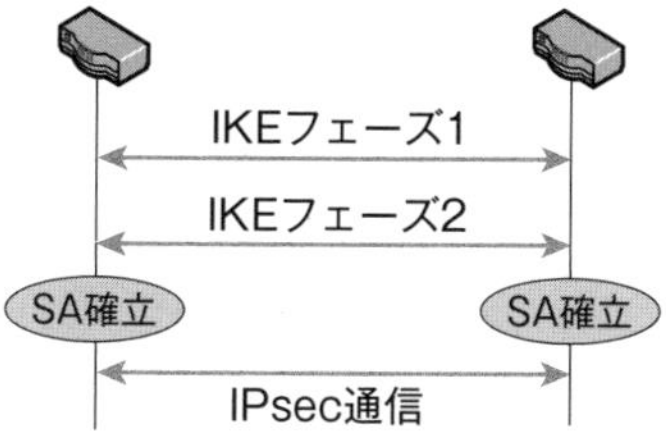

IKEフェーズ1	IKEフェーズ2で使用する暗号化方式，鍵の生成
IKEフェーズ2	IPsec通信で使用する暗号化方式，鍵の生成

▶**図2.5.28　IKEv1**

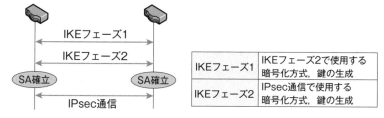

IKEv1のフェーズ1には，**メインモード**と**アグレッシブモード**の2つのモードがある。メインモードは3往復の通信が行われるが，アグレッシブモードは1往復半の通信で完了する。また，メインモードではIPアドレスを固定で運用する必要があるが，アグレッシブモードでは片側はIPアドレスを固定とする必要はない。**IKEv2にはメインモードとアグレッシブモードの区別はなく**，2往復の通信で完了する。▶図2.5.29はIKEv1のフェーズ1におけるシーケンスである。

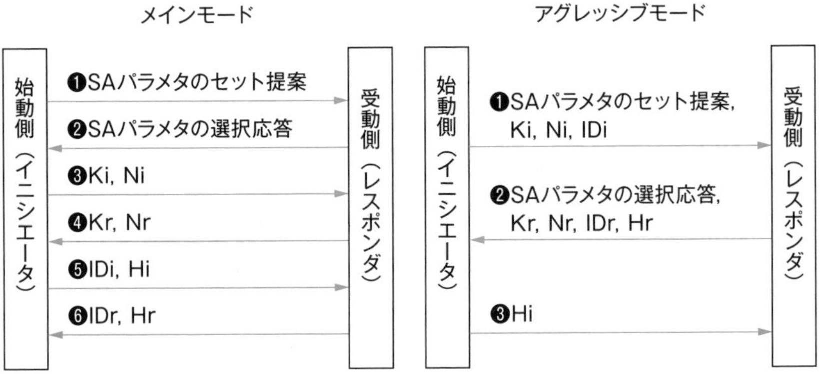

SAパラメタ：暗号／ハッシュアルゴリズム，認証方式など
Ki ：始動側で生成したDH公開値，Ni：始動側で生成した乱数
Kr ：受動側で生成したDH公開値，Nr：受動側で生成した乱数
IDi ：始動側のID，Hi：始動側で生成したハッシュ値
IDr ：受動側のID，Hr：受動側で生成したハッシュ値

▶図2.5.29　IKEv1 におけるフェーズ1

■ AH

AHは，パケット全体を認証するために用いられるプロトコルで，RFC4302として標準化されている。**AHは，暗号化の機能は持たないので，パケットを暗号化する場合は，ESPを使用したり，ESPとAHを組み合わせて使用する**必要がある。RFC8221にAHとESP併用時の暗号化アルゴリズムの実装要件が定義されている。

AHでは，認証データを含めた認証ヘッダがIPヘッダの後ろに追加され，IPヘッダのプロトコルフィールドには51が設定される。AHでは，IPヘッダの送信元IPアドレスフィールド，宛先IPアドレスフィールドやプロトコルフィールドなどは認証対象範囲に含まれる。しかし，生存時間(TTL)やチェックサム(TTL減算後に再計算される)などはルータによって変更されるので，認証対象範囲に含まれない。

AHはトンネルモード，トランスポートモードのどちらでも使用することが可能である。

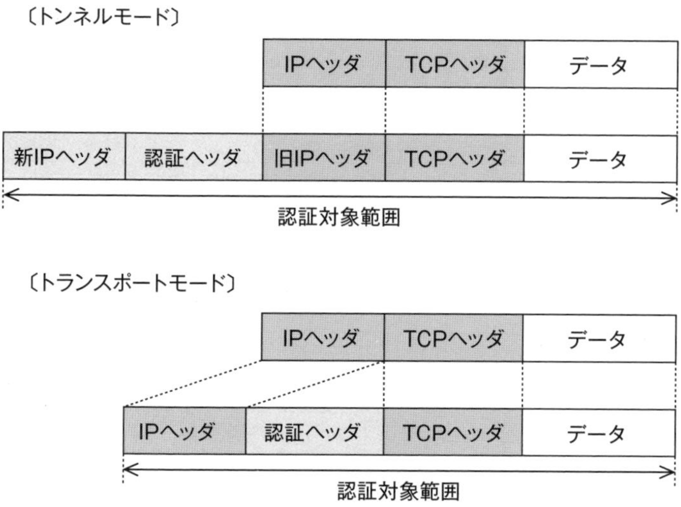

▶図2.5.30　AHを利用したパケット構造

■ ESP

ESPは，パケットに対して認証や暗号化などの機能を提供するプロトコルで，RFC4303として標準化されている。ESPでは，認証と暗号化のどちらか，または両方を使用することができる。

ESPでは，IPよりも上位層のヘッダやデータは，ESPのペイロードとして扱われ，ESPのペイロードとIPヘッダの間にESPヘッダが挿入される。また，ESPのペイロードの後ろにはESPトレーラやESP認証データが付加される。

ESPもAHと同様に，トンネルモードとトランスポートモードのどちらでも使用することが可能であるが，ESPはAHと認証対象範囲が異なり，**IPヘッダは認証対象に含まれない**。

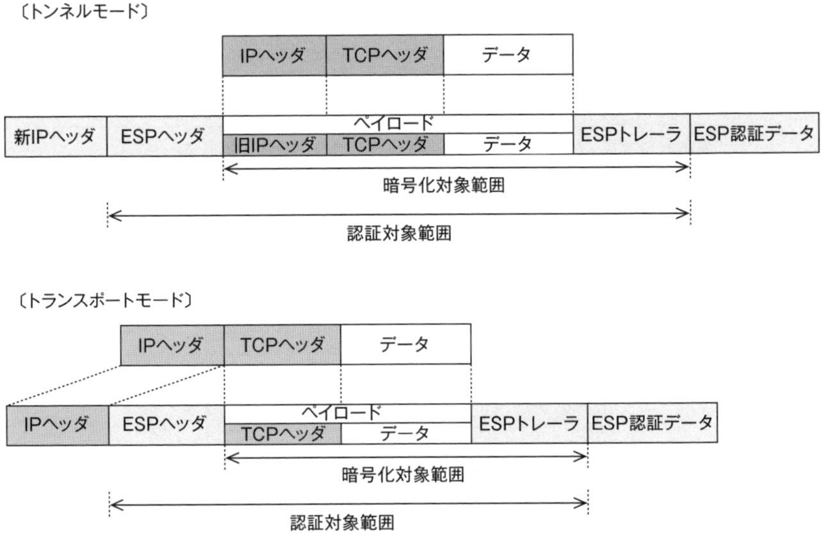

▶図2.5.31　ESPの各モードにおけるパケット構造

■ 出題の切り口

平成28年午後Ⅱ問２にIPsecに関するいくつかの空欄が出題された。

・IPsecで使用される認証方式，暗号化方式，暗号鍵などは，IPsecルータ同士によるIKEのネゴシエーションによって，IPsecルータ間で合意される。この合意は，SAと呼ばれる。

・SAの内容が確定すると，SAに関連付けされたSPIが，［　①　］ビットの整数値で割り当てられる。

・IPsecルータは，通信相手のIPsecルータにパケットを送信するとき，IPsec通信を行うか否か，IPsec通信を行うときはどのSAを使うかなど，当該パケットに施す処理を示したセキュリティポリシ（SP）を選択する。

～中略～

・SPを選択するキーを［　②　］と呼び，IPアドレス，プロトコル，ポート番号などが利用される。

～中略～

・IKEフェーズ１では，IKEフェーズ２で使用するISAKMP SA又はIKE SAに必要なパラメータの交換，鍵交換及び認証が行われる。IKEフェーズ1には，メインモードと［　③　］モードがある。メインモードでは3往復の通信が行われるが，［　③　］モードは1往復半の通信で完了する。

①②③　［　①　］～［　③　］に入る適切な字句を答えよ。

【解説】

SPIのビット数は32ビット，セキュリティポリシの選択キーはセレクタ，IKEフェーズ1のモードはメインモードとアグレッシブモードである。IPsecのような主要テーマは細かな知識まで問われることがあるので，しっかり覚えておきたい。

【解答】

①　32　　②　セレクタ　　③　アグレッシブ

Focus SSL/TLS

ここでは，暗号化のもう一方の雄であるSSL/TLSを取りあげます。

SSL/TLSは，もとはWeb利用におけるHTTP通信を暗号化することから発展した暗号化プロトコルです。TCPヘッダが暗号化されないため，セッションにかかわる管理などIPsecよりも柔軟な制御が可能です。それだけに利用場面も多く，しっかり学習しておくべきテーマです。

■ 基礎編のおさらい

SSL/TLSについて，基礎編で説明した事項を確認しておく。

- 第4層（トランスポート層）以上を暗号化する。
- セッション鍵方式を用いた暗号化通信を行う。
- SSLには脆弱性があるため，TLSの利用が推奨されている。

脆弱性は SSL だけではなく，MD5 や SHA-1 といったハッシュアルゴリズムにも見つかっています。これらを用いない TLS1.2 以上への移行が推奨されています。

■ SSL対応のプロトコル

SSL/TLSは，HTTP通信の暗号化に利用されることが多く，SSL/TLSとHTTPを組み合わせたプロトコルを**HTTPS**(**HTTP over SSL/TLS**)という。このほかにもFTP，POP，LDAPなどと組み合わせて利用することが可能である。

■ TLS1.3のハンドシェイク

現在のSSL/TLSの主要バージョンはTLS1.3である。以下に，TLS1.3を用いたセッションの確立の手順を示す。

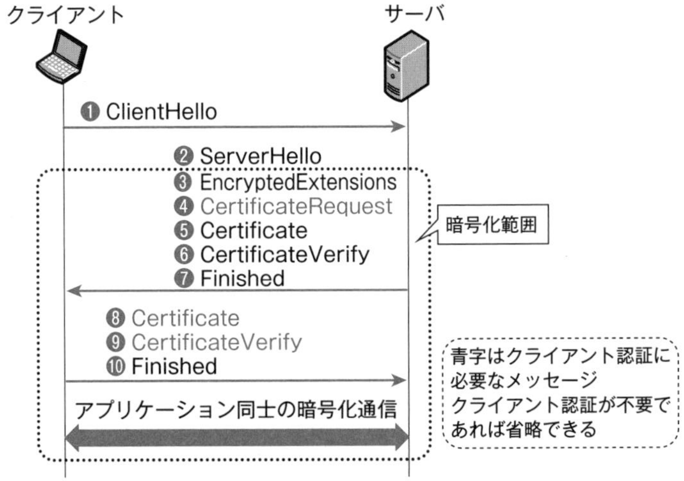

▶図2.5.32　TLS1.3のハンドシェイク

❶ ClientHello

クライアントは，ブラウザが使用できる暗号スイート（認証暗号（AEAD）アルゴリズムとハッシュアルゴリズムの組合せ）の一覧をサーバに送信し，暗号化通信の開始を要求する。

❷ ServerHello
　サーバは，サーバ側が選択した暗号スイートを含む暗号化仕様を決定してクライアントに送信する。
❸ EncryptedExtensions
　ClientHelloに拡張機能が含まれていた場合への返答を送信する。
❹ CertificateRequest
　クライアント認証を行う場合，サーバはクライアントに対しクライアント証明書を要求する。
❺ Certificate
　サーバは，サーバ認証に必要なサーバ証明書をクライアントへ送信する。
❻ CertificateVerify
　サーバは，サーバ証明書の所有者であることを表す署名情報をクライアントへ送信する。
❼ Finished
　サーバは，ハンドシェイクが完了してセッション確立の準備が整ったことをクライアントへ通知する。
❽ Certificate
　クライアントは，クライアント認証に必要なクライアント証明書をサーバへ送信する。
❾ CertificateVerify
　クライアントは，クライアント証明書の所有者であることを表す署名情報をサーバへ送信する。
❿ Finished
　クライアントは，ハンドシェイクが完了してセッション確立の準備が整ったことをサーバへ通知する。

　TLS1.3の鍵交換は，ClientHelloおよびServerHelloメッセージのkey_share拡張の中で行われる。そのため，ClientHelloとServerHelloを交換した段階で鍵交換を終えているので，❷より後のハンドシェイクを暗号化できる。

　CertificateVerifyで送信される署名情報は，それまでやり取りされたメッセージのハッシュ値を証明書に紐付けされた秘密鍵で暗号化したデータである。例えば❻のCertificateVerifyでは，❶～❺のメッセージのハッシュ値をサーバの秘密鍵で暗号化したデータをクライアントへ送信する。これを受けたクライアントは，サーバ証明書の公開鍵で署名を検証する。

■ TLS1.2のハンドシェイク

現在はTLS1.3が主流であるが，それまでの主要バージョンであるTLS1.2から完全に置き換わったわけではない。そこで，以下にTLS1.2を用いたセッションの確立の手順も示す。なお，この手順ではクライアント認証を省略している。

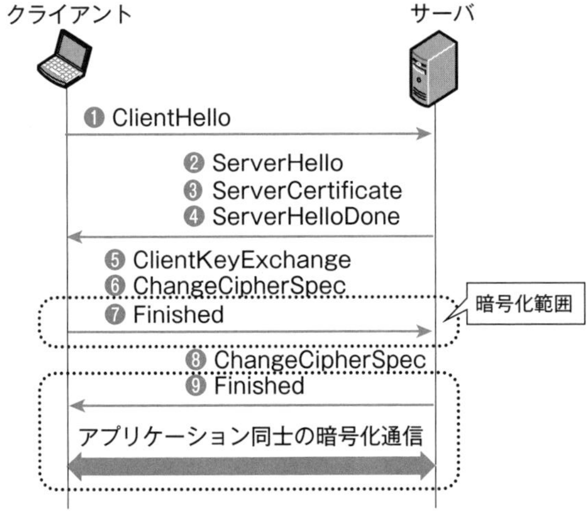

▶図2.5.33　TLS1.2のハンドシェイク

❶　ClientHello

クライアントは，ブラウザが使用できる暗号スイートの一覧をサーバに送信し，暗号化通信の開始を要求する。

❷　ServerHello

サーバは，❶の情報をもとに暗号化仕様を決定してクライアントに送信する。

❸　ServerCertificate

サーバは，サーバ証明書をクライアントへ送信する。

❹　ServerHelloDone

サーバは，Helloメッセージの一連のやり取りが終了したことをクライアントへ通知する。

❺　ClientKeyExchange

クライアントは，セッション鍵の生成に用いるプリマスタシークレットを生成し，サーバへ送信する。

❻ ChangeCipherSpec

クライアントは，これ以降の通信が暗号化されることをサーバへ通知する。

❼ Finished

クライアントは，セッション確立の準備が整ったことをサーバへ通知する。

❽ ChangeCipherSpec

サーバは，これ以降の通信が暗号化されることをクライアントへ通知する。

❾ Finished

サーバは，セッション確立の準備が整ったことをクライアントへ通知する。

■ TLS1.2とTLS1.3の違い

① メッセージの整理

TLS1.2に比べ，TLS1.3ではメッセージが整理され，ハンドシェイクも単純になった。そのため，TLS1.2では２往復必要であったメッセージのやり取りが，TLS1.3では1.5往復となった。

② 暗号化範囲の拡大

TLS1.3のハンドシェイクでも述べたとおり，TLS1.3ではHelloメッセージの交換で鍵交換を終えるため，TLS1.2よりも早い段階から暗号化が行えるようになった。

③ 鍵交換アルゴリズムとしてのRSAが廃止

鍵交換アルゴリズムにRSAを用いた場合，認証もRSAで行う必要があるため鍵交換と認証を分離できない。これに加えて，RSAはデータが将来にわたって安全であることを保証する，いわゆる**前方秘匿性**（**Forward Secrecy**）を持たない。そのため，RSAではいったん秘密鍵が漏えいしてしまうと，漏えい以前に暗号化したデータも含めてすべてのデータが解読される恐れがあり，秘密鍵漏えい時の影響範囲が大きくなる。よって，TLS1.3では鍵交換アルゴリズムとしてのRSAが廃止され，次の３方式のみとなった。

▶表2.5.9　TLS1.3の鍵交換アルゴリズム

DHE (Diffie-Hellman Ephemeral)	一時的な公開鍵と秘密鍵のペアを用いてセッション鍵を生成する方式
ECDHE (Elliptic Curve DHE)	楕円曲線暗号を用いたDHE
PSK (Pre-Shared Key)	クライアントとサーバに事前に共通鍵を設定する方式

※DHE，ECDHEは共に鍵ペアを使い捨てる方式なので，秘密鍵が漏えいしてもそれ以前のデータが影響を受けることはない。

④　脆弱なアルゴリズムの廃止

ハッシュアルゴリズムのMD5やSHA1，公開鍵暗号のDSAなど脆弱性のあるアルゴリズムが廃止された。また暗号スイートの指定では，メッセージ認証と暗号化を同時に行う**AEAD**（**Authenticated Encryption with Associated Data**）方式の利用が義務づけられた。

■ 出題の切り口

令和４年の午後Ⅱ問１に，TLS1.3を用いたSSL-VPNに関する知識が出題された。TLS1.3を題材としながらも，その周辺知識を問う「お披露目」のような問題であった。

実は，IPAはこのようなお披露目を行うことがある。初出の技術はまずお披露目で紹介し，次年度以降で本格的に問いただすのである。本問がもしお披露目ならば，今後しばらくはTLS1.3に警戒が必要かもしれない。

令和４年の問題では，まずTLSの性質について問われた。

> ・TLSプロトコルのセキュリティ機能は，暗号化，通信相手の認証，及び［　　　］である。
> ・TLS1.3ではAEAD暗号利用モードの利用が必須となっており，<u>セキュリティに関する二つの処理が同時に行われる</u>。
>
> ①　［　　　］に入れる適切な字句を答えよ。
> ②　下線部について，同時に行われる二つのセキュリティ処理を答えよ。

さらにTLSの鍵交換方式について，TLS1.2までのバージョンとTLS1.3との違いが問われた。

TLSプロトコルにおける鍵交換の方式には，クライアント側でランダムなプリマスタシークレットを生成して，サーバのRSA［ ③ ］鍵で暗号化してサーバに送付することで共通鍵の共有を実現する，RSA鍵交換方式がある。また，Diffie-Hellmanアルゴリズムを利用する鍵交換方式で，DH公開鍵を静的に用いる方式もある。これらの方式は，秘密鍵が漏えいしてしまったときに不正に復号されてしまう通信のデータの範囲が大きいという問題があり，TLS1.3以降では利用できなくなっている。TLS1.3で規定されている鍵交換方式は，［ ④ ］，ECDHE，PSKの３方式である。

③④　［ ③ ］［ ④ ］に入れる適切な字句を答えよ。

⑤　下線部について，広く復号されてしまう通信の範囲に含まれるデータを，“秘密鍵”と“漏えい”という用語を用いて25字以内で答えよ。

【解説】

①　TLSには情報を暗号化する機能，情報の改ざんを検知する機能，及び通信相手を認証する機能がある。

②　AEADのAは認証（Authenticated）を，Eは暗号化（Encryption）を意味する。なお，ここでいう認証はメッセージが改ざんされていないことを確認するメッセージ認証である。

③　RSAは公開鍵方式であり，サーバに送るデータはサーバの公開鍵で暗号化される。

④　TLS1.3の鍵交換方式はDHE，ECDHE，PSKを利用できる。

⑤　RSAは「前方秘匿性」を持たず，いったん秘密鍵が漏えいしてしまうと，漏えい以前のデータも解読されてしまう恐れがある。前方秘匿性を保証するためには，固定の鍵ペアを用いるのではなく，鍵ペアを使い捨てる必要がある。

【解答】

①　改ざん検知　　②　暗号化，メッセージ認証　　③　公開

④　DHE　　⑤　秘密鍵が漏えいする前に行われた通信のデータ

セッションの確立シーケンスについて，十分理解しておきましょう。

Focus トンネリングプロトコル

VPN の構築には，トンネリングの知識が必要です。ここでは，そのトンネリングについて知識を整理することにします。さらに，VPN につなげるために IPsec の利用についても説明します。なお，SSL-VPN については，別項で改めて取りあげます。

■ トンネリングプロトコルとは

トンネリングとは，ネットワークの２点間に仮想的な回線（トンネル）を設定し，異なるプロトコルのパケットを通過させる技術である。例えば，PPPフレームをIPパケットでカプセル化すれば，PPPフレームをIPネットワーク上で送受信することができる。

トンネリングは，VPNの構築に用いられることが多い。

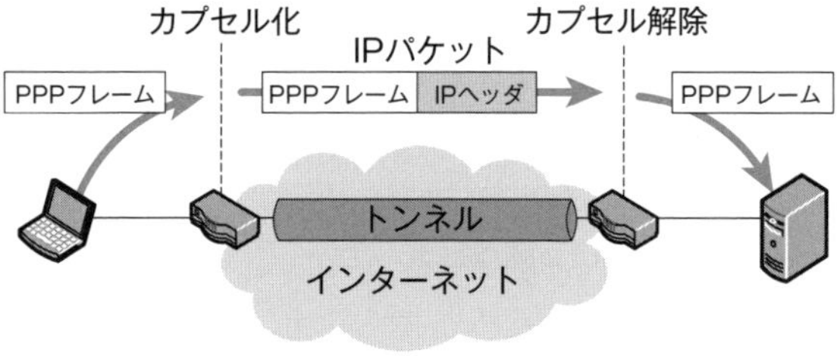

▶図2.5.34　トンネリング

トンネリング機能を持つプロトコルを，**トンネリングプロトコル**と呼ぶ。これには**L2TP**，**GRE**，**IPsec**などがある。

▶表2.5.10　トンネリングプロトコル

トンネリングプロトコル	伝送に用いるプロトコル	カプセル化対象プロトコル	マルチキャスト対応	暗号化対応
IPsec	IP	IP	×	○
GRE	IP	IPなど	○	×
L2TP	IP/UDPなど	PPPなど	○	×

伝送に用いるプロトコルはトンネル内で伝送するためのプロトコルで，▶図2.5.34の例ではIPにあたる。カプセル化対象プロトコルはトンネルを利用するプロトコルで，▶図2.5.34の例ではPPPにあたる。

■ GRE（Generic Routing Encapsulation）

GREは，ネットワーク層のレベルでトンネリングを行うプロトコルである。GREを用いることで，任意のプロトコルのパケットを，IP網を用いてやり取りすることができる。

ネットワーク層でトンネリングを行うプロトコルには，GREのほかにもIPsecがある。しかしながら，**IPsecのトンネルはユニキャストパケットを対象としており，ブロードキャストやマルチキャストパケットを転送することはできない**。そのため，RIPやOSPFなどのルーティングパケットを通すことができず，動的な経路制御（ダイナミックルーティング）ができないという欠点がある。**GREは，ユニキャストだけではなくブロードキャストやマルチキャストパケットも通すことができる**ため，インターネットを介した広域なネットワーク上でダイナミックルーティングを実現できる。

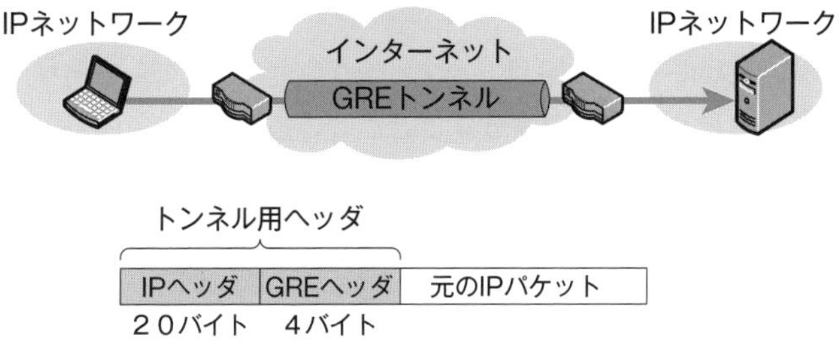

▶図2.5.35　GRE

■ GRE over IPsec

GREには暗号化の機能はない。そのため，通常はIPsecの暗号化機能を利用する。このような，GREとIPsecを併用する方式を**GRE over IPsec**方式と呼ぶ。

GRE over IPsecは，IPsecのトンネルモードとトランスポートモードの両方で利用できる。ただし，IPsecのトンネルモードで使用したとき，トンネリング処理をGREとIPsecの両方で行うことになり，結果としてトンネル用のIPヘッダが余計に付加されることになる。

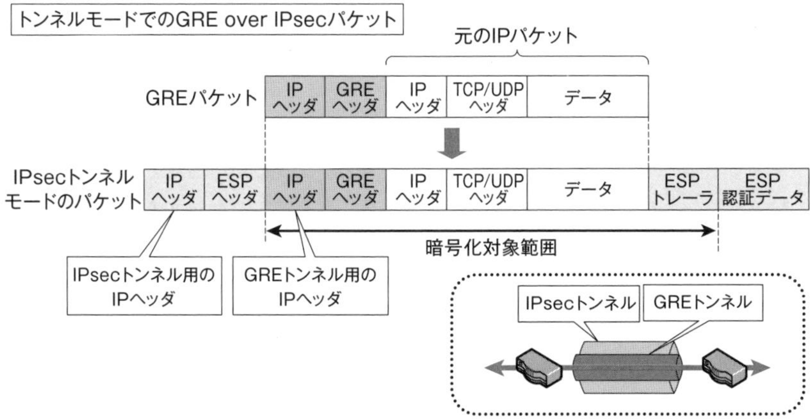

▶図2.5.36　GRE over IPsec（トンネルモード）

これに対し，**トランスポートモードはトンネリング処理がGREのみであり，IPヘッダもトンネルモードに比べて一つ減らすことができる**。そのため，GRE over IPsecは，IPsecのトランスポートモードを用いることが推奨されている。

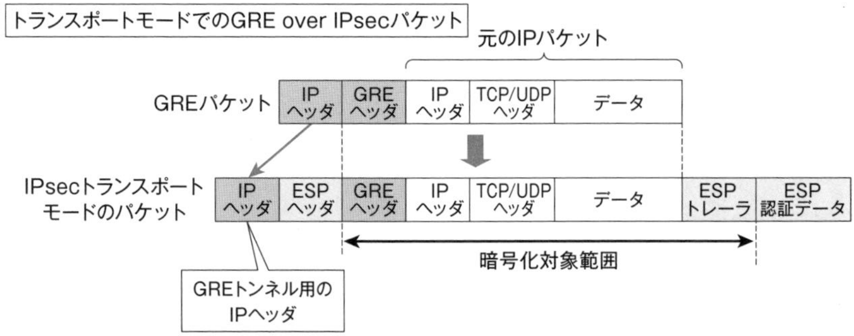

▶図2.5.37　GRE over IPsec（トランスポートモード）

■L2TP（Layer 2 Tunneling Protocol）

L2TPは，端末とサーバとの間でPPPトンネルを構築し，PPPフレームを伝送するプロトコルである。PPPはデータリンク層（レイヤ2）のプロトコルであることから，L2TP（レイヤ2トンネリングプロトコル）と呼ばれる。

L2TPトンネリングを行うとき，トンネルの両端に位置する端末とサーバを，**LAC**（**L2TP Access Concentrator**）と**LNS**（**L2TP Network Server**）と呼ぶ。

L2TPでは，LACがPPPフレームをL2TPヘッダでカプセル化してから，UDPとIPでカプセル化する。

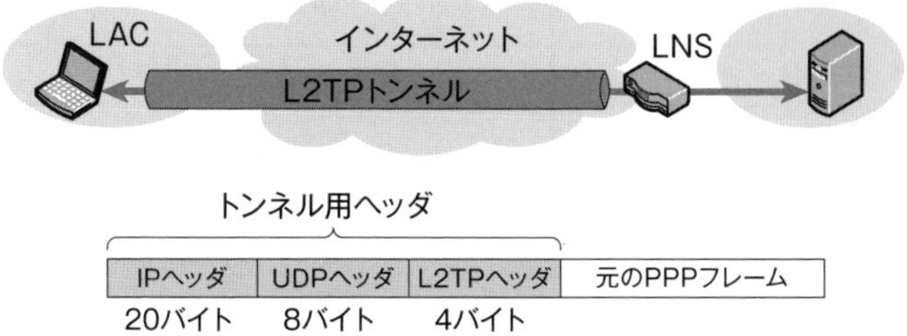

▶図2.5.38　L2TP

■ L2TP over IPsec（L2TP/IPsec）

GREと同様，L2TPにも暗号化の機能がないので，IPsecの暗号化機能を利用する。また，トンネリング自体はL2TPが行うため，IPsecのトランスポートモードが用いられる。

トランスポートモードで暗号化されたL2TPパケットの様式のみ示す。

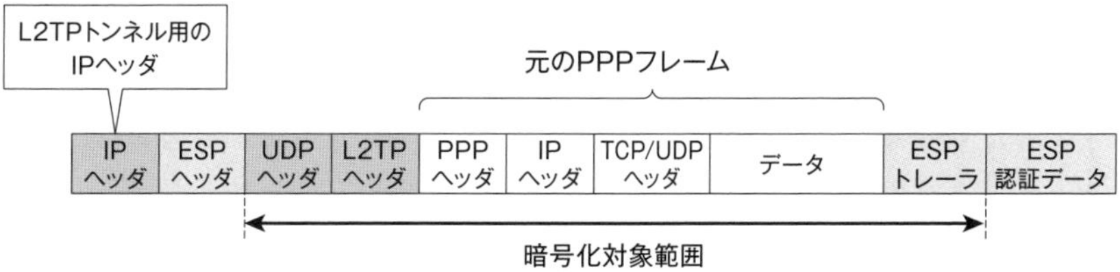

▶図2.5.39　L2TP/IPsec

■ 出題の切り口1

平成28年午後Ⅱ問２に，GREとL2TPの比較検討を行う事例が出題された。ここでは，それらの比較検討の中で，GREに関するもののみ紹介する。

問題では，GRE利用時のパケット形式とGRE利用時の通信例が提示され，IPヘッダの送信元と宛先のIPアドレスが問われた。

（GRE利用時のパケット形式）

項目名	IP ヘッダ1	GRE ヘッダ	IP ヘッダ2	TCP/UDP ヘッダ	データ
バイト数	20	4	20	20	①

元のIPパケット（IPヘッダ2〜データ）

（GRE利用時の通信例）

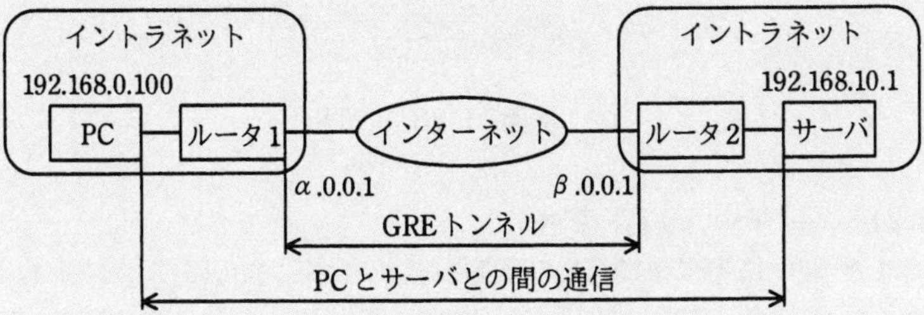

注記　α.0.0.1，β.0.0.1は，グローバルIPアドレスを示す。

▶図2.5.40　平成28年午後Ⅱ問2　図3，4を基に作成

① ［①］に入れる最大バイト数を答えよ。ただし，ジャンボフレームは使わない。

② GRE利用時の通信例において，PCからサーバへの通信が行われたとき，そのパケットにおけるIPヘッダ1とIPヘッダ2の送信元IPアドレスと宛先IPアドレスの内容を答えよ。

【解説】

①はイーサネットフレームの知識があれば答えることができる。

GRE利用時のパケットは，そのままイーサネットフレームにカプセル化される。イーサーネットフレームのMTUは1,500バイトなので，①のサイズは次のように計算できる。

1,500－(20＋4＋20＋20)＝1,436（バイト）

②については，IPヘッダ1はトンネル用のヘッダなので，トンネルの出入口であるルータ1とルータ2のIPアドレスが設定される。これに対し，IPヘッダ2はPCからサーバへ送られる元々のIPパケットのヘッダである。したがって，PCとサーバのIPアドレスが設定される。

【解答】

① 1,436

② （ヘッダ1） 送信元：α.0.0.1 宛先：β.0.0.1
（ヘッダ2） 送信元：192.168.0.100 宛先：192.168.10.1

■ 出題の切り口2

切り口1と同じ問題で，GRE over IPsecについて「通信モードはトランスポートモードを選択する」としたうえで，その理由が問われた。

> ③ GRE over IPsecにおいて，通信モードにトンネルモードを使う必要がない。その理由を，トンネリングに着目して，20字以内で述べよ。

【解説】

前述したように，トンネリング自体はGREで行うため，IPsecのトンネルモードを用いる必要はない。IPsecのトンネルモードを用いると，トンネル処理を二重に行うことになり効率が悪い。

【解答】

③ GREでトンネリングが行われるため

平成28年午後Ⅱ問2では，ここで取りあげた以外にもL2TPなどについて幅広い知識が出題されていました。

Focus SSL-VPN

営業員が社外にPCを持ち出し，インターネットを介してアクセスするような場面も増えてきました。そのような利用でも安全性を確保するために，VPNは必須の技術です。基礎編でも述べたように，VPNにはさまざまな種類がありますが，ここではそれらの中でも特に出題の多い，SSL-VPNについて解説します。

■ SSL-VPN（Secure Sockets Layer - Virtual Private Network）

ここではSSL-VPNについて，改めて説明する。

SSL-VPNは，SSLを利用したVPNである。一般的には，SSL-VPN装置がクライアントや他のSSL-VPN装置からのSSL通信を受け付け，内部ネットワークの各種サーバとの安全な通信を実現する。SSL-VPNはSSLを用いるため，次のような特徴がある。

- WebブラウザにSSLが標準装備されているため，Webブラウザがあれば利用できる。
- すべてのアプリケーションをSSLで通信するための手法がある。
- サーバ証明書を利用したサーバ認証を行う。
- クライアント証明書を利用したクライアント認証を行う。
- SSL-VPN装置においてパスワード認証などのユーザ認証を併用できる。
- ファイアウォールを通さないネットワーク構成が実現できる。
- NATやNAPTなどのアドレス変換の影響を受けない。

また，SSL-VPNにはいくつかの実現方式があるので，用途や利用環境に適した方式を選定する必要がある。

▶表2.5.11　SSL-VPNの主要な実現方式

実現方式	SSL-VPN実現方法
リバースプロキシ方式	SSL-VPN装置から内部サーバに代理アクセスする。
ポートフォワード方式	他のポート番号をSSLでカプセル化する。
L2フォワード方式	L2フレームをSSLでカプセル化する。

これらの特徴に加え，基礎編で説明した「**SSL-VPN はポート番号 443 を用いる**」ことは覚えておきましょう。午前対策にも効果的です。

このうち，リバースプロキシ方式は，特別なソフトウェアを必要としないものの，Webブラウザを利用しSSL上で動作するアプリケーションしか利用することができない。それ以外の方式は，SSL上で動作するアプリケーション以外を扱えるものの，いずれもエージェントとなるVPNソフトウェアを利用する。VPNソフトウェアは，JavaアプレットやActiveXのようなブラウザ経由でダウンロードできるものが用いられ，通常は事前にインストールする必要はない。

このほかにもSOCKSを用いた方式などもあり，SSL-VPNの実現方式は，さまざまなバリエーションが考えられる。

■ リバースプロキシ方式

リバースプロキシ方式では，SSL-VPN装置がVPNクライアントからのSSL通信をリバースプロキシとして受け付け，VPNクライアントの代理として内部サーバにアクセスする。VPNクライアント側に専用のVPNソフトウェアは不要で，Webブラウザがあれば実現できる。ただし，WebブラウザのSSL機能を利用することから，基本的にはWebアプリケーションに利用が限定される。

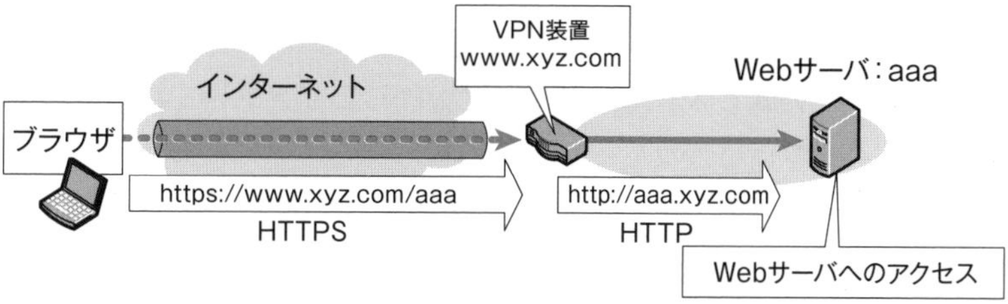

▶図2.5.41　リバースプロキシ方式

■ ポートフォワード（ポートフォワーディング）方式

ポートフォワード方式では，SSL-VPN装置からVPNクライアントにポートフォワードを行うVPNソフトウェアを配付し，内部サーバへのアクセス経路をVPNソフトウェア(ローカルホスト)を経由するようにhostsファイルなどの情報を変更する。次に，VPNソフトウェアとSSL-VPN装置の間にSSLセッションを確立し，アプリケーションパケットをHTTPSパケットにカプセル化してトンネリングさせ，SSL-VPN装置が内部サーバの待受けポートに転送する。

ポートフォワード方式では，SSLセッションを確立する際にアプリケーションパケットを送付する内部サーバのIPアドレスとその待受けポートをSSL-VPN装置に登録するので，**通信中にポート番号が変更されるアプリケーションの使用は制限される**可能性がある。

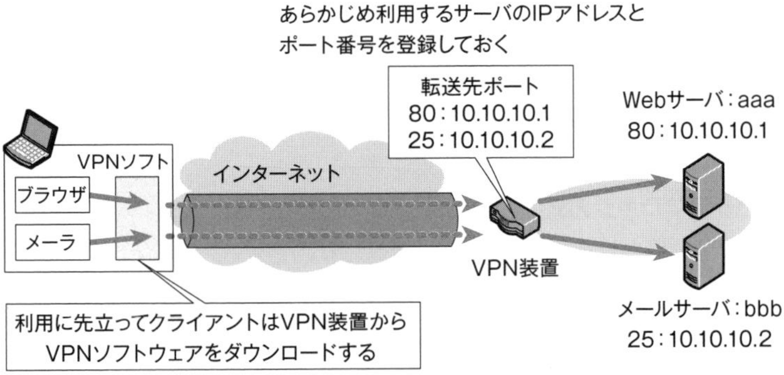

▶図2.5.42　ポートフォワード方式

■ L2フォワード（L2フォワーディング）方式

L2フォワード方式では，SSL-VPN装置がVPNクライアントにVPNソフトウェアを配付し，内部サーバへのアクセスをVPNソフトウェア内に構築された仮想NICに送信するように制御する。ここでいう仮想NICとは，VPNソフトウェアでL2フレームを扱えるようにするための論理的なレイヤ2のネットワークインタフェースである。仮想NICから出力されたL2フレームはVPNソフトウェアでHTTPSのペイロードとしてUDPやIPとともにカプセル化され，SSL-VPN装置に送信される。SSL-VPN装置ではL2フレームを取り出して内部サーバ宛てにフォワーディングする。

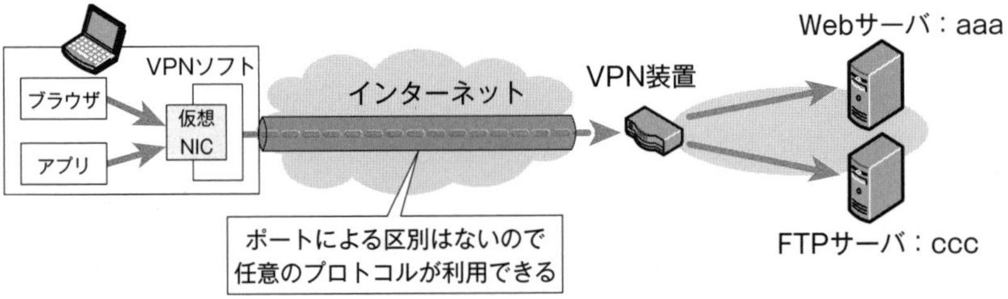

▶図2.5.43　L2フォワード方式

■出題の切り口1

平成29年の午後Ⅰ問1に，SSL-VPNを導入した構成が出題された。

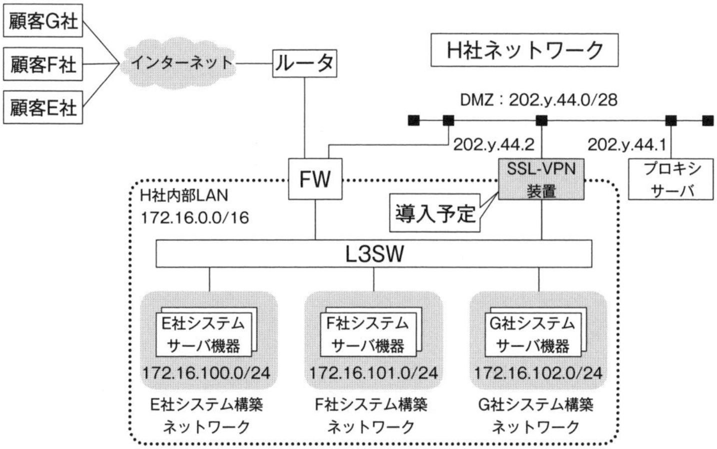

▶図2.5.44　平成29年午後Ⅰ問1「図1　H社の現行ネットワーク」より抜粋

- H社は顧客企業の業務システムの構築を請け負っている。
- 顧客システムは，様々なサーバ機器，OS，ミドルウェアなどを組み合わせて構築され，利用されるプロトコルも様々である。
- 顧客企業から開発中の顧客システムにアクセスしたいという要望があり，SSL-VPN装置を導入する予定である。

このような構成および条件を前提に，以下が問われた。

SSL-VPNの基本的な動作には，[　①　]，ポートフォワーディング，L2フォワーディングの3方式がある。H社の場合はL2フォワーディング方式が望ましいと判断した。

SSL-VPN装置導入後のFWのルールは，▶表2.5.12のとおり設定する。

▶表2.5.12　平成29年午後Ⅰ問1「表1　通信を許可するFWルール設定」より抜粋

アクセス経路	送信元 IPアドレス	宛先 IPアドレス	プロトコル／宛先ポート	アドレス変換
…	…	…	…	…
DMZ→インターネット	202.y.44.0/28	任意	任意	無
インターネット→DMZ	任意	②	TCP/443	無

①② [①] [②] に入れる適切な字句を答えよ。

③　下線部について，判断の根拠となった顧客システムの特徴を，30字以内で述べよ。

【解説】

①は，SSL-VPNの実現方式を覚えておけば答えられた。②は，ポート443がHTTPS（SSL-VPN）であることを知っていれば，空欄にはSSL-VPN装置のIPアドレスが入ることがわかった。

③のL2フォワーディング方式が望ましい理由については，「顧客システムは様々なプロトコルを利用する」ことから「プロトコルによる制限を受けない方式が望ましい」ことに気がつけば答えられた。リバースプロキシ方式は基本的にはWeb以外は利用できないこと，ポートフォワーディング方式は動的にポート番号が変わるプロトコルは利用できないこと，L2フォワーディング方式はプロトコルによる制限を受けないことなど，各方式の特徴を覚えておきたい。

【解答】

①　リバースプロキシ　　②　202.y.44.2/32

③　顧客システムは，様々なプロトコルを利用している。

■ 出題の切り口2

平成25年の午後Ⅰ問1でも，SSL-VPN方式の特徴が問われた。その内容は，ポートフォワード方式の内容を説明したうえで，「この方式では，使用できないアプリケーションが発生する。そのアプリケーションの通信の特徴を述べよ。」というものであった。

正解はもちろん「（サーバ側の）ポート番号が変化する」である。SSL-VPN方式の特徴は，繰返し出題される傾向がある。必ず覚えておこう。

Focus ファイアウォール

ファイアウォールは，ネットワークスペシャリストに必須の知識です。最近では，メインで取りあげられることこそ少なくなりましたが，セキュリティの基盤技術として，さまざまな問題で少しずつ取りあげられます。ここではファイアウォールについて，実現方式や多重化などさらに詳しく踏み込んで説明します。

■ 基礎編のおさらい

ファイアウォールについて，基礎編で説明した事項を確認しておく。

- ファイアウォールは，ネットワークの境界でアクセス制御を行うことで，インターネットから内部ネットワークへの接続を限定する。
- ファイアウォールは，インターネット，DMZ，内部ネットワークの接続点に設置する。
- ファイアウォールは，パケットフィルタリングの機能を持つ。
- パケットフィルタリングには，スタティックパケットフィルタリングとダイナミックパケットフィルタリングがある。

■ ファイアウォールの実現方式

ファイアウォールの実現方式は，パケットフィルタリング機能を用いたものと，プロキシ機能を使ったものに大別される。いずれも，「**どの通信を許可し，どの通信を禁止するか**」というルール（ポリシ）に基づいてアクセス制御を行う。

パケットフィルタリングについては既に述べてはいるが，ここではそれを含めて改めて整理する。

1. パケットフィルタリング方式

パケットフィルタリング方式は，フィルタリングテーブル（ACL；アクセス制御リスト）に定義されたルールと，ファイアウォールを通過するパケットのIPアドレスやポート番号を比較することにより，パケットの通過許可や遮断を判断する。

パケットフィルタリング方式は，ヘッダ情報に基づいた制御しか行いません。特定のコマンドやURLを含むパケットは禁止するなど「パケットの内容に基づいた制御」を行うためには，別の方式を用いなければなりません。

2. ステートフルパケットインスペクション方式

ステートフルパケットインスペクション(SPI：Stateful Packet Inspection)方式は，ダイナミックパケットフィルタリング方式を拡張した方式であり，通信の履歴（セッションログ）を把握したうえでパケットの正当性を判断する方式である。

この方式では，例えば，

- ３ウェイハンドシェイクを行った形跡のないホストから届いたTCPパケット
- シーケンス番号に矛盾のあるTCPパケット

などのようなパケットは不正と見なされ，破棄される。

▶図2.5.45の例では，「A→X」のアクセスについては，セッションログを遡ると３ウェイハンドシェイクによるTCPコネクションの確立が行われていること，つまり正しい手続きに沿ったアクセスであることが分かる。これに対し「B→X」はセッションログにコネクション確立が見当たらない。つまり，不正アクセスと判断される。

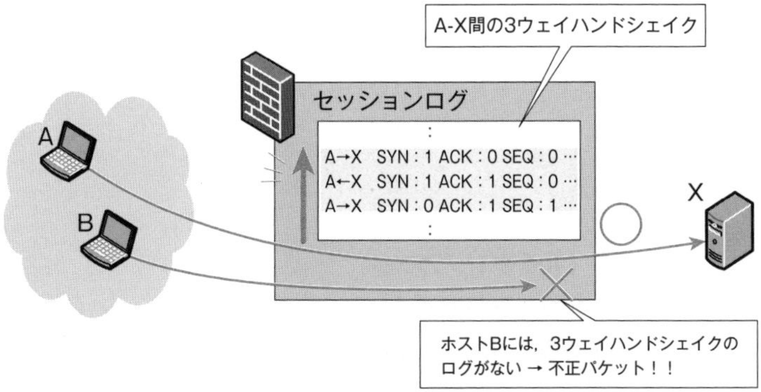

▶**図2.5.45　セッションログと正当性の判断**

ベンダによっては，ダイナミックパケットフィルタリング方式のことをステートフルパケットインスペクション方式と呼ぶ場合もあります。その境界は明確ではありません。

3. アプリケーションゲートウェイ方式

アプリケーションゲートウェイ(ALG：Application Level Gateway)方式は，クライアントからの要求を受けると代理で通信を行うプロキシサーバの機能を利用した方式である。クライアントからの通信要求を受けると，それが許可された通信であるか否かを判断し，許可された通信であれば，代理で通信を行う。

アプリケーションゲートウェイはプロキシサーバの機能を利用しているため，クライアントからの通信要求を受けると，自身がクライアントとなって通信を行う。このため，アプリケーション層の情報を参照・解析してアクセス制御を行うことができる。具体的には，**HTTPのパケットに含まれるURLを検査して特定のURLへの接続を禁止する，特定のコマンド(操作)を禁止する，特定のデータが含まれる通信は許可しない**，といったアプリケーション層の内容に応じた複雑な制御が可能となっている。

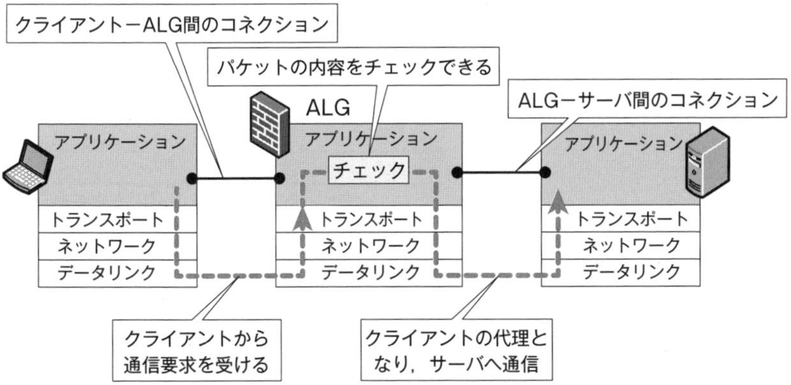

▶図2.5.46　アプリケーションゲートウェイ方式

■ ファイアウォールの冗長化

ファイアウォールが停止した場合，インターネットを利用したすべてのサービスの利用が不可能になる。このため，ファイアウォールは停止させないために冗長化することが基本となる。ファイアウォールを冗長化する方法には，**アクティブスタ**

ンバイ（Active-Standby）**方式**や，負荷分散を行うことができる**アクティブアクティブ（Active-Active）方式**などがある。

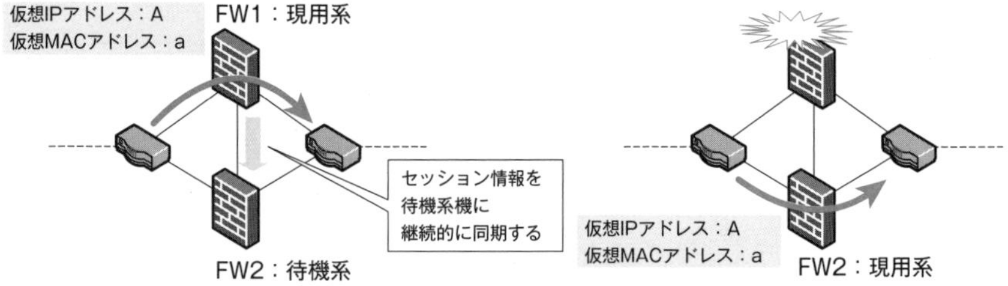

▶**図2.5.47　アクティブスタンバイ方式**

アクティブスタンバイ方式は，実IPアドレスと実MACアドレスの他に，仮想IPアドレスと仮想MACアドレスが現用系に設定される。現用系に障害が発生すると，これらの仮想アドレスが待機系に引き継がれ，通信中のセッションを中断させることなく待機系で処理が継続される。この機能を**ステートフルフェールオーバ**という。

■ **出題の切り口1**

平成25年の午後Ⅰ問1に，SSL-VPNと関連させてファイアウォールの設定をフィルタリングテーブルの設定を問う問題が出題された。ネットワーク構成は次のとおりである。

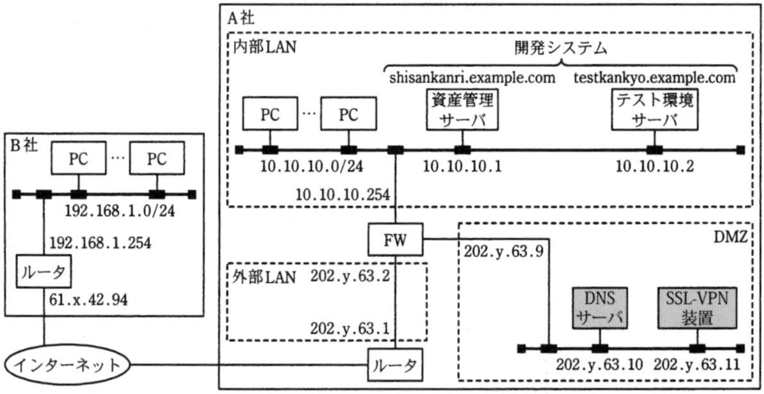

FW：ファイアウォール
注記1　網掛け部分は，B社からの接続を可能にするために追加した機器を示す。
注記2　61.x.42.94，202.y.63.1などの表記は，グローバルIPアドレスを示す。

▶**図2.5.48　平成25年午後Ⅰ問1「図1　新ネットワークの構成」**

・A社はシステム開発会社で，開発の一部をB社に委託している。
・B社はA社の資産管理サーバおよびテスト環境サーバを使用して開発作業を進めている。
・B社は，A社の資産管理サーバ上のアプリケーションAP1（ポート11000），およびテスト環境サーバ上のAP2（ポート23），AP3（ポート13000）を使用する。
・B社からA社サーバへのアクセスは，SSL-VPNで保護される。このとき，B社がA社サーバのAP1～AP3を利用できるようにするためには，FWは次のコネクションを許可しなければならない。
　（B社→SSL-VPN装置），（SSL-VPN装置→A社の各サーバ）

このような構成および条件を前提に，以下が問われた。

▶表2.5.13　平成25年午後Ⅰ問1「表1　FWの通過を許可する追加設定（抜粋）」

アクセス経路	送信元 IP アドレス	宛先 IP アドレス	宛先ポート番号	備考
外部 LAN → DMZ	任意	①	53	
外部 LAN → DMZ	61.x.42.94	202.y.63.11	②	
⋮				
DMZ → 内部 LAN	③	10.10.10.1	11000	AP1 用
DMZ → 内部 LAN	④	10.10.10.2	23	AP2 用
DMZ → 内部 LAN	⑤	10.10.10.2	13000	AP3 用

①～⑤　①～⑤に入れる適切な字句を答えよ。

【解説】

①はDNS（ポート53）の通過設定である。代表的なポート番号は覚えておこう。

②にはB社からのSSL-VPNトンネルの通過設定が入る。SSL-VPNのポート番号は443である。

③にはSSL-VPN装置から資産管理サーバのAP1（ポート11000），④にはSSL-VPN装置からテスト環境サーバのAP2（ポート23），⑤にはSSL-VPN装置からテスト環境サーバのAP3（ポート13000）が入る。そのため，③～⑤はすべて202.y.63.11となる。

③～⑤は同一なので，答えるのに勇気が必要な空欄でした。でも，このような「異なる空欄に同じ答えが入る」設問は，ネットワークスペシャリストではあり得ることです。十分注意しましょう。

【解答】

① 202.y.63.10　② 443　③～⑤ 202.y.63.11

■ 出題の切り口２

平成22年の午後Ｉ問３に，ファイアウォールの切替え（ステートフルフェールオーバ）に関する問題が出題された。FWを冗長化したネットワーク構成は次のとおりである。

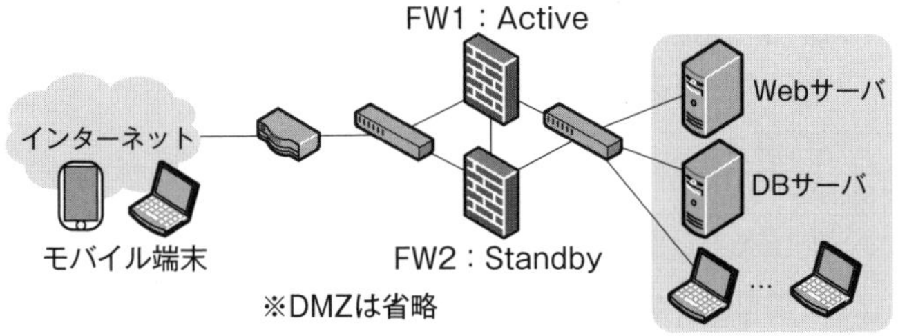

▶図2.5.49　平成22年午後Ｉ問３「図２　見直し後のネットワーク構成（抜粋）」を基に作成

- このネットワークを用いて，営業部員はモバイル端末からインターネットを介して営業支援システムのDBサーバやWebサーバにアクセスする。
- FWは，通過パケットのTCPヘッダのシーケンス番号をセッションログとして保管しておき，パケットの到着順序に矛盾がないか確認する，ステートフルパケットインスペクションの機能を持っている。
- FWはFW1とFW2で２重化されており，ステートフルフェールオーバ機能を有している。

出題では，このような構成に関して次の説明が行われ，ファイアウォールの切替えに伴う事項が問われた。

ステートフルフェールオーバを利用するため，２台のFWをネットワークに接続し，更にFW同士をケーブルで接続した。通常はFW1だけが機能しているが，管理情報をFW1からFW2に一定間隔で複製し，FW1に障害が発生した場合には，それまで稼働していないFW2が自動的に処理を引き継ぐ設定とした。この設定によって，営業部員は，切り替わったことを意識せずに営業支援システムを継続利用できるようになった。ただし，FW2からFW1に管理情報を自動的に複製していないので，FWを切り戻すときは，手動の作業を必要とする設定にした。したがって，この切り戻し時，営業部員は営業支援システムを継続利用できないことになる。

① FWの切替えが発生した場合に，FW1からFW2に引き継がれる情報を，OSI基本参照モデルの第３層以下から二つ挙げ，それぞれ10字以内で答えよ。

② 下線部の実現に必要な管理情報を，45字以内で具体的に述べよ。

③ 実際にFWの故障による切替えが発生したとき，修理完了後にFW2からFW1に手動で切り戻す際に必要な運用上の留意点を，40字以内で述べよ。

【解説】

①は，FWの切替え時に待機系に「仮想IPアドレスと仮想MACアドレス」が引き継がれることを答えればよい。

下線部を実現するためには，FW1からFW2へ継続的にセッションログがコピーされなければならない。これがコピーされていなければ，▶図2.5.45に示したような正当性の判断ができなくなり，正当な通信であるにもかかわらず「不正パケット」と判断されてしまう恐れがある。②はこれをもとに答えればよい。

③については，切り戻し作業は手動であるため，セッションの引き継ぎなどの複雑な処理を行うことができず，営業支援システムを営業部員が利用しながら復元させることは難しい。問題文中にも，切り戻し時には営業支援システムを継続利用できないことが述べられている。

【解答】

① 仮想IPアドレス，仮想MACアドレス

② 切り替わる前のFW1で保持していた，モバイル端末との接続のセッションログ情報
③ 営業支援システムの利用を一時制限して，切り戻し作業を行う。

Focus IDS/IPS

不正アクセスを検知して防衛する機器が，IDS/IPS です。IDS/IPS はファイアウォールとともに，ネットワークセキュリティに必須の要素といえます。ここでは，IDS/IPS について，試験に出題されたことを含めてさらに深掘りします。

■ 基礎編のおさらい

IDS/IPSについて，基礎編で説明した事項を確認しておく。

- IDS/IPSには，ネットワーク型IDS/IPSと，特定のホストにインストールするホスト型IDS/IPSがある。
- NIDSは，L2スイッチなどに設定したミラーポートに接続する。

■ 侵入検知の仕組み

IDS/IPSが実装する侵入検知の仕組みには，**シグネチャ型**と**アノマリ型**がある。

▶表2.5.14　侵入検知の仕組み

シグネチャ型	不正なアクセスのパターンをシグネチャに記録し，これとパケットの内容を比較する（パターンマッチング）。一致するパターンがあれば，不正アクセスと判断する。
アノマリ型	正常な通信が行われている場合の仕様をルールとして定め，通信の様子を観察する。ルールに違反している場合に，不正アクセスと判断する。

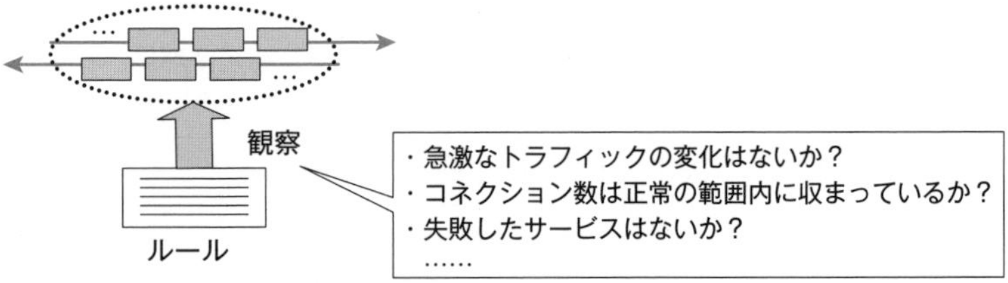

▶図2.5.50　アノマリ型

シグネチャ型は，明らかに不正と判断できるアクセスを検知することに適している。これに対し**アノマリ型は，未知の攻撃を検知することもできる**。現在のIDS/IPS製品には，シグネチャ型，アノマリ型両方の機能を持つものもある。

■ NIDS（ネットワーク型IDS）の接続

NIDSは，監視対象のネットワークセグメントを流れるすべてのパケットをキャプチャする必要がある。そのため，**NIDSはスイッチのミラーポートにプロミスキャスモードで接続する**。また，NIDS自身にIPアドレスを設定しないステルスモードにすることで，インターネット側からNIDSの存在を隠ぺいすることができる。

▶表2.5.15　NIDSの接続に関する用語

ミラーポート	スイッチの通常のポートを流れるパケットをコピー（ポートミラーリング）するポート
プロミスキャスモード	宛先アドレスに関係なく，ネットワークインタフェースに届いたすべてのパケットをキャプチャするモード

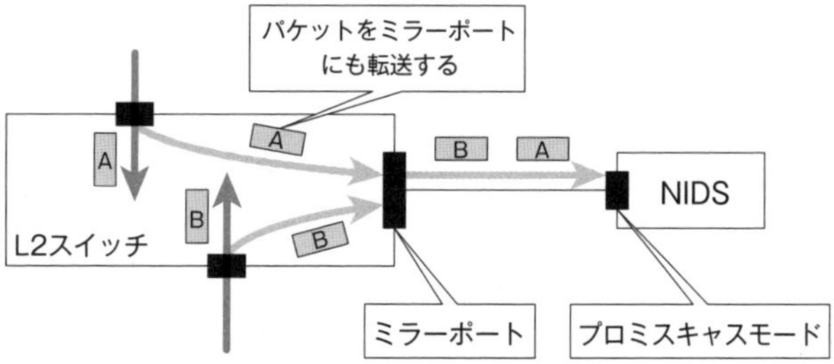

▶図2.5.51　NIDSの接続

■ IDSの防御支援機能

IDSは不正や異常を検知すると，アラート通知，ルータやファイアウォールへの遮断指示などを行う。

① アラート通知

不正や異常を検知したら，その状態を通知することをアラート通知という。メッセージ送信，電子メール送信，SNMP trapなどを利用して不正や異常の発生を通知する。

② TCPコネクションの強制切断

指定コマンドの自動起動が可能なIDSでは，TCPコネクションを用いた攻撃を検知したら，送信元や宛先にTCPのRST(リセット)パケットを送信してTCPコネクションを強制的に切断する。

③　ICMP port unreachableの送信

UDPによる不正パケットを検知した場合には，そのまま何も返信しなければ「ポートがオープンしている」と判断され，攻撃が継続される。そこで，port unreachable（ポート到達不能；ポートがクローズしている）を設定したICMPパケットを，不正パケットの送信元へ送信する。こうすることで，攻撃者にポートがクローズしていると誤認させ，それ以上の攻撃を抑止できる可能性がある。

④　アプリケーションサービスの停止

指定コマンドの自動起動が可能なIDSでは，侵入の手口に利用されているアプリケーションサービスを一時停止指示する指定コマンドを実行して，不正アクセスを無効化する。

⑤　ルータやファイアウォールとの連携

指定コマンドを自動起動可能なIDSでは，独自のプロトコルでルータやファイアウォールのアクセス制御リストを変更し，自動的に不正アクセスをブロックする。

■ NIPS（ネットワーク型IPS）の接続

IPSもIDSと同様にホスト型とネットワーク型に分かれる。ネットワーク型IPSは，インライン型であり，通信回線上に「挟み込む」形式で設置する。そのため，既存のネットワーク構成を変更することなく設置できる。

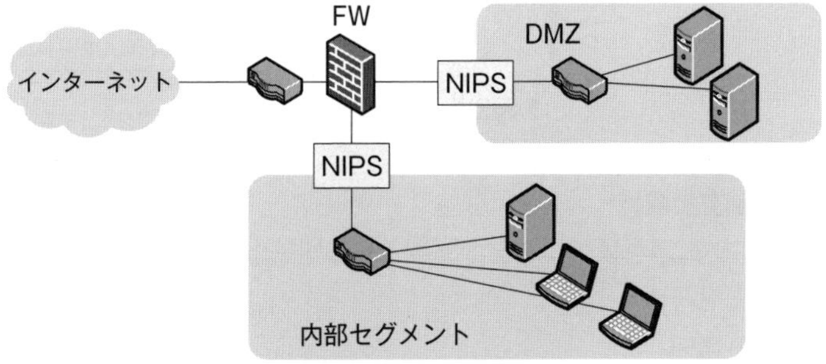

▶図2.5.52　NIPSの接続

なお，NIPSは回線に挟み込むため，NIPSの障害が通信障害につながる可能性がある。これを防ぐためには，

・NIPSを多重化する。

・バイパス機能を持つNIPSを導入する。

などの方策が考えられる。なお，**バイパス機能**とはNIPSの機能の一部が故障したとき，通信をそのまま通過させることで，通信遮断を回避する機能である。

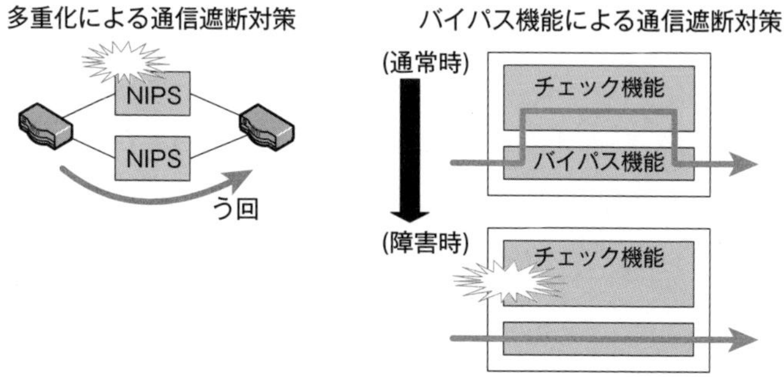

▶図2.5.53　NIPSの障害対策

■ 出題の切り口

平成27年の午後Ⅰ問3に，IDS/IPSをテーマとした問題が出題された。

まず，侵入検知の仕組み（シグネチャ／アノマリ）について，次の空欄が問われた。

侵入検知の仕組みには，シグネチャ型と[①]型がある。[①]型は，定義されたプロトコルの仕様などから逸脱したアクセスがあった場合に不正と見なす。

IDSは，監視対象のネットワークにあるSWの[②]ポートに接続し，IDS側のネットワークポートを[③]モードにすることで，IDS以外を宛先とする通信を取り込むことができる。また，IDS側のネットワークポートに[④]アドレスを割り当てなければ，IDS自体がOSI基本参照モデルの第3層レベルの攻撃を受けることを回避できる。

①～④　[①]～[④]に入れる適切な字句を答えよ。

さらに，IDSの中には通信遮断機能をもつものがあると前置きしたうえで，次が問われた。

遮断機能のうちの一つは，IDSとFWが連携することで，検知した送信元アドレスからの不正な接続を遮断するというものであった。

⑤　下線部の遮断の仕組みを40字以内で具体的に述べよ。

さらにIPSについて，IPSが不正アクセスの監視だけではなく，不正アクセスを遮断する機能を強化した機器であることを強調したうえで，次が問われた。

（IPSには）防御対象のサーバに新たな脆弱性が発見された場合の一時的な運用に対応できるものがある。

⑥　下線部の一時的な運用について，50字以内で述べよ。

IPSの障害対策についても問われた。

IPSの障害対策には，並列に複数台導入する冗長化が考えられる。しかし，導入候補のIPSには，IPSの機能の一部が故障した場合に備えた機能があった。費用対効果などの観点から，H君はIPSを冗長化しないことにした。

⑦　下線部の機能とは何か。25字以内で述べよ。

【解説】

①はアノマリ型，②～④はすべて「NIDSの接続」で前述している。よく覚えておいてほしい。

⑤の下線の仕組みは，「通信遮断」「不正アクセスの送信元アドレス」「FWと連携」などのキーワードをもとに考えればよい。不正アクセスの送信元アドレスは，攻撃者のアドレスである。これをFWのアクセス制御リストに追加してアクセスを拒否すれば，不正な通信を遮断できる。IDSには，このような「FWと連携できる」製品もある。

⑥の下線部の運用について，新たな脆弱性が発見されたサーバに対しては，脆弱性が除去されるまではそれを狙うアクセスを遮断すべきである。これを，遮断を得意とするIPSが実施すればよい。

⑦の下線部の機能は，「NIPSの接続」で説明したバイパス機能が該当する。機能の内容が問われているので，バイパス機能の本質である「障害が起きても

通信遮断につながらない」ことを答えればよい。

【解答】

① アノマリ　② ミラー　③ プロミスキャス　④ IP

⑤ FWのACLを動的に変更して，遮断の対象とする送信元アドレスを追加する。

⑥ 保護する機器にセキュリティパッチを適用するまでの間，脆弱性を悪用する攻撃の通信を遮断する。

⑦ 通信をそのまま通過させ，遮断しない機能

平成27年の午後Ⅰ問3は，ネットワークスペシャリスト試験には珍しく「全編がIDS/IPSに関する出題」といってもよいものでした。このような強烈なテーマは，必ず押さえておくべきです。ぜひ解いてみてください。

2.6 トラフィック／キャパシティ

Point!

ネットワーク技術者の業務は，さまざまな技術を導入しながら最終的には「快適で信頼性の高いネットワーク」を構築することである。ここではネットワークの品質や信頼性に関する知識，またそれらの見積もりに用いる理論や実際について説明する。

… 30秒チェック！ …

Super Summary

1 ネットワークの品質確保

【目標】ネットワーク品質に関連する技術や機器の特徴を知る。

□QoS…通信品質を確保すること

□IntServ…帯域を予約することで品質を確保する技術

□DiffServ…優先順位を用いて品質を確保する技術

□トラフィック制御…通信トラフィックを制御する技術の総称

□LANアナライザ…トラフィックの監視に用いる機器

2 多重化／負荷分散

【目標】多重化や負荷分散の代表的な方式と特徴を知る。

□DNSラウンドロビン…DNSを利用してアクセスを複数サーバに分散する仕組み

□負荷分散装置…処理を複数の機器に振り分ける装置。ロードバランサ

□マルチホーミング…インターネットへのアクセスを複数プロバイダに分散する仕組み

□VRRP…ルータの冗長構成を実現するプロトコル

□チーミング…複数のNICをまとめて帯域を増加させる技術

3 伝送時間，伝送速度の算出

【目標】伝送時間や速度を算出する基本的な計算方法を理解する。

4 呼量と呼損率

【目標】呼量や呼損率を用いた計算問題が解けるようにする。

□呼量…単位時間当たりに発生する回線接続時間の総量

□呼損率…電話回線がすべて使用中で接続できない確率

5 待ち行列

【目標】待ち行列を計算問題が解けるようにする。

□M/M/1モデル…ランダムな到着と処理時間のパケットを単一窓口で処理するモデル

1 ネットワークの品質確保

ネットワークで送受されるデータには，通信品質を確保すべきものとそうではないものがある。例えば，IP電話などの音声データは，リアルタイムに近い通信品質を確保して，遅延を抑えなければならない。これに対して，電子メールなどのデータには，それほどのリアルタイム性は求められない。

通信品質を確保することを**QoS**（**Quality of Service**）という。QoSを実現する方法には，**IntServ**や**DiffServ**などの優先制御技術がある。

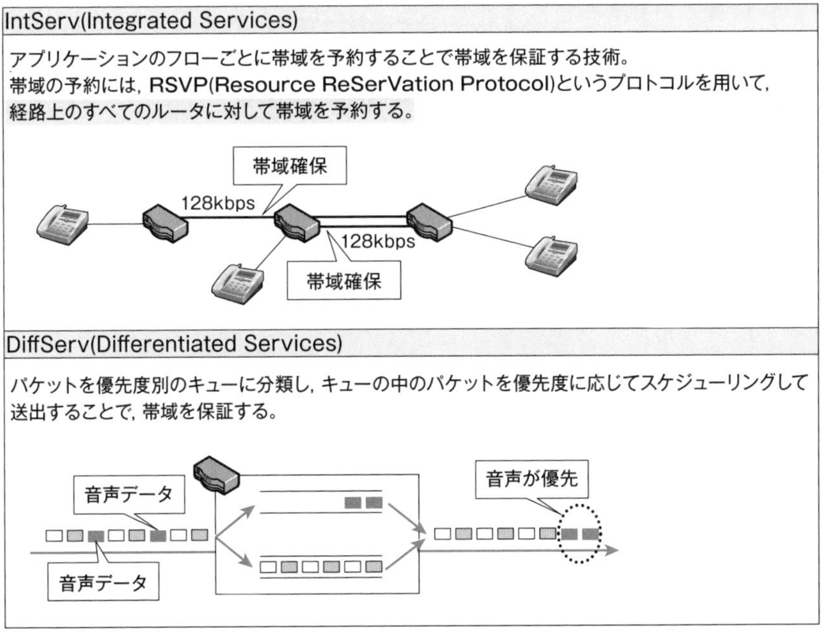

▶図2.6.1　IntServとDiffServ

IntServは，ネットワーク機器ごとに通信フローの情報を保持する必要があるため，大規模なネットワークでの利用は少ない。

DiffServの優先順位付けは，IPヘッダのToS（Type of Service）フィールドをDSフィールドに再定義し，その先頭6ビットに**DSCP**（**Differentiated Services Code Point**）を設定することで行う。このような再定義は，RFC2474で規定されている。

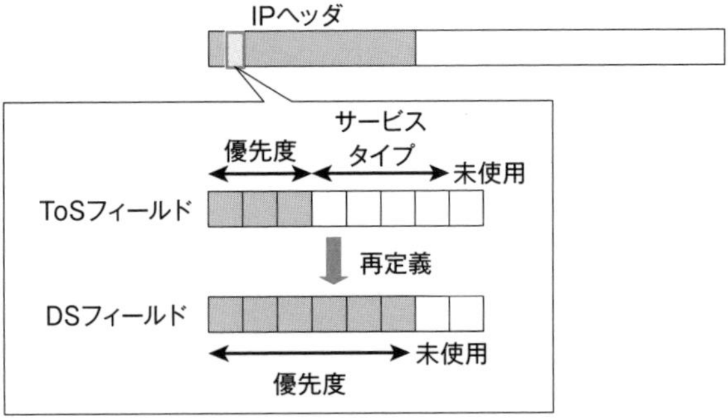

▶図2.6.2　DiffServの優先順位

QoS 関連の出題としては，QoS を予約するプロトコルとして RSVP が，DiffServ の優先順位付けの仕組みとして ToS フィールドの再定義などが過去に問われたことがあります。

1 トラフィック制御

IntServやDiffServなどの優先制御技術を実現するため，ネットワーク接続機器では次のような**トラフィック制御**を行う。

▶**表2.6.1　トラフィック制御**

アドミッション制御	２台のホストが通信経路上の帯域などのリソースをネットワーク機器に要求し，確保状況に応じた通信制御を行う
シェーピング	帯域制御のため，帯域を超過したパケットはバッファに貯められ，送出間隔が広げられる。その結果，トラフィックを平準化させる効果がある。送出間隔が広がることで遅延が発生する
ポリシング	帯域制御のため，帯域を超過したパケットを破棄する
クラシファイア	パケットをクラスに分類し，パケットの優先順位を決定する

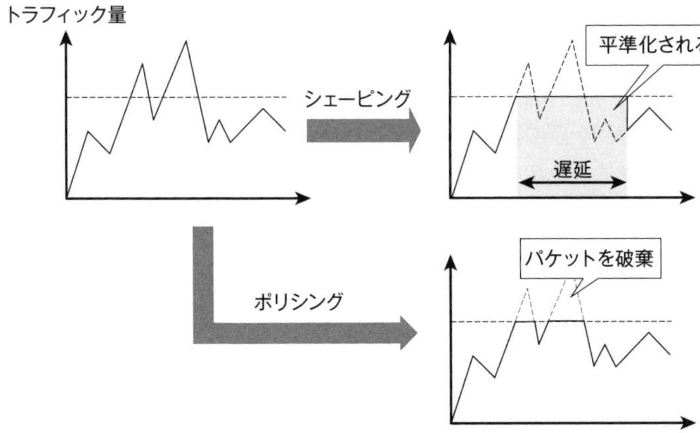

▶**図2.6.3　シェーピングとポリシング**

2 LANアナライザ

トラフィックを監視するため，**LANアナライザ**を用いる。LANアナライザは，ネットワーク上の通信を監視，記録するための装置やソフトウェアである。

LANアナライザには通信データを分析する機能があるため，次のような用途に用いられる。

・ネットワークの問題点の分析
・プロトコルを分析
・通信データの統計分析

ネットワークを通過するすべての通信内容を分析するため，LANアナライザはスイッチのミラーポートにプロミスキャスモードで接続する（Focus **IDS/IPS**参照）。

LAN アナライザは盗聴などに悪用されないよう注意しましょう！

2 多重化／負荷分散

ネットワーク機器を複数設置することを多重化と呼ぶ。さらに，多重化された機器を用いてデータ送信や処理を分担し，１台あたりの負荷を軽減することを負荷分散という。ここでは，多重化や負荷分散の代表的な方式を概説する。

1 DNSラウンドロビン

DNSラウンドロビンは，１つのホスト名に複数のIPアドレスが対応するようにDNSサーバを設定することで，そのホスト名に対するDNS問合せに対し，設定したIPアドレスを順番に応答する仕組みである。アクセスを多重化されたサーバに振り分けることができるため，負荷分散を実現できる。

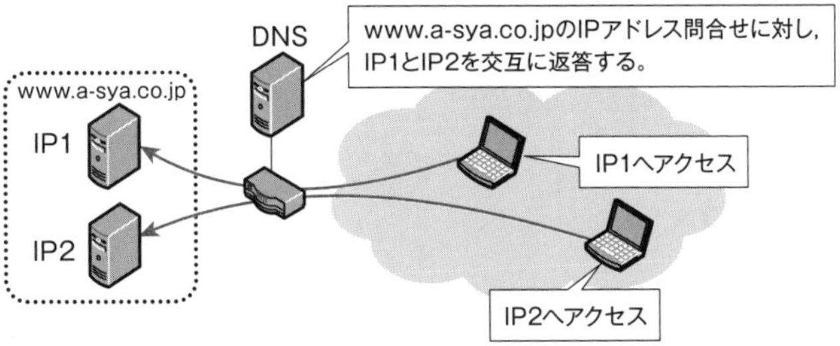

▶図2.6.4　DNSラウンドロビン

DNSラウンドロビンは，特別な装置（ロードバランサ）を用いることなく負荷分散を実現できるが，一方で次のような問題点もある。

DNSラウンドロビンの問題点

- サーバの処理能力の差を考慮できない
- サーバアプリケーションとのセッションが維持できない
- DNSキャッシュサーバが均等な処理の振分けを阻む
- 障害時にキャッシュの有効期限まで目的サーバを切り替えられない可能性がある

2 負荷分散装置（ロードバランサ）

負荷分散装置は，クライアントから要求された処理負荷を複数のハードウェアに振り分ける装置である。特にWebサーバの負荷分散においては，セッション維持や，SSL/TLSを補助する機能を有するものもある。

3 マルチホーミング

マルチホーミングとは，自ネットワークから複数の異なるISPでインターネットに接続することである。マルチホーミングによって，耐障害性が向上する。さらに負荷分散装置を併用することで，インターネットへのアクセスを複数プロバイダに分散することができる。

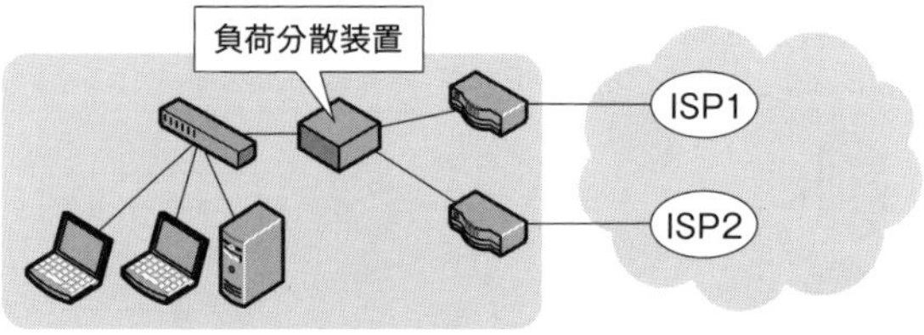

▶図2.6.5　マルチホーミング構成による負荷分散

4 VRRP (Virtual Router Redundancy Protocol)

VRRPは，ルータの冗長構成を実現するプロトコルであり，RFC5798として標準化されている。

VRRPでは，あらかじめ複数のルータをまとめて１つのグループ（**VRRPグループ**）として登録する。このとき，各ルータには同じID（**VRID**）と異なる優先度が設定される。

VRRPグループには，仮想IPアドレスと仮想MACアドレスが与えられ，１台の仮想ルータとして振る舞う。実際には，VRRPグループの中で優先度が最も高い物理ルータがマスタとなり，中継処理を実行する。

以下に，VRRPの動作を，ルータの起動時と障害時に分けて説明する。

（起動時の動作）

［1］VRRPグループに属する各物理ルータはVRID，優先度，仮想MACアドレス，仮想IPアドレスを通知する**VRRP Advertisement**（**VRRP広告**）をVRRPグループにマルチキャストする。

［2］VRRPグループの中で最も優先度が高い（優先度の値が大きい）ルータがマスタルータとなり，それ以外のルータはバックアップルータとなる。

［3］マスタルータは，仮想IPアドレスと仮想MACアドレスを持つルータとしてARP要求への応答や中継処理を実行する。また，一定間隔（初期値は１秒間隔）でVRRP広告を送信する。

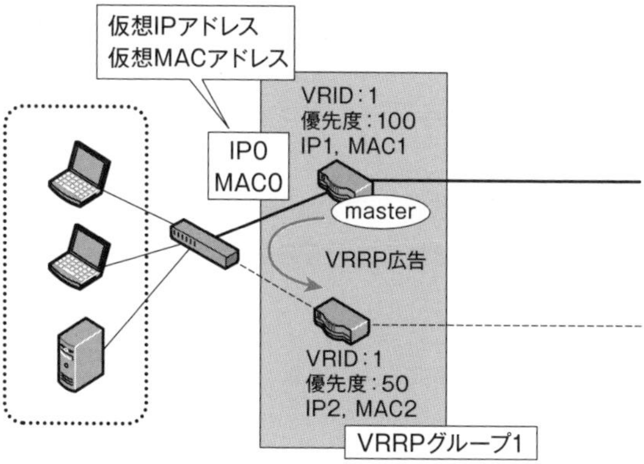

▶図2.6.6　起動時の状態

（障害時の動作）

［1］バックアップルータはVRRP広告を監視し，一定時間内にVRRP広告が送られてこなかった場合，マスタルータに障害が発生したと判断する。

［2］バックアップルータの中で優先度が最も高いルータがマスタルータとなり，仮想IPアドレスと仮想MACアドレスを引き継ぐ。

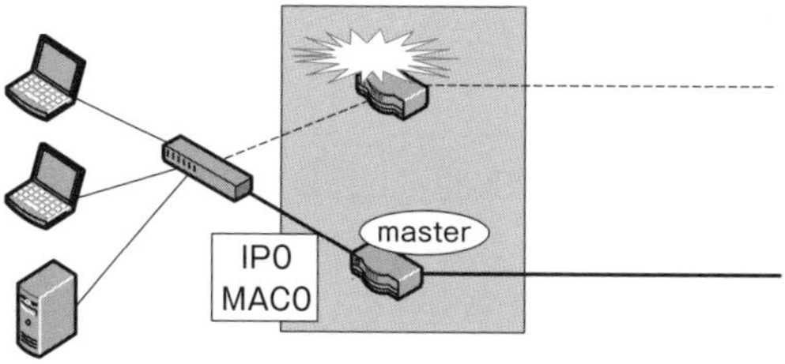

▶図2.6.7　障害時の状態

デフォルトゲートウェイを VRRP 構成とすることでデフォルトゲートウェイ障害時にクライアントの設定を変えることなく，障害を回避できます。

5 VRRP構成を用いた負荷分散

VRRP構成時はVRRPグループ内のマスタルータのみが機能しており，バックアップルータはルータとして機能していない。これらのルータを有効利用し，VRRP構成で負荷分散を行うには，各ルータに２つのVRRPグループを設定し，それぞれのグループで異なるマスタルータが選ばれるよう優先順位を設定する。

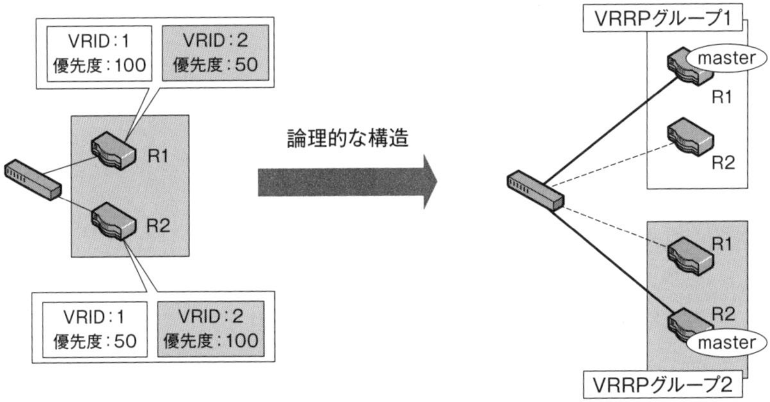

▶図2.6.8　VRRP構成時の負荷分散

6 チーミング

チーミングは，１台のサーバなどに搭載した複数の物理NIC（Network Interface Card）を１つのネットワークポートとして利用する技術である。チーミングを行うことで，可用性を高めたり広帯域化を実現することができる。なお，チーミングされた一方のNICに障害が発生した場合は，残りのNICを用いて通信が継続される。

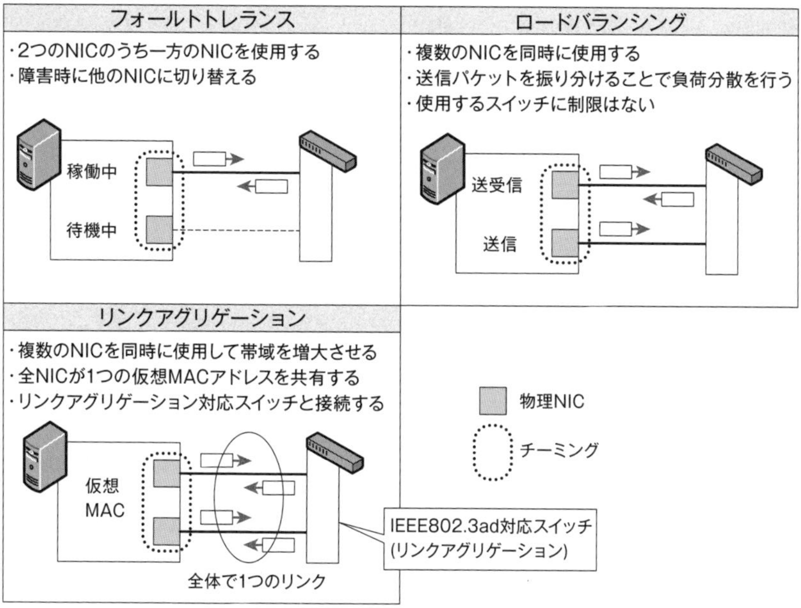

▶図2.6.9　チーミングの種類

3　伝送時間，伝送速度の算出

ネットワークの性能を見積るためには，伝送速度や伝送時間などを計算しなければならない。ここでは，それらの基本的な計算パターンをまとめておく。

1 伝送速度，データ量，伝送時間の関係

伝送速度，データ量，伝送時間の関係は次のとおりである。

伝送時間 ＝ データ量÷伝送速度

伝送速度はbps（ビット/秒）で表せることから，データ量はビット，時間は秒に合わせて計算する。データ量や伝送速度に補助単位が使われている場合には，単位を合わせて計算する。

【例題】 1Gバイトのデータを，1,300Mビット/秒の回線で伝送するための時間は何秒か。

伝送速度，データ量，伝送時間の関係どおりに計算すればよい。

伝送速度：1,300［Mビット/秒］

データ量：1×8［Gビット］＝8,000［Mビット］

伝送時間＝8,000÷1,300≒6.15［秒］

データ量はバイト単位で表すことが多いため，ビットに直すことを忘れないように！

2 実効的な伝送速度を考える場合

データを送信する場合には，データそのもの以外にも制御情報やヘッダ情報を伝送するため，実効的な伝送速度は低下する。試験問題では，そのようなオーバヘッドを考慮した，実効的な計算が求められることがある。なお，オーバヘッドは「伝送効率」，「ヘッダの付加」などで表現される。

【例題】 512kバイトのデータを64kビット/秒の回線で伝送するための時間は何秒か。なお，回線利用率（伝送効率）は80%であるものとする。

伝送効率が80%なので，実効的な伝送速度は回線速度の0.8倍に低下する。

実効的な伝送速度：64×0.8［kビット/秒］

データ量：512×8［kビット］

伝送時間＝512×8÷(64×0.8)＝80［秒］

3 ビット誤り率の算出

伝送ビットに占める誤りビットの割合をビット誤り率という。ビット誤り率は，回線品質を評価する1つの目安となる。

ビット誤り率＝単位時間あたりの誤りビット数÷単位時間あたりの伝送ビット数

【例題】 伝送速度64kビット/秒の回線を使ってデータを連続送信したとき，平均して100秒に１回，１ビット誤りが発生した。この回線のビット誤り率は幾らか。

単位時間を100秒とすると，

伝送ビット数：$64{,}000 \times 100 = 64 \times 10^5$［ビット］

であり，その中に１ビットの誤りが発生する。よって，ビット誤り率は次のように計算できる。

$$ビット誤り率 = 1 \div (64 \times 10^5) = 0.015625 \times 10^{-5}$$
$$\fallingdotseq 1.56 \times 10^{-7}$$

4 呼量と呼損率

コールセンタに電話をかける場合，電話回線がすべて使用中で接続できないことがある。この状態を**呼損**と呼ぶ。コールセンタを設計するような場合には，呼損の確率（**呼損率**）を許容レベル以下に収めるよう，コールセンタの回線数（出線数）を設定しなければならない。この回線数は，呼量と呼損率をもとに，即時式完全群負荷表から読み取ることができる。

ここで**呼量**は，「単位時間あたりに発生する回線接続時間の総量」であり，次式で表すことができる。なお，呼量の単位はアーランである。

呼量（アーラン）＝回線接続時間の総和÷単位時間

【例題】 コールセンタでは，１時間あたり12件の問合せがある。１回の問合せでは平均８分の通話が行われる。この時，呼損率を0.01以下にしたい場合の必要な回線数を，即時式完全群負荷表から求めよ。

▶表2.6.2　即時式完全群負荷表（アーランB式）

n ＼ B	0.005	0.01	0.02
1	0.005	0.0101	0.0204
2	0.105	0.153	0.223
3	0.349	0.455	0.602
4	0.701	0.869	1.09
5	1.13	1.36	1.66
6	1.62	1.91	2.28
7	2.16	2.50	2.94
8	2.73	3.13	3.63
9	3.33	3.78	4.34
10	3.96	4.46	5.08

（呼損率一定）B：呼損率　n：出線数
数値：加わる呼量［アーラン］

まず，呼量を求めると，

呼量＝(8［分］×12［件］)÷60［分］＝1.6［アーラン］

となる。即時式完全群負荷表から，呼損率が0.01の列を呼量の小さい値から順に見ていくと，呼量が初めて1.6を超えるのは，出線数nが6の場合である。したがって，必要な回線数は6本となる。

5　待ち行列

パケットの送出待ちなどにおける遅延時間を算出するためには，**待ち行列モデル**を利用する。待ち行列は，

到着間隔分布，サービス時間分布，窓口数

の組合せでモデルが定まる。

▶表2.6.3　待ち行列モデルの要素

到着間隔分布	パケットが到着してから次のパケットが到着するまでの時間の分布 M：ランダムな到着 D：一定の時間ごとに到着 G：一般分布
サービス時間分布	パケットの処理時間の分布 M：ランダムな処理時間 D：一定の処理時間 G：一般分布
窓口数	パケットを処理する装置数

待ち行列のモデルを，

到着間隔の分布／サービス時間の分布／窓口数

で表す表記法を，ケンドール記号と呼ぶ。例えば，計算問題によく用いられる**M/M/1モデル**は，ランダムに到着するパケットを，ランダムな処理時間で，１つの窓口で直列に処理する場合に発生する待ち行列モデルを表す。

待ち行列モデルの中で出題されるほとんどがM/M/1モデルです。M/M/1が基本なので覚えておきましょう！

1 M/M/1モデルの公式

窓口に対するパケット到着の性質は，平均到着率（λ（ラムダ））または平均到着間隔（Ta）で定まる。

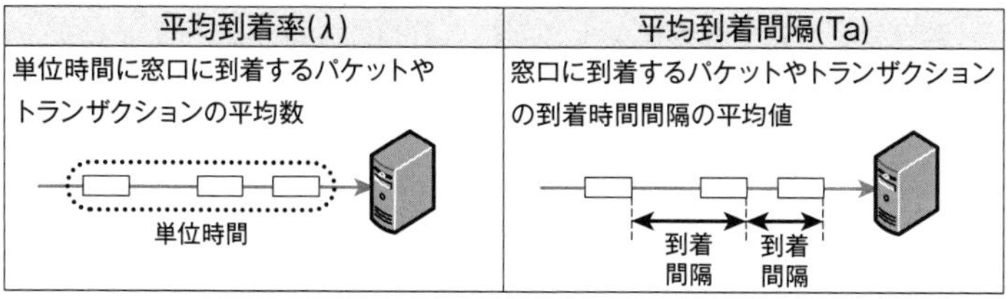

平均到着率(λ)
単位時間に窓口に到着するパケットやトランザクションの平均数
単位時間
平均到着間隔(Ta)
窓口に到着するパケットやトランザクションの到着時間間隔の平均値
到着間隔
到着間隔

▶図2.6.10　平均到着率と平均到着間隔

λとTaには，次の関係が成立する。

$$\lambda = \frac{1}{Ta}, \quad Ta = \frac{1}{\lambda}$$

λやTaに加え，窓口における「1件あたりの処理時間の平均」である平均サービス時間（Ts）を用いることで，次の値を算出することができる。

▶表2.6.4　M/M/1モデルの公式

利用率（ρ（ロー））	窓口がパケットやトランザクションの処理中である確率 $\rho = \lambda \times Ts$　または　$\rho = \frac{Ts}{Ta}$
系内滞留数	サービス中のものも含む窓口に並ぶパケットやトランザクションの数 $系内滞留数 = \frac{\rho}{1-\rho}$
平均待ち時間	窓口に到着したパケットやトランザクションが処理の開始を待つ時間 $平均待ち時間 = 系内滞留数 \times Ts = \frac{\rho}{1-\rho} \times Ts$
平均応答時間	パケットやトランザクションが窓口に並んでから，処理が終了するまでの時間 $平均応答時間 = 平均待ち時間 + Ts = \frac{\rho}{1-\rho} \times Ts + Ts$

2 計算の例

次の業務サーバを例にとり，待ち行列を考慮した処理時間を計算する。

【例題】　業務サーバ1台で運用している社内システムがある。次の条件のとき，1アクセスの平均応答時間を計算する。

・業務サーバには，平均して1秒間に3回のアクセスがある。

・1アクセスあたり，平均0.2秒の処理時間を要する。

・業務サーバに生じるアクセスの待ち行列は，M/M/1モデルに従う。

理解を助けるため，

利用率→系内滞留数→平均待ち時間→平均応答時間

の順番で求める。

（利用率ρ）

アクセスの到着率λは3［件／秒］，アクセスの平均サービス時間Tsは0.2［秒］なので，

$$\rho = \lambda \times Ts = 3 \times 0.2 = 0.6$$

(系内滞留数)

待ち行列はM/M/1モデルに従うので，

系内滞留数＝$\rho\div(1-\rho)=0.6\div0.4=1.5$［件］

(平均待ち時間)

窓口に平均1.5件のアクセスが並んでいるので，新たに待ち行列の末尾に並んだアクセスは，1.5件分の処理を待たなければならない。１件あたりの平均処理時間は0.2秒なので，

平均待ち時間＝$1.5\times0.2=0.3$［秒］

(平均応答時間)

新たなアクセスが，待ち行列の末尾に並んでから処理が終了するためには，待ち時間に加え自身の処理時間が必要である。よって，

平均応答時間＝$0.3+0.2=0.5$［秒］

と計算できる。

利用率が高いとサービス時間よりも待ち時間の方が長くなります。具体的には，利用率が 50％でサービス時間と待ち時間が一致します。利用率が 99％になると，なんとサービス時間の 99 倍（！）の待ち時間が発生することになります。

Focus ロードバランサ（LB：Load Balancer）

大規模なサイトや通信量の多いネットワークでは，機器を多重化して負荷分散を行います。このときに用いられる機器が，ロードバランサ（負荷分散装置）です。インターネットの需要は高まる一方なので，今後もロードバランサは重要な要素であり続けるでしょう。注目のテーマです。

■ ロードバランサとは

ロードバランサ（負荷分散装置）とは，クライアントからの要求を複数台のハードウェア（サーバマシン）に振り分ける装置である。ロードバランサと複数台のサーバでクラスタを構成することで，複数台で構成されるサーバグループ（サーバファーム）を１台の高性能サーバであるかのように振る舞わせることができる。

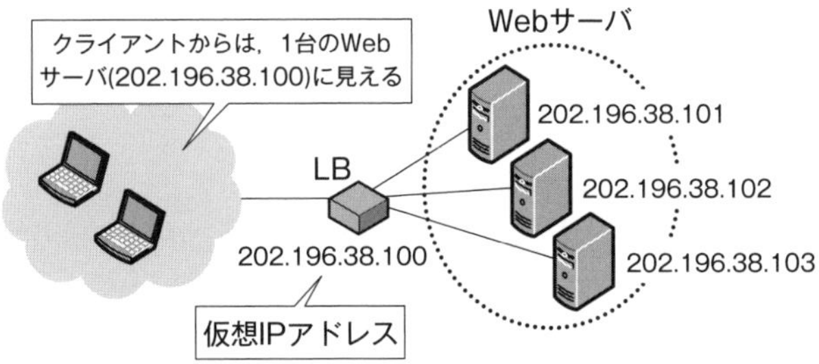

▶図2.6.11　ロードバランサ

ロードバランサを用いたサーバの負荷分散には，次のようなメリットがある。

- **負荷の分散**
  トラフィックを均等に分散し，各サーバの処理の負荷を適切に保つことができる。
- **信頼性の向上**
  サーバ障害時に障害の発生したサーバを切り離し，他のサーバに切り替えて処理を続行することができる。
- **可用性の向上**
  サーバのメンテナンス時にも，他のサーバでサービスを継続することができる。
- **拡張性の向上**
  負荷分散装置に接続されているサーバの追加・削除・変更が容易にできる。
- **コストパフォーマンスの向上**
  サーバは能力の高くない比較的安価なものでよいので，導入コストを低減できる。

■ 振分けアルゴリズム

負荷分散方式の振分けアルゴリズムには，ラウンドロビン方式，重み付けラウンドロビン方式，コネクション方式，優先度方式などがある。

①　ラウンドロビン方式

クライアントからのアクセスを，複数のサーバに順番に振り分ける方式である。同一性能のサーバで構成され，振分けを行う処理ごとの負荷に大きな差異がない場合に適している。

② **重み付けラウンドロビン方式**

それぞれのサーバに重みを設定し，その重み付けに従ってアクセスを振り分ける方式である。処理性能の異なるサーバで構成されている場合に適している。

③ **コネクション方式(最少接続方式など)**

同時接続数や接続元IPアドレス，応答速度など状況の変化に応じて動的に振分け先を判断する方式である。どのような基準で処理を振り分けると処理が均等に振り分けられるかを検討する必要がある。例えば，送信元IPアドレスによって振り分けた場合，プロキシサーバやNAPT機能を利用して複数のPCからアクセスしていると，ある送信元IPアドレスだけが集中する可能性がある。

④ **優先度方式**

サーバに優先度を設定し，最も優先度の高いサーバ群にアクセスを振り分け，そのサーバ群の処理負荷が設定値を超えたら，次に優先度の高いサーバ群にアクセスを振り分ける方式である。サーバのスケーラビリティを実現したい場合や，サーバへのアクセスが短期間に集中したときにアクセス不能通知を行うsorryサーバへ振り分ける場合に適している。sorryサーバとは静的なWebページを返すWebサーバである。

■アドレス変換

負荷分散が行われたとき，クライアントはロードバランサに対してパケットを送信し，ロードバランサがこれをサーバに振り分ける。このとき，パケットの宛先IPアドレスや送信元IPアドレスを変換する必要がある。このアドレス変換の方式には，ソースNAT方式とDSR方式がある。

① **ソースNAT**

ロードバランサが，宛先IPアドレスをロードバランサのIPアドレスから目的サーバのIPアドレスに，送信元IPアドレスをクライアントのIPアドレスからロードバランサのIPアドレスに変換して，Webサーバに転送する機能である。Webサーバがロードバランサの IPアドレス宛てに応答パケットを返すと，ロードバランサは宛先IPアドレスをクライアントのIPアドレスに書き換えて，クライアントへ転送する。

ロードバランサを新たに追加する場合，既存のWebサーバの設定を変更しなくてよいというメリットがある。しかし，Webサーバのログには，送信元IPアドレスがロードバランサとして記録され，クライアントのIPアドレスが記録されないので，Webサーバのログからは送信元のクライアントを特定できない。

② DSR (Direct Server Return)

Webサーバは，宛先IPアドレスがロードバランサのIPアドレスになっているパケットも受信できるように設定しておく。ロードバランサは，宛先IPアドレスはロードバランサのままで，宛先MACアドレスだけをWebサーバのMACアドレスに変換し，Webサーバに転送する。Webサーバは，ロードバランサのIPアドレスをそのまま送信元IPアドレスに設定し応答する。

クライアントからのパケットをロードバランサで受信するが，応答はロードバランサを経由せず，直接クライアントへ応答できるので，ロードバランサの負荷を小さくすることができる。

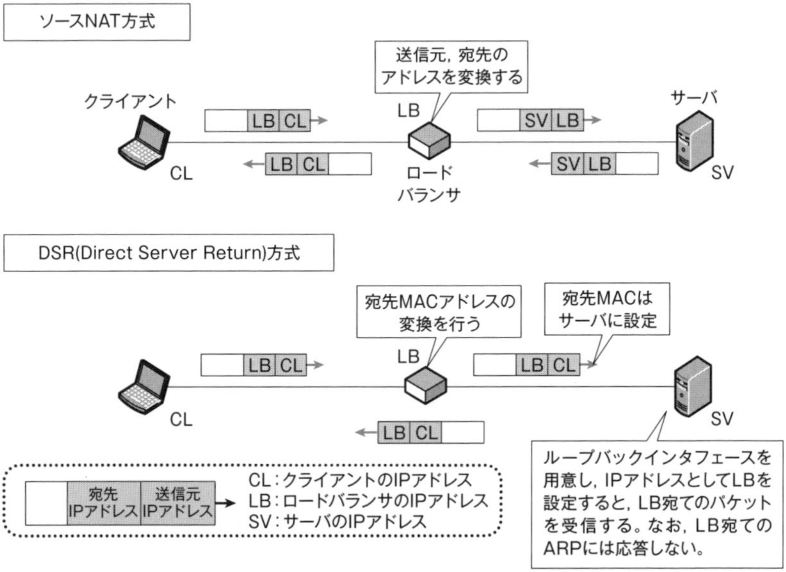

▶図2.6.12　アドレス変換の方式

■ ロードバランサの機能

Webアプリケーションは，WebブラウザとWebサーバの間でセッションを維持して処理を進めていく形態が多い。つまり，一連のセッションの間はクライアントは同一のWebサーバにアクセスしなければならない。これを保証するため，**ロードバランサにはセッション維持機能が実装されている**。これは，ロードバランサでセッション情報を識別し，同じセッションのパケットは同一のWebサーバに振り分ける機能である。

ロードバランサには，セッション維持機能のほかにも，次の機能が実装されている。

▶表2.6.5　ロードバランサの機能

セッション維持機能	同じセッションのパケットは同一のWebサーバに振り分ける
ヘルスチェック機能	サーバやアプリケーションプロセスの状況を監視し，障害を検知した場合にはそのサーバを切り離し，アクセスを振り分けないようにする
SSLアクセラレータ機能	SSL処理（暗号化・復号）をWebサーバに代わって実行する
想定外のアクセス集中への対応	想定外の大量アクセスが発生したとき，アクセスをsorryサーバへ振り分け，「ただいま，アクセスが混み合っています」などのメッセージを表示する

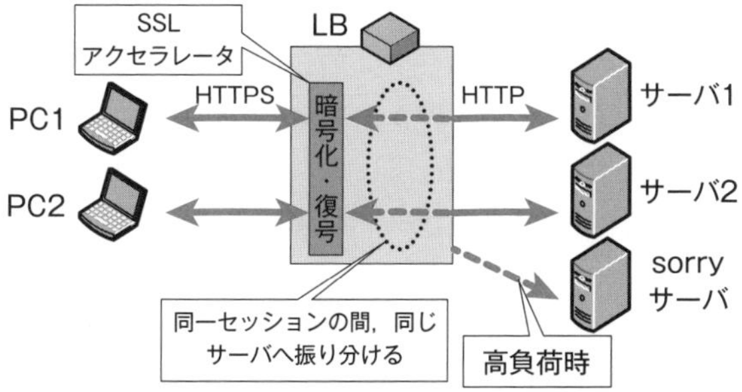

▶図2.6.13　ロードバランサの機能

■ ファイアウォールの負荷分散

ロードバランサを用いて，ファイアウォールなど終端機器以外の装置に対する負荷分散を実施することができる。このとき，**ロードバランサはグループの入り口と出口に対向するよう設置する**。

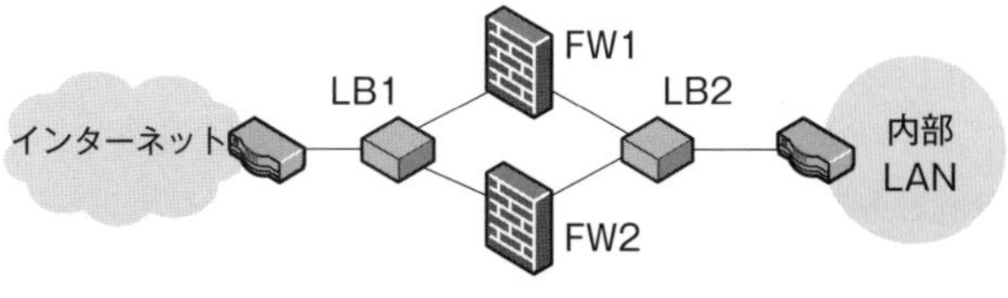

▶図2.6.14　ファイアウォールの負荷分散

ファイアウォールはサーバのような終端機器ではないため，宛先IPアドレスを付け替えるような振り分け処理は行えない。そこで，MACアドレスを用いた振り分けを行う。具体的には，ロードバランサにファイアウォールのMACアドレスを記憶させ，フレームがロードバランサを経由する際に，振分け先となるFWのMACアドレスをフレームの宛先に設定する。

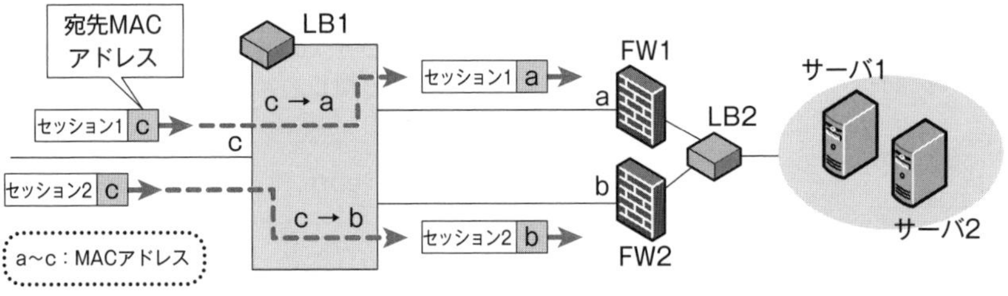

▶**図2.6.15　ファイアウォールへの振分け**

ファイアウォールが動的フィルタリングを実施するとき，あるセッションの戻りパケットは「行きと同一のファイアウォールを通過する」よう振り分けなければならない。▶図2.6.15でいえば，セッション１のパケットがFW1を通過する際に，その戻りパケットを許可する設定がFW1に追加される（動的フィルタリング）。そのため，セッション１の戻りパケットは，LB2によって許可設定のあるFW1へ振り分けられなければならない。同様に，セッション２の戻りパケットは，LB2によってFW2に振り分けられることになる。つまり，**対向するLBが協調して「セッション単位に同じファイアウォールにパケットを振り分ける」のである。**

ファイアウォールのような終端機器以外の機器を「**透過型デバイス**」と呼びます。ここで説明した負荷分散機能は，ロードバランサの「**透過モード**」と呼ばれる機能を用いています。透過モードとは，IP アドレスやポート番号を変換しないモードです。

■ ファイアウォールのヘルスチェック

ヘルスチェックの方法も，負荷分散の対象がサーバ系であるかファイアウォールであるかによって内容が異なる。サーバはネットワークの終端であるため，対象機器の生存確認のみを実施すればよい。これに対してファイアウォールは，「ファイアウォールを含む通信経路」の生存確認が必要である。これを確認するため，**対向するロードバランサが協調して，互いに生存確認パケットを送受し合う。**

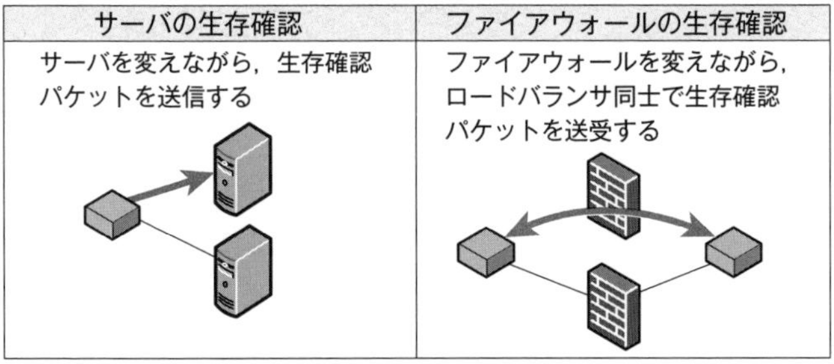

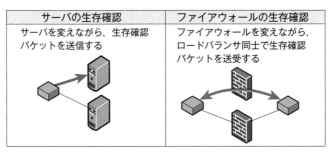

▶図2.6.16　ヘルスチェック

■ 出題の切り口

平成27年午後Ⅰ問2に，ロードバランサを用いてファイアウォールを多重化するネットワークが出題された。

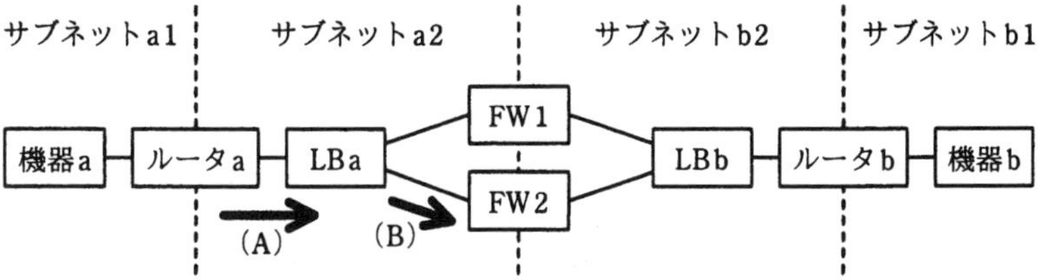

注記1　(A)，(B) は設問2 (1) で使用する。
注記2　各ルータのルーティング情報は次のとおりである。

ルータ名	宛先	ゲートウェイ
ルータa	サブネットb1	FW1
ルータb	サブネットa1	FW1

LBa，LBb：
　ロードバランサ
FW1，FW2：
　ファイアウォール

▶図2.6.17　平成27年午後Ⅰ問2「図2　FWの負荷分散の基本構成」

前提条件として，LBの動作が次のように提示されている。

（1）　LBによるパケット転送の動作

- FW1，FW2のMACアドレスは，LBにあらかじめ登録してある。
- LBは，FW宛てのイーサネットフレームに対し，宛先MACアドレスを振り分け先FWのものに書き換えて転送する。
- その他のイーサネットフレームの転送は，ブリッジと同じ動作となる。

（2）　LBによる振り分け先の管理

- LBは，セッション単位で振り分け先FWを決定する。

・セッションと振り分け先FWとの対応は，セッションの生成・消滅に合わせて動的に管理される。

このネットワークについて，宛先アドレスの変化を問う設問が出題された。

① 図2.6.17中の（A），（B）は，機器aと機器bとの間のTCPコネクション上のパケットを表し，矢印はその転送方向を表す。また，このTCPコネクション上のパケットはFW2を経由する。（A），（B）の宛先IPアドレスと宛先MACアドレスを，図中の機器名を用いて答えよ。

さらに，このネットワークについて，ロードバランサが満たすべき性質が問われた。

② FWでの動的フィルタリングが正しく行われるようにするためには，LBaのパケット振り分け動作とLBbのパケット振り分け動作との関係について，ある条件が成立しなければならない。その条件を30字以内で述べよ。

【解説】

①について，ファイアウォールへの振り分けは，IPアドレスではなくMACアドレスによって行われる。(A)，(B) の宛先IPアドレスは，ともに最終的な宛先である機器bを指している。ところが，宛先MACアドレスは，ルータが設定した宛先をロードバランサが書き換えるため，(A) と (B) では宛先が異なる。具体的には，ルータaはパケットをゲートウェイであるFW1に転送するため，FW1のMACアドレスを宛先に設定する。これを受けたLBaは，FW2へ転送するため，フレームの宛先MACアドレスをFW2のものに書き換える。

②について，動的フィルタリングが正しく行われるための条件として「同一セッションに属するパケットは同一のFWを通過するように振り分ける」ことを答えればよい。説明は前述した内容を参照してほしい。

【解答】

① (A) 宛先IPアドレス：機器b　宛先MACアドレス：FW1
　(B) 宛先IPアドレス：機器b　宛先MACアドレス：FW2

② セッション単位に，2台のLBが同じFWを選択する。

Focus 多重化いろいろ

最近のネットワークスペシャリスト試験の問題を見ると「機器構成が複雑」という印象を受けます。その原因の一つが主要機器の多重化です。多重化部分をブロックとして捉えれば問題ないのですが，そのためには日頃から多重化構成に慣れておく必要があります。そこで，ここでは過去の本試験を題材に，代表的な多重化構成のパターンを見てみることにしましょう。

(1) ファイアウォールの障害対応

平成26年午後Ⅰ問2に，ファイアウォール（FW）のActive-Standby冗長構成が出題された。

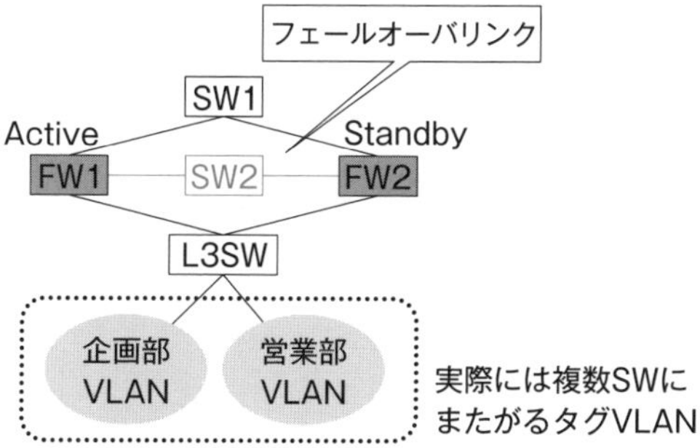

▶図2.6.18　ファイアウォールの冗長構成

この構成では，主系から副系にフェールオーバした後も通信を継続させるため，主系の管理情報を自動的に引き継ぐステートフルフェールオーバ機能を動作させている。FWの各種情報を同期し複製するため，FW同士を結ぶ**フェールオーバリンク**が設けられている。フェールオーバリンクはFW同士を直接結ぶ方式もあるが，▶図2.6.18では間にレイヤ2スイッチを挟んでいることがポイントである。

■ 出題のポイント

まず，ステートフルフェールオーバという用語そのものが問われた。さらに，障害切分けのためにフェールオーバリンクにスイッチを挟む利点について問われた。解答は「一方のポート故障による対向ポートのリンク断を防ぎ，どちらのFWの障害か特定が容易になる」であった。

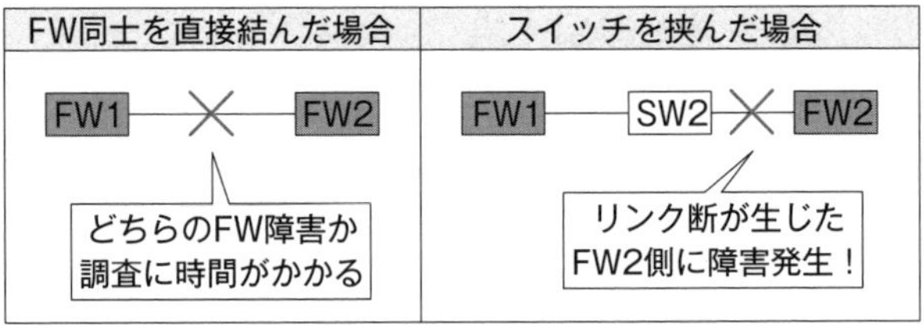

▶図2.6.19　障害特定の容易さ

■ Active-Active構成へ

Active-Standby構成は障害対応には有効だが，負荷分散の面では効果はない。そこで，Active-Active構成とすることで，負荷分散を行う。完全な負荷分散を行うならば，負荷分散装置（ロードバランサ）を導入すべきだが，出題ではFWの仮想化を用いて負荷分散を実現した。具体的には，FW1で企画部用の仮想FWをActiveにし，FW2で営業部用の仮想FWをActiveにすることで，企画部と営業部のトラフィックをFW1とFW2に分散させた。

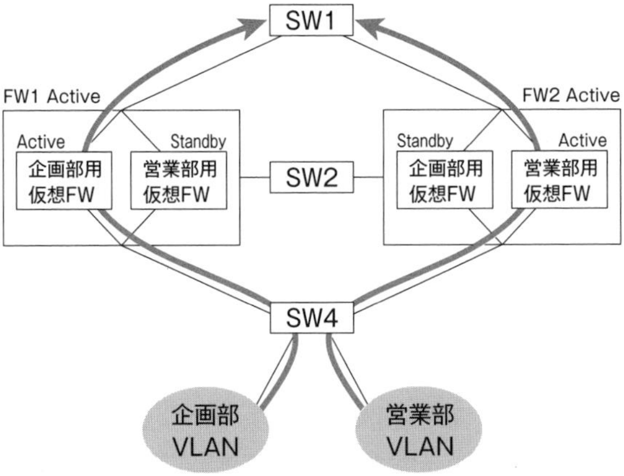

▶図2.6.20　仮想FWによる負荷分散

(2) DNSラウンドロビンを用いたメールサーバの多重化

平成28年午後Ⅰ問3に，メールサーバを多重化する構成が出題された。

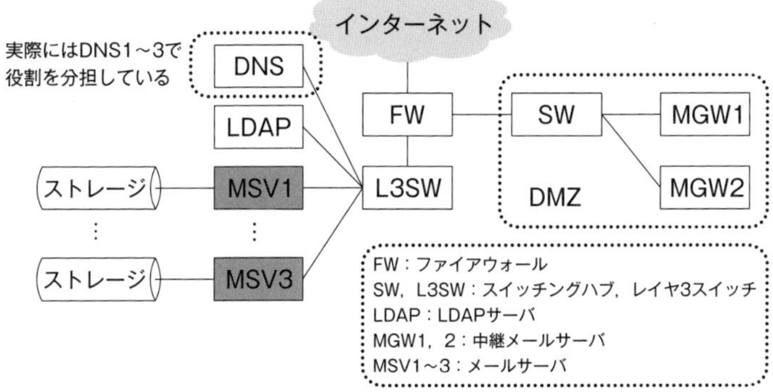

▶図2.6.21　メールサーバの多重化

その中で言及されたシステムは，２台の中継メールサーバを設置し，外部から中継メールサーバ（MGW1，２）が受信したメールを，３台のメールサーバ（MSV１～３）へ転送する構成であった。転送先のメールサーバはDNSラウンドロビンを用いて決定し，メールを転送されたメールサーバは，LDAPを参照して宛先メールアドレスに対応するメールサーバへ転送するか，自身への格納を行う。

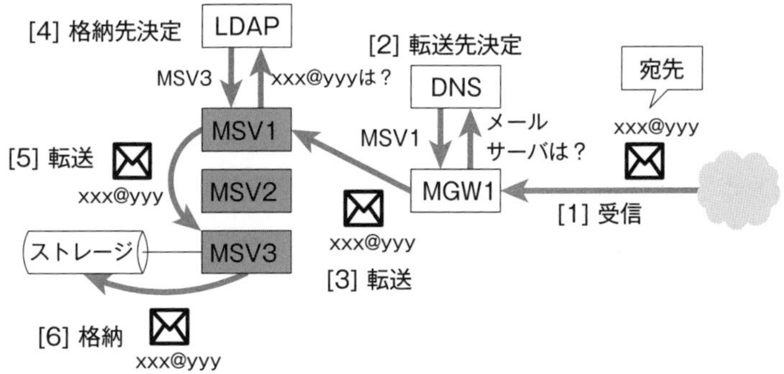

▶図2.6.22　メールの受信

■ 出題のポイント

▶図2.6.22の構成では，MGWからMSVへのメール転送はDNSラウンドロビンを用いても，負荷が偏りやすい。その理由は，送信元によって選択される宛先に偏りが生じやすく，その偏りが長時間継続しやすいからである。これについて，偏りが生じやすくなる条件と，偏りが継続しやすい理由が問われた。

偏りが継続しやすい理由は，「**DNSキャッシュが生存している間，宛先を変えないから**」である。送信元のMGWはDNSに問い合わせたメールサーバのIPアドレスを，自身のDNSキャッシュに記録する。例えば，転送先のメールサーバとしてMSV1のIPアドレスをキャッシュしたとき，キャッシュの生存期間が過ぎるまではMSV1へ転送を続けることになる。

偏りが生じやすくなる条件は「**送信元が少数の場合**」である。▶図2.6.21の構成の場合，MGW1が転送先としてMSV1をキャッシュし，MGW2がMSV2をキャッシュしたとき，それらの生存期間が過ぎるまで，MSV3にはメールが転送されなくなる。送信元の数が多ければ，このような偏りは（ある程度）解消される。

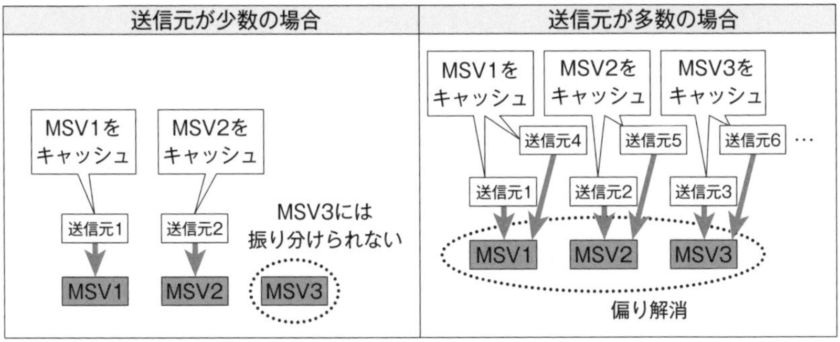

▶図2.6.23　偏りと解消

（3） DNSラウンドロビンとVRRPを用いたメールサーバの多重化

（2）と同じ問題で，DNSラウンドロビンとVRRPを併用することで，PCからのメール送信を負荷分散する構成が出題された。

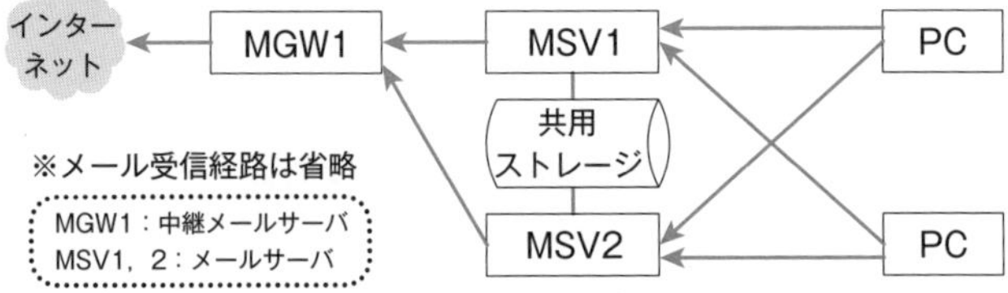

▶図2.6.24　メールサーバの多重化と負荷分散

PCはMSV（メールサーバ）1，2のいずれかにメールを送信することで，メールサーバの負荷を分散している。負荷の分散はDNSラウンドロビンで行う。図からは見てとれないが，送信者であるPCの数はメールサーバの数より多いと想定されるので，**（2）**で述べた負荷の偏りは生じない。また，一方のメールサーバに障害が生じた場合は，他方のメールサーバで処理を継続する。

■ 出題のポイント

出題では，この構成条件を満たすためのVRRPグループの設定について問われた。DNSラウンドロビンで負荷分散するためには，仮想メールサーバを二つ用意し，それぞれに仮想IPアドレスを設定する必要がある。そのため，VRRPグループを二つ用意し，それぞれに仮想IPアドレスを設定する。各VRRPグループでは，異なるメールサーバがマスタとなり，他方がそれをバックアップする構成とする。▶図2.6.25の構成では，VRRPグループ１ではMSV1がマスタとなるようにMSV1の優先度を高く設定し，VRRPグループ２ではMSV2の優先度を高く設定する。

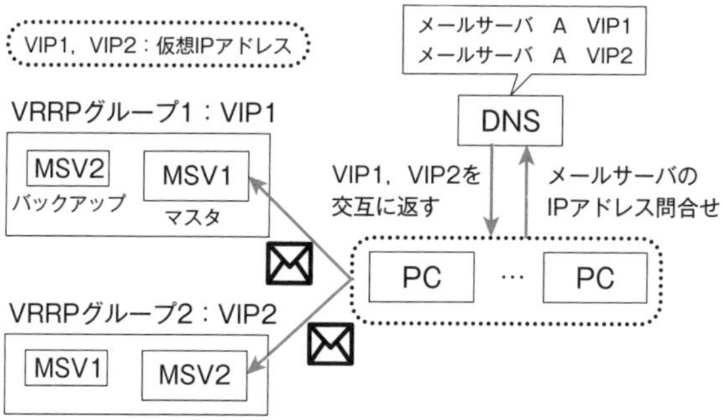

▶図2.6.25　VRRPの設定

（4）　マルチホーミングを用いたISPの多重化

平成28年午後Ⅱ問１に，マルチホーミングを用いてインターネット接続回線を多重化する構成が出題された。

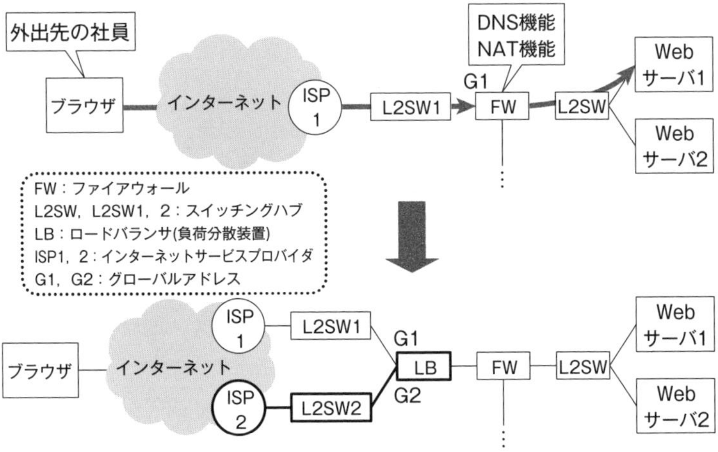

▶図2.6.26　マルチホーミング

旧システムでは，インターネット接続回線はISP1のみであった。これを２重化するため太線で示したISPおよび機器を追加した。

まず，インターネット接続回線を２重化するために，新たにISP2と契約する。インターネットからの接続をISP1とISP2に分散するため，ロードバランサを導入する。ロードバランサのインターネット側のインタフェースには，ISP1接続用のグローバルアドレスG1に加え，ISP2から新たに取得したグローバルアドレスG2を設定し，ISP2との接続用に用いる。

■出題のポイント

マルチホーミングの導入における注意点が問題文の中で述べられていたので，いくつか取りあげる。

まず，これまではFWが担っていたインターネットとのインタフェースは，ロードバランサが担うことになる。そこで，DNS機能およびNAT機能をロードバランサに移行する。ISP2を経由してもDNS機能を提供できるよう，ドメイン登録業者に定義の追加を依頼する。

次に，ロードバランサは，通信の行きと戻りを同じISP経由にする。これを別のISPにしてしまうと，応答パケット中の送信元IPアドレスが，送信時の宛先IPアドレスと異なってしまうため，正しく応答を受け取ることができなくなるからである。

さらに，ロードバランサからISP1とISP2のルータに対して，定期的にping確認を行い，ISPに障害が発生していないことを確かめる。ISPの障害を検知した場合には，正常なISPのみを用いる。

2.7 ネットワークサービス

Point!

かつては企業の業務機能は，企業内の情報システムが提供していた。ところが現在では，多くの業務機能がネットワークサービスという形でインターネットから提供されている。ここでは，ネットワークの構築技術から離れて，ネットワークサービスについて触れることにする。

… 30秒チェック！ …
Super Summary

1 クラウドコンピューティング

【目標】クラウドコンピューティングの分類について知る。

□IaaS…ネットワークとサーバ機能を提供するサービス
□PaaS…情報システムの基盤を提供するサービス
□SaaS…業務機能を提供するサービス
□DaaS…仮想PC機能を提供するサービス
□エッジコンピューティング…利用者に近いサーバでサービスを提供すること
□CDN…エッジコンピューティングをコンテンツ配信に利用した仕組み

2 AIとビッグデータ

【目標】AIの基盤技術について知る。

□機械学習…AIの持つ学習機能
□ニューラルネットワーク…人間の神経回路を模したAIの判断モデル
□ディープラーニング…ニューラルネットワークを改善し精度を高めたモデル

1 クラウドコンピューティング

クラウドコンピューティングとは，コンピュータのさまざまな機能をネットワークを介して「サービス」の形で提供する利用形態である。クラウドコンピューティングを利用することで，企業は自社が保有する情報システムを縮小できるため，コストダウンにつながる。一方でサービスを提供するプロバイダは，2.6で述べた多重化／負荷分散技術を用いて，高性能で信頼性の高い情報システムを構築しなければならない。

▶図2.7.1　クラウドサービスの利用

■ アズ・ア・サービス（as a Service）

クラウドサービスは，提供するサービスのレベルによっていくつかに分類することができる。以下に，代表的なものを挙げておく。

▶表2.7.1　クラウドサービス

IaaS（Infrastructure as a Service）	仮想サーバやネットワークなど，情報システムのハードウェア基盤を提供するサービス。OS，ミドルウェア及びアプリケーションは，利用者側で用意する
PaaS（Platform as a Service）	IaaSに加えてOSやミドルウェアを提供するサービス。文字どおり，情報システムとしての基盤（Platform）を提供する。アプリケーションは利用者側で用意する
SaaS（Software as a Service）	PaaSに加えてアプリケーション（業務機能）を提供するサービス
DaaS（Desktop as a Service）	SaaSに加えて仮想PCの機能を提供するサービス

DaaSは，VDIによる仮想PCの機能をクラウドに移したサービスである。これを用いることで，利用者は場所や端末を選ばずに，自分自身のPC環境を利用することができる。働き方改革など，労働場所が会社以外に広がる場合に有用なサービスとして注目されている。

■ エッジコンピューティング

サーバをインターネット上に分散配置し，利用者に近いサーバで処理を行うような考え方をエッジコンピューティングと呼ぶ。利用者と処理機能の距離が近づくため，処理の遅延や通信トラフィックを最小限に抑えることができる。**エッジコンピューティング**はIoTの実現手段としても注目されている。

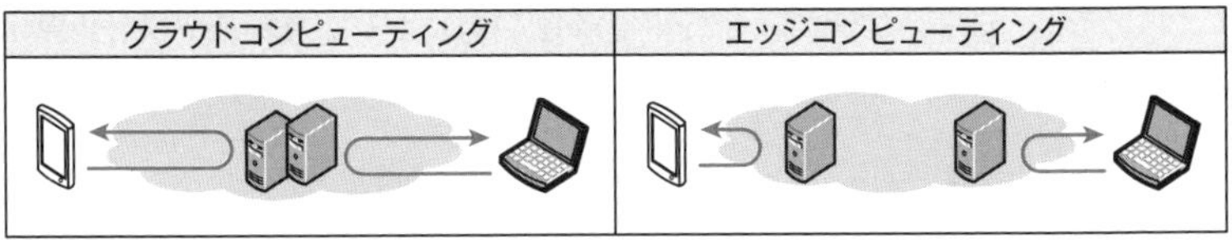

▶図2.7.2　クラウドコンピューティングとエッジコンピューティング

■ CDN（Contents Delivery Network）

エッジコンピューティングの考え方を，Webサーバのコンテンツ配信に取り入れた仕組みが**CDN**である。動画や音声などの大容量データを利用者に近いエッジサーバから配信することで，インターネット回線の負荷軽減や遅延のない配信を実現できる。

2　AIとビッグデータ

インターネットを用いたネットワークサービスは，例えばショッピングサイトに対するアクセス履歴のように，日々膨大なデータを生成する。このような**ビッグデータ**を分析し，ビジネスに活用することを，**データマイニング**と呼ぶ。

データマイニングは従来人手で行われてきたが，現在では**人工知能**（**AI**：Artificial Intelligence）が導入されることが増えてきている。ここでは，AIについて学習機能や分析モデルを簡単に整理する。

■ 機械学習

AIは，多くのデータからその規則性や判断基準を学習し，それに基づいて未知のものを予測，判断する。AIが行うこのような学習を，**機械学習**と呼ぶ。機械学習は，次の三つに分類することができる。

▶表2.7.2　機械学習の分類

	入力に関するデータ［質問］	出力に関するデータ（教師データ）［正しい答え］		主な活用事例
教師あり学習	与えられる	○	与えられる	出力に関する回帰，分類
教師なし学習	与えられる	×	与えられない	入力に関するグループ分け，情報の要約
強化学習	与えられる（試行する）	△（間接的）	正しい答え自体は与えられないが，報酬（評価）が与えられる	将棋，囲碁，ロボットの歩行学習

※総務省ICTスキル総合習得教材より

教師あり学習は，解答（教師データ）の付いたデータを学習する。例えば「猫」という解答の付いた大量の画像を学習することで，解答のない（猫の）画像に対して「これは猫」と答えることが可能になる。

教師なし学習は，解答のないデータを学習する。大量のデータを，さまざまな特徴をもとにAI自らが分類し要約する。

強化学習は，さまざまな試行錯誤を通じて，評価（報酬）の高い行動や選択を学習する。例えば二足歩行ロボットでは，さまざまな歩行法を試行錯誤しながら歩行距離の長い（評価の高い）歩行法を学習する。

■ ニューラルネットワーク

ニューラルネットワークは脳の神経回路の仕組みを模した分析モデルで，入力層，中間層（隠れ層），出力層の３層から構成される。図は，入力で与えられた画像が「顔の画像」かどうかを判断するモデルである。

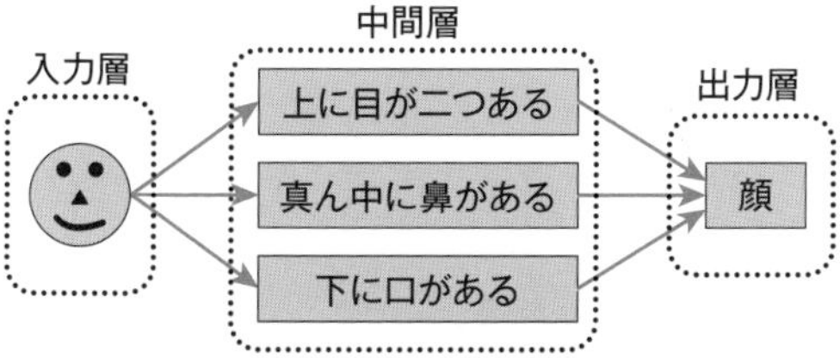

▶図2.7.3　顔画像を判断する例

中間層は，一つ前の層から受け取ったデータに対し，重み付けや変換を施す。例えば顔画像について目と口を重視するのであれば，該当する中間層で重み付けする。

ニューラルネットワークを教師あり学習に応用する場合は，出力層（人工知能の回答）と教師データを照合し，より正答率が高くなるよう重みを調整する。

ニューラルネットワークには，CNN（畳み込みニューラルネットワーク）やRNN（再帰型ニューラルネットワーク）などの種類がある。CNNは画像や動画認識に広く用いられ，RNNは自然言語処理に用いられる。

■ ディープラーニング（深層学習）

ニューラルネットワークを改善したモデルが**ディープラーニング**である。ディープラーニングは，**2層以上の中間層を持つ**ことで，より精度の高い出力を得ることができる。

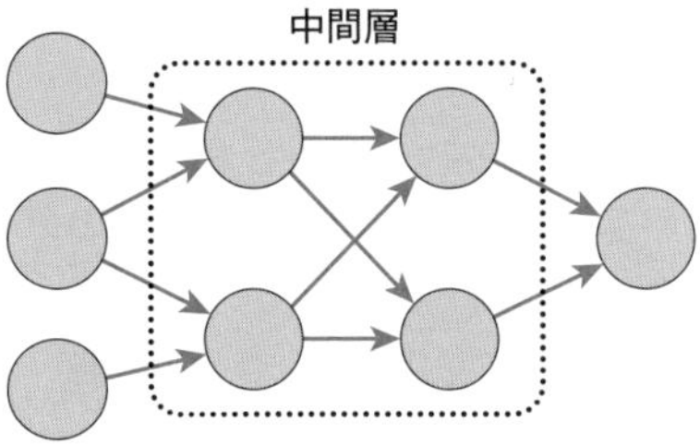

▶図2.7.4　ディープラーニング

午前Ⅱ試験 確認問題

問1 ☑☐ ☐☐ LANケーブルに関する記述として，適切なものはどれか。

(H25問1，H23問1，H20問42)

ア LANケーブル内の対になった導線がより線となっているのは，導線に発生する外来ノイズを減らすためであり，ケーブル内の全ての対のピッチは均一の方が効果が高い。

イ カテゴリ5eのUTPケーブルは1000BASE-Tで利用される非シールドより対線であり，2本の導線が4対収められている。

ウ カテゴリ6のUTPケーブルを使用する1000BASE-TXでは，1対のより線で250Mビット/秒のデータを上り下り同時に送り，4対合計で1Gビット/秒の全二重通信を実現している。

エ 対線は2本の導線の電位差で情報を伝え，この対線に発生する外来ノイズの大きさは2本の導線の間隔に反比例する。

問1 解答解説

1000BASE-Tは，10BASE-Tや100BASE-TXと同様にUTPケーブルを使用する，ギガビットイーサネットの規格である。ツイストペアケーブルは，より対線とも呼ばれ，2本の導線をポリエチレンで被膜して導体をより合わせたものが4対収められている。ツイストペアケーブルには，導体の周りを外部導体でシールドしたシールドツイストペアケーブル（STP）と，シールドがない非シールドツイストペアケーブル（UTP）がある。EIA/TIA 568でUTPの規格が定められており，10BASE-Tはカテゴリ3以上，100BASE-TXはカテゴリ5以上，1000BASE-Tはカテゴリ5e以上のUTPケーブルを使用することが推奨されている。

ア ピッチとは，2本の導線を1回よる間隔のことをいう。逆向きの電流が流れる2本の導線をよると，外部のノイズ源からの電磁波の影響で導線に発生する電流の向きがよりの前後で反転するので打ち消し合い，導線に外来ノイズが発生することを低減させる効果がある。しかし，ケーブル内の対のピッチを均一にすると，隣接する対線がノイズ源となって導線に発生する電流の向きがよりの前後で反転せず，導線に外来ノイズが発生するため，ツイストペアケーブル内の対のピッチは対ごとに変えている。

ウ 1000BASE-TXでは，4対のより線を使用し，上り専用に2対，下り専用に2対を充てている。それぞれの1対で500Mビット/秒のデータを送り，合計で1Gビット/秒の全二重通信を実現している。

エ 対線は，2本の導線に逆向きに流れる電流の電位差で情報を伝える。2本の導線の間隔が小さいと，外部のノイズ源からの電磁波の影響は，逆向きに電流が流れる2本の導線に対して均等になるので，電位差を取ると相殺され，外来ノイズに強い伝送を実現できる。しかし，2本の導線の間隔が大きくなると，外部のノイズ源からの電磁波の影響に差が出るため，対線に外来ノイズが発生する。 《解答》イ

問2 ☑□ □□ 長距離の光通信で用いられるマルチモードとシングルモードの光ファイバの伝送特性に関する記述のうち，適切なものはどれか。 (R4問2)

ア シングルモードの方が伝送速度は速く，伝送距離も長い。
イ シングルモードの方が伝送速度は速いが，伝送距離は短い。
ウ マルチモードの方が伝送速度は速く，伝送距離も長い。
エ マルチモードの方が伝送速度は速いが，伝送距離は短い。

問2 解答解説

光ファイバは光透過率が高く屈折率が異なる二つの素材が組み合わされている。中心部をコアといい，同心円状にコアを取り巻く部分をクラッドという。コア部分はクラッドよりも屈折率が高くなっており，光信号はコア内を全反射しながら進んでいく。

光ファイバにはシングルモードとマルチモードの二種類がある。シングルモードはコア径を小さくすることでコア内の光の通り道（モード）を一つのみにし，単一の波長が屈折や反射が少ない状態で通過する。一方，マルチモードには複数のモードが存在し，コア内を複数モードの光が反射を繰り返しながら進んでいく。このため次のような特徴がある。

種類	特徴
シングルモード	・伝送損失が小さい。 ・折り曲げに弱い。
マルチモード	・伝送損失が大きい。 ・折り曲げに強い。

伝送損失が小さいということは，高速な通信が可能で伝送距離も長いということであり，マルチモードよりもシングルモードの方が伝送速度は速く，伝送距離も長い。 《解答》ア

問3 ☑□ □□ 高速無線通信で使われている多重化方式であり，データ信号を複数のサブキャリアに分割し，各サブキャリアが互いに干渉しないように配置する方式はどれか。 (R5問2，H30問1，H28問2，H24問2)

ア CCK　　イ CDM　　ウ OFDM　　エ TDM

問3 解答解説

OFDM（Orthogonal Frequency Division Multiplex；直交周波数分割多重）は，中心周波数の異なる複数のキャリア（搬送波）を使ってデータを同時に送るマルチキャリア通信方式の一つである。マルチキャリア通信方式は隣り合ったサブキャリアの信号が干渉しやすいため，OFDMではサブキャリアを直交（内積が0）させることで干渉の問題を解決している。IEEE802.11a/g/n/acの変調方式に用いられている。

CCK（Complementary Code Keying；相補符号変調）：IEEE802.11bの変調に用いられている方式で，拡散符号にも情報を持たせることで高速化を図っている
CDM（Code Division Multiplex；符号分割多重）：一つの信号を複数のチャネルに分割して割り当てる多重化方式である。携帯電話の通信で用いられる
TDM（Time Division Multiplex；時分割多重）：複数の信号を短い時間ごとに分割して多重化する通信方式である

《解答》ウ

問4 ☑☐☐☐ 日本国内において，2.4GHz帯の周波数を**使用しない**無線通信の規格はどれか。（H30問12）

ア Bluetooth　　イ IEEE 802.11ac
ウ IEEE 802.11b　　エ IEEE 802.11g

問4 解答解説

IEEE802.11acはIEEE802.11aと同様に，2.4GHz帯の周波数を使用せず，5GHz帯を使用する無線LAN規格である。主な無線LAN規格が使用する周波数帯域は次表のとおりである。

無線LAN規格	周波数帯域
IEEE802.11b	2.4GHz帯
IEEE802.11a	5GHz帯
IEEE802.11g	2.4GHz帯
IEEE802.11n	2.4GHz帯，5GHz帯
IEEE802.11ac	5GHz帯
IEEE802.11ax	2.4GHz帯，5GHz帯，6GHz帯（Wi-Fi 6E）

また，Bluetoothは2.4GHz帯の周波数帯域を利用する近距離無線規格である。《解答》イ

問5 ☑☐ ☐☐ 無線LAN標準規格に関する記述のうち，適切なものはどれか。

(H25問3)

ア IEEE 802.11aでは，周波数帯として2.4GHz帯を使用することが規定されている。

イ IEEE 802.11bでは，変調方式としてOFDMを使用することが規定されている。

ウ IEEE 802.11gでは，アンテナ技術としてMIMOが規定されている。

エ IEEE 802.11nでは，20MHzと40MHzのチャネル幅が規定されている。

問5 解答解説

IEEE802.11nでは，チャネル幅として，従来の1チャネルの20MHzに加え，チャネルボンディングによって隣接する二つのチャネルを一つにまとめた40MHzが規定されている。

ア IEEE802.11aでは，周波数帯として5GHz帯を使用する。

イ IEEE802.11bでは，変調方式としてDSSS (Direct Sequence Spread Spectrum) やCCK (Complementary Code Keying) を使用する。OFDM (Orthogonal Frequency Division Multiplexing) を使用するのは，IEEE802.11a/g/nなどである。

ウ IEEE802.11gでは，MIMO (Multiple Input Multiple Output) を使用することはできない。MIMOが規定されているのは，IEEE802.11nやIEEE802.11acである。

《解答》エ

問6 ☑☐ ☐☐ IoT向けの小電力の無線機器で使用される無線通信に関する記述として，適切なものはどれか。

(R元問15)

ア BLE (Bluetooth Low Energy) は従来のBluetoothとの互換性を維持しながら，低消費電力での動作を可能にするために5GHz帯を使用する拡張がなされている。

イ IEEE 802.11acではIoT向けに920MHz帯が割り当てられている。

ウ Wi-SUNではマルチホップを使用して500mを超える通信が可能である。

エ ZigBeeでは一つの親ノードに対して最大7個の子ノードをスター型に配置したネットワークを使用する。

問6 解答解説

Wi-SUN (Wireless Smart Utility Network) は，IEEE802.15.4g規格をベースに相互接続を実現する無線通信規格である。920MHz帯を使用し，低速であるが消費電力を抑えた無線通信を行える。また，端末間の通信可能距離は500m程度であるが，複数台の端末を中継するマルチホップ（多段中継）を採用することで，障害物などの影響を少なくでき，500mを超える無線通信を実現できる。電力会社の次世代電力量計「スマートメータ」との無線通信用途に採用されることが決まっている無線通信規格であり，その他のIoT向けの省電力の無線機器間の相互接続用途への活用も検討されている。

ア　BLE（Bluetooth Low Energy）は，2.4GHz帯を使用して低消費電力を実現したBluetoothの規格の一つである。従来のBluetoothとの互換性はない。
イ　IEEE802.11ahに関する記述である。IEEE802.11acは5GHz帯を使用する無線LAN規格である。
エ　Bluetoothのピコネットに関する記述である。ZigBeeはセンサネットワークを意識して，スター型，クラスタツリー型，メッシュ型のネットワークトポロジに対応している。

《解答》ウ

問7 ☑□ □□ IoT向けのアプリケーション層のプロトコルであるCoAP(Constrained Application Protocol）の特徴として，適切なものはどれか。（R5問8）

ア　信頼性よりもリアルタイム性が要求される音声や映像の通信に向いている。
イ　大容量で高い信頼性が要求されるデータの通信に向いている。
ウ　テキストベースのプロトコルであり，100文字程度の短いメッセージの通信に向いている。
エ　パケット損失が発生しやすいネットワーク環境での，小電力デバイスの通信に向いている。

問7 解答解説

CoAP（Constrained Application Protocol）とは，UDP上で動作する軽量プロトコルである。ヘッダーサイズは4バイトと小さく，主に低消費電力が求められるIoT機器間の通信などで利用されている。パケット損失が発生しやすい環境において，TCP上で動くプロトコルは輻輳や再送の発生が増え，電力消費が大きくなりやすいが，CoAPはそのような環境下での小電力デバイスの通信に向いている。また，HTTPとの互換性を意識した作りとなっており，HTTPサーバからの操作などを実装しやすい。

ア　UDPに関する記述である。CoAPは音声や映像などの大容量データ向けのプロトコルではない。
イ　TCPに関する記述である。
ウ　MQTTに関する記述である。CoAPはバイナリフォーマットを使用する。《解答》エ

問8 ☑□ □□ FC（ファイバチャネル）フレームをイーサネットで通信するFCoEの説明のうち，適切なものはどれか。（H25問7）

ア　イーサネットのパケットサイズに合わせて，FCフレームサイズが調整される。

イ　通信のオーバヘッドを小さくするために，UDPを用いる。
ウ　通信の信頼性を確保するために，TCPを用いる。
エ　転送ロスを発生させないための拡張がされたイーサネットで，FCフレームを通信する。

問8　解答解説

FCoE（Fiber Channel over Ethernet）は，FCフレームをイーサネットフレームにカプセル化して，拡張されたイーサネット上でFCフレームを転送する技術である。イーサネットの拡張技術は，IEEE802.1委員会のDCB（Data Center Bridging）タスクグループで規格化が進められており，優先度別のフロー制御や，輻輳通知の仕組みによって，ロスが発生しないフレーム転送を実現する。

ア　FCフレームは，イーサネットフレームのデータ部にそのままカプセル化される。
イ，ウ　FCoEでは，上位層として，TCPやUDPではなく，FCプロトコルを利用する。

《解答》エ

問9 ✔□□□　ネットワーク機器のイーサネットポートがもつ機能であるAutomatic MDI/MDI-Xの説明として，適切なものはどれか。　（R3問1，H28問1）

ア　接続先ポートの受信不可状態を自動判別して，それを基に自装置からの送信を止める機能
イ　接続先ポートの全二重・半二重を自動判別して，それを基に自装置の全二重・半二重を変更する機能
ウ　接続先ポートの速度を自動判別して，それを基に自装置のポートの速度を変更する機能
エ　接続先ポートのピン割当てを自動判別して，ストレートケーブル又はクロスケーブルのいずれでも接続できる機能

問9　解答解説

ネットワーク機器のイーサネットポートにはMDI（Medium Dependent Interface）とMDI-Xの2種類があり，受信用と送信用のピンの割当てが異なる。PCなどはMDIポートを持ち，スイッチなどはMDI-Xポートを持つ。機器を接続する場合は，一方の機器の送信用のピンと他方の機器の受信用のピンを結線する必要があるので，MDIポートとMDI-Xポートの接続にはストレートケーブル（ケーブルの両端のピンが同じ番号同士で結線）を，MDIポート同士またはMDI-Xポート同士の接続にはクロスケーブル（ケーブル内で結線が交差）

を用いる。ただし現在では，リピータハブやスイッチが接続先ポートのピン割当てを自動的に判別して，いずれのケーブルでも接続できるようにするAutomatic MDI/MDI-X機能を備えていることが一般的である。

なお，イやウのような全二重／半二重と速度の自動判別・変更を行う機能は，オートネゴシエーションと呼ばれる。

《解答》エ

問10 ☑□□□ CSMA/CD方式のブリッジで接続された二つのセグメント間で，ブロードキャストフレームの中継と，衝突発生時にできる不完全フレームの中継について，適切な組合せはどれか。（H21問2）

	ブロードキャストフレームの中継	衝突発生時にできる不完全フレームの中継
ア	中継する	中継する
イ	中継する	中継しない
ウ	中継しない	中継する
エ	中継しない	中継しない

問10 解答解説

CSMA/CD（Carrier Sense Multiple Access with Collision Detection；搬送波感知多重アクセス／衝突検出）方式のブリッジは，LANセグメントをOSI基本参照モデルのデータリンク層で接続し，フレームを中継するLAN間接続機器である。ブリッジは，フレームヘッダの解析を行い，フレームの効率的な中継を行う。

ブリッジは，MACアドレスの全ビットが“1”のフレームであるブロードキャストフレームをすべてのポートに対して中継し，ブロードキャストドメインは分割しない。

一方，ブリッジは，フレームヘッダを解析して中継するため，ジャム信号を必要なLANセグメントにしか中継せず，コリジョンドメインを分割する。よって，衝突発生時にできる不完全フレームを中継しない。

《解答》イ

問11 ☑□□□ スパニングツリープロトコルに関する記述のうち，適切なものはどれか。（R4問4，R元問4，H29問5）

ア　OSI基本参照モデルにおけるネットワーク層のプロトコルである。

イ　ブリッジ間に複数経路がある場合，同時にフレーム転送することを可能にするプロトコルである。

ウ　ブロードキャストフレームを，ブリッジ間で転送しない利点がある。

エ　ルートブリッジの決定には，ブリッジの優先順位とMACアドレスが使用される。

問11　解答解説

スパニングツリープロトコル（STP：Spanning Tree Protocol）は，LANのリンクがループを形成している場合に，一部のブリッジのポートを無効化することによって論理的なツリー構造のLANを構成するプロトコルである。ブリッジ間ではBPDU（Bridge Protocol Data Unit）と呼ばれる制御フレームを交換し，その中のブリッジIDが最も小さいブリッジがルートブリッジとなり，ルートブリッジから遠い冗長なリンクが無効化される。このブリッジIDは，ブリッジの優先順位とMACアドレスから決められる。

ア　STPはデータリンク層のプロトコルである。

イ　STPでは，冗長なリンクを無効化することによってループを解消するので，同時に複数の経路を用いてフレーム転送を行うことはできない。

ウ　STPを用いた場合でも，ブロードキャストフレームはブリッジ間で転送される。

《解答》エ

問12

☑□ □□

コンピュータとスイッチングハブ（レイヤ2スイッチ）の間，又は2台のスイッチングハブの間を接続する複数の物理回線を論理的に1本の回線に束ねる技術はどれか。（H25問5）

ア　スパニングツリー　　イ　ブリッジ

ウ　マルチホーミング　　エ　リンクアグリゲーション

問12　解答解説

コンピュータとスイッチングハブ（レイヤ2スイッチ）の間や，2台のスイッチングハブの間を接続する複数の物理回線を論理的に1本の回線に束ねる技術のことを，リンクアグリゲーションという。また，リンクアグリゲーションを行うプロトコルのことをLACP（Link Aggregation Control Protocol）という。LACPは，関係するノード間で相互に状態を比較照合し，自動的に論理的リンクに集約するプロトコルである。

スパニングツリー：ブリッジやスイッチングハブで構成されるLANにおいて，物理的にはループを形成していても，論理的にはツリー構造になるように経路を制御する方法。ブリッジやスイッチングハブに優先順位を付けて，使用する経路を一つに限定することによってループを解消し，フレームが永久ループするのを防いでいる

ブリッジ：複数のLANをデータリンク層のレベルで接続する装置。伝送媒体や媒体アクセス制御方式が異なるLAN同士を相互に接続するときに利用される

マルチホーミング：インターネットなどの外部回線に接続するときに，複数の回線を利用することによって，負荷分散や障害発生時の可用性を高める機能

《解答》エ

問13 ☑□ □□ 図のような2台のレイヤ2スイッチ，1台のルータ，4台の端末から成るIPネットワークで，端末Aから端末Cに通信を行う際に，送付されるパケットの宛先IPアドレスである端末CのIPアドレスと，端末CのMACアドレスとを対応付けるのはどの機器か。ここで，ルータZにおいてプロキシARPは設定されていないものとする。（H30問6）

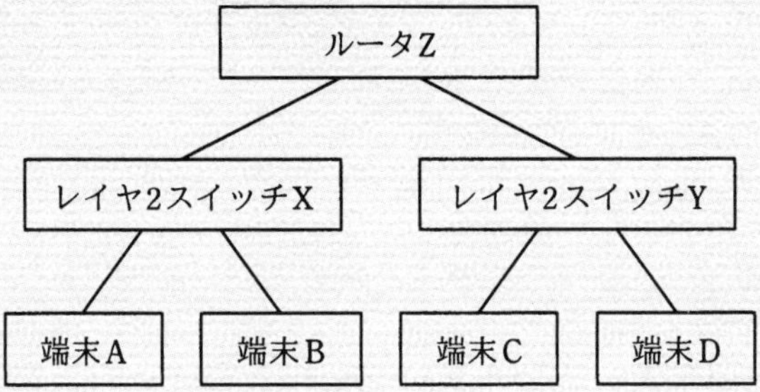

ア　端末A　　　　　　　イ　ルータZ
ウ　レイヤ2スイッチX　　エ　レイヤ2スイッチY

問13 解答解説

端末Aはルータの先の異なるネットワーク上の端末Cと通信を行う場合，デフォルトゲートウェイであるルータZに中継を依頼する必要がある。そこで，端末AはルータZのIPアドレスに対応するMACアドレスを取得するためのARP要求を行い，その応答で得たルータZのMACアドレスを宛先MACアドレスに設定した，次のようなパケット（MACフレーム）を送信する。

宛先MACアドレス	送信元MACアドレス	宛先IPアドレス	送信元IPアドレス
ルータZ	端末A	端末C	端末A

パケットを受信したルータZは，宛先の端末Cが自身のインタフェースに直接つながっているネットワーク上にあることから，端末Cに直接MACフレームを送信する。そこで，ルータZはARPによって端末CのMACアドレスを取得し，次のように宛先MACアドレスと送信元MACアドレスを書き換えたMACフレームを送信する。

宛先MACアドレス	送信元MACアドレス	宛先IPアドレス	送信元IPアドレス
端末C	ルータZ	端末C	端末A

したがって，端末CのIPアドレスと端末CのMACアドレスを対応付けるのは，ルータZである。なお，プロキシARPとは，異なるネットワークに存在するホスト宛てのARP要求に対して，そのホストのMACアドレスの代わりにルータが自身のMACアドレスを応答する機能である。

また，レイヤ2スイッチは，MACアドレステーブルを参照して，MACフレームの宛先MACアドレスの該当する出力ポートにMACフレームを中継する，データリンク層で動作する機器である。上位のネットワーク層のアドレスであるIPアドレスには関与しない。

《解答》イ

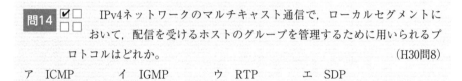

問14 ☑☐ ☐☐ IPv4ネットワークのマルチキャスト通信で，ローカルセグメントにおいて，配信を受けるホストのグループを管理するために用いられるプロトコルはどれか。（H30問8）

ア ICMP　　イ IGMP　　ウ RTP　　エ SDP

問14 解答解説

マルチキャスト通信では，マルチキャストグループと呼ばれるグループに所属しているホストに対して同一のパケットを一斉に送信する。IGMP（Internet Group Management Protocol）は，IPv4ネットワーク上でIPマルチキャストを受信するマルチキャストグループの管理を行うプロトコルである。ホストがあるマルチキャストグループへの参加や離脱をルータに通知する際に，IGMPのメッセージを利用する。

ICMP（Internet Control Message Protocol）：ネットワーク上の異常を検出し，送信元ホストに異常発生を通知するプロトコル
RTP（Real-time Transport Protocol）：音声や動画などのデータストリームをリアルタイムに配送するためのデータ転送プロトコル
SDP（Session Description Protocol）：マルチメディアセッションを確立するために必要な情報の記述形式を定めたプロトコル

《解答》イ

問15 ☑☐ ☐☐ IPネットワークにおいてIEEE 802.1Qで使用されるVLANタグは図のイーサネットフレームのどの位置に挿入されるか。（R5問11）

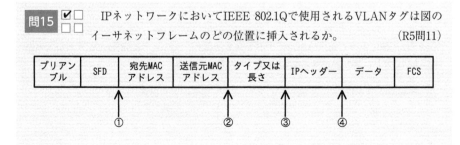

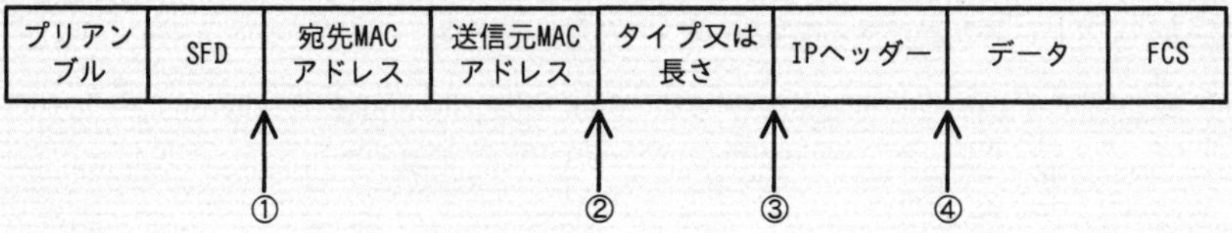

ア ①　イ ②　ウ ③　エ ④

問15 解答解説

IEEE802.1Qでは，VLANタグについて「送信元MACアドレス」と「タイプ又は長さ」の間に32ビットのフィールドを追加すると定めている。この32ビットのうち12ビットがVIDのフィールドで，その他はVLANタグが付与されているフレームであることを示す値などで構成されている。

なお，QinQ（二重タギング）の場合も同じ位置に，追加でVLANタグを挿入する。

プリアンブル	SFD	宛先MACアドレス	送信元MACアドレス	VLANタグ	タイプ又は長さ	IPヘッダー	データ	FCS

TPID	TCI		
	PCP	CFI	VID

TPID：タグプロトコルID（16ビット）
TCI：タグ制御情報（16ビット）
- PCP：フレーム優先度（3ビット）
- CFI：アドレス形式（1ビット）
- VID：VLAN ID（12ビット）

図　タグ付きフレーム

《解答》イ

問16 ✔□ □□

VLAN機能をもった1台のレイヤ3スイッチに40台のPCを接続している。スイッチのポートをグループ化して複数のセグメントに分けたとき，スイッチのポートをセグメントに分けない場合に比べて得られるセキュリティ上の効果の一つはどれか。（R4問19，H25問20）

ア　スイッチが，PCから送出されるICMPパケットを同一セグメント内も含め，全て遮断するので，PC間のマルウェア感染のリスクを低減できる。

イ　スイッチが，PCからのブロードキャストパケットの到達範囲を制限するので，アドレス情報の不要な流出のリスクを低減できる。

ウ　スイッチが，PCのMACアドレスから接続可否を判別するので，PCの不正接続のリスクを低減できる。

エ　スイッチが，物理ポートごとに，決まったIPアドレスをもつPCの接続だけを許可するので，PCの不正接続のリスクを低減できる。

問16 解答解説

ブロードキャストパケットの到達範囲は，ブロードキャストパケットを送出したPCと同一セグメント内にあるすべてのホストである。したがって，レイヤ3スイッチに複数のPCを接続し，セグメントを分けていない場合は，レイヤ3スイッチのすべてのポートにブロードキャストパケットが中継される。しかし，レイヤ3スイッチのVLAN機能を用いて複数のセグメントに分割すると，ARPなどのブロードキャストパケットは，送出したPCが接続されているポートと同一のVLAN IDを持つポートにしか中継されないため，到達範囲を制限することになり，アドレス情報の不要な流出のリスクを低減でき，セキュリティの向上につながる。

ア　レイヤ3スイッチのフィルタリング機能を用いて，PCから送出されるICMPパケットをすべて遮断することによって，マルウェアがpingを用いて感染対象を探して感染を拡大させるリスクを低減させることはできるが，VLAN機能によるセグメント分割とは関係ない。

ウ　レイヤ3スイッチのMACアドレスフィルタリング機能を用いて，PCのMACアドレスから接続可否を判別することによって，PCの不正接続のリスクを低減させることはできるが，VLAN機能によるセグメント分割とは関係ない。

エ　レイヤ3スイッチのフィルタリング機能を用いて，物理ポートごとに，決まったIPアドレスのパケットのみの通過を許可することによって，PCの不正接続のリスクを低減させることはできるが，VLAN機能によるセグメント分割とは関係ない。　《解答》イ

問17 ✔□ □□ OpenFlowプロトコルを使用するSDN（Software-Defined Networking）において，コントローラとOpenFlowスイッチ間の通信に関する記述として，適切なものはどれか。　(R元問12)

ア　オーバヘッドを避けるためにUDPやTCPは使用せずIPを直接使用する。

イ　信頼性や安全性を確保するためにTCPやTLSを使用する。

ウ　パラレル伝送を行うためにSANで利用されるファイバチャネル上のSCSIを使用する。

エ　リアルタイム性に関する要求を満たすためにUDPを使用する。

問17 解答解説

SDN（Software-Defined Networking）は，ネットワークの構成や動作をソフトウェアで定義するという概念である。OpenFlowはSDNを実現するために標準的に用いられている技術であり，

・実際のデータ転送を担当する“スイッチ（ネットワーク機器）”

・ネットワーク機器を制御管理する“コントローラ”

という要素に分離して，経路制御機能をコントローラに集約し，コントローラの指示に従ってデータを転送するようにOpenFlowスイッチを制御する。

コントローラとOpenFlowスイッチ間は，信頼性の高いTCPまたは安全性も確保したTLSを用いて接続し，OpenFlowプロトコルを用いてメッセージをやり取りする。

《解答》イ

問18 ☑☐☐☐ 内部ネットワーク上のPCからインターネット上のWebサイトを参照するときは，DMZ上のVDI（Virtual Desktop Infrastructure）サーバにログインし，VDIサーバ上のWebブラウザを必ず利用するシステムを導入する。インターネット上のWebサイトから内部ネットワーク上のPCへのマルウェアの侵入，及びPCからインターネット上のWebサイトへのデータ流出を防止するのに効果がある条件はどれか。 (H29問20)

ア PCとVDIサーバ間は，VDIの画面転送プロトコル及びファイル転送を利用する。
イ PCとVDIサーバ間は，VDIの画面転送プロトコルだけを利用する。
ウ VDIサーバが，プロキシサーバとしてHTTP通信を中継する。
エ VDIサーバが，プロキシサーバとしてVDIの画面転送プロトコルだけを中継する。

問18 解答解説

VDIはクライアントの仮想化（デスクトップ仮想化）を実現する方式の一つである。内部ネットワーク上のPCからDMZのVDIサーバのWebブラウザを利用してインターネット上のWebサイトを参照するので，PCとVDIサーバ間はVDIの画面転送プロトコルだけを利用し，PCのHTTPやHTTPSのポートは塞ぐ。PCはVDIサーバから画面情報のみを受け取ることになり，DMZ上のVDIサーバがマルウェアに感染したとしても，内部ネットワーク上のPCを保護することができる。また，PCからインターネット上のWebサイトへのデータ流出に利用されるHTTPやHTTPSのポートを塞ぐことから，PCからのデータ流出を防止する効果もある。

ア ファイル転送を行うと，PCへのマルウェア侵入やPCからのデータ流出のおそれがある。
ウ，エ VDIサーバは，プロキシサーバとして代理中継を行うわけではない。

《解答》イ

問19 ☑☐☐☐ MPLSの説明として，適切なものはどれか。 (R3問11，H28問9，H24問15)

ア IPプロトコルに暗号化や認証などのセキュリティ機能を付加するための規格であ

る。

イ　L2FとPPTPを統合して改良したデータリンク層のトンネリングプロトコルである。

ウ　PPPデータフレームをIPパケットでカプセル化して，インターネットを通過させるためのトンネリングプロトコルである。

エ　ラベルと呼ばれる識別子を挿入することによって，IPアドレスに依存しないルーティングを実現する，ラベルスイッチング方式を用いたパケット転送技術である。

問19　解答解説

MPLS（Multi-Protocol Label Switching）は，ラベルを用いてIPネットワーク上でパケットを効率よく転送するプロトコルである。インターネット上ではなく，通信事業者の保有するバックボーンネットワーク上に構築するVPNであるIP-VPNを実現する際に用いられている。

MPLSでは，バックボーンネットワークの入り口のルータ（LER：Label Edge Router）において，どの出口のルータに向かうかを示すラベルをIPパケットに付与する。バックボーンネットワーク中のルータ（LSR：Label Switching Router）では，このラベルのみを参照してパケットを転送する。これによって，IPアドレスをもとにしたルーティング処理が不要となり，処理の高速化と同時にセキュリティも向上させることができる。

ア　IPsec（IP security）に関する記述である。
イ　L2TP（Layer 2 Tunneling Protocol）に関する記述である。
ウ　PPTP（Point-to-Point Tunneling Protocol）に関する記述である。　《解答》エ

問20 ☑□ □□　ディジタル証明書に関する記述のうち，適切なものはどれか。

（H26問17）

ア　S/MIMEやTLSで利用するディジタル証明書の規格は，ITU-T X.400で規定されている。

イ　ディジタル証明書は，SSL/TLSプロトコルにおいて通信データの暗号化のための鍵交換や通信相手の認証に利用されている。

ウ　認証局が発行するディジタル証明書は，申請者の秘密鍵に対して認証局がディジタル署名したものである。

エ　ルート認証局は，下位の認証局の公開鍵にルート認証局の公開鍵でディジタル署名したディジタル証明書を発行する。

問20 解答解説

ディジタル証明書（公開鍵証明書）は，公開鍵の真正性を証明することを主目的として，認証局が発行する証明書である。

SSL/TLSは，クライアントとサーバ間の通信の機密性，完全性を確保するセキュリティプロトコルである。サーバのディジタル証明書を用いた第三者電子認証によってサーバを認証し（オプションでクライアントのディジタル証明書を用いたクライアント認証も可能），サーバのディジタル証明書に含まれる公開鍵でセッション鍵の種を暗号化して交換し，生成したセッション鍵を用いて暗号化通信を実現する。

ア　ディジタル証明書の規格を規定しているのは，ITU-T X.509である。

ウ　ディジタル証明書は，申請者の公開鍵に対して認証局がディジタル署名したものである。

エ　ディジタル証明書は，認証局の秘密鍵でディジタル署名したものである。認証局の公開鍵は，ディジタル証明書を検証する際に使用する。この仕組みは，ルート認証局の場合も同じである。

《解答》イ

問21 ☑□□□　CRL（Certificate Revocation List）はどれか。　(H24問19)

ア　有効期限切れになったディジタル証明書の公開鍵のリスト

イ　有効期限切れになったディジタル証明書のシリアル番号のリスト

ウ　有効期限内に失効したディジタル証明書の公開鍵のリスト

エ　有効期限内に失効したディジタル証明書のシリアル番号のリスト

問21 解答解説

失効したディジタル証明書の一覧を，CRL（Certificate Revocation List；証明書失効リスト）という。証明書を発行したCA（Certificate Authority；認証局）が，運用ポリシに則って発行する。CRLには更新日時の領域があり，ある時点での証明書の有効性を確認できる。CRLには失効された証明書のシリアル番号，CRLの発行者名（通常は認証局の名前），更新日，次回更新日などが記載されている。発行されたCRLは，リポジトリと呼ばれるサーバに格納されて利用者に公開される。

ア，イ　有効期限切れではなく，有効期限内に失効したディジタル証明書のリストである。

ウ　ディジタル証明書の公開鍵のリストではなく，シリアル番号のリストである。

《解答》エ

問22 ☑☐ ☐☐　チャレンジレスポンス認証の方式として，適切なものはどれか。

(H24問20，H21問18)

ア　SSLによって，クライアント側で固定パスワードを暗号化して送信する。

イ　クライアント側で端末のシリアル番号を秘密鍵を使って暗号化して送信する。

ウ　トークンという装置が表示する毎回異なったデータを，パスワードとして送信する。

エ　利用者が入力したパスワードと，サーバから送られたランダムなデータとをクライアント側で演算し，その結果を送信する。

問22　解答解説

チャレンジレスポンス認証方式は，認証主体が作成する毎回異なるランダムなチャレンジコードをもとに，被認証主体が暗号技術を適用してレスポンスコードを生成し，レスポンスコードを認証主体が検証することで被認証主体の真正性を確認する方式である。主な実現手順としては，クライアントがユーザのパスワードとチャレンジコードをもとにハッシュ関数などを適用してレスポンスコードを生成してサーバに送信し，サーバでは登録されているユーザのパスワードとチャレンジコードから同様にレスポンスコードを生成して，送られてきたレスポンスコードと一致すれば認証する。パスワードをそのまま通信することがないため，パスワードを窃取されることを防止できる。また，チャレンジコードは毎回変わるので，リプレイアタックにも対抗できる。

ア　SSL暗号化通信を利用したパスワード認証に関する記述である。

イ　SSHの公開鍵認証に関する記述である。

ウ　ワンタイムパスワード認証のタイムシンクロナス方式に関する記述である。

《解答》エ

問23 ☑☐ ☐☐　PPPに関する記述のうち，適切なものはどれか。　(H25問11)

ア　上位のプロトコルとして使用できるのは，IPに限られている。

イ　伝送モードは半二重方式である。

ウ　認証プロトコルや圧縮プロトコルが規定されている。

エ　ベーシック手順を基にしたプロトコルである。

問23　解答解説

PPP（Point to Point Protocol）はダイヤルアップ接続の際などに用いられる，2ノード間での伝送制御プロトコルである。PAPやCHAPといったプロトコルによるユーザ認証機能や，データ圧縮機能を持っている。

ア　PPPは，IP以外にもIPXやAppleTalkなど複数のネットワーク層のプロトコルに対応し，使用するネットワーク層プロトコルに応じた制御プロトコル（NCP）を用いて，ネットワーク層に関する情報を決定する。
イ　PPPでは全二重通信が行われる。
エ　PPPは，HDLCを基にしている。　《解答》ウ

問24 ☑□□□ 利用者認証情報を管理するサーバ1台と複数のアクセスポイントで構成された無線LAN環境を実現したい。PCが無線LAN環境に接続するときの利用者認証とアクセス制御に，IEEE 802.1XとRADIUSを利用する場合の標準的な方法はどれか。　（H30問21，H26問18）

ア　PCにはIEEE 802.1Xのサプリカントを実装し，かつ，RADIUSクライアントの機能をもたせる。
イ　アクセスポイントにはIEEE 802.1Xのオーセンティケータを実装し，かつ，RADIUSクライアントの機能をもたせる。
ウ　アクセスポイントにはIEEE 802.1Xのサプリカントを実装し，かつ，RADIUSサーバの機能をもたせる。
エ　サーバにはIEEE 802.1Xのオーセンティケータを実装し，かつ，RADIUSサーバの機能をもたせる。

問24 解答解説

IEEE802.1Xは，認証されるために必要なソフトウェアであり，PCに実装される「サプリカント」，無線LANのアクセスポイントなどのようにサプリカントから認証の要求を受けて認証サーバに転送する「オーセンティケータ」，RADIUSサーバなどの「認証サーバ」の三つの要素で構成される。

アクセスポイントに実装される「オーセンティケータ」は，サプリカントからの認証要求をRADIUSサーバに転送するために，RADIUSクライアントの機能を持つ必要がある。

ア　PCにはサプリカントを実装する必要はあるが，RADIUSクライアントの機能を持たせる必要があるのはアクセスポイントである。
ウ　アクセスポイントにはオーセンティケータを実装し，RADIUSクライアントの機能を持たせる必要がある。
エ　オーセンティケータは，サーバではなくアクセスポイントに実装する。　《解答》イ

問25 ☑☐ ☐☐ 認証にクライアント証明書を必要とするプロトコルはどれか。

(R5問19, H30問17)

ア EAP-FAST　イ EAP-MD5　ウ EAP-TLS　エ EAP-TTLS

問25 解答解説

EAP（Extensible Authentication Protocol）は，PPP（Point to Point Protocol）を拡張したユーザ認証のフレームワークを提供する認証プロトコルである。EAPにはさまざまな方式があり，そのうちEAP-TLSは，デジタル証明書をクライアント認証とサーバ認証に用いるプロトコルである。サーバ証明書を用いてクライアントがサーバを認証し，クライアント証明書を用いてサーバがクライアントを認証した後，TLSによる暗号化通信を行う。

EAP-FAST：サーバ，クライアントともに証明書が不要で相互認証を行う方式。強力なパスワードポリシを適用できない環境でも，パスワード有効期限の設定や変更などを柔軟に行えるようにしてセキュリティレベルを高めたパスワードによるクライアント認証を行う

EAP-MD5：サーバ，クライアントともに証明書が不要で，MD5を用いたチャレンジ／レスポンス方式でクライアント認証を行う認証方式

EAP-TTLS：サーバ証明書によるサーバ認証済みのTLS通信路を構築し，その暗号化通信路を利用してパスワードによるクライアント認証を行う。クライアント証明書はオプションであり，必須ではない

《解答》ウ

問26 ☑☐ ☐☐ シングルサインオンの説明のうち，適切なものはどれか。

(H22問18, H18問47)

ア クッキーを使ったシングルサインオンの場合，サーバごとの認証情報を含んだクッキーをクライアントで生成し，各サーバ上で保存，管理する。

イ クッキーを使ったシングルサインオンの場合，認証対象の各サーバを異なるインターネットドメインに配置する必要がある。

ウ リバースプロキシを使ったシングルサインオンの場合，認証対象の各Webサーバを異なるインターネットドメインに配置する必要がある。

エ リバースプロキシを使ったシングルサインオンの場合，利用者認証においてパスワードの代わりにディジタル証明書を用いることができる。

問26 解答解説

シングルサインオンとは，一組のユーザIDとパスワードで，複数のサーバにおける利用者認証を一括して安全に行えるようにする認証方法や仕組みのことである。利用者は1回のログインで複数のサーバの提供するサービスを利用することができる。シングルサインオンを実現する方法には，サーバごとの認証情報を含んだクッキー（認証クッキー）をクライアント上で保存，管理する方法や，各サーバが行うべき利用者認証をリバースプロキシサーバが一括して行う方法などがある。

リバースプロキシを使ったシングルサインオンでは，認証情報を一元的に管理する認証サーバが各サーバに対するリクエストをチェックし，認証済みのリクエストだけをサーバに送信する。そのため，クッキーを使ったシングルサインオンとは異なり，利用者認証においてパスワードの代わりにディジタル証明書を用いることができる。

ア　クッキーを使ったシングルサインオンでは，サーバごとの認証情報を含んだクッキーをサーバで生成し，クライアント上で保存，管理する。

イ　クッキーを使ったシングルサインオンでは，認証対象の各サーバはクッキーの伝達範囲内（クッキードメイン内）であることが求められるが，認証対象の各サーバを異なるインターネットドメインに配置する必要はない。

ウ　リバースプロキシを使ったシングルサインオンでは，利用者認証をリバースプロキシサーバが一括して管理するので，認証対象の各Webサーバを異なるインターネットドメインに配置する必要はない。

《解答》エ

問27 ☑☐ ☐☐

SAML（Security Assertion Markup Language）の説明として，最も適切なものはどれか。（H28問16，H20問54）

ア　Webサービスに関する情報を広く公開し，それらが提供する機能などを検索可能にするための仕様

イ　権限がない利用者による傍受，読取り，改ざんから電子メールを保護して送信するための仕様

ウ　ディジタル署名に使われる鍵情報を効率よく管理するためのWebサービスの仕様

エ　認証情報に加え，属性情報とアクセス制御情報を異なるドメインに伝達するためのWebサービスの仕様

問27 解答解説

SAML（Security Assertion Markup Language）は，異なるドメイン間で認証情報，属性情報，アクセス制御情報などを伝達するためのWebサービスプロトコルである。SAML

では，複数サイト間でユーザ認証に必要な情報を送受信する機能があり，両方のサイトに対して権限を持つ利用者であれば，SAMLに対応するWebサイト間でシングルサインオンを実現することができる。

ア　UDDI（Universal Description, Discovery and Integration）の説明である。
イ　PEM（Privacy Enhanced Mail）の説明である。
ウ　XKMS（XML Key Management Specification）の説明である。　《解答》エ

問28 ✔□ □□　IPsecに関する記述のうち，適切なものはどれか。

（R6問21，H30問19）

ア　ESPのトンネルモードを使用すると，暗号化通信の区間において，エンドツーエンドの通信で用いる元のIPヘッダーを含めて暗号化できる。
イ　IKEはIPsecの鍵交換のためのプロトコルであり，ポート番号80が使用される。
ウ　暗号化アルゴリズムとして，HMAC-SHA1が使用される。
エ　二つのホストの間でIPsecによる通信を行う場合，認証や暗号化アルゴリズムを両者で決めるためにESPヘッダーではなくAHヘッダーを使用する。

問28　解答解説

IPsec（IP security）は，IP通信においてセキュリティ機能を実現するプロトコルである。パケット認証，暗号化，鍵交換などの機能を利用することによってヘッダーやデータの改ざん，盗聴などを防止することが可能となる。IPsecの動作モードには，トンネルモードとトランスポートモードがある。ESPのトンネルモードは，元のIPヘッダーを含むIPパケット全体を暗号化し，新たなIPヘッダーを付加（IPカプセル化）する動作モードで，拠点間のVPN構築に適している。一方，ESPのトランスポートモードは，元のIPパケットのデータ部だけを暗号化して転送する方法である。

イ　IKE（Internet Key Exchange）は，IPsecの自動鍵交換プロトコルである。IKEではISAKMPメッセージをやりとりし，UDPポート番号500を使用する。
ウ　HMAC-SHA1は，ハッシュアルゴリズムである。IPsecでは暗号化アルゴリズムとして，共通鍵暗号方式のAESや公開鍵暗号方式のRSAなどが使用される。
エ　AH（Authentication Header）は認証のみを提供し，暗号化の機能はない。認証と暗号化の両方を利用する場合は，ESP（Encapsulating Security Payload）を用いる。

《解答》ア

問29 ✔□ □□　図はIPv4におけるIPsecのデータ形式を示している。ESPトンネルモードの電文中で，暗号化されているのはどの部分か。（R5問9，H28問7）

新 IP ヘッダー	ESP ヘッダー	オリジナル IP ヘッダー	TCP ヘッダー	データ	ESP トレーラ	ESP 認証データ

ア　ESPヘッダーからESPトレーラまで
イ　TCPヘッダーからESP認証データまで
ウ　オリジナルIPヘッダーからESPトレーラまで
エ　新IPヘッダーからESP認証データまで

問29 解答解説

IPsec（IP security）は，IPパケットの送受信を安全に行うためのセキュリティプロトコルである。送信側と受信側で，利用するプロトコルモード，暗号化や認証に適用するプロトコル，暗号化や認証のためのアルゴリズムや鍵などの情報を共有するために，SA（Security Association）と呼ばれる論理的なコネクションを確立し，IPパケットの暗号化や認証を行う。IPパケットの暗号化や認証を行う際に，ESP（Encapsulating Security Payload）を適用し，トンネルモードで暗号化することを，ESPトンネルモードという。ESPトンネルモードでは，オリジナルのIPパケット全体をペイロードとしてIPカプセル化するために新IPヘッダーを付加し，ESPヘッダーとESPトレーラでペイロードを挟んだ部分を認証対象とするESP認証データを付加する。この場合の暗号化対象範囲は，ペイロード（オリジナルIPヘッダー，TCPヘッダー，データ）とESPトレーラである。新IPヘッダー，ESPヘッダー，ESP認証データは暗号化の対象範囲には含まれない。　《解答》ウ

問30 ☑☐ ☐☐　TLSに関する記述のうち，適切なものはどれか。

（H30問20，H27問21）

ア　TLSで使用するWebサーバのディジタル証明書にはIPアドレスの組込みが必須なので，WebサーバのIPアドレスを変更する場合は，ディジタル証明書を再度取得する必要がある。
イ　TLSで使用する共通鍵の長さは，128ビット未満で任意に指定する。
ウ　TLSで使用する個人認証用のディジタル証明書は，ICカードにも格納することができ，利用するPCを特定のPCに限定する必要はない。
エ　TLSはWebサーバと特定の利用者が通信するためのプロトコルであり，Webサーバへの事前の利用者登録が不可欠である。

問30 解答解説

TLS（Transport Layer Security）は，ディジタル証明書を適用した第三者認証によって相互に通信相手の正当性を認証し，そのディジタル証明書に組み込まれている正当性が証明された公開鍵を利用して，セッション鍵方式で暗号化通信を実現する。TLSで使用する個人認証用のディジタル証明書は，クライアントそのものではなく，クライアントを利用してサーバにアクセスする個人を認証する目的で発行されたものである。したがって，個人認証用のディジタル証明書をICカードなどに格納して携帯し，別の場所に設置してあるPCに格納して利用することも可能である。ただし，ディジタル証明書を格納したICカードなどを紛失すると，第三者に悪用されるおそれがあることに留意する必要がある。

ア　TLSで使用するWebサーバのディジタル証明書には，FQDNをコモンネームとして組み込むが，IPアドレスは組み込まないので，IPアドレスを変更しても証明書を再度取得する必要はない。ただし，コモンネームとしてIPアドレスを使用できる場合があり，その場合はIPアドレス変更時に証明書を再度取得する必要がある。

イ　TLSで利用する共通鍵の長さは，用いる暗号化アルゴリズムによって異なる。例えばAESを用いる場合は，128ビットや256ビットの鍵長が使用できる。

エ　TLSは，Webサーバとインターネットを利用した不特定の利用者との間の通信にも利用され，Webサーバへの事前の利用者登録は必要ない。　《解答》ウ

問31 ☑□□□　ファイアウォールにおいて，自ネットワークのホストへの侵入を防止する対策のうち，IPスプーフィング（spoofing）攻撃に有効なものはどれか。（H22問20）

ア　外部から入るTCPコネクション確立要求パケットのうち，外部へのインターネットサービスの提供に必要なもの以外を阻止する。

イ　外部から入るUDPパケットのうち，外部へのインターネットサービスの提供や利用したいインターネットサービスに必要なもの以外を阻止する。

ウ　外部から入るパケットのあて先IPアドレスが，インターネットとの直接の通信をすべきでない自ネットワークのホストのものであれば，そのパケットを阻止する。

エ　外部から入るパケットの送信元IPアドレスが自ネットワークのものであれば，そのパケットを阻止する。

問31 解答解説

IPスプーフィング（spoofing）とは，IPパケットレベルのなりすましの手口のことをいう。外部からIPパケットを送り込むために，IPパケットのあて先IPアドレスにターゲットコンピュータのプライベートIPアドレスを設定し，送信元IPアドレスにターゲットコンピュータと同じネットワークにある他のコンピュータのプライベートIPアドレスを設定する。こうする

ことによって，ルータに，外部から届いたIPパケットを，内部からのIPパケットであると誤認させ，外部から内部へ侵入する。

IPスプーフィングによる侵入を防止するには，通信方向をチェックする方向性フィルタリングの機能を用いて，外部から入ってきたパケットの送信元IPアドレスが自ネットワーク（プライベートIPアドレス）のものであれば，基本的に遮断するように設定する。

ア，イ，ウ　内部ネットワークを外部ネットワークからの不正なアクセスから守るための対策である。これらは，ネットワークの接続境界において，許可されたアクセスを通過させ，未許可のアクセスを遮断するファイアウォールを導入することで実現される。

《解答》エ

問32 ☑☐ ☐☐　インラインモードで動作するシグネチャ型IPSの特徴はどれか。

（R5問18）

ア　IPSが監視対象の通信経路を流れる全ての通信パケットを経路外からキャプチャできるように通信経路上のスイッチのミラーポートに接続され，通常時の通信から外れた通信を不正と判断して遮断する。

イ　IPSが監視対象の通信経路を流れる全ての通信パケットを経路外からキャプチャできるように通信経路上のスイッチのミラーポートに接続され，定義した異常な通信と合致する通信を不正と判断して遮断する。

ウ　IPSが監視対象の通信を通過させるように通信経路上に設置され，通常時の通信から外れた通信を不正と判断して遮断する。

エ　IPSが監視対象の通信を通過させるように通信経路上に設置され，定義した異常な通信と合致する通信を不正と判断して遮断する。

問32 解答解説

IPS（Intrusion Prevention System；侵入防止システム）には，ネットワークを監視対象としてネットワークに設置するネットワーク型IPS（NIPS）と，ホストを監視対象としてホストにインストールするホスト型IPS（HIPS）がある。NIPSは監視対象の通信を通過させるように通信経路上（インライン）に設置する。これをインラインモードという。このように設置することによって，不正と判断した通信を遮断することが可能となる。一方，IDS（Intrusion Detection System；侵入検知システム）にもネットワーク型IDS（NIDS）とホスト型IDS（HIDS）があり，NIDSは監視対象の通信経路を流れる全てのパケットを経路外からキャプチャできるように，通信経路上のスイッチのミラーポートにプロミスキャスモードで接続する。

また，IPSやIDSで不正な通信を検知する方法には，不正な通信の特徴を定義したシグネチャと合致する通信を不正と判断するシグネチャ型と，通常時の通信とは異なる通信を不正と判断するアノマリ型がある。

したがって，インラインモードで動作するという点からは“ウ”と“エ”が該当し，シグネチャ型という点からは“イ”と“エ”が該当するので，両方を満たしている“エ”が正解である。

《解答》エ

問33 ☑☐ ☐☐ 無線LANのセキュリティ対策に関する記述のうち，適切なものはどれか。 (H24問21)

ア EAPは，クライアントPCとアクセスポイントとの間で，あらかじめ登録した共通鍵による暗号化通信を実現できる。

イ RADIUSでは，クライアントPCとアクセスポイントとの間で公開鍵暗号方式による暗号化通信を実現できる。

ウ SSIDは，クライアントPCごとの秘密鍵を定めたものであり，公開鍵暗号方式による暗号化通信を実現できる。

エ WPA2では，IEEE 802.1Xの規格に沿った利用者認証及び動的に更新される暗号化鍵を用いた暗号化通信を実現できる。

問33 解答解説

無線LANは電波でデータを送受信するため，不正アクセスされたり，電波を盗聴される可能性がある。このための対策として，WPA2では，IEEE802.1X（Port Based Network Access Control）の規格を用いて，無線LANアクセスポイントなどに端末を接続する際に利用者認証を行い，接続の可否を制御するとともに，セッションごとに端末と無線LANアクセスポイント間で異なる暗号化鍵を動的に提供して暗号化通信を行う。

ア EAP（Extensible Authentication Protocol）は，リモートユーザ認証を拡張するための認証フレームワークであり，無線LANの接続やPPP接続などに利用される。サーバ認証とクライアント認証の両方にディジタル証明書を用いるEAP-TLSや，ディジタル証明書を用いたサーバ認証と，IDとパスワードによるユーザ認証またはディジタル証明書によるクライアント認証を行うPEAPなどの方式がある。

イ RADIUS（Remote Authentication Dial-In User Service）は，ユーザ認証やアクセス制御機能を認証サーバで統括し管理するプロトコルである。

ウ SSID（ESS-ID）は，無線LANで利用されるネットワークIDのことで，SSIDが一致するノード間で通信することができる。

《解答》エ

問34 ☑☐ ☐☐ 無線LANのアクセスポイントがもつプライバシセパレータ機能（アクセスポイントアイソレーション）の説明はどれか。 (H28問21)

ア　アクセスポイントの識別子を知っている利用者だけに機器の接続を許可する。
イ　同じ無線LANのアクセスポイントに接続している機器同士の直接通信を禁止する。
ウ　事前に登録されたMACアドレスをもつ機器だけに無線LANへの接続を許可する。
エ　建物外への無線LAN電波の漏れを防ぐことによって第三者による盗聴を防止する。

問34 解答解説

無線LANのアクセスポイントが持つプライバシセパレータ機能とは，同じ無線LANアクセスポイントに接続している無線端末同士の直接通信を禁止する機能である。この機能によって共有フォルダへのアクセスなどを防止することができ，他人同士が接続するWi-Fiスポットなどで利用されている。

ア　SSIDのステルス化を導入したときの，アクティブスキャンによる無線LANアクセスポイントへの接続に関する記述である。
ウ　無線LANアクセスポイントが持つMACアドレスフィルタリング機能の説明である。
エ　ウォードライビングなどの電波盗聴対策に関する記述である。　《解答》イ

問35 ☑□□□　無線LANにおけるWPA2の特徴はどれか。　(H27問17，H25問19)

ア　AHとESPの機能によって認証と暗号化を実現する。
イ　暗号化アルゴリズムにAESを採用したCCMP (Counter-mode with CBC-MAC Protocol) を使用する。
ウ　端末とアクセスポイントの間で通信を行う際に，TLS Handshake Protocolを使用して，互いが正当な相手かどうかを認証する。
エ　利用者が設定する秘密鍵と，製品で生成するIV (Initialization Vector) とを連結した数を基に，データをフレームごとにRC4で暗号化する。

問35 解答解説

WPA2 (Wi-Fi Protected Access 2) は，IEEE802.11iとして規格化された暗号化プロトコルであるCCMP (Counter-mode with CBC-MAC Protocol) をWi-Fi Allianceのセキュリティ規格として規定したものである。CCMP は，強固な暗号化アルゴリズムであるAESを採用し，無線端末ごとに新たな暗号化鍵が生成される仕組みになっているので，TKIP

よりも格段に安全性が高い。

ア　IPsecに関する記述である。AHは認証のみを，ESPは認証と暗号化を実現する。
ウ　SSL/TLSにおけるサーバ認証，クライアント認証に関する記述である。
エ　WEPの暗号化方式に関する記述である。　《解答》イ

問36 ☑□ □□　ネットワークのQoSを実現するために使用されるトラフィック制御方式に関する説明のうち，適切なものはどれか。

(R3問6，H30問3，H28問5，㊫H23問6)

ア　通信を開始する前にネットワークに対して帯域などのリソースを要求し，確保の状況に応じて通信を制御することを，アドミッション制御という。
イ　入力されたトラフィックが規定された最大速度を超過しないか監視し，超過分のパケットを破棄するか優先度を下げる制御を，シェーピングという。
ウ　パケットの送出間隔を調整することによって，規定された最大速度を超過しないようにトラフィックを平準化する制御を，ポリシングという。
エ　フレームの種類や宛先に応じて優先度を変えて中継することを，ベストエフォートという。

問36 解答解説

トラフィック制御方式において，通信を開始する前にネットワークに対して通信に必要な帯域などのリソースを予約し，許容できない伝送遅延が起きないようにネットワーク上の通信状況に応じた通信制御を行うことをアドミッション制御という。アドミッション制御を実現するネットワーク層のプロトコルとして，RSVP（Resource ReSerVation Protocol）がある。アドミッション制御では，ホスト間のリアルタイム通信に必要な帯域を伝送路上のルータに予約し，RSVPに従ったルータの帯域制御によって，リアルタイム通信に対するネットワークスループットを確保する。

イ　シェーピングではなく，ポリシングに関する説明である。
ウ　ポリシングではなく，シェーピングに関する説明である。
エ　ベストエフォートではなく，グルーピングに関する説明である。　《解答》ア

問37 ☑□ □□　RSVPの説明として，適切なものはどれか。　(H26問12，H19問38)

ア　QoSを実現するために，IPパケットに優先度情報を付加することによって，インターネットを流れるトラフィックを制御する。

イ　オーディオ情報・ビジュアル情報などの連続した情報の発生源を遠隔制御する。
ウ　シーケンス番号とタイムスタンプを付加することによって，リアルタイム情報を伝送するパケット間の時間差を保証する。
エ　ネットワーク資源の予約を行い，ノード間でのマルチメディア情報などのリアルタイム通信を実現する。

問37　解答解説

RSVP（Resource reSerVation Protocol）は，帯域などのネットワーク資源を予約するプロトコルである。テレビ会議などにおいて，マルチメディア情報のリアルタイム通信を実現する際などに利用される。

ア　IPv4パケットのToS（Type of Service）フィールドやIPv6パケットのTraffic Classフィールドを利用したトラフィック制御の説明である。
イ　RTSP（Real Time Streaming Protocol）の説明である。
ウ　RTP（Real-time Transport Protocol）の説明である。　《解答》エ

問38　☑□ □□　IPネットワークにおいて，クライアントの設定を変えることなくデフォルトゲートウェイの障害を回避するために用いられるプロトコルはどれか。　（R元問10，H27問12）

ア　RARP　　イ　RSTP　　ウ　RTSP　　エ　VRRP

問38　解答解説

VRRP（Virtual Router Redundancy Protocol）は，ルータの冗長化を実現するプロトコルである。複数のルータをVRRPグループとして登録して，優先順位の高い1台をマスタルータとし，仮想IPアドレスと仮想MACアドレスを割り当てる。障害発生時にはバックアップルータに仮想IPアドレスと仮想MACアドレスを引き継ぐことによって，クライアントの設定を変更することなくデフォルトゲートウェイ（ルータ）の障害を回避し，通信を継続することができる。

RARP（Reverse Address Resolution Protocol）：MAC アドレスからIPアドレスを取得するプロトコル
RSTP（Rapid Spanning Tree Protocol）：レイヤ2スイッチを利用して冗長化したネットワークにおいて，ループの形成を回避するために利用するSTPを改良し，障害発生時の復旧時間を高速化したプロトコル
RTSP（Real Time Streaming Protocol）：音声や動画などのデータをストリーミング

によってリアルタイムに配信するように制御するプロトコル。実際のストリーミング配信はRTPが行う

《解答》エ

問39 ☑□ □□ 平均ビット誤り率が1×10^{-5}の回線を用いて，200,000バイトのデータを100バイトずつの電文に分けて送信する。送信電文のうち，誤りが発生する電文の個数は平均して幾つか。（R5問6，H27問5，H18問33）

ア 2　イ 4　ウ 8　エ 16

問39 解答解説

平均ビット誤り率が1×10^{-5}の回線を用いて100バイトの電文を送信したとき，一つの電文に誤りが発生する確率は，

$$100\times8\times1\times10^{-5}=8\times10^{-3}$$

となる。200,000バイトのデータを100バイトずつの電文に分けて送信するので，送信する電文数は，

$$200{,}000\div100=2{,}000$$

である。したがって，送信電文のうち，誤りが発生する平均電文数は，次のようになる。

$$8\times10^{-3}\times2{,}000=16$$

《解答》エ

問40 ☑□ □□ 180台の電話機のトラフィックを調べたところ，電話機1台当たりの呼の発生頻度（発着呼の合計）は3分に1回，平均回線保留時間は80秒であった。このときの呼量は何アーランか。（R4問1，H29問2，H26問3）

ア 4　イ 12　ウ 45　エ 80

問40 解答解説

呼量とは，単位時間当たりに発生する呼の総回線保留時間であり，交換回線におけるトラフィックとなる。呼量は，次式で表すことができ，単位にはアーランが用いられる。

呼量［アーラン］＝総回線保留時間÷単位時間

単位時間を1時間（3,600秒）として，提示されている条件を当てはめる。平均回線保留時間が80秒，電話機1台当たりの呼の発生頻度が3分に1回（1時間に 60÷3回），電話機の台数が180台であることから，

呼量＝80×(60÷3)×180÷3,600
　　＝80［アーラン］

となる。

《解答》エ

第3章

サーバ構築

　ネットワークの構築と同時に，組織で使用するアプリケーションを定め，サーバを構築します。これを行うためには，各アプリケーションのプロトコルや仕組みについて，より深い知識が必要になります。ここでは，代表的なアプリケーションやサービスを取りあげて，要点を説明します。

3.1 DHCP (Dynamic Host Configuration Protocol) サーバ

Point!

DHCPは，サーバに登録されている情報を使って，クライアントのネットワーク構成情報を自動的に設定するプロトコルである。クライアントのネットワーク設定を簡略化するためや，インターネット接続においてISPから動的にグローバルIPアドレスを割り当てるためなどに用いられる。
DHCPサーバ機能は，ルータの基本機能として実装されていることが多い。

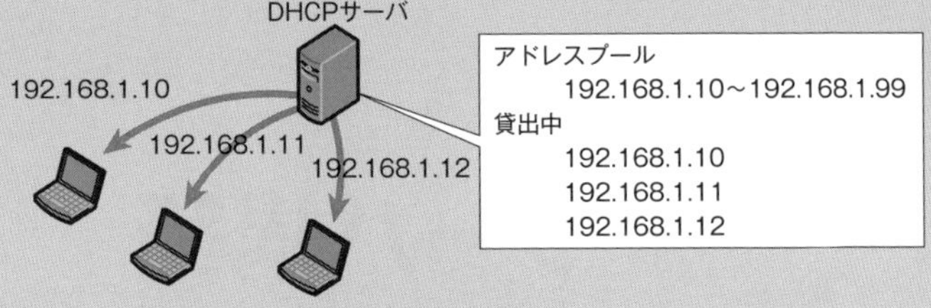

… 30秒チェック！ …
Super Summary

1 DHCPの機能

【目標】DHCPの役割と基本機能を知る。

2 DHCPの動作

【目標】DHCPの基本的な動作を知る。

□DHCPリレーエージェント…ルータを越えてDHCPを利用する機能

3 DHCPのセキュリティ

【目標】DHCPに対する代表的な攻撃や対策を知る。

□DHCPスプーフィング攻撃…DHCPクライアントやDHCPサーバになりすます攻撃

□DHCPスヌーピング…DHCPメッセージを監視してなりすましを防ぐ機能

1 DHCPの機能

DHCPの利用においては，必要なネットワーク構成情報をDHCPサーバに登録し，クライアントがDHCPサーバからネットワーク構成情報を受け取って各種の属性を自動設定できるようにする。DHCPサーバによってクライアントに設定される主要な属性には，次のものがある。

・IPアドレス
・サブネットマスク
・デフォルトゲートウェイのIPアドレス
・DNSサーバのIPアドレス

IPアドレスは，DHCPサーバのIPアドレスプールの中からリース（貸出し）される。IPアドレスプールは，DHCPサーバに設定した貸出し用のIPアドレスのうち，未リースのIPアドレスを集めて管理するものである。IPアドレスのリースには期限があり，これをリース期限と呼ぶ。リース期限内にクライアントからの更新要求がない場合は，そのIPアドレスはIPアドレスプールに戻され，再利用されることになる。

デフォルトゲートウェイはクライアントが外部のネットワークにアクセスする際に中継するルータである。

2 DHCPの動作

ここでは，DHCPの基本的な動作について説明する。

DHCPサーバは，通常は１つのネットワークごとに１台設置される。LANの中で，DHCPクライアントとDHCPサーバがどのようにやり取りしているか，ユニキャスト／ブロードキャストの区別に注意しながら確認してほしい。

1 ネットワーク構成情報の取得

DHCPクライアントは，DHCPサーバから次の手順でネットワーク構成情報を取得する。

第3章 サーバ構築

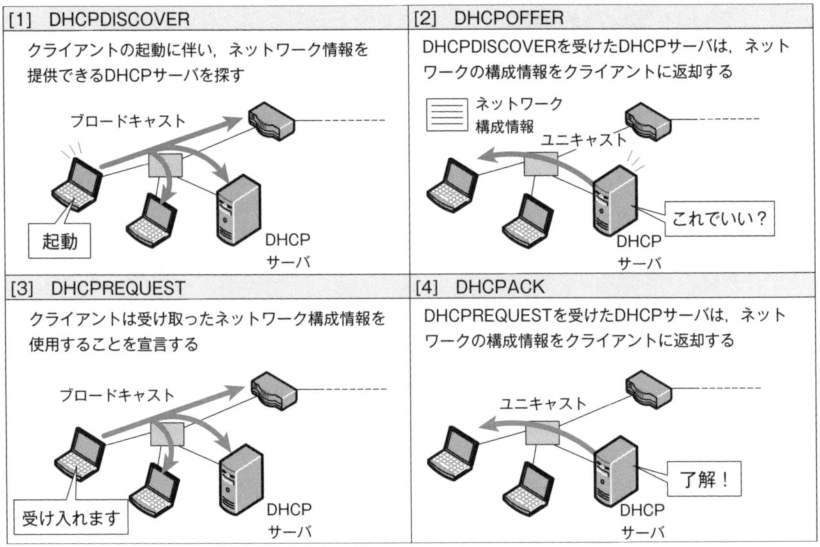

▶図3.1.1　ネットワーク構成情報の取得手順

クライアントは，ネットワーク情報について白紙の状態で立ち上がるため，DHCPサーバを特定できない。そこで，DHCPDISCOVERをブロードキャストする。これに対するDHCPOFFERは，クライアントにユニキャストされる。

クライアントはDHCPサーバから送られたネットワーク構成情報を使用することを，DHCPREQUESTを用いてDHCPサーバに通知する。この通知は，DHCPサーバが２台以上設置されていた場合に備えてブロードキャストされる。これに応えるDHCPACKは，クライアントにユニキャストされる。

2 DHCPリレーエージェント

DHCPは，通常はルータを越えて利用することができない。このため，複数のネットワークの構成情報を１台のDHCPサーバで管理する場合，ルータにはDHCPメッセージを中継するような機能が必要となる。このようなルータの機能を，**DHCPリレーエージェント**機能と呼ぶ。

DHCPリレーエージェントには，中継先のDHCPサーバのIPアドレスが登録されており，同一サブネットからブロードキャストされたDHCPメッセージを通常のIPパケットに変換してユニキャストで DHCPサーバに中継し，DHCPサーバからのDHCP

応答メッセージをDHCPクライアントに中継する。

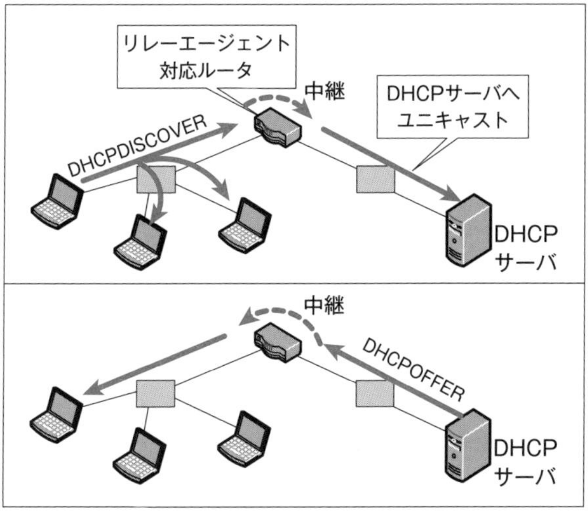

▶図3.1.2　DHCPリレーエージェント

3 DHCPのセキュリティ

DHCPに対する代表的な攻撃に**DHCPスプーフィング**（spoofing：なりすまし）があり，その対策に**DHCPスヌーピング**（snooping：のぞき見，監視）が行われる。紛らわしいので，しっかり区別しておこう。

1 DHCPスプーフィング攻撃

DHCPスプーフィング攻撃とは，DHCPクライアントやDHCPサーバになりすますことで，正規のDHCPサーバに大量のDHCP要求を出したり，正規のDHCPクライアントに不正な応答を返す攻撃である。

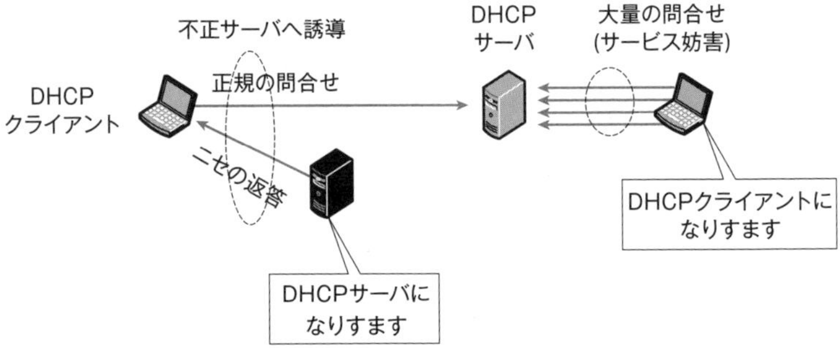

▶図3.1.3　DHCPスプーフィング

【対策】DHCPスヌーピング

DHCPスヌーピングは，DHCPサーバとクライアント間のDHCPメッセージをL2スイッチなどで監視（スヌーピング）する機能である。これを行うことで，正規のDHCPサーバからIPアドレスを割り当てられたクライアントのフレームのみを通過させたり，ホストからのDHCP要求を制限したりすることができる。つまり，**なりすましたDHCPサーバやクライアントからの通信を遮断**できる。

3.2 DNS (Domain Name System) サーバ

Point!

DNSとは，ドメイン名とIPアドレスの対応関係を管理するシステムのことをいう。なお，DNSにおいてドメイン名やIPアドレスなどの情報を管理しているサーバをDNSサーバまたはネームサーバ，DNSサーバに名前解決を依頼するクライアントをDNSクライアントまたはリゾルバと呼ぶ。

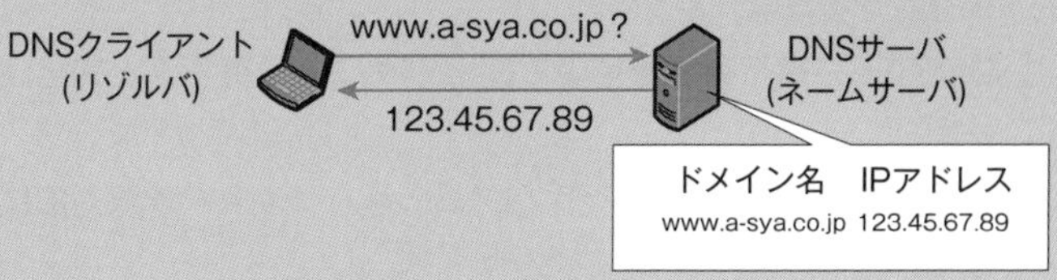

DNS サーバでホスト名と IP アドレスの対応を定義します。定義次第では，１つのホスト名に複数の IP アドレスを対応させることも，複数のホスト名に同一の IP アドレスを対応させることも可能です。

… 30秒チェック！ …
Super Summary

1 DNSの仕組み

【目標】DNSの役割と基本機能を知る。

□ゾーン…DNSサーバが管理するドメイン名の範囲
□ゾーン情報…DNSサーバが管理する情報
□コンテンツサーバ…DNSにおいてゾーン情報を管理するサーバ。権威サーバ
□キャッシュサーバ…DNSにおいてクライアントからの問合せに答えるサーバ
□プライマリサーバ…ゾーン情報の登録や変更を行うコンテンツサーバ
□セカンダリサーバ…プライマリサーバのゾーン情報転送先のコンテンツサーバ
□IDN…漢字やひらがなを利用できるドメイン名

2 ゾーン情報の設定

【目標】ゾーンファイルの様式とレコードの種類を知る。

□リソースレコード…ゾーンファイルのレコード

3 DNSのセキュリティ

【目標】DNSに対する代表的な攻撃や対策を知る。

□DNSキャッシュポイズニング…DNSのキャッシュに不正なゾーン情報を保存させる攻撃

□DNSSEC…電子署名を用いてDNSパケットの真正性と完全性を検証する技術

□DNSリフレクタ攻撃…大量のDNS応答パケットを攻撃対象に集中させる攻撃

1 DNSの仕組み

ドメイン名が階層構造をとるのと同様に，DNSも階層構造をとる。DNSによる名前の解決は，この階層構造に沿って行われる。

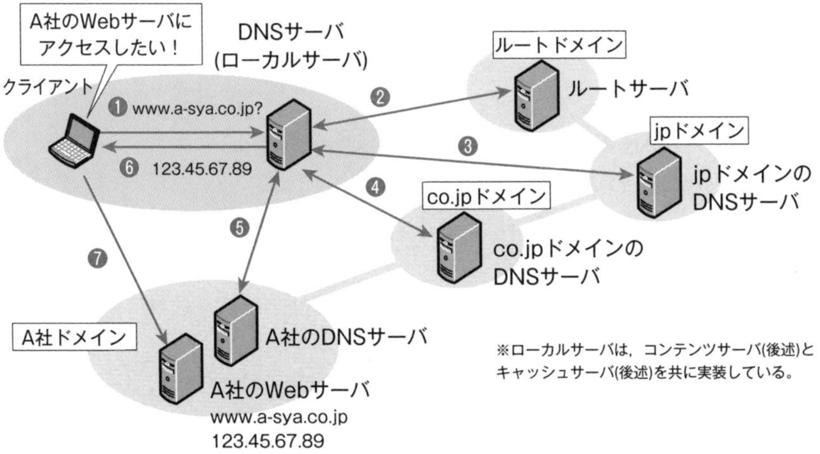

▶図3.2.1　DNSの階層構造と名前解決

クライアントがA社WebサーバのIPアドレスを得る場合，クライアントは，A社WebサーバのIPアドレスを自ドメインのDNSサーバ（ローカルサーバ）に問い合わせる（❶）。ローカルサーバがA社WebサーバのIPアドレスを保持していない場合，ルートドメインのDNSサーバに問い合わせる。ルートドメインのDNSサーバは，jpドメインのDNSサーバを答えることで，jpドメインのDNSサーバに名前解決を依頼するよう指示する（❷）。以下同様に，階層構造をA社ドメインまで下りる（❸❹❺）。

A社のDNSサーバから目的のIPアドレスを入手したローカルサーバは，これをクライアントへ返信する（❻）。クライアントはそのIPアドレスを用いて，A社のWebサーバへアクセスする（❼）。

▶図 3.2.1 に示した一連の問合せの中で，クライアントから DNS サーバに対する問合せを再帰問合せ，DNS サーバから各階層の DNS サーバに対する問合せを非再帰問合せ（反復問合せ）と呼びます。

ルートサーバは，世界に 13 種類存在します。これらは固定の IP アドレスを持っています。各ローカルサーバは，これらのルートサーバのいずれかから検索を開始することになるのです。

1 ゾーンとゾーン情報

1 つのDNSサーバが管理するドメイン名の範囲のことを**ゾーン**といい，DNSサーバが管理する情報を**ゾーン情報**という。用途に合わせてドメインを細分化した場合は，細分化したドメインを元のドメインのサブドメインと呼ぶ。サブドメインの管理には元のドメインとサブドメインを同じDNSサーバで管理する方法と異なるDNSサーバで管理する方法がある。後者のように元のドメインからサブドメインの管理を切り離し，サブドメイン側に任せることを権限の委譲という。

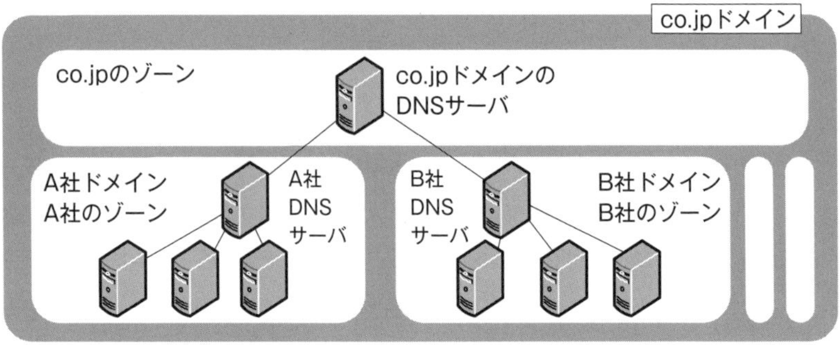

▶図3.2.2　ゾーンとドメイン

2 コンテンツサーバとキャッシュサーバ

DNSサーバには，**コンテンツサーバ**と**キャッシュサーバ**の２種類がある。

コンテンツサーバは，ゾーン情報を管理するサーバである。コンテンツサーバは，**権威サーバ**と呼ばれることもある。

コンテンツサーバに対し，クライアントからの問合せに答えるため，コンテンツサーバからゾーン情報を取得するサーバを，キャッシュサーバと呼ぶ。キャッシュサーバは名前解決の結果をキャッシュし，クライアントへの回答を効率化する。

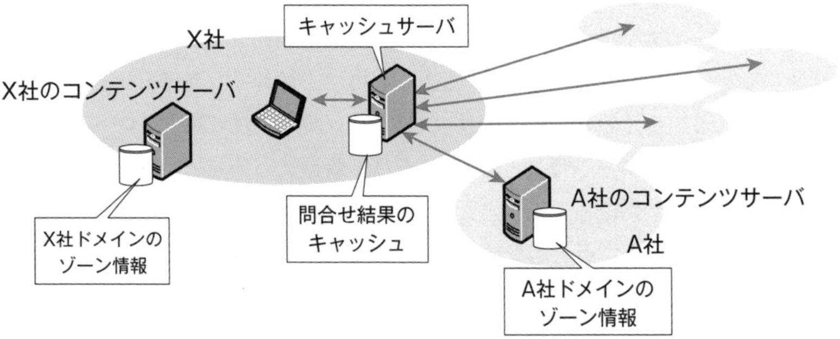

▶図3.2.3　コンテンツサーバとキャッシュサーバ

ゾーン情報には有効期間を示すTTL（Time To Live）が設定されている。キャッシュを最新に保つため，キャッシュサーバはTTLが過ぎたキャッシュを破棄する。

コンテンツサーバとキャッシュサーバは「DNS サーバの役割」を表す名称で，マシンの名称ではありません。1 台の DNS サーバがコンテンツサーバとキャッシュサーバの役割を担うこともあります。

3 プライマリサーバとセカンダリサーバ

DNSの仕組みでは，障害対策や負荷分散の目的でDNSサーバを複数用意することができる。

ゾーン情報の登録や変更を行うコンテンツサーバを**プライマリサーバ**と呼び，ゾーン情報をプライマリサーバからコピーするコンテンツサーバを**セカンダリサーバ**と呼ぶ。プライマリサーバはゾーンごとに1つ用意され，セカンダリサーバは必要に応じて複数用意される。

セカンダリサーバは，自身のゾーン情報が最新であるかどうかを，プライマリサーバに問い合わせる。プライマリサーバのゾーン情報が更新されている場合は，プライマリサーバから最新のゾーン情報を転送する（**ゾーン転送**）。

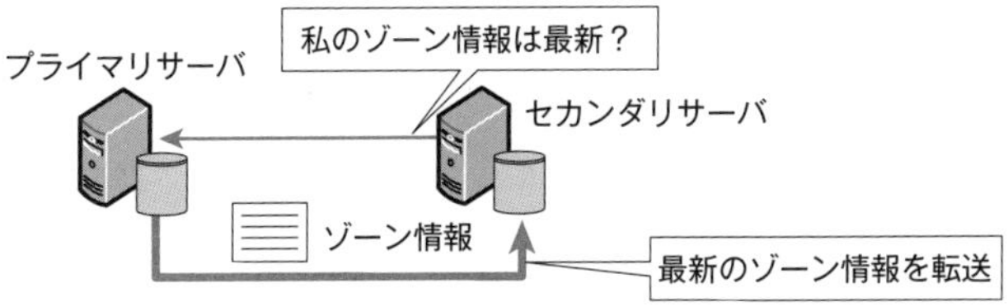

▶**図3.2.4　プライマリサーバとセカンダリサーバ**

4 国際化ドメイン名（IDN：Internationalized Domain Name）

従来ドメイン名にはアルファベットや数字，ハイフンのみが使われてきたが，現在ではこれらに加えて漢字やひらがな，アラビア文字などが使用できるようになった。このようなドメイン名を，**IDN**（**国際化ドメイン名**）と呼ぶ。

IDNは非英語圏の利用者に親しみやすいが，DNSは従来のASCII文字のみを用いたドメイン名を前提にしているため，そのままではDNSはIDNを解決できない。そこで，アプリケーション側でIDNを従来形式のドメイン名に変換する仕組みが取り入れられている。

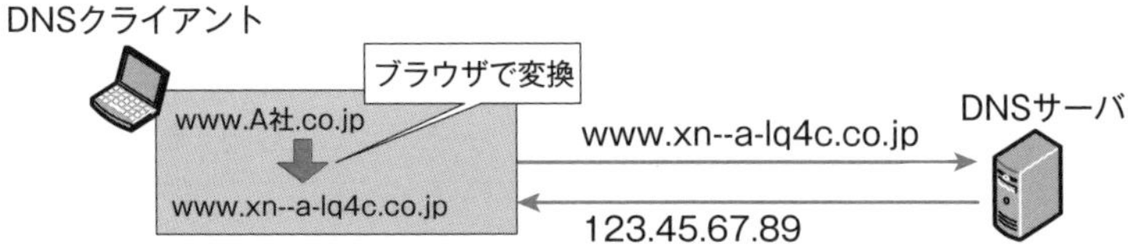

▶図3.2.5　IDNとドメイン名の変換

ドメイン名の変換では，まず全角英数字を半角英数字に変換します。そのため，全角英数字を用いたドメイン名（ＥＸＡＭＰＬＥ）と半角英数字を用いたドメイン名（EXAMPLE）は，同一のドメイン名に変換されます。

2　ゾーン情報の設定

DNSサーバに記録されるゾーン情報は，テキスト形式の**ゾーンファイル**として保存されている。ゾーンファイルのレコードは**リソースレコード**（**資源レコード**）と呼ばれ，次の形式をとる。

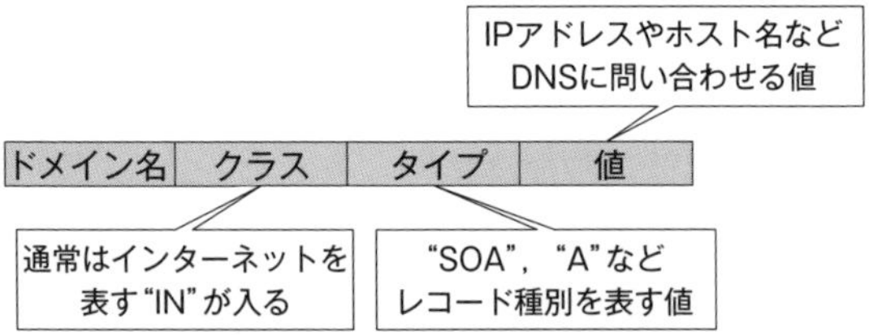

▶図3.2.6　リソースレコードのフォーマット

主なリソースレコードには，次の種類がある。

▶表3.2.1　リソースレコードの種類

レコード名	役割
SOA Start of Authority	ゾーンファイル先頭を表す宣言。ゾーンに関する情報を定義する
A Address	ホスト名に対応するIPv4のアドレスを定義する
AAAA Quad A	ホスト名に対応するIPv6のアドレスを定義する

CNAME Canonical NAME	ホストの別名を定義する
NS Name Server	DNSサーバのホスト名を定義する
MX Mail eXchanger	メールサーバのホスト名を定義する
PTR Pointer	IPアドレスに対応するホスト名を定義する IPアドレスからの逆引きに用いる
TXT Text	コメントを保存する SPFレコード※として使用可　※メールサーバのセキュリティ参照

1 設定の例

以下に，ゾーンファイルの設定例を示す。リソースレコードの種類と合わせて確認してほしい。

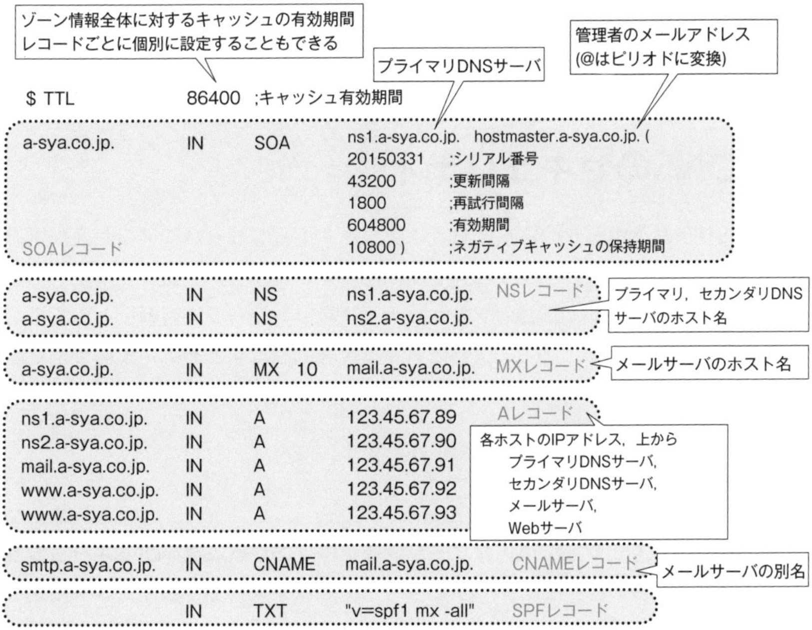

▶図3.2.7　ゾーンファイルの設定例

SOAレコード中に現れるネガティブキャッシュとは，「検索対象が存在しなかった」ことを表すキャッシュ情報である。DNSキャッシュサーバは名前解決の効率を高めるため，名前の検索結果をキャッシュするとともに，「そのようなホスト名は存在しなかった」という結果もキャッシュする。

MXレコード中に現われる数字（10）は優先度を表す値で，メールサーバを複数定義した場合に，どれを優先するかを定める（小さい値を優先）。

サーバを多重化するときは，サーバのドメイン名に対し，Aレコードで複数のIPアドレスを指定する。

１つのIPアドレスに対し，AレコードまたはCNAMEレコードで複数のドメイン名を指定した場合は，１台のホストに対して別名を定義することになる。

１つのドメイン名に対して複数の A レコードを設定した場合，DNSサーバは問合せごとに順番に IP アドレスを応答することで，アクセスを分散します。この仕組みを DNSラウンドロビンと呼びます。

3 DNSのセキュリティ

もしDNSサーバの情報が改ざんされてしまうと，不正なサーバにアクセスが誘導されてしまう。また，DNSがサービス不能に陥ってしまうと，インターネットへ接続できなくなってしまう。DNSのセキュリティはネットワーク技術者にとって不可欠な技術要素である。ここでは，DNSに対する代表的な攻撃とその対策について説明する。

1 DNSキャッシュポイズニング

DNSサーバのキャッシュに不正なゾーン情報を保存させる攻撃を**DNSキャッシュポイズニング**という。これにより，DNSサーバに問合せをしたクライアントに偽の応答を送信することが可能となり，クライアントを不正なサイトに誘導することが可能となる。

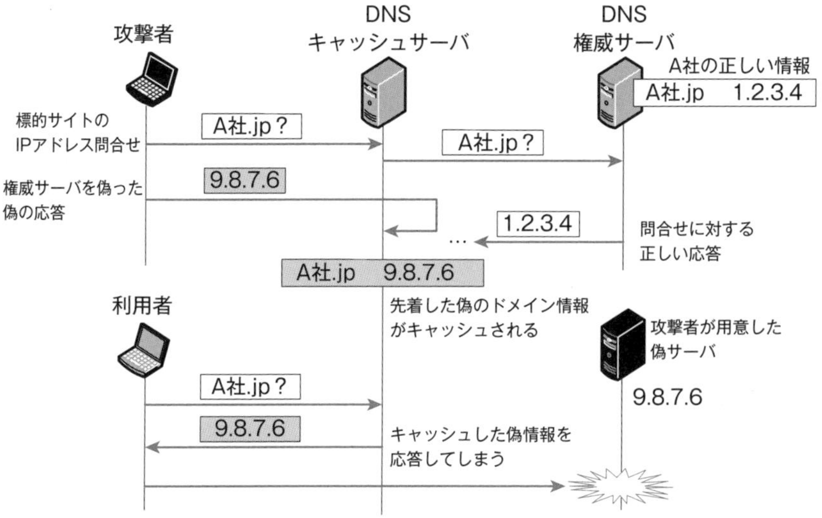

▶図3.2.8 DNSキャッシュポイズニング

攻撃のポイントは，攻撃者が問い合わせた標的サイト（▶図3.2.8ではA社.jp）の名前解決に対して，攻撃者自身がいち早く偽の応答を返すことである。これによってDNSキャッシュサーバは，キャッシュに偽のIPアドレス（▶図3.2.8では9.8.7.6）を記録させられてしまう。以降，キャッシュが破棄されるまで，利用者はA社サイトではなく不正なサイトに誘導させられてしまうことになる。

【対策①】オープンリゾルバ対策

DNSサーバのうち，DNSの「他ドメインの名前解決を行う」キャッシュ機能を不特定多数のクライアントに開放しているものを**オープンリゾルバ**という。

DNSキャッシュポイズニングは，オープンリゾルバになっているDNSサーバに対して行われる。自サイトの外部と内部でDNSサーバの対応を変えるため，DNSサーバを，ゾーン情報を保持するコンテンツサーバと内部からの問合せに答えるキャッシュサーバに分離する。

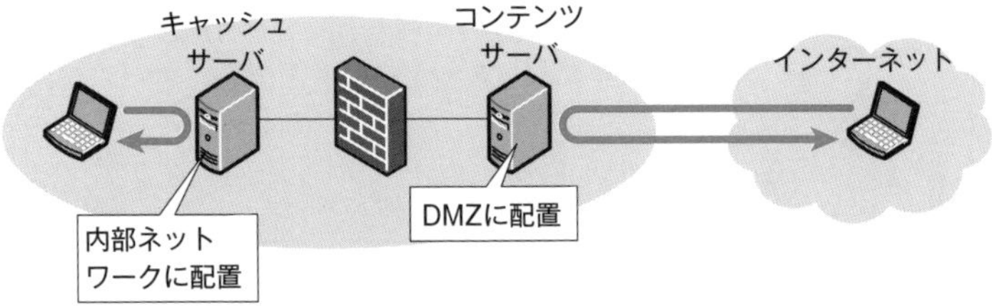

▶図3.2.9　コンテンツサーバとキャッシュサーバの分離

コンテンツサーバ側は，自身で保持するゾーン情報のみを提供し，キャッシュ機能を無効にする（再帰問合せ要求には対応しない）。**キャッシュサーバ側は再帰問合せに対応するが，外部からのアクセスには対応しないようにする。**

【対策②】DNSSEC（DNS SECurity extensions）

DNSSECは**DNSの応答パケットに対して電子署名を付加**することにより，データ作成者の真正性（データは権限者本人が作成したもの）と，データの完全性（データが改ざんされていないこと）を検証する技術である。

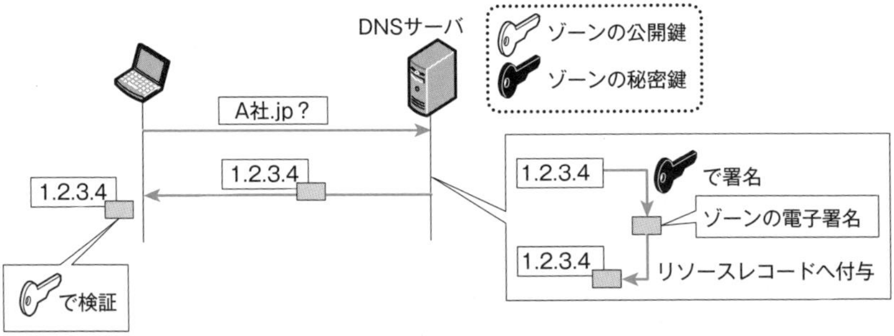

▶図3.2.10　DNSSEC

電子署名を検証するための公開鍵は，上位のゾーンが保証する。上位ゾーンの公開鍵は，さらにその上位のゾーンが保証する。このような「**信頼の連鎖（Chain of Trust）**」を構築しておけば，連鎖を「利用者が信頼するゾーン」まで遡ることで，公開鍵の正しさを確認できる。

これらの対策のほかにも，コンテンツサーバへの問合せを行う際の送信元ポート番号やトランザクション ID の値を推測されないようランダム化するという対策もあります。

2 DNSリフレクタ攻撃

送信元IPアドレスを標的DNSサーバのIPアドレスに偽装した問合せパケットを複数のDNSサーバに大量に送信し，その応答パケットを標的サーバに大量に送り付けるDDoS攻撃を**DNSリフレクタ攻撃**（**DNSリフレクション攻撃**）または**DNS amp攻撃**という。DNS amp攻撃という呼称は，問合せパケットより応答パケットの方が大きいため，直接攻撃するより増幅（amplification）した攻撃となることを表している。

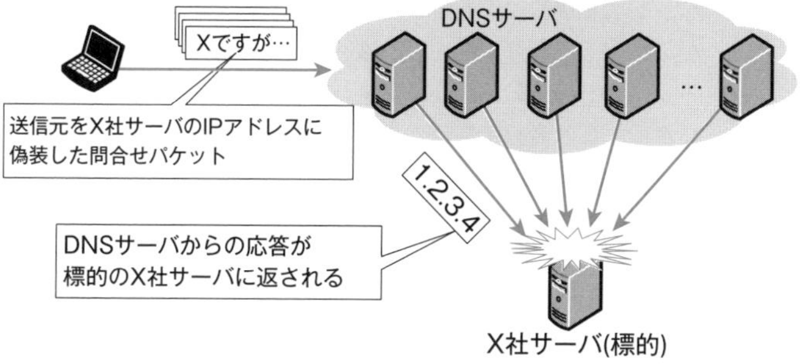

▶**図3.2.11　DNSリフレクタ攻撃**

インターネット上には数多くのDNSサーバが稼働している。それらの多くが「他ドメインの名前解決を再帰的に実行する」キャッシュ機能を無防備に開放しているといわれている。攻撃者は，そのようなDNSサーバを踏み台にして，大量の応答パケットを標的サーバに送り込む。▶図3.2.11の例では，攻撃者は「標的（X社サーバ）から発せられたIPアドレスの問合せ」を偽装したパケットを，無防備なDNSサーバへ送信する。その応答パケットはX社サーバに返されるため，結果として標的に大量のパケットを集中させることができる。

【対策】

DNSリフレクタ攻撃は，他社のDNSサーバを踏み台にして行われるため，標的側で対策することは困難である。そこで，各企業が「自社のDNSサーバが踏み台にされない」ように対策する。具体的には，DNSキャッシュポイズニング攻撃で述べた，**オープンリゾルバ対策が有効**である。

Focus 情報セキュリティマネジメント

平成26年午後Ⅰ問3に，情報セキュリティマネジメント分野の問題が出題されました。突然の出題に驚いたのですが，考えてみればネットワークは常にセキュリティリスクにさらされており，実際のインシデントの現場では，セキュリティの専門家やマネージャと共同して対処にあたることが少なくないはずです。その意味で，セキュリティマネジメント分野の知識も，ネットワークスペシャリストが知っておくべきことに含まれます。

■ 情報セキュリティマネジメント

情報セキュリティを維持し，継続的に改善する一連の管理活動を情報セキュリティマネジメントといい，このための仕組みを**情報セキュリティマネジメントシステム（ISMS：Information Security Management System）**と呼ぶ。JIS Q 27001ではISMSにPDCAモデルを採用している。

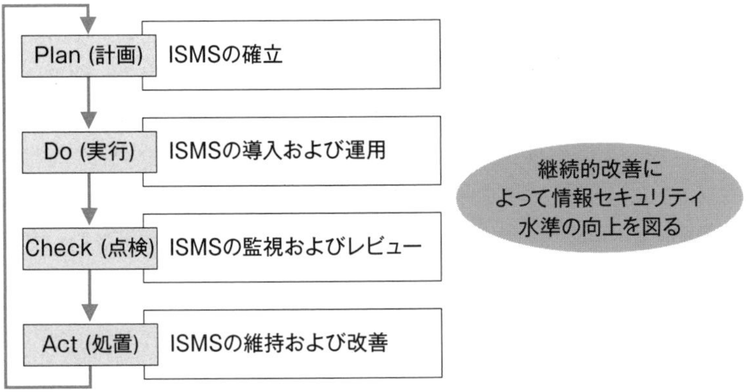

▶**図3.2.12　ISMSのプロセス**

■ 情報セキュリティポリシ

ISMSの確立時に作成される基本方針および対策基準を**情報セキュリティポリシ**と呼ぶ。情報セキュリティポリシは，ISMSのプロセスを実施するうえでの核となる方針，基準である。

多くの場合，情報セキュリティポリシは階層構造で考える。階層の構成にはいくつかのモデルがある。▶図3.2.13は，２階層ポリシモデルを示している。

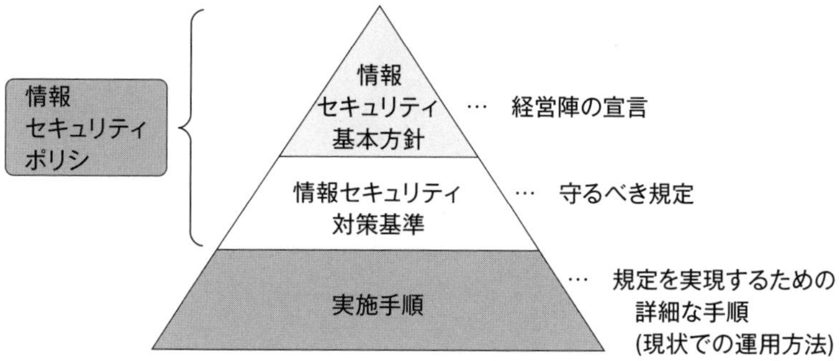

▶図3.2.13　２階層ポリシモデル

■ インシデント対応

インシデントが発生した場合，あらかじめ計画しておいた手順に沿って対策チームが対応する。このようなインシデント対応の専門チームを**CSIRT**（シーサート）と呼ぶ。

各企業のCSIRTを連携させるためのコーディネーションセンタが設置されることもある。日本では**JPCERT/CC**がその役割を果たしている。

標的型サイバー攻撃の被害拡大防止のため，相談を受けた組織の被害の低減と攻撃の連鎖の遮断を支援するサイバーレスキュー隊（J-CRAT：ジェイ・クラート）が発足し，活動している。

■ ハンドリングフロー

JPCERT/CCは，インシデント発生時から解決までの一連の処理（インシデントハンドリング）について，次の処理手順を提案している。

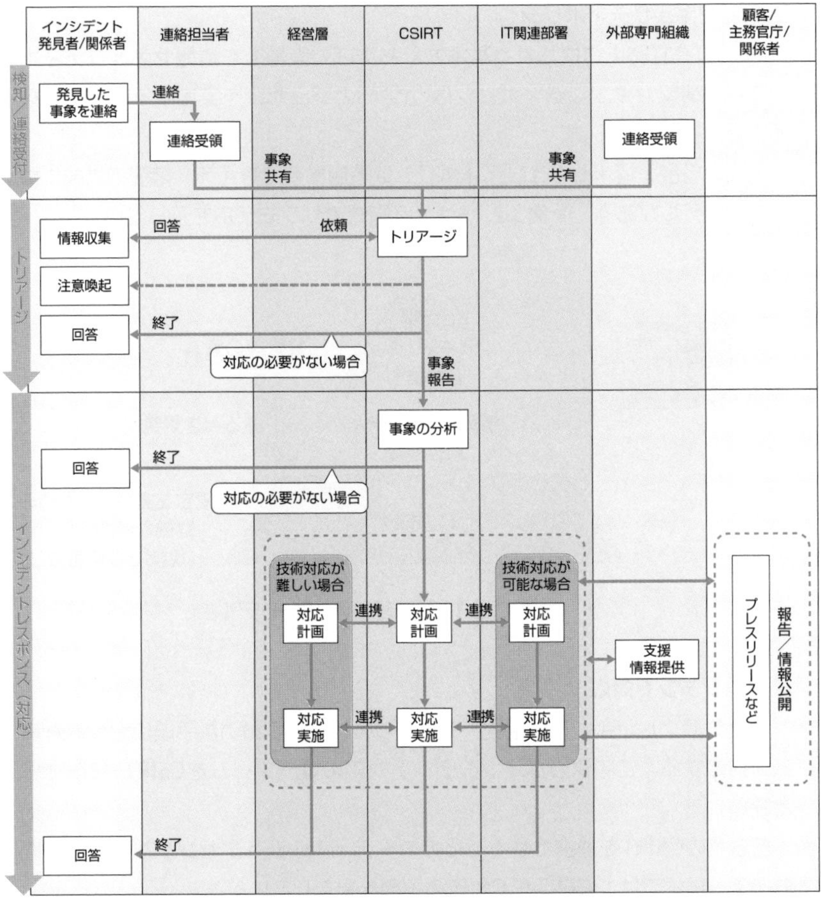

※JRCERT/CC「インシデントハンドリングマニュアル」より

▶図3.2.14　基本的ハンドリングフロー

■ 情報セキュリティの規格

最後に，情報セキュリティ関連の規格やガイドライン認証制度をまとめておく。

▶表3.2.1　情報セキュリティの規格

JIS Q 27001	情報セキュリティマネジメントシステムの要求事項。情報セキュリティマネジメントの導入・実践にあたって要求される事項をまとめた規格
JIS Q 27002	情報セキュリティマネジメントの実践のための規範。実践にあたっての手引きとなる規格
ISO/IEC 15408	情報技術を利用した製品やシステムのセキュリティ機能が，評価基準に適合するかを評価するための規格
JCMVP	暗号モジュール試験および認証制度。暗号化や署名機能が正しく実装されており，暗号鍵やパスワードを適切に保護していることを試験，認証する制度
JISEC	ITセキュリティ評価および認証制度。IT関連製品のセキュリティ機能を，ISO/IEC 15408に基づいて評価，認証する制度
サイバーセキュリティ経営ガイドライン	サイバー攻撃から企業を守るため，経営者が認識すべき3原則と担当幹部に指示する事項をまとめたガイドライン

■出題の切り口

平成26年午後Ｉ問３に，セキュリティ分野に大きく偏った事例が出題された。問題の中では，さまざまな攻撃手法について，とりわけDNSを悪用したDNSリフレクタや，DNSキャッシュの改ざん防止などについて問われた。

最後に，不正侵入などの重大なインシデントが発生したときの対応手順が示され，インシデントの連絡を受けたセキュリティ担当者が実施すべき事項が問われた。前提条件として，外部からの不正アクセスだけでなく，内部から外部への通信にも十分注意しなければならないことが述べられている。

＜発見者又は受付担当者の対応＞
(1) 状況把握と記録
(2) 対処方法の確認
(3) セキュリティ担当者への連絡
(4) 対処結果の報告

＜セキュリティ担当者の対応＞
(1) 状況把握と記録
(2) 対処方法の確認
(3) [　①　]
(4) 原因の特定と対処
(5) システムの復旧
(6) 対処結果の報告

▶図3.2.15　平成26年午後Ｉ問３「図３　IBシステムのサイバー攻撃に関わる重大なインシデント発生時の対応手順」

① [①]に入るネットワークに係わる作業を15字以内で答えよ。

② 対処結果の報告後，将来発生するインシデントへの対応として，セキュリティ担当者が実施すべき事項を30字以内で述べよ。

【解説】

① 不正侵入などの重大なインシデントが発生したとき，攻撃をそのまま放置すると被害が拡大する恐れがあるため，ネットワークを速やかに切断する。

② 情報セキュリティマネジメントは，PDCAモデルを採用している。一連の対応が終わった後も，将来に向けて「評価」と「改善」が必要である。

【解答】

① ネットワークの切断

② 対処結果の評価を行い，インシデントの対処方法を見直す。

3.3 Webサーバ

Point!

Webサーバは，Webシステムにおいて，ブラウザなどのWebクライアントからのリクエストに対して，Webデータ（HTMLデータやスクリプトプログラムなど）を返却するサーバである。Webクライアントとのやり取りに，アプリケーションプロトコルであるHTTPが用いられる。

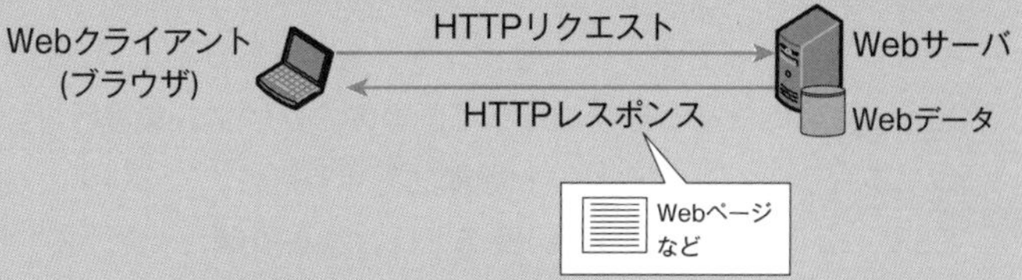

ここでは，Webサーバそのものだけではなく，広くHTTPやWebシステムの仕組みも交えて知識事項を説明する。

… 30秒チェック！ …
Super Summary

1 HTTPの仕組み

【目標】HTTPの役割と基本機能を知る。

□URL…HTTPにおいてリソースの場所を指す統一書式

□HTTPリクエスト…Webサーバにアクセスするリクエスト

□GETメソッド…リソースの取得を行うメソッド。パラメタをURLに組み込む

□POSTメソッド…リソースの取得を行うメソッド。パラメタをボディに格納する

□HTTPレスポンス…HTTPリクエストに対する返答

2 Webサーバの利用

【目標】Webサーバの基盤技術や代表的な利用技術を知る。

□HTTP認証…Webにおけるユーザ認証

□セッション管理…Webサーバに対する一連のセッションを管理する技術

□WebSocket…Webを用いてリアルタイム性の高い双方向通信を実現する技術
□WebRTC…WebSocketよりもさらに高速な双方向通信技術
□WebDAV…Webコンテンツのアップロードや編集をHTTPで行うプロトコル

3 Webサーバのセキュリティ

【目標】Webサーバに対する代表的な攻撃や対策を知る。
□セッションハイジャック…セッションを乗っ取り不正アクセスを行う攻撃
□XSS…複数のサイトをまたがって悪意のスクリプトを実行させる攻撃
□サニタイジング…スクリプトを無効化する処置。XSS対策として有効
□CSRF…利用者に意図しない操作を行わせる攻撃

1 HTTP(HyperText Transfer Protocol)の仕組み

HTTPは，Webクライアントからのリクエストの送信に対してWebサーバがレスポンスを返信するというステートレス（Webサーバ側で状態管理を行わないこと）なアプリケーションプロトコルである。

1 URL (Uniform Resource Locator)

URLは，HTTPなどのプロトコルで取得するリソース（オブジェクト）の場所を指す統一書式である。URLは次の書式で，リソースを指定する。

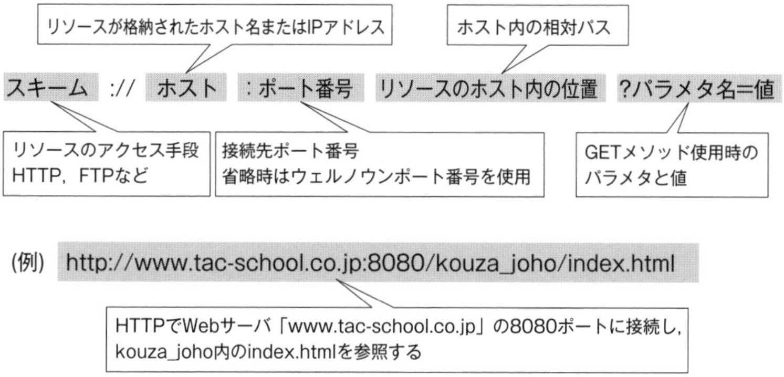

▶図3.3.1　URLのフォーマット

1 HTTPリクエスト

Webサーバにアクセスするとき，ブラウザは**HTTPリクエスト**をWebサーバに送信する。HTTPリクエストは，Webサーバに対するデータ送信要求で，**リクエストライン**，**ヘッダフィールド**，**メッセージボディ**から構成される。

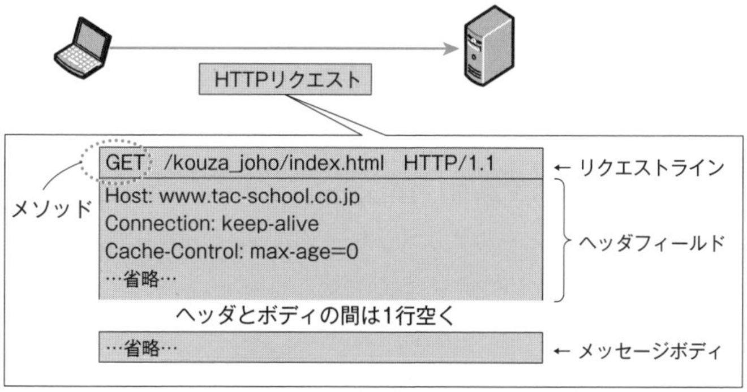

▶図3.3.2　HTTPリクエスト

リクエストラインは，リクエストの内容を定める部分で，▶図3.3.2の例は「HTTP1.1バージョンを使用し，/kouza_joho/index.htmlを取得する」ことを表す。

リクエストラインの先頭はメソッドであり，サーバへの動作の指示を表す。メソッドには次の種類がある。

▶表3.3.1　HTTP1.1のメソッド

メソッド	動作概要
GET	指定したリソース（URLが示すオブジェクト）を取得する。
POST	サーバにデータを送信し，指定したリソースを取得する。
PUT	指定したリソースをサーバに保存する。
HEAD	ヘッダ定義情報を取得する。
DELETE	指定したリソースを削除する。
OPTIONS	サーバの情報（プロトコルバージョンなど）を取得する。
TRACE	サーバまでのネットワーク経路を取得する。
CONNECT	HTTPS通信などでプロキシサーバに転送指示する。

GETメソッドと**POSTメソッド**はともにリソースの取得を行うメソッドであるが，パラメタの付与に違いがある。GETメソッドでパラメタを指定する場合はURLに続けてパラメタを付け加えるが，**POSTメソッド**のパラメタはメッセージボディに格納される。

リソースの取得には，伝統的にGETメソッドが使用されてきました。そのため，サーバ側では，GETメソッドを実装することが義務づけられています。その一方で，POSTメソッドの実装はオプションです。

3 HTTPレスポンス

HTTPリクエストに対する返答が**HTTPレスポンス**である。HTTPレスポンスは，**ステータスライン**，**ヘッダフィールド**，**メッセージボディ**から構成され，メッセージボディにはHTMLで記述されたWebページが格納される。

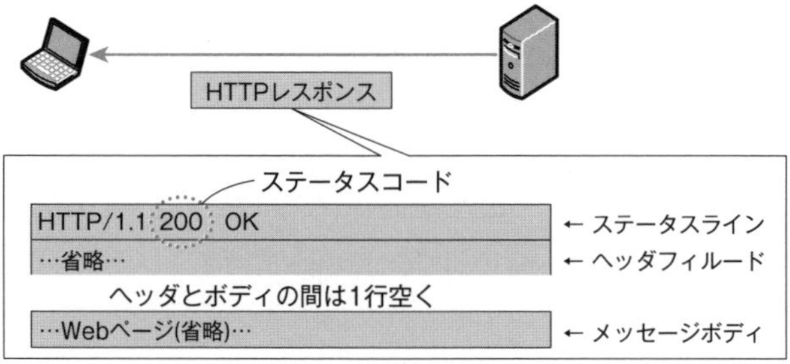

▶図3.3.3　HTTPレスポンス

ステータスラインのステータスコードは，リクエストの処理結果を表す。200は処理成功を表す値である。

▶表3.3.2　ステータスコード

ステータスコード	意味
100番台	情報
200番台	成功
300番台	リダイレクト
400番台	クライアントエラー
500番台	サーバエラー

401 Authorization Required　認証が必要
403 Forbidden　アクセス権がない
404 Not Found　リソースが存在しない
……

2 Webサーバの利用

Webサーバはさまざまなアプリケーションで利用される。ここでは，そのような利用の基盤となる技術，代表的な利用技術を取りあげて説明する。

1 HTTP認証

Webにおけるユーザ認証を，**HTTP認証**と呼ぶ。HTTP認証には次の２つの方式がある。

▶表3.3.3　HTTP認証の方式

HTTP基本（ベーシック）認証	ユーザID，パスワードを用いた認証。ユーザIDとパスワードはBASE64でエンコードされてWebサーバに送信される。
HTTPダイジェスト認証	チャレンジ／レスポンス方式を用いた認証。Webサーバから送られたチャレンジを，パスワードなどで変換してWebサーバに返信する。

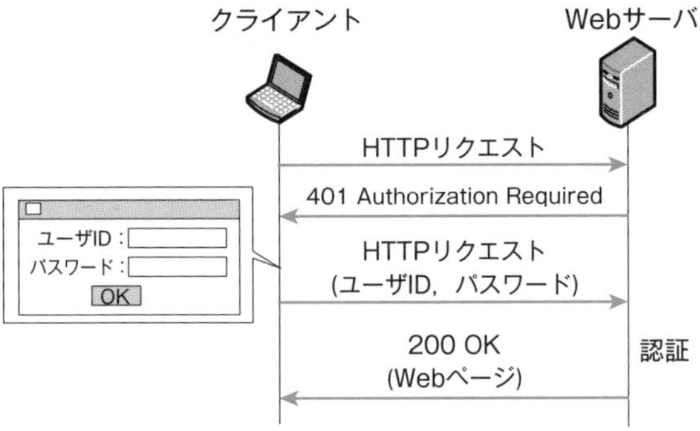

▶図3.3.4　ベーシック認証

HTTP基本認証は簡便であるが，認証後のHTTPリクエストにユーザIDとパスワードが暗号化されないまま含まれるため，セキュリティ上問題が多い。**安全な認証を行うためには，HTTPダイジェスト認証を利用するか，HTTPSなどのセキュアな認証を利用することが望ましい。**

2 セッション管理

HTTPは，それぞれのリクエストとレスポンスの組が独立しているため，直前のリクエストとレスポンスを行った通信の内容を次の通信に引き継ぐことができない。そのため，ショッピングサイトなど，複数のページにまたがった処理を一連の処理として管理する場合は，**セッション管理**が必要となる。

セッションは，**セッションID**を用いて識別する。具体的には，クライアントがWebサーバにアクセスした際，WebサーバがセッションIDを発行する。以後，その情報をもとにクライアントとWebサーバのセッション管理を行う。なお，**セキュリティ上，セッションIDは攻撃者に漏えいしないような方法でやり取りする。**

セッション管理の実現には，次の方法が用いられる。

▶表3.3.4　セッション管理の実現方法

クッキーを利用	Webサーバ側で発行されたセッションIDをクライアントのクッキーに持たせることで，特定ユーザの識別を行う。
hiddenフィールドを利用	画面に表示されない入力フォーム項目であるhiddenフィールドにセッションIDを持たせる。

hiddenフィールドは，クッキーを利用できない場合に用いられる。hiddenフィールドを用いたとき，セッションIDはパラメタでサーバへ送られる。

3 WebSocket

WebSocketは，Webシステムを用いてリアルタイム性の高い双方向通信に利用される仕組みである。

もともとHTTPには，サーバ側からクライアントに情報をリアルタイムにプッシュ通知する機能はない。そのため，多数のクライアントが１つのページでメッセージのやり取りを行うチャットアプリなどへの実装には不向きである。WebSocketはそのようなHTTPに代わって，リアルタイムな双方向通信を実現する。

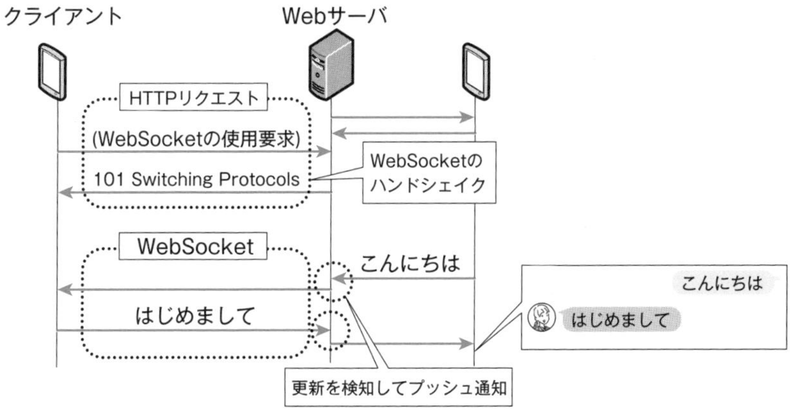

▶図3.3.5　WebSocket

WebSocketのハンドシェイクはHTTPを用いて行われる。具体的にはクライアントがHTTPのGETメソッドを用いてWebSocketへのプロトコル変更を依頼し，サーバが了承する。ハンドシェイク以降は，HTTPではなくWebSocketプロトコルを用いて通信が行われる。

4 WebRTC (Web Real-Time Communications)

WebRTCは，WebSocketと同様に，Webシステムを用いたリアルタイムコミュニケーションを実現する仕組みである。WebSocketとの大きな違いは，

・トランスポート層にUDPを用いている（WebSocketはTCP）
・端末間の通信が可能

という，**高速性につながる特徴を持つ**ことにある。WebRTCは，この高速性を活かして，ビデオチャットなどの実現に用いられる。

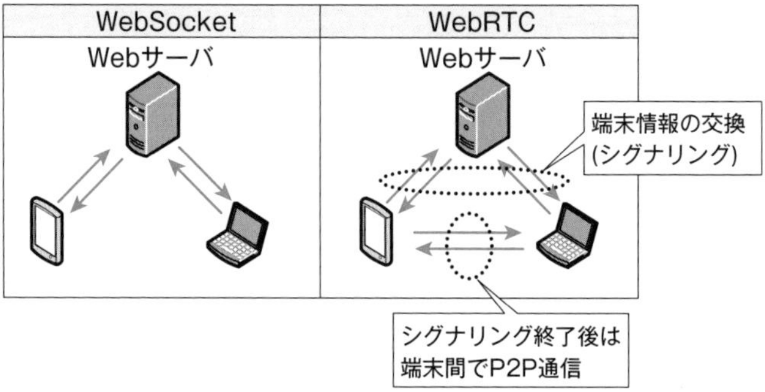

▶図3.3.6　WebSocketとWebRTC

5 WebDAV（Web-based Distributed Authoring and Versioning）

WebDAVは，HTTPを拡張したプロトコルで，Webサーバ上のファイルのアップロードや編集をWebブラウザで実施できるようにする仕組みである。Webコンテンツの保守や管理に用いられる。

Webコンテンツのアップロードや編集にはFTPが用いられることが多い。ところが，そのためには，FTPクライアントを用意する必要がある。さらに近年は，セキュリティなどの理由から，FTPが禁止されている環境も多い。WebDAVはHTTP（またはHTTPS）を用いるため，ブラウザさえインストールされていれば，FTPを禁止している環境でも問題なく作業を実施できる。また，Webブラウザを介して直接ファイルにアクセスできるため，ローカルなファイルを更新するような直感的な作業を可能にする。

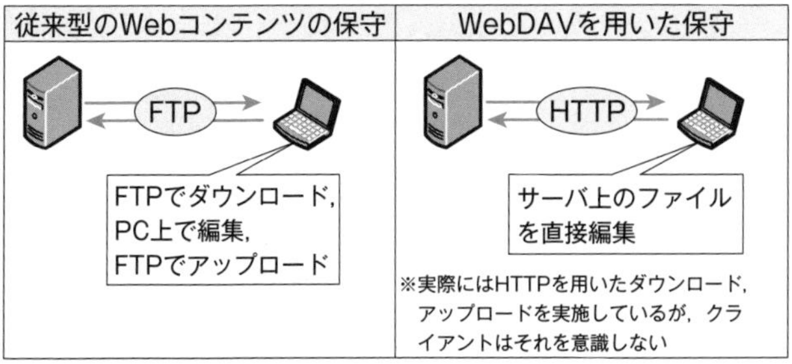

▶図3.3.7　WebDAV

3 Webサーバのセキュリティ

企業のサービスは，Webアプリケーションで顧客に提供されていることがある。このような場面で，Webサーバに改ざんや不正アクセスが行われてしまうと，顧客に大きな被害を与えてしまうことになる。ここでは，Webサーバに対する代表的な攻撃とその対策について説明する。

1 セッションハイジャック

セッション管理において，攻撃者が利用者のセッションIDを不正に取得した場合，そのセッションIDを使用して利用者になりすまし不正操作する**セッションハイジャック**が可能になる。

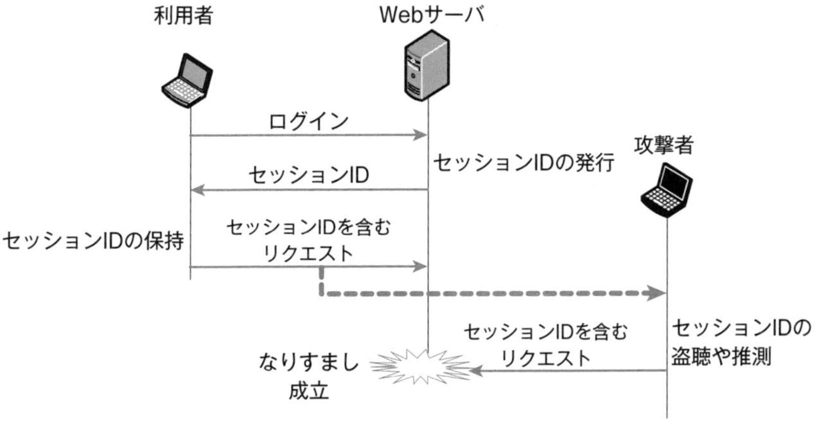

▶図3.3.8　セッションハイジャック

【対策】

攻撃者は，利用者のクッキーなどからセッションIDの窃取や推測，解析を行う。対策として，

・ハッシュ関数などを用いてランダムなセッションIDを生成する

・セッションIDの桁数を長くし，総当たり攻撃を防ぐ

などが有効である。また，セッションクッキーの漏えいを防ぐため，クロスサイトスクリプティング攻撃などへの対策を実施する。

2 クロスサイトスクリプティング（XSS）

クロスサイトスクリプティングとは，「複数のサイトをまたがって，悪意のスクリプトを実行させる」攻撃である。

例として，利用者がX銀行と取引している場合を考える。攻撃者は利用者から「X銀行のクッキー」を盗み出したい。なぜならば，クッキーにはセッションIDなど不正アクセスに有用な情報が含まれているからである。ところが，

・クッキーは利用者のブラウザしかアクセスできない

・X銀行とのクッキーは，利用者とX銀行とのセッション以外はアクセスできない

という性質がある。そこで，攻撃者は悪意のスクリプトをX銀行から送り込み，利用者のブラウザで実行させるよう工夫する。

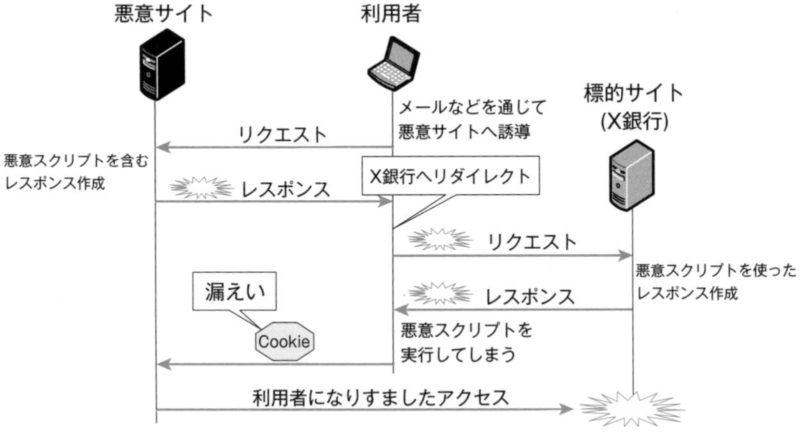

▶図3.3.9　クロスサイトスクリプティング（XSS）

【対策】

このような攻撃は，標的サイトがスクリプトを含む入力データをそのまま出力するような脆弱性を持つ場合に行われる。これを防ぐため，個々のサーバが「リクエストに含まれるHTMLタグを無効化する」処置を行う。このような処置を，**エスケープ処理**または**サニタイジング**（sanitizing：消毒）と呼ぶ。

3 クロスサイトリクエストフォージェリ（CSRF）

CSRFは，標的となるサイトにHTTPリクエストを送信させる攻撃ページを用意し，訪れた利用者に強制的にリクエストを送信させて意図しない操作を行わせる攻撃である。不正送金，掲示板へのなりすまし書込み，利用者の意図しない商品購入など，利用者がログイン後に可能となる操作が不正利用されてしまうおそれがある。

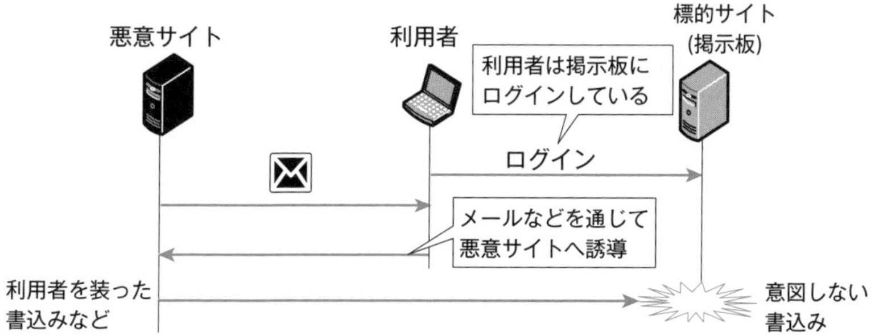

▶図3.3.10　クロスサイトリクエストフォージェリ（CSRF）

【対策】

CSRFを防ぐため，個々のサーバが「利用者による正しい操作かどうか」を確認しながら処理を進める必要がある。例えば，

- 正しいページ遷移かを確認する
- 商品購入の決定など，重要な処理を行う際には改めてパスワードを要求する

などの対策を行う。

CSRF は，標的サイトにログインしながらメールや SNS をチェックするといった「ながら作業」を狙った攻撃です。これを防ぐため，ながら作業を慎むなど利用者側でも対応が必要です。

Focus クッキー

クッキーといえば「Web アプリケーションのセッション管理」ですが，実のところクッキーは HTTP 上で文字列を記録する仕組みに過ぎず，セッション管理以外にも認証情報のやり取りやアクセス履歴のトラッキングなど，さまざまな用途に使用されます。ここでは，クッキーの基本的な仕組みや性質を，改めて説明します。

■ クッキー（Cookie）とは

Webサーバから Webブラウザに送られ，Webブラウザが保存するデータのことを**クッキー**という。通信の状態などを保存することにより，ステートレスなHTTPでも状態を保てるようにする。具体的には，**ショッピングサイトのセッション管理や，SSO（シングルサインオン）の認証情報の伝送などに利用される。**

■ クッキーの設定方法

クッキーは，HTTPヘッダの**Set-Cookieフィールド**をHTTPレスポンスに含ませることで設定することができる。

Set-Cookie: ID＝XXXX; …属性設定（オプション）…

Webブラウザは，Webサーバにアクセスするときに，アクセスしたWebサーバに該当するクッキーが保存されていた場合，HTTPヘッダのCookieに保存された情報を設定したリクエストを送信する。

Cookie: ID＝XXXX

セッション管理を利用したクッキーの設定の仕組みを，次図に示す。

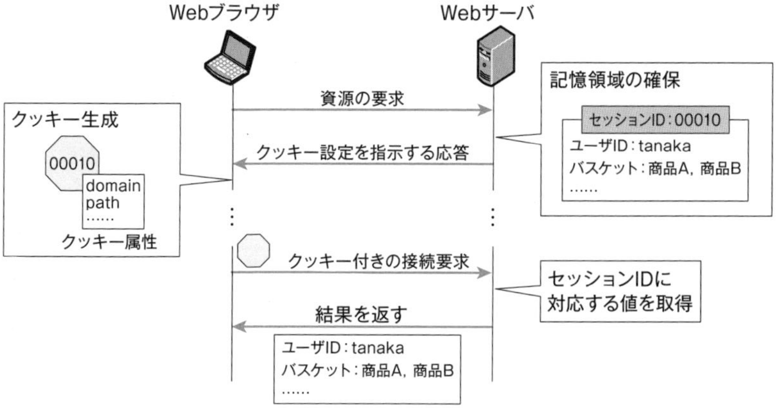

▶図3.3.11　クッキー設定の仕組み

クッキーにセッションIDを保存する場合は，ユーザIDやバスケットの情報などはWebサーバ側のみで管理し，Webブラウザ側にはセッションIDのみがクッキーとして保存されている。

■ クッキーの属性

クッキーを発行する際は，次のようなオプションの属性を設定できる。

▶表3.3.5　クッキーの属性

属性	属性の内容
domain	Webブラウザがクッキーを送信するWebサーバのドメインを指定する。
path	Webブラウザがクッキーを送信するURLのディレクトリを指定する。
expires	クッキーの有効期限を設定する。設定しない場合は，Webブラウザ終了時点がクッキーの有効期限となる。
secure	SSL通信を使用する場合だけクッキーを送信するように指定する。
httponly	Javaスクリプトからクッキーにアクセスできないことを指定する。

domain属性は，クッキー付きの接続要求を行うサーバのドメイン名を指定する。サーバのドメイン名とdomain属性の値が一致（後方一致）しなかったとき，サーバにクッキーは送られない。domain属性を省略すると，クッキーの生成要求を行ったサーバのドメイン名が指定されたことになる。

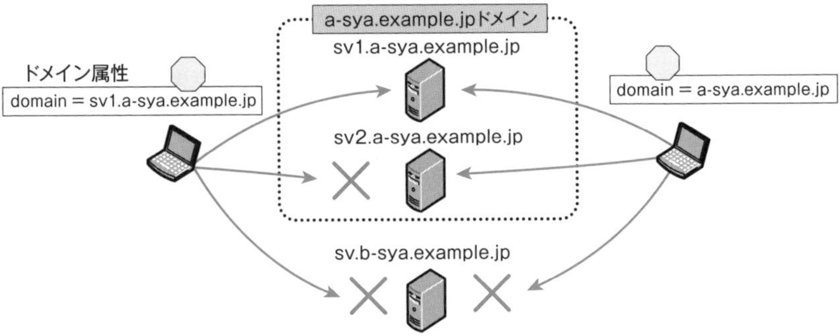

▶図3.3.12　domain属性

path属性は，クッキーが有効となるドメインのディレクトリを指定する。domain属性が一致したとき，引き続いてpath属性の比較が行われる。

secure属性を指定した場合，HTTP通信ではクッキー情報が送信されない。クッキーの内容を盗聴されないようにHTTPS通信時だけ送信する場合は，secure属性を設定しておく必要がある。

domain 属性や path 属性の設定を誤ってしまうと，別の Web サーバからクッキー情報が盗み見される可能性があるため，設定には注意が必要です。

■ Webブラウザのクッキーの設定

Webブラウザの中には，クッキーを受け入れない設定にできるものもあり，必ずしもすべてのHTTPクライアントがクッキーを受け入れる前提になってはいない。また，クッキーはテキスト形式でブラウザ(の動作するコンピュータ)に保存されるため，クッキーは意図的に消去(削除)することも可能である。このため，Webアプリケーションなどを設計する場合は，必ずクッキーが存在するとは限らない点に注意する必要がある。

■ 出題の切り口

平成27年午後Ⅰ問1に，クッキーを認証情報の伝送に用いるSSO（シングルサインオン）システムが出題された。

システム構成は非常にシンプルで，一方のサーバにアクセスして認証を済ませておけば，他方のサーバを認証することなく利用できるというものであった。なお，どのサーバにアクセスしても，認証そのものはSSOサーバが行う。

▶表3.3.6　平成27年午後Ⅰ問1「表1　関連するシステムのURL」

システム名称	サーバ名称	URL	備考
SSO システム	SSO サーバ	http://sso.a-sha.example.jp	新規
営業システム	営業サーバ	http://eigyou.a-sha.example.jp	現状のまま
広告システム	広告サーバ	http://koukoku.a-sha.example.jp	現状のまま

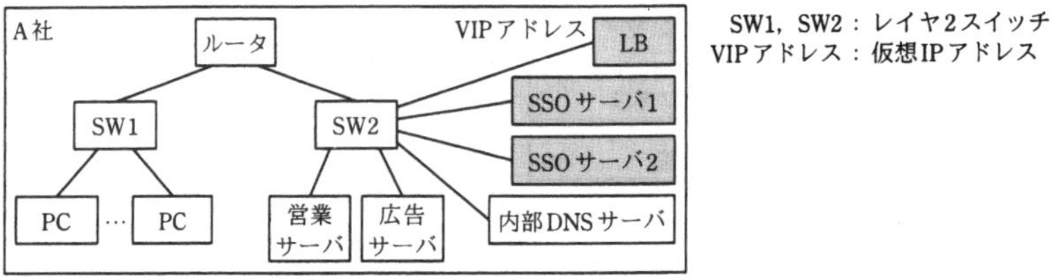

注記　網掛け部分は，導入検討中の機器を示す。

▶図3.3.13　平成27年午後Ⅰ問1「図1　C氏が検討したA社のシステム構成」

このシステムについて，トラブルとその対処について問われた。

営業システムへのアクセス時に認証情報を正しく入力しても，営業システムの画面に遷移せず，SSOとして正しく動作しなかった。原因を調査したところ，SSOサーバから送出されるHTTP応答パケットの［　①　］ヘッダフィールドにDomain属性が付与されていないからであった。そこで，SSOサーバの設定項目中のCookieのDomain属性を設定した。

① ［　①　］に入る適切な字句を答えよ。

② 下線部について，CookieのDomain属性として設定した具体的なドメイン名を答えよ。

さらに，クッキーの安全性についても問われた。

③　Cookieが平文でネットワークを流れないよう，全てのページをSSL/TLS対応ページに変更する。このとき，Cookie発行時に実施すべき方策を25字以内で述べよ。

【解説】

①②　クッキーのDomain属性のデフォルト値は，それを発行した（設定を指示した）サーバのFQDN（トップレベルのドメイン名からホスト名までを省略せずに記述したドメイン名）である。認証情報を含むクッキーは認証成功時にSSOサーバが発行するため，そのDomain属性を省略したとき，SSOサーバのFQDNが設定される。そのため，クッキーを営業サーバへ送信することができず，営業システムの画面に遷移しなかった。

これを解決するためには，Set-Cookieフィールドを用いて，Domain属性にSSOに関連するサーバを含む「a-sha.example.jp」を設定すればよい。

③　クッキーが平文（HTTP通信）で流れないようにするためには，クッキーにSecure属性を付けておく。

【解答】

①　Set-Cookie

②　a-sha.example.jp

③　CookieにSecure属性を付ける。

Focus シングルサインオン（SSO）

シングルサインオンも午後試験で出題されます。ここでは，シングルサインオンの各方式のうちエージェント方式とリバースプロキシ方式を改めて説明した後で，出題実績のあるSAMLについて説明します。

■ 基礎編のおさらい

シングルサインオンについて，基礎編で説明した事項を確認しておく。

- 一度認証を済ませておけば，複数のアプリケーションをログインなしで利用できる仕組みである。
- シングルサインオンの実現方式には，エージェント方式，リバースプロキシ方式，代理認証方式，フェデレーション方式がある。
- 認証情報の伝達には，クッキーやSAMLを用いる。
- SAMLは，ドメインの枠を越えて認証情報やアクセス制御情報を伝達する。

■ エージェント方式

エージェント方式は，Webサーバやクライアントにインストールされたエージェントソフトウェアが，認証の正当性を認証サーバに問い合わせる方式である。この方式は，さらにクライアントエージェント型SSOとサーバエージェント型SSOに分けることができる。

クライアントエージェント型SSOでは，クライアントにサーバへの認証手続を代行するSSOソフトウェアを実装し，使用権限のあるサーバとユーザID，パスワードを登録しておく。ログイン時には，SSOソフトウェアにサインオンすれば，SSOソフトウェアが各サーバへのサインオンを自動的に代行する。ユーザは，クライアント（SSOソフトウェア）にログインするためのユーザIDとパスワードを一組だけ管理すればよい。また，各サーバに対するユーザ認証はサーバごとに行うため，現状のサーバシステムを変更せずにSSOを実現できる。

サーバエージェント型SSOは，Webサーバ上でクライアントの認証手続をエージェント（プラグインソフトウェア）に代行させる方式である。Webサーバにエージェントを実装しておき，ログイン時のサインオンによってクライアントから入力された認証情報をエージェントが認証サーバに転送する。認証に成功した場合，クッキーに認証済みの認証情報を格納し，クライアントに送信する。これ以降，クッキーに保持された認証情報を用いてWebサーバにアクセスする。

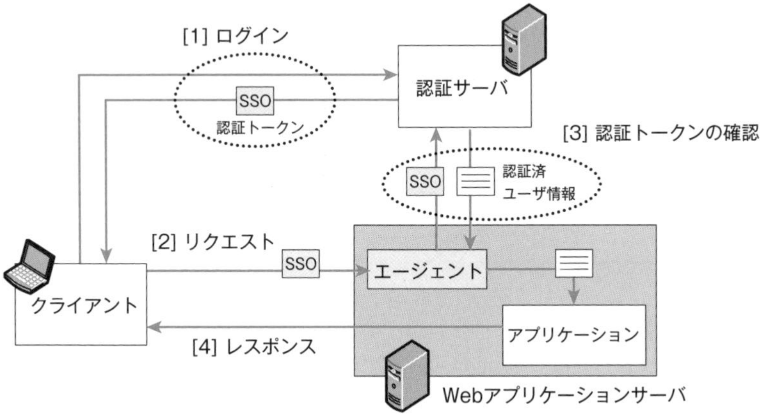

▶図3.3.14　サーバエージェント型SSO

■ リバースプロキシ方式

リバースプロキシサーバが認証サーバの機能を兼ねる方式である。クライアントはリバースプロキシサーバにログインすると，認証サーバが各サーバへの認証を代行するだけでなく，クライアントから各サーバへのアクセスも代行する。このため，クライアントからのアクセスをすべて認証サーバ経由にするよう，ファイアウォールなどで制御する必要がある。

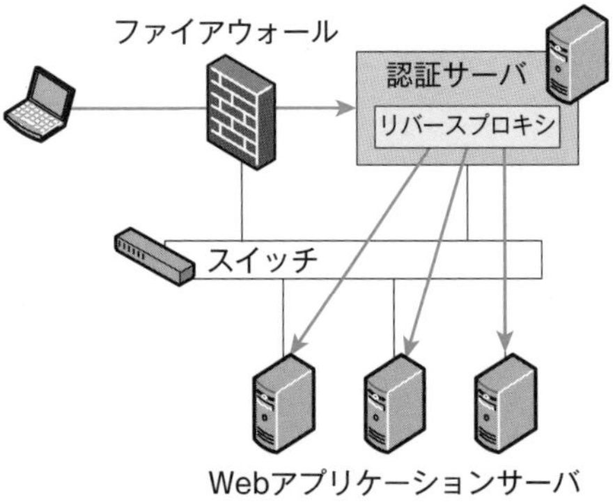

▶図3.3.15　リバースプロキシ型SSO

■ ケルベロス認証

ケルベロス認証は古くから実装されている認証方式で，鍵配布センタ（KDC：

Key Distribution Center）が発行する２種類のチケットを用いてSSOを実現する。

▶表3.3.7　ケルベロス認証で使用するチケット

TGT： Ticket Granting Ticket	クライアントの身分証明書に相当するチケットで，ユーザIDとパスワードによる認証に成功すると発行される。KDCのみが持つ鍵で暗号化されている。
ST： Service Ticket	クライアントが各種サービスを利用する際に提示するチケットで，有効なTGTを鍵配布センタに提示することで発行される。KDCとアプリケーションサーバの共通鍵で暗号化されている。

以下に，ケルベロス認証を用いた通信手順の概要を示す。

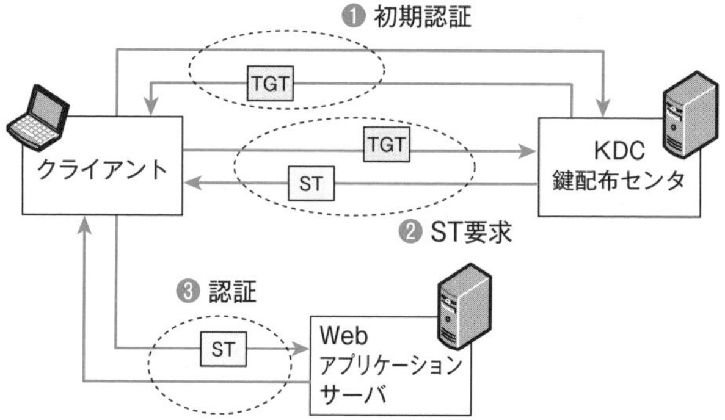

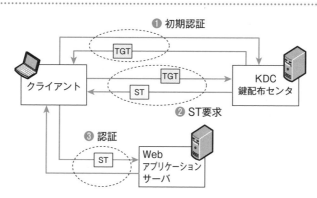

▶図3.3.16　アプリケーションサーバへの通信手順

❶　初期認証

クライアントはKDCに対してユーザIDとパスワードを用いた初期認証を行う。認証に成功すると，KDCはTGTを発行する。以降，TGTの有効期限が切れるまで，ユーザIDとパスワードの入力は不要である。

❷　ST要求

クライアントはアプリケーションの利用にあたりKDCにTGTを提示する。TGTの有効期限が切れていなければ，KDCはアプリケーションサーバを利用するためのSTを発行する。

❸　認証

クライアントはアプリケーションサーバへSTを提示する。サーバはSTの内容でクライアントを認証し結果を応答する。なお，STにはタイムスタンプがつけられる。サーバの時刻とSTのタイムスタンプとの間に５分以上のずれがあれば，STは拒否され認証は失敗する。

■ ケルベロス認証と暗号化

ケルベロス認証では，共通鍵による認証およびデータの暗号化を行っている。鍵配布センタ（KDC）には，ケルベロス認証に参加するすべてのクライアント／サーバの共通鍵が集約され管理されている。

クライアントとアプリケーションサーバ間の通信は，セッション鍵を用いて暗号化される。このセッション鍵（セッション鍵B）はKDCが生成し，STの発行と提示に伴いクライアントとアプリケーションサーバで共有する。この様子を次図に示す。

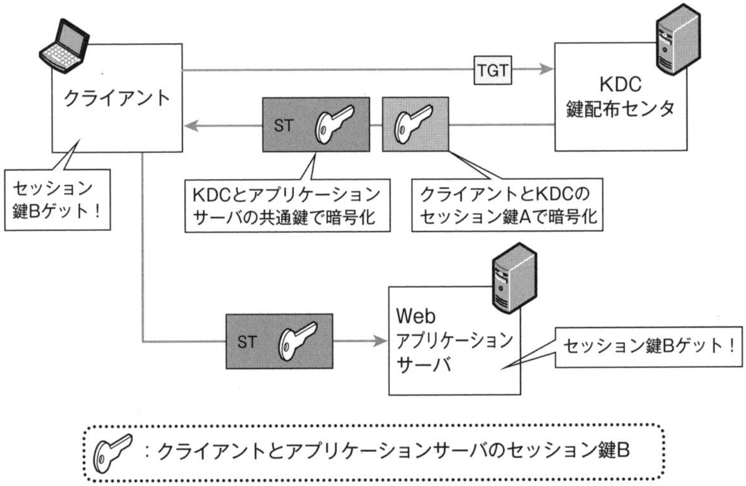

▶図3.3.17　認証と暗号化

TGTを提示されたKDCはセッション鍵を生成しSTに格納する。STはKDCとアプリケーションサーバの共通鍵で暗号化されているため，STからセッション鍵Bを取得できるのはアプリケーションサーバに限られる。さらに，KDCはセッション鍵BをKDCとクライアントのセッション鍵（セッション鍵A：TGT発行時に一緒にクライアントの鍵で暗号化されてクライアントへ渡される）で暗号化してSTとともにクライアントに返送する。

クライアントはKDCから受けた応答からセッション鍵Bを取得する。また，応答からSTを取り出してアプリケーションサーバに提示する。

STを提示されたアプリケーションサーバは，STを自身とKDCの共通鍵で復号する。正しく復号できればクライアントを認証し，STからセッション鍵Bを取得する。

■ SAML

同一ドメイン内であれば，認証クッキーを用いてSSOを実現することも可能である。しかし，クッキーは同じドメインの中でしか使うことができない。つまり，認証クッキーを異なるドメインへ送ることはできない。**SAML**は，異なるインターネットドメイン間で認証情報，属性情報，アクセス制御情報などを伝達するためのWebサービスプロトコルであり，インターネットドメインをまたがるSSOの実現などに用いられる。SAMLでは，認証対象（サブジェクト）に関する情報をXML形式で記述する。これを**アサーション**（表明）といい，アサーションはSOAPやHTTPなどによって伝送される。

■ SAMLを利用したSSOシステム

サービスプロバイダが提供するサービスをWebブラウザで利用するSSOシステムを，SAMLを利用して実現した場合のメッセージフローを示す。

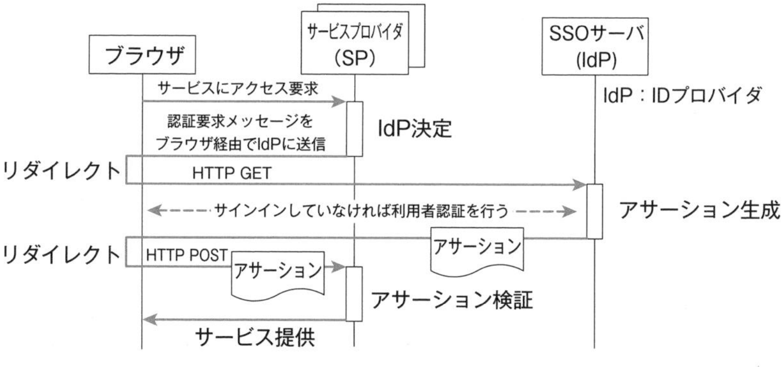

▶**図3.3.18　SAML2.0によるメッセージフロー**

サービスプロバイダ（SP）へのWebブラウザからのサービス要求に対して，SPはユーザ認証をSSOサーバ（IdP）にリダイレクトさせる。SSOサーバは，認証要求メッセージに対して「ユーザがサインインしている」ことを表すアサーションを生成する。アサーションにはSSOサーバのデジタル署名が付与されている。なお，

SPからのサービス要求が初めての場合，アサーションを生成するために必要な認証情報をWebブラウザに直接要求し，Webブラウザにサインインさせ，その認証情報に基づいてユーザ認証を行い，アサーションを生成する。

生成したアサーションは，Webブラウザのリダイレクトによって認証要求したSPに送信される。アサーションを受信したSPは，アサーションのデジタル署名を検証する。その後，アサーションの内容に基づいて，サービス要求を行ったWebブラウザにサービスを提供する。

■ 出題の切り口1

令和４年午後Ｉ問３で，ケルベロス認証のシーケンスが出題された。

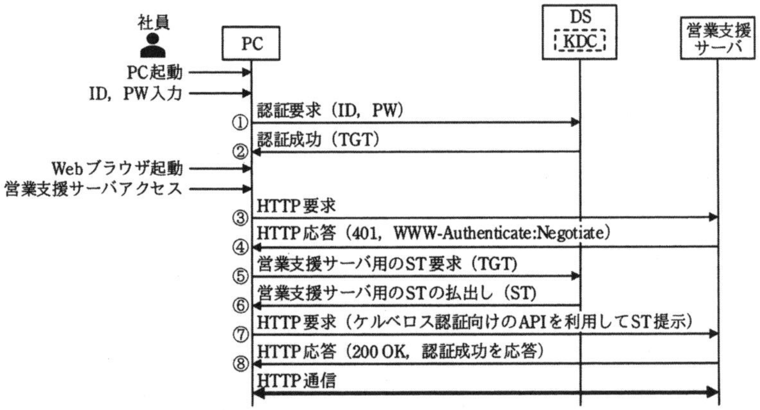

▶図3.3.19　令和4年午後Ｉ問3「図2　PCの起動から営業支援サーバアクセスまでの通信手順（抜粋）」

(1)　攻撃者が▶図3.3.19中の②を盗聴して通信データを取得しても，⑦の通信を正しく行えず営業支援サーバを利用できない。その理由を15字以内で述べよ。

(2)　▶図3.3.19中で，ケルベロス認証サービスのポート88が用いられる通信を，①～⑧の中からすべて選べ。

【解説】

(1)　攻撃者は②を盗聴してTGTを窃取する。攻撃者はクライアントに偽装し，窃取したTGTを用いて⑤を不正に行う。このとき（本文では解説していないが），提示するTGTにはクライアントとKDCのセッション鍵で暗号化したタイムスタンプを付与しなければならない。ところが，攻撃者はこれを行うことができず，結果として⑤が失敗し，KDCからSTを受け取ることができない。よって，攻撃者は⑦を実行できない。

(2) ポート88はKDCとの通信に用いられる。

なお，令和４年の問題では，ケルベロス認証に関して(1)(2)の他に「時刻のずれによって正しいSTが無効になる」という切り口が出題された。ケルベロス認証を用いる際には，PCやサーバの時刻をKDCに同期させる必要があることも覚えておこう。

【解答】

(1) STを取り出せないから

(2) ①②⑤⑥

■出題の切り口２

令和５年午後Ⅱ問２で，ケルベロス認証を用いたSAMLのシーケンスが出題された。このシーケンスは，会員企業のPCからEC事業者であるY社のECサーバにSSOでアクセスするときの通信手順である。

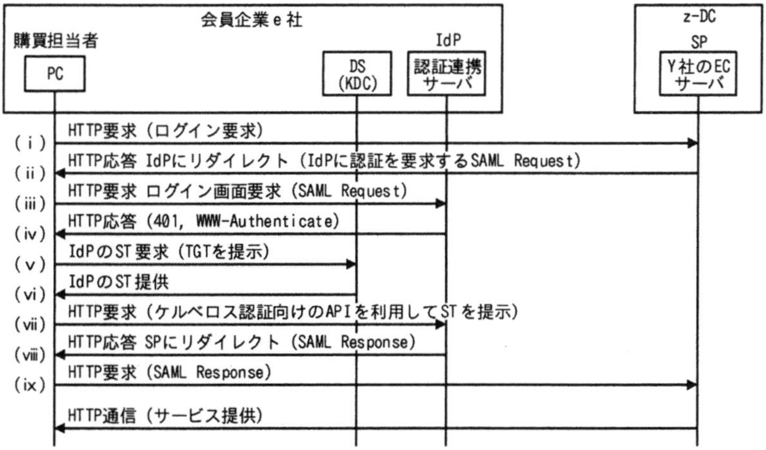

注記１　本図では，購買担当者はPCにログインしてTGTを取得しているが，IdP向けのSTを所有していない状態での通信手順を示している。

注記２　LBの記述は，図中から省略している。

▶図3.3.20　令和５年午後Ⅱ問２「図７　e社内のPCからECサーバにSSOでアクセスするときの通信手順（抜粋）」

① ▶図3.3.20中の（ii）で，SPであるECサーバはSAML認証要求（SAML Request）を作成し，IdPである認証連携サーバにリダイレクトを要求する応答を行う。ECサーバがリダイレクト応答を行うために必要な情報を，IdPが会員企業ごとに異なることに注目して30字以内で答えよ。

② ▶図3.3.20中のECサーバには，IdPが作成するデジタル署名の検証に必要な情報が登録されている。この情報を15字以内で答えよ。

③ ▶図3.3.20中の（vii）で，PCは受信した情報の中からSTを取り出してIdPに提示するが，このときPCは取り出したSTを改ざんすることができない。その理由を20以内で答えよ。

【解説】

① リダイレクト先であるIdPは会員企業ごとに設置されているため，会員企業の情報が分かればリダイレクトできる。

② IdPのデジタル署名はIdPの秘密鍵で生成されており，その検証はIdPの公開鍵で行う。IdPの公開鍵はIdPの公開鍵証明書から取得する。

③ 「■ケルベロス認証と暗号化」で述べているとおり，STは提示先のサーバ（この場合はIdP）の共通鍵で暗号化されている。PCはこれを復号できず改ざんもできない。

【解答】

① アクセス元の購買担当者が所属している会員企業の情報

② IdPの公開鍵証明書

③ IdPの鍵を所有していないから

3.4 メールサーバ

Point!

メールサーバは，電子メールの受信や転送を行うサーバである。

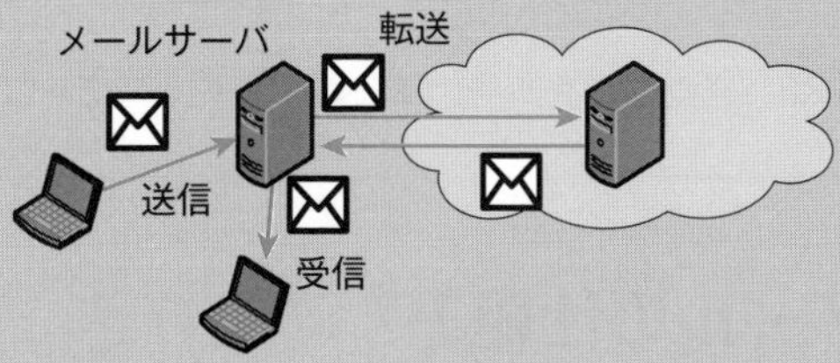

ここでは，電子メールの仕組みやプロトコルについて改めて確認した後で，主に電子メールのセキュリティ技術について説明する。

… 30秒チェック！ …

Super Summary

1 メールの仕組み

【目標】電子メールの様式やプロトコルを知る。

□SMTP…電子メールを送信・転送するプロトコル

□POP3…電子メールを受信するプロトコル

□IMAP4…電子メールを受信するプロトコル。受信メールはサーバで管理する

□MIME…電子メールで添付ファイルやバイナリデータを送受信する仕組み

□電子メールのフォーマット…電子メールはヘッダとボディから構成される

2 電子メールのセキュリティ

【目標】電子メールを安全に送受信するための対策を知る。

□POP before SMTP…POP3で認証してから電子メールを送信する仕組み

□SMTP-AUTH…SMTPに認証機能を付け加えた拡張仕様

□OP25B…外部とのメール送信にSMTP（ポート25）を禁止する仕組み

□第三者中継の禁止…踏み台にならないためのメールサーバの設定

□送信ドメイン認証…送信者のアドレスが正当かどうかを認証する仕組み

□SPF…送信メールサーバのIPアドレスをDNSに問い合わせる方式

□Sender ID…SPFに加えてさまざまなフィールドのチェックを行う方式
□DKIM…デジタル署名を用いたメールの認証方式
□SMTPS，POPS，IMAPS…SSL/TLSによる暗号化を行う電子メールプロトコル
□S/MIME…送受信間を暗号化する電子メールプロトコル

1 メールの仕組み

電子メールの送受信は，次の手順で行われる。

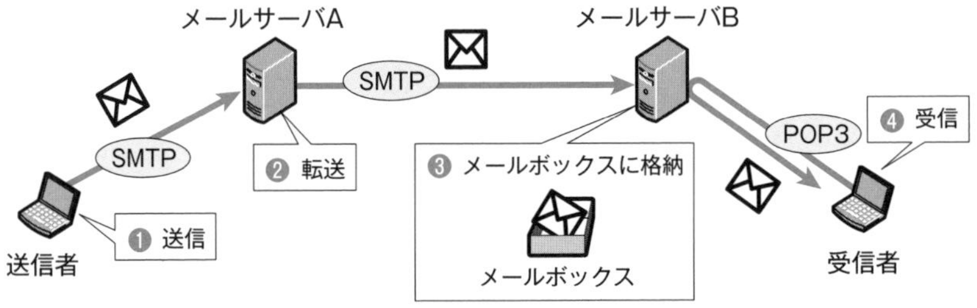

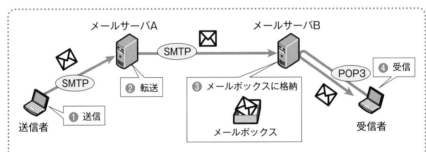

▶図3.4.1　電子メールの送受信手順

❶　送信者は，メールクライアントに設定されたメールサーバAにメールを送信する。
❷　メールサーバAは，宛先メールアドレスを参照し，宛先のメールサーバBにメールを転送する。
❸　メールサーバBは，受信者のメールボックスにメールを格納する。
❹　受信者は，メールボックスからメールを取得する。

なお，❷に示したようなメールの中継機能をメールリレーと呼ぶ。

1 メールのプロトコル

電子メールの送受信に関わるプロトコルには，次のものがある。

▶表3.4.1　電子メールのプロトコル

SMTP（Simple Mail Transfer Protocol）
電子メールの送信，転送を行うためのプロトコル。
POP3（Post Office Protocol 3）
メールボックス（受信メールスプール）からメールを受信（ダウンロード）するためのプロトコル。受信メールはクライアント側で管理する。
IMAP4（Internet Message Access Protocol 4）
メールボックスに保存したメールのうち，クライアントから要求されたメールのみダウンロードするプロトコル。受信メールはメールサーバ側で管理する。
MIME（Multipurpose Internet Mail Extensions）
電子メールでASCIIコード以外の文字や添付ファイルなどのバイナリデータを送受信するための仕組み。

メール受信を行うプロトコルには**POP3**と**IMAP4**があるが，これらの違いは，

POP3：メールの管理をクライアント側で行う

IMAP4：メールの管理をサーバ側で行う

にある。POP3で受信したメールは原則としてメールサーバから削除され，その管理はクライアントに任される。一方，IMAP4では電子メールはメールサーバ側で一括管理され，クライアントは必要なメールをその都度メールサーバからダウンロードする。

POP3を用いるかIMAP4を用いるかは，メールサーバによって決まっています。利用者は用意されているプロトコルをメールソフトに設定し，利用します。

2 電子メールのフォーマット

電子メールは，ヘッダとメッセージボディから構成される。メッセージボディには電子メールの本文が入る。

ヘッダは，複数のフィールドから構成され，各フィールドは，

フィールド名：フィールド値

という形式で構成される。

以下に，代表的なフィールドを示す。

配送エラーが起きたときの通知先

Return-Path: <kuroyagi@safari.co.jp>

Received: ……
Received: ……
Received: ……

メールの転送経路
メールサーバを経由するごとに追加される

From: 黒ヤギ <kuroyagi@safari.co.jp> — 送信者のメールアドレス

To: 白ヤギ <shiroyagi@zoo.co.jp> — 宛先のメールアドレス

Subject: 読まずに食べた — メールの題名

Date: Wed, 6 Feb 2019 09:10:33 +0900
Message-ID: ……
MIME-Version: 1.0
……

メールの送信時刻
識別子
MIMEのバージョン
その他

▶**図3.4.2　電子メールの例**

【参考】　～MIME

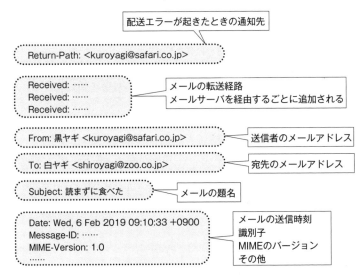

MIMEはASCIIコード以外の文字列を，次の形式でエンコードする。

=? 文字コード ? 符号方式 ? 符号化された文字列 ?=

- ISO-2022-JP：JISコード
- UTF-8：Unicode

- B：Base64
- Q：Quoted-Printable

（例）

黒ヤギ

=? ISO-2022-JP ? B ? GyRCOXUIZCUuGyhC ?=

▶**図3.4.3　MIME**

▶図3.4.2の例ではFrom，To，Subjectに日本語を残しているが，実際にはMIMEでエンコードされる。

平成 25 年の午前問題で，From フィールドのフォーマットに関する問題が出題されました。MIME 表記が使われていたので，「えっ？」と思うような問題だったのですが，「From：名前 < メールアドレス >」という並び順が分かっていれば解けた問題でした。

2 電子メールのセキュリティ

電子メールは非常に便利な情報ツールであるが，それだけに攻撃の糸口などに使われやすい。ここでは，それらの行為を防ぐための技術について説明する。

▶表3.4.2　電子メールのリスク

フィッシング	電子メールで不正なURL（リンク）を送りつけ，偽のWebサイトに誘導し，機密情報の窃取や詐欺行為を行う。
ウイルスメール	電子メールにコンピュータウイルスを添付し，添付ファイルを開かせることでウイルスに感染させる。
スパムメール	受信者の意向を無視して大量にばらまかれる電子メール。攻撃ではないが，迷惑行為である。
盗聴	暗号化されていない電子メールを盗聴し，情報を盗み出す。

1 メール送信時の認証

SMTPを用いたメール送信にはユーザ認証の機能がない。そのため，攻撃者は身元を知られることなく大量のメールをばらまくことができる。これを防ぐためには，メール送信に先だってユーザ認証を実施すればよい。その仕組みとして考えられたのが，**POP before SMTP**および**SMTP-AUTH**である。

▶表3.4.3　POP before SMTPとSMTP-AUTH

POP before SMTP	・POP3の持つ認証機能を利用する仕組み。この仕組みにより，受信アカウントを持つ者だけが送信できる。 ・メール送信に先だってPOP3による受信を義務づける。受信に成功した(認証に成功した)場合のみ，一定時間に限ってSMTPによる送信を行うことができる。 
SMTP-AUTH	SMTPに認証機能を付け加えたSMTPの拡張仕様。 

POP before SMTPは，POP3の認証機能を送信者の認証に流用した方法である。これに対し，SMTP-AUTHは送信者認証の根本的解決法といえる。いずれの方式を用いるかは，利用するメールサーバに合わせてメールクライアントに設定する。

2 OP25B (Outbound Port 25 Blocking)

インターネットサービスプロバイダ（ISP）などでは，自社のメールサーバがスパムメールの踏み台にならないよう，外部とのメール送信にSMTPではなくSMTP-AUTHを強制するような仕組みを取り入れている。これを「外部とのやり取りにSMTP（ポート25）を禁止する」という意味で，**Outbound Port 25 Blocking**と呼ぶ。なお，SMTPに代えて外部とのメール送信用に用意されたポートを，**サブミッションポート**（**ポート587**）と呼ぶ。

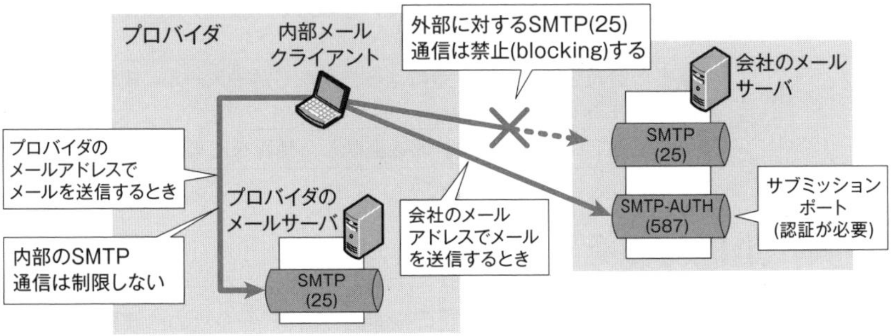

▶図3.4.4　OP25B

OP25Bを取り入れることで，ユーザのPCから直接インターネット宛てのメールを送ることができなくなる。これにより，スパムメールのばらまきも防止することができる。

3 第三者中継の禁止

SMTPサーバにおいて，外部から届いたメールを外部へ中継するような設定を**オープンリレー**または**第三者中継**と呼ぶ。オープンリレーに設定されたメールサーバは，スパムメールの格好の踏み台となる。そこで，インターネットに公開するSMTPサーバには，外部から外部への中継を行わないよう配送ルールを設定することで，第三者中継を禁止する。

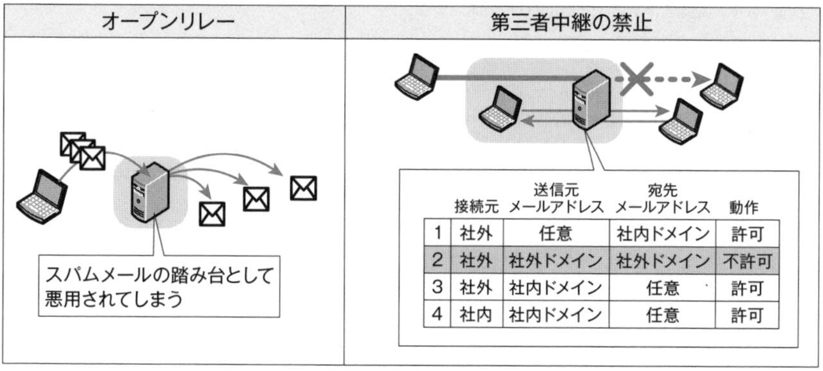

▶図3.4.5　オープンリレーと第三者中継の禁止

4 偽装メール対策

メールヘッダの送信者フィールド（From）は，ユーザが設定できる項目である。つまり，攻撃者がFromを他人のメールアドレスに書き換えてしまえば，攻撃者が送信者を偽装できることになる。このような偽装を防ぐためには，送信者のアドレスが正当かどうかの認証を行い，偽装メールの受信を拒否するような仕組みがメールサーバに必要となる。これを**送信ドメイン認証**と呼ぶ。

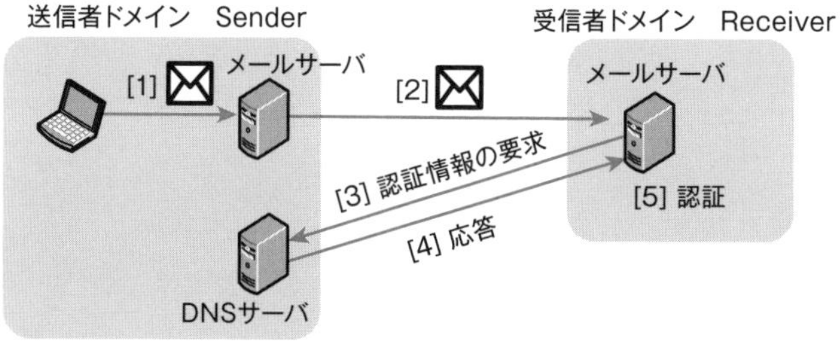

▶図3.4.6　送信ドメイン認証の手順

▶表3.4.4　送信ドメイン認証の方式

SPF（Sender Policy Framework）
メールを配送しているメールサーバのIPアドレスと，送信者のメールアドレスのドメイン名との対応をDNSの情報を用いて検証する方式である。 受信側メールサーバは，DNSサーバから「当該ドメインのメールを配送するメールサーバのIPアドレスのリスト」を取得する。リストに，送信側メールサーバのIPアドレスが含まれていれば，偽装メールではないと判断する。
Sender ID
SPFによる確認に加え，メールヘッダのResent-senderフィールド，Resent-fromフィールド，Sender フィールド，Fromフィールドのチェックを行う。
DKIM（DomainKeys Identified Mail）
デジタル署名を用いたメールの認証方式である。 送信元メールサーバは，電子メールにデジタル署名を付けて受信側メールサーバにメールを送信する。受信側メールサーバは，送信側DNSサーバから署名検証用の公開鍵を取得して，署名を検証する。署名の検証に成功すれば，偽装メールではないと判断する。

5 電子メールの暗号化

電子メールの盗聴対策として，電子メールを暗号化する。これに用いられるプロトコルには，次のものがある。

SMTPS(SMTP over SSL)　,POPS(POP over SSL)　,IMAPS(IMAP over SSL)

メールクライアントとメールサーバとの間にSSL/TLSによって暗号化された伝送路(トンネル)を構築し，電子メールを暗号化する。

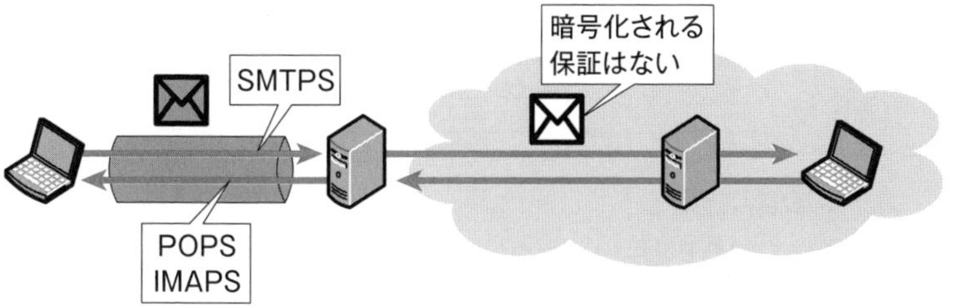

S/MIME(Secure/MIME)

送受信者間の電子メールの暗号化と，デジタル署名を用いた送信者の認証機能を提供するプロトコル。送受信者のメールクライアントが共にS/MIMEに対応していることが必要。

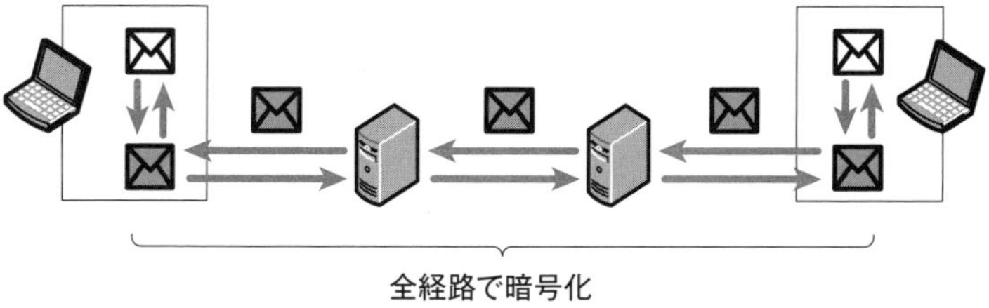

▶**図3.4.7　電子メールの暗号化**

SMTPS，**POPS**（**POP3S**），**IMAPS**（**IMAP4S**）は「SSL/TLSによって暗号化されている」と考えればよい。SSL/TLSのトンネルはメールクライアントとメールサーバ間に構築されるため，その間の送受信は暗号化されるが，トンネルの出口から先は暗号化が行われる保証はない。

これに対し，**S/MIME**は送受信者のメールクライアントが「電子メールそのものを暗号化する」ため，送信から受信に至る全ての経路で暗号化による安全性が保証される。

Focus 電子メールの詳細

電子メールのプロトコルといえばSMTPとPOP3ですが，プロトコルシーケンスを詳細まで理解している人は少ないと思います。試験でSMTPやPOP3が直接問われることはあまりありませんが，それらが解答の前提知識になっていることはままあります。そこで，ここでは電子メールの詳細を改めて説明することにします。

(1) メール送信の詳細

メール送信は，**SMTP**を用いて行う。

■ メール送信の流れ

メール送信は，次の手順で行われる。

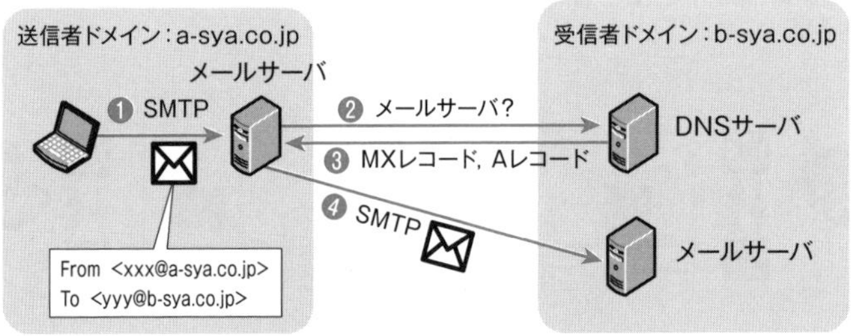

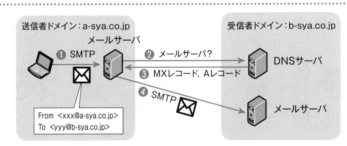

▶**図3.4.8　メール送信の手順**

❶　送信者ドメインのクライアントは，自ドメインのSMTPサーバ（メールサーバ）宛てにメールを送信する。

❷　送信者ドメインのメールサーバは，Toフィールドに指定されている宛先メールアドレスから宛先となるドメイン名を取得し，宛先ドメインのDNSサーバに「宛先に指定するメールサーバの情報」を問い合わせる。

❸　問合せを受けたDNSサーバは，MXレコード（メールサーバ名）と対応するAレコード（メールサーバのIPアドレス）を応答する。

❹　❸で取得した情報を用いて，メールを受信者ドメインのSMTPサーバ（メールサーバ）へ送信する。

■ SMTPのコマンドとシーケンス

クライアントとSMTPサーバでは，テキストベースのコマンドを利用して，メールを転送している。

SMTPの主要なコマンドと通信シーケンスを，次に示す。

▶表3.4.5　SMTPの主要なコマンド

コマンド	使用法
EHLO または HELO	セッションの開始
MAIL FROM	送信者の指定
RCPT TO	受信者の指定
DATA	メール本文の開始(終了は"."のみの行)
QUIT	セッションの終了
VRFY	受信者の確認
AUTH	ユーザの認証(RFC2554での拡張)

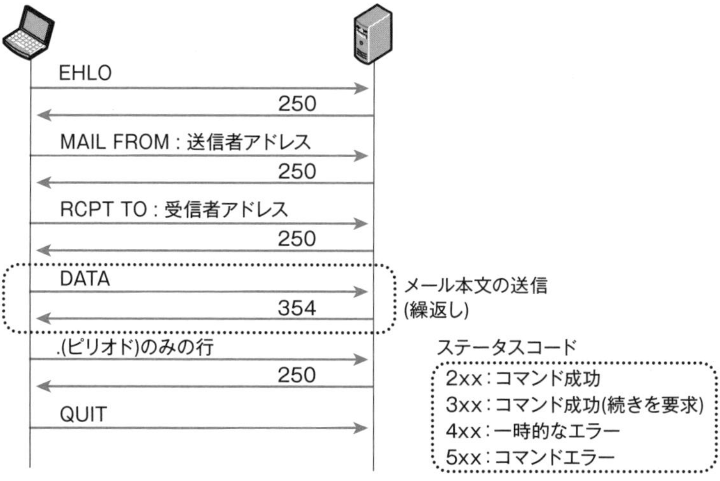

▶図3.4.9　SMTPの通信シーケンス

■ エンベロープFrom，エンベロープTo

MAIL FROM，RCPT TOで通知されるアドレスをそれぞれ**エンベロープFromアドレス**，**エンベロープToアドレス**などという。これに対し，メールヘッダに指定されるアドレスを，**ヘッダFromアドレス**，**ヘッダToアドレス**と呼ぶこともある。

エンベロープFromアドレスやエンベロープToアドレスは「メール本来の送信元，宛先アドレス」と考えてよい。メールはエンベロープTo宛てに送信され，配送エラーが発生した場合はエンベロープFrom宛てにエラー情報が返される。

エンベロープとヘッダを分けることで，見かけ上のわかりやすさやBccを実現できる。例えば，メーリングリスト宛ての場合は，ヘッダToにはメーリングリストのアドレスが設定されるが，エンベロープToにはメーリングリストに登録された個々のアドレスが全て設定される。また，Bccフィールドを用いたメールは，宛先をエンベロープToのみに設定することで実現できる。

ヘッダ From は送信者が自由に設定できるため，**送信者の詐称に悪用される**ことがあります。例えば迷惑メールでは，本当の送信元を知られないよう，ヘッダ From を書き換えて送信元を詐称します。

(2) メール受信の詳細

POP3は，デフォルト設定されたPOPサーバの受信メールスプールに入っているファイルをMUAのクライアントにダウンロードすることに特化した非常に単純なプロトコルである。

POP3の主要なコマンドと通信シーケンスを次に示す。

▶表3.4.6 POP3の主要なコマンド

コマンド	使用法
USER	ユーザ名の送信
PASS	パスワードの送信
QUIT	セッションの終了
APOP	ダイジェスト認証を用いたユーザ認証
STAT	メッセージ数と合計バイト数を表示
LIST	それぞれのメッセージの番号とバイト数を表示
RETR	指定した番号のメッセージを取得
DELE	指定した番号のメッセージを削除

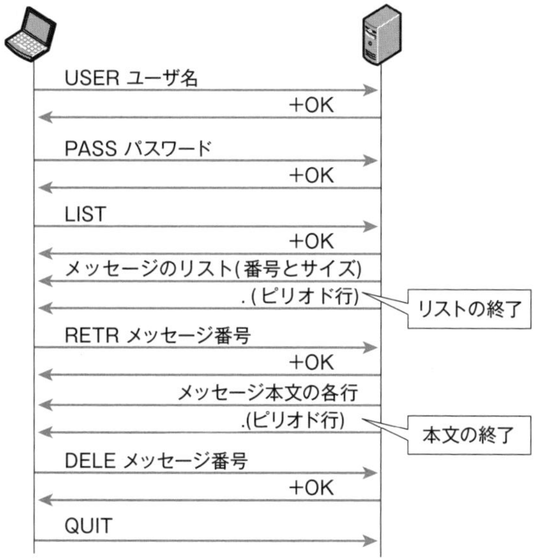

▶図3.4.10　POP3の通信シーケンス

【参考】　～MTAとMUA

メールサーバやメールクライアント上でメールの送受信を行うためには，**MTA**や**MUA**などのプログラムを用いる。メールサーバはMTAを実装し，利用者のPCはMUAを実装している。

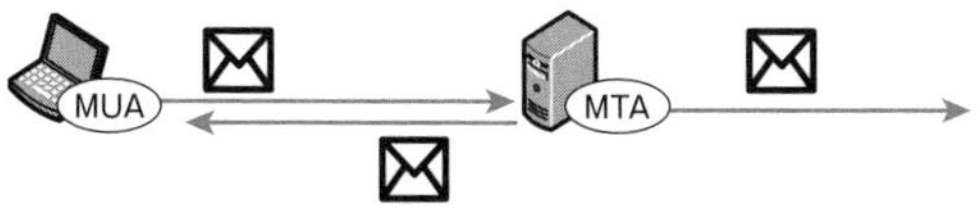

MTA(Mail Tranfer Agent)	メールの転送を行うプログラム
MUA(Mail User Agent)	メールサーバへの送信やメールボックスからの受信を行うプログラム

▶図3.4.11　MTAとMUA

これらの用語は本試験で何の説明もなく使われることがある。混乱しないように覚えておこう。

(3) SPFの詳細

SPF（Sender Policy Framework）は，SMTPのMAIL FROMコマンドに指定した送信元アドレスのドメイン名，そのドメイン名を管理しているDNSのSPFレコードの内容，メールを送信しているメールサーバのIPアドレスをチェックし，メールの認証を行う方式である。RFC7208で定義されている。

■ SPFレコードの設定

SPFの利用に先立ち，送信元となるドメインは「自身のドメイン名でメールを送信するメールサーバ」をDNSサーバのTXTレコードに設定する。ここで設定されたレコードを，**SPFレコード**と呼ぶ。

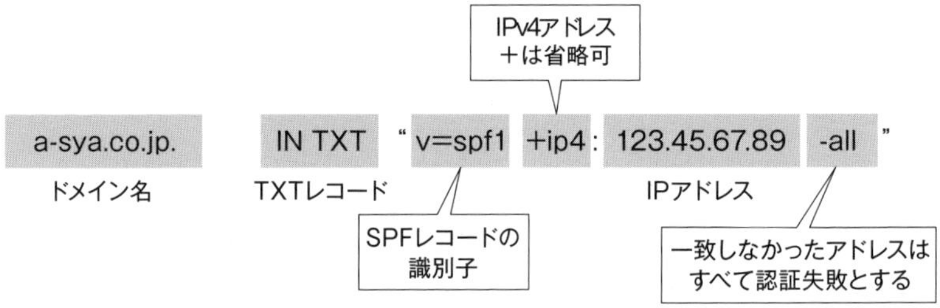

▶図3.4.12　SPFレコードの書式

図の例は「a-sya.co.jp」でメール送信するメールサーバのIPアドレスは「123.45.67.89」に限られることを表している。

■ SPFによる送信ドメイン認証

SPFによる送信ドメイン認証は，次の手順で行われる。

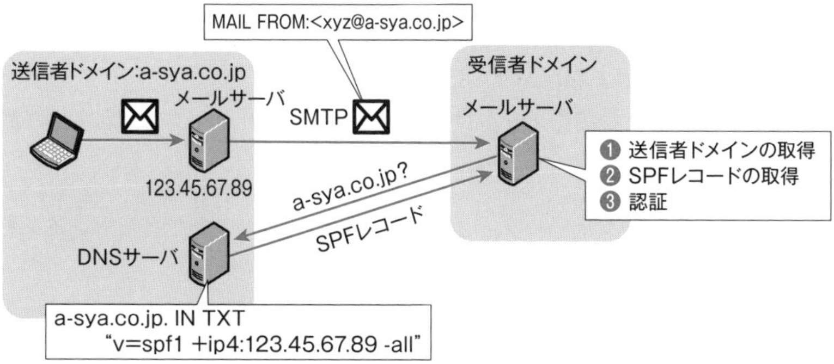

▶図3.4.13 SPFによる送信ドメイン認証

❶送信者ドメインの取得

受信者ドメインのメールサーバは，SMTPによる送信における「MAIL FROMコマンドで指定された送信者ドメイン」を取得する。

❷SPFレコードの取得

受信者ドメインのメールサーバは，❶で取得した送信者ドメインのDNSサーバへ，SPFレコードを問い合わせる。問合せを受けたDNSサーバは，SPFレコードを応答する。

❸認証

受信者ドメインのメールサーバは，送信元メールサーバのIPアドレスとDNSから取得したSPFレコードのIPアドレスを比較する。両者が一致すれば認証成功，そうでなければ送信元メールアドレスが偽造されていると判断する。

■ 出題の切り口

平成28年午後Ⅰ問1に，SPFに関する問題が出題された。SPF導入の目的は，A社のドメインを偽る迷惑メールの防止である。

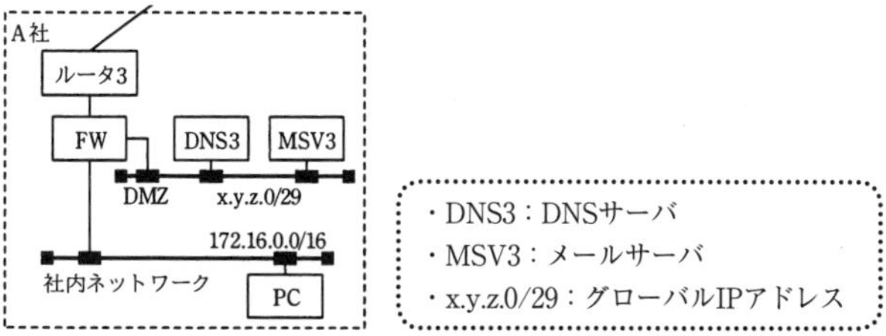

▶図3.4.14 平成28年午後Ⅰ問1「図1 A社，B社，P社及びQ社のネットワーク構成」より抜粋

なお，A社は次のSPFレコードをDNS3に設定している。

a-sya.co.jp IN TXT "v=spf1 +ip4:x.y.z.1 -all"

ここで，「x.y.z.1」はMSV3のIPアドレスである。

これを前提に，受信側メールサーバにおける送信ドメインの認証手順が問われた。

受信側のメールサーバは，メール受信時に，次の手順で送信ドメインを認証する。

[1] ①“SMTP通信中にやり取りされる送信元ドメイン名”を得る。

[2] 送信元ドメイン名に対するSPFレコードを，DNSに問い合わせる。

[3] 得られた②SPFレコードを用いて送信元ドメインの認証を行う。

① 下線①について，送信元ドメインが得られるSMTPプロトコルのコマンドを答えよ。

② 下線②で行われる処理内容について，SPFレコードと照合される情報を，20字以内で具体的に述べよ。

【解説】

①はMAIL FROM。SMTPコマンドをすべて覚える必要はないが，MAIL FROMコマンドはSPFと関連させて覚えておこう。

②はSPFレコードと照合される情報を答える。DNS3に設定されたSPFレコードには「A社ドメインにおける送信メールサーバのIPアドレス」が記録されているので，これと（受信メールの）送信元メールサーバのIPアドレスを比較する。認証に失敗したとき，受信メールはA社を名乗る迷惑メールだと判断できる。

【解答】

① MAIL FROM

② 送信元メールサーバのIPアドレス

3.5 FTPサーバ

Point!

FTP（File Transfer Protocol）は，ファイル転送を行うプロトコルである。ただし，単純なファイルコピーだけではなく，ファイル一覧の取得，ファイルのアップロード／ダウンロード，既存ファイルへの追加，ファイルの削除，ホスト間での文字コードの変換などの機能をもつ。ここでは，FTPの仕組みとセキュリティ面での留意事項を説明する。

… 30秒チェック！ …
Super Summary

1 FTPの仕組み

【目標】FTPの仕組みと基本機能を知る。

□アクティブモード … サーバからクライアントへデータコネクション確立を行う方式
□パッシブモード … クライアントからサーバへデータコネクション確立を行う方式
□anonymous FTP … 不特定ユーザに開放されたFTPサービス
□TFTP … 簡便さと高速性を実現したファイル転送プロトコル

2 FTPのセキュリティ

【目標】ファイル転送を安全に行うための対策を知る。

□FTPS … SSL/TLSによる暗号化を行うファイル転送プロトコル
□SFTP … SSHの仕組みを利用して暗号化を行うファイル転送プロトコル
□SCP … SSHの仕組みを利用して暗号化を行うファイル転送プロトコル

1 FTPの仕組み

FTPは，制御情報転送用とデータ転送用の二つのコネクションを用いて，ファイル転送を実現する。それぞれのコネクションには，次のポートが用いられる。

▶表3.5.1　FTPのポート

ポート番号	用途	説明
20	データコネクション	ファイルデータを送受する。
21	制御コネクション	ファイル転送の開始と終了を制御するための情報を送受する。

データコネクションと制御コネクションを分けることで，**データ転送中でも制御コマンドを送信することができる**。これにより，例えばデータ送信中に送信を一時中断するなどの操作も可能になる。

また，FTPでファイル転送を行うにあたり，次の二つのモードを選ぶことができる。なお，▶表3.5.2においてデータ転送に用いるポートmやnには，1024以上のポート番号がランダムに選ばれる。

▶表3.5.2　FTPのファイル転送モード

<table>
<tr><td>アクティブモード</td><td>サーバからクライアントに向けてデータコネクションの確立を要求するモード。
ファイルデータの転送は，サーバのポート20を用いて行う。
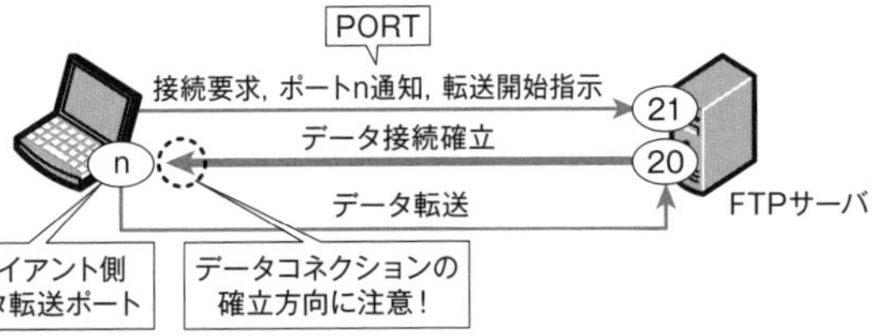
</td></tr>
<tr><td>パッシブモード</td><td>クライアントからサーバに向けてデータコネクションの確立を要求するモード。
ファイルデータの転送は，クライアント，サーバともにランダムなポート番号を用いて行う。
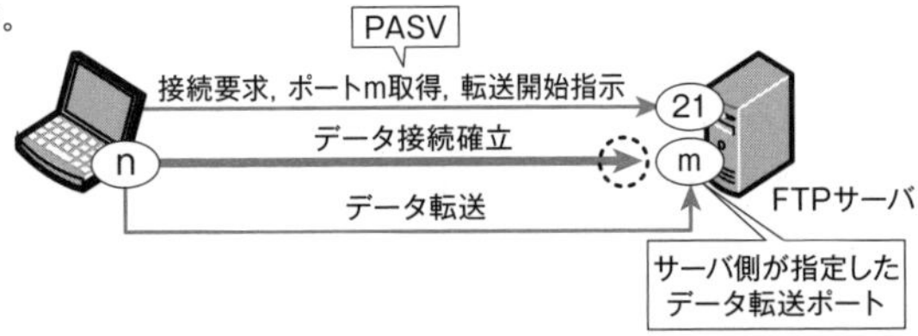
</td></tr>
</table>

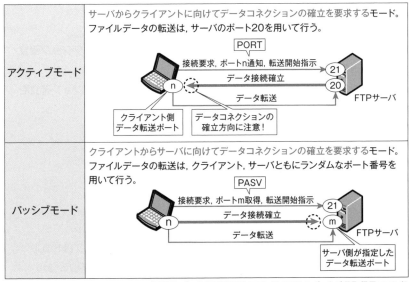

※PORT：ポート番号通知用コマンド，PASV：ポート番号取得用コマンド

表中のPORTはアクティブモードで用いられるコマンドで，FTPサーバに対するデータ転送用ポート番号の通知に用いられる。FTPサーバは，通知されたポート番号へデータコネクションの確立を行う。

PASVはパッシブモードで用いられるコマンドで，FTPサーバに対するデータ転送用ポート番号の取得に用いられる。FTPサーバは，PASVコマンドの応答でクライアントにポート番号を通知し，クライアントは通知されたポート番号へデータコネクションの確立を行う。

いずれのモードを用いるかは，ファイル転送を行う環境などを考慮して決定する。例えば，内部ネットワークのクライアントから外部サーバへファイル転送を行うような場合，外部からのデータ確立要求はファイアウォールで遮断されることが多いためパッシブモードで接続する。逆に，FTPサーバを運用する立場で考えたとき，パッシブモードでは1024以上のポート番号をすべて許可しなければならないのでセキュリティ上好ましくない。そのような立場では，データ転送にポート20のみを用いるアクティブモードが好ましい。

1 anonymous FTP

FTPは通常はログインして操作を行うが，不特定のユーザに対してサービスを開放する（通常はダウンロードのみ）ことにも対応している。このような，不特定ユーザに開放されたFTPサーバを，**匿名**（**anonymous**）**FTPサーバ**と呼ぶ。

匿名FTPサーバにアクセスする場合，仮のユーザ名としてanonymousまたはftpを入力する。パスワードによる認証は行わないが，慣例として自分のメールアドレスをパスワードとして入力する。

2 TFTP (Trivial File Transfer Protocol)

TFTPは，FTPから信頼性や安全性に関わる機能を除くことで，簡便さと高速性を実現したファイル転送プロトコルである。具体的には，

・ユーザ認証を行わない

・トランスポート層にUDPを用いる

ことで，効率のよいファイル転送を実現している。

2 FTPのセキュリティ

セキュリティを考慮したファイル転送プロトコルとして，**FTPS**，**SFTP**，**SCP**などがある。

1 FTPS (File Transfer Protocol over SSL/TLS)

FTPSは，SSLの仕組みを利用して，暗号化した通信路でFTPによりファイルを転送するプロトコルである。FTPSの使用形式として，次の２つのモードがある。

▶表3.5.3　FTPSのモード

Explicitモード	・FTPでログイン後に暗号化通信を実行 ・ユーザID，パスワードは暗号化されない
Implicitモード	・SSLセッション上でFTPのログインを行う ・ユーザID，パスワードは暗号化される

Explicitモードは，通信相手がFTPSに対応していなくても，通常のFTPによるファイル転送が可能である。Implicitモードは，安全性は高いが，サーバ，クライアントともにFTPSに対応していなければならない。

2 SFTP (SSH File Transfer Protocol)

SFTPは，SSHの仕組みを利用して，暗号化した通信路上でファイルを転送するプロトコルである。

3 SCP (Secure CoPy)

SCPは，SSHの仕組みを利用して，暗号化した通信路上でファイルを転送するプロトコルである。SCPは，SFTPに比べて転送の再開などの機能がないが，比較的低い処理負荷で転送することができる。

3.6 SNMP (Simple Network Management Protocol)

Point!

SNMPは，TCP/IPのネットワーク管理を行うプロトコルで，UDP（ポート番号161と162）を利用する。

… 30秒チェック！ …
Super Summary

1 SNMPの仕組み

【目標】SNMPの仕組みと動作を知る。

□MIB…機器の情報をツリー構造で管理するデータベース

□ポーリング…マネージャがエージェントに情報を問い合わせること

□トラップ…エージェントからマネージャに機器情報を通知すること

□RMON…ネットワークそのものを監視する仕組み。SNMPと併用される

2 SNMPのセキュリティ

【目標】SNMPのセキュリティの概要を知る。

1 SNMPの仕組み

SNMPは，ネットワークの管理情報を収集する**マネージャ**と，個々のネットワーク機器を監視する**エージェント**から構成される。マネージャは管理者のPCやサーバにインストールされ，エージェントは監視対象の機器にインストールされる。

SNMPでの管理対象は，SNMPv2（バージョン2）では**コミュニティ**と呼ばれるグループで管理されている。エージェントの情報にはコミュニティごとにアクセス権が設定されており，マネージャは，同じコミュニティ名を設定したエージェントの情報にアクセスできる。また，1つのエージェントは，複数のコミュニティに属することが可能である。SNMPv3では，ユーザ認証機能があり，コミュニティではなく，ユーザごとに管理対象を設定できる機能が備わっている。

なお，SNMPv3では，マネージャ，エージェントを**エンティティ**と総称している。

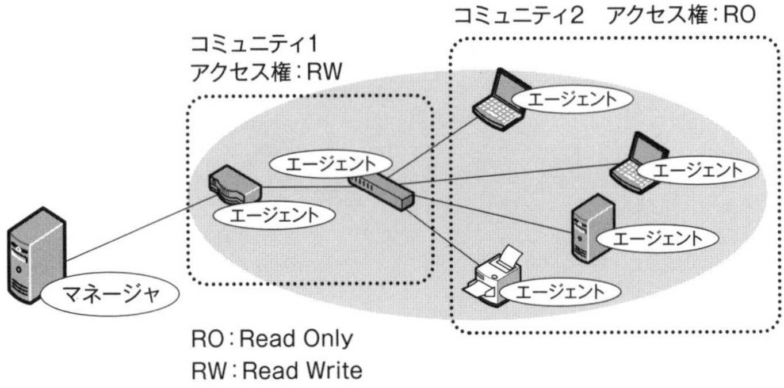

▶図3.6.1　マネージャ，エージェント，コミュニティ

1 MIB (Management Information Base)

SNMPで管理される機器は，メーカ名やインタフェース，稼働状況などをMIB（**管理情報ベース**）と呼ばれるデータベースで管理している。MIBは，機器の情報をツリー構造で管理する。ツリーに属する個々の情報をオブジェクトと呼ぶ。各オブジェクトはOID（Object ID）で一意に識別される。

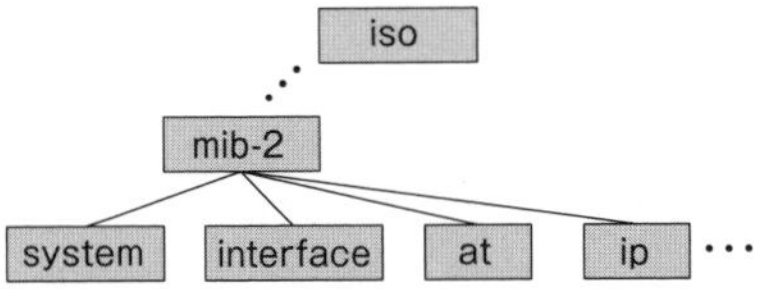

system	システムに関する情報
interface	インタフェースに関する情報
at	IPアドレスと物理アドレスの変換テーブル
ip	IPに関する情報

▶図3.6.2　MIB

2 SNMPの動作

SNMPで定義されている主なメッセージを示す。

▶表3.6.1　SNMPのメッセージ

GetRequest	OIDで指定したMIBの値を要求する
Response	要求された値を返信する
SetRequest	指定した値をMIBに設定する
Trap（SNMPv2-Trap）	エージェントからマネージャに対してイベントを通知する

SNMPは，これらのメッセージを用いて，マネージャによる機器情報の収集（**ポーリング**），エージェントからのイベント通知（**トラップ**），機器情報の設定などを行うことができる。

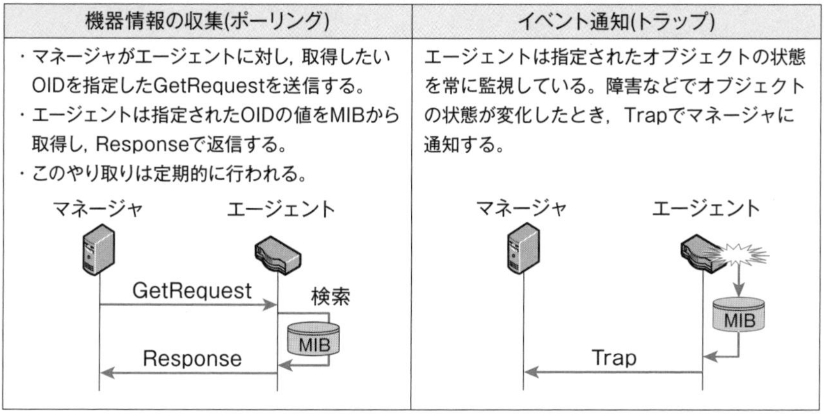

▶図3.6.3　ポーリングとトラップ

Trapによるイベントの通知は，ネットワーク機器のリセットやプリンタの用紙切れなどのほか，監視項目がしきい値を超えたときにも用いられる。

【参考】 ～RMON（Remote network MONitoring）

SNMPはネットワーク機器の監視を行うが，ネットワークそのものについて監視する機能はない。例えばネットワークが輻輳（ふくそう）状態にあることは，通信機器の異常を通して間接的にしか知ることができない。

このようなSNMPに替わり，ネットワークそのものを監視する仕組みが整えられた。この仕組みを**RMON**と呼び，RMONが実装された機器を**プローブ**と呼ぶ。プローブはネットワーク上を流れるパケットを収集して解析し，統計情報（RMON MIB）を作成する。

SNMPとRMONを併用することで，よりきめ細かなネットワーク管理を実施することができる。

2 SNMPのセキュリティ

SNMPは，SNMPv3でセキュリティ機能が大幅に強化された。SNMPv2までのコミュニティ名はMIBにアクセスするための暗号化されないパスワードであり，セキュリティの面で脆弱性がある。**SNMPv3では，ユーザごとの認証機能と，SNMPパケットの暗号化／復号機能が追加された**。さらにMIBについても，アクセス可能なオブジェクトの集合をユーザごとに設定できるようになった。これにより，MIBのアクセス制御をユーザ単位に実施できるようになった。

3.7 プロキシ

Point!

プロキシとは，代理アクセス機能のことである。パケットの送信元アドレスをプロキシサーバのアドレスに付け替え，宛先に送信する。ファイアウォールやVPN装置などのセキュリティゲートウェイに実装されることが多いが，独立したプロキシサーバとして配置されることもある。

… 30秒チェック！ …
Super Summary

1 プロキシサーバ

【目標】プロキシサーバの仕組みや効果を知る。

□PACファイル…プロキシ接続のための設定情報を記述したファイル

□CONNECTメソッド…HTTPSをプロキシサーバで中継するための仕組み

2 リバースプロキシサーバ

【目標】リバースプロキシサーバの仕組みや効果を知る。

1 プロキシサーバ

プロキシサーバとは，クライアントからのリクエストを受け付け，クライアントの代理としてインターネットにアクセスするサーバである。インターネット上のWebサービスへのアクセスを代理する用途として設置されることが多い。

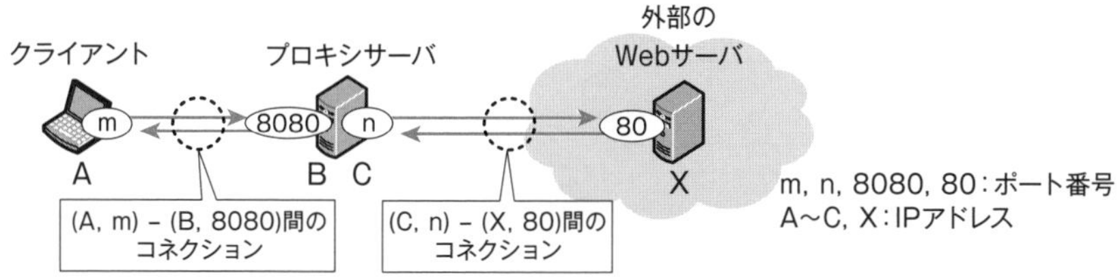

▶図3.7.1　プロキシサーバ

Webアクセスを開始する際，クライアントはWebサーバではなくプロキシサーバへリクエストを行う。これを受けたプロキシサーバは，リクエストに含まれるURLの指すWebサーバに対し，改めてリクエストを行う。つまり，プロキシサーバを中心として「クライアント，プロキシサーバ間のコネクション」と「プロキシサーバ，Webサーバ間のコネクション」が独立に確立されることになる。

Webサーバからプロキシサーバに戻された返信は，クライアントとのコネクションを通してクライアントに戻される。

プロキシが使用するポート番号には特に規定はありませんが，HTTPの 80 番からの連想として 8080 番や 10080 番などがよく用いられます。

1 プロキシサーバの効果

企業が自ネットワークにプロキシサーバを設置することで，次の３つの効果が期待できる。

- キャッシュ機能によるWebアクセスの高速化
- 内部ネットワーク情報の隠ぺいによるセキュリティの向上
- 特定のURLを許可したりアクセス禁止にすることによるセキュリティの向上

プロキシサーバはWebコンテンツのキャッシュ機能を持つので，クライアントから要求されたコンテンツがキャッシュされていれば，プロキシサーバは改めてインターネットにアクセスすることなく，キャッシュされたコンテンツを返却する。これを行うことで，インターネットへの負荷を減少させつつ，Webアクセスを高速化することができる。

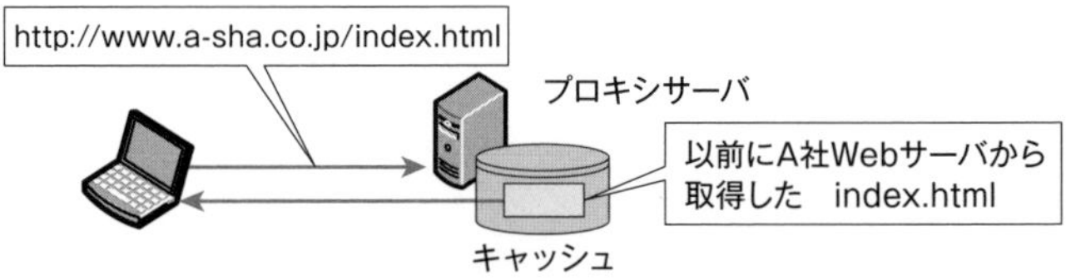

▶図3.7.2　Webコンテンツのキャッシュ機能

プロキシサーバを設置することで，インターネットへのWebアクセスはすべてプロキシサーバが代理することになる。そのため，インターネットへ流れるクライアントの情報はプロキシサーバの情報で上書きされ，内部のクライアント情報は隠ぺいされる。また，プロキシサーバ内にホワイト／ブラックリストを設定することで，特定のURLのみアクセスを許可したり，逆に特定のURLへのアクセスを禁止することもできる。これにより，セキュリティ上の効果が期待できる。

2 PACファイル

プロキシサーバを利用するためには，プロキシサーバのホスト名（またはIPアドレス）とポート番号や，プロキシを経由せずにアクセスするIPアドレスなど，プロキシサーバに接続するための情報を，クライアントに設定しなければならない。このような情報を自動設定するためのファイルを**PACファイル**という。PACファイルは，JavaScriptベースで記述されており，主なブラウザがサポートしている。

3 HTTPS通信への対応

HTTPの通信ではブラウザがGETメソッドやPOSTメソッドでWebサーバを指定することでプロキシサーバが中継する。これに対し，HTTPSではこれらの通信が暗号化されるため，Webサーバを認識できず，プロキシサーバが正しく中継を行うことができなくなる。そこで，**CONNECTメソッド**と呼ばれる仕組みが必要となる。

CONNECTメソッドは，プロキシサーバがWebサーバとの間にHTTPコネクション（HTTPトンネル）を張り，その上でブラウザとWebサーバのSSL/TLS通信をそのまま転送するための仕組みである。なお，CONNECT接続によってトンネリングが確立されると，その後の通信の内容にプロキシサーバは関与しない（中継のみ行う）。これより，SSL/TLSで暗号化されたHTTPパケットは目的サーバまで透過的に転送される。

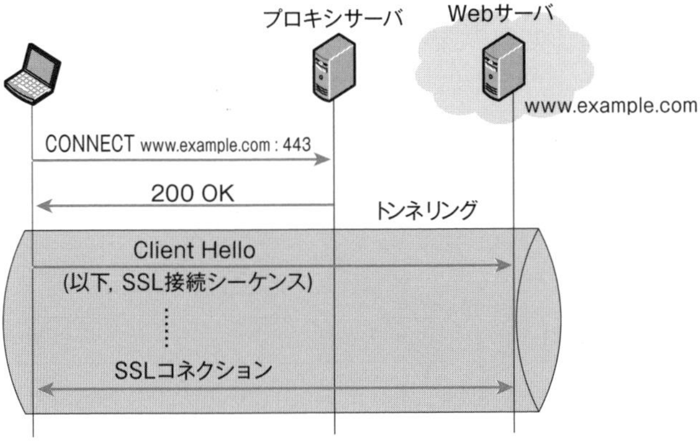

▶図3.7.3　CONNECTメソッド

なお，CONNECTメソッドはHTTPSに限らず任意のプロトコルをトンネリングできるため，内部情報の漏えいやスパムメールの送信に悪用されるおそれがある。プロキシサーバには，CONNECTメソッドを利用できるプロトコルを限定するなどのセキュリティ対策が必要である。

2 リバースプロキシサーバ

リバースプロキシサーバは社内のWebサーバの代理として，インターネットからの接続を受け付けるサーバである。リバースプロキシサーバが設置されている場合，社外から社内のWebサーバへの接続は常にリバースプロキシサーバを経由して行われる。

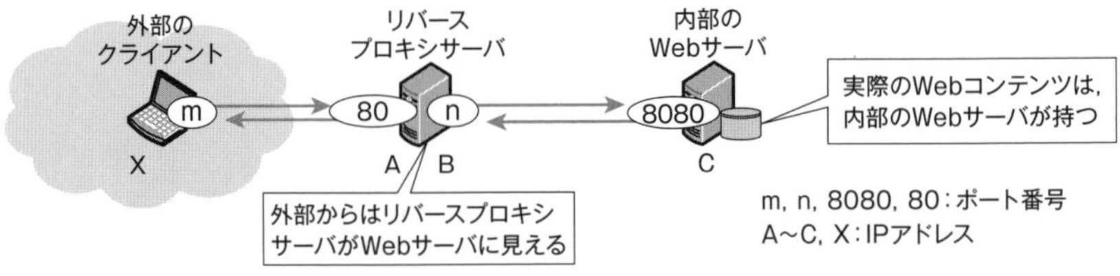

▶図3.7.4　リバースプロキシサーバ

インターネットから見たとき，リバースプロキシサーバはWebサーバとして振舞う。そのため，リバースプロキシサーバのポート番号は80番（HTTP）もしくは443番（HTTPS）とする。内部のWebサーバは，8080番などのポート番号を設定してもよい。

1 リバースプロキシサーバの効果

企業が自ネットワークにリバースプロキシサーバを設置することで，次の効果が期待できる。

- 内部Webサーバへの直接アクセスを禁止することによる，セキュリティの向上
- Webサーバの負荷軽減

リバースプロキシサーバを設置する最も大きな目的は，セキュリティの向上である。例えば，**リバースプロキシサーバを公開DMZに設置し，Webサーバを外部からアクセスできない別のLANセグメントに設置する**。こうすることで，外部から直接Webサーバへアクセスされてコンテンツ（Webページ）が改ざんされるなどの脅威を防ぐことができる。

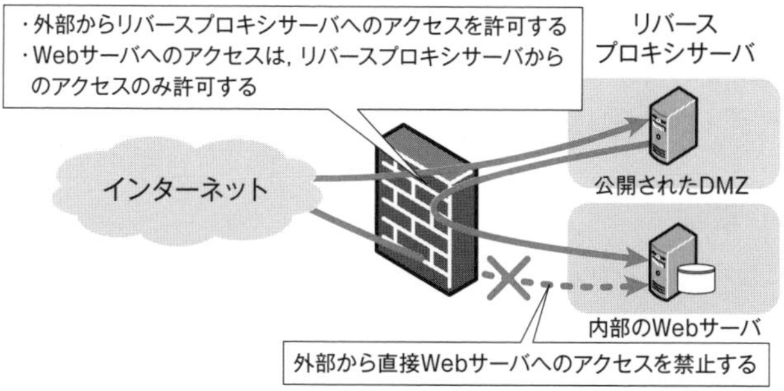

▶図3.7.5　リバースプロキシサーバの効果

リバースプロキシサーバが，Webサーバの処理の一部を肩代わりすることで，Webサーバの負荷を軽減できる。例えばWebサーバのコンテンツのうち，静的なコンテンツをリバースプロキシサーバにキャッシュしておけば，Webサーバへのアクセス数を減らすことができる。また，暗号化や圧縮機能をリバースプロキシ側に実装すれば，Webサーバの負荷を軽減できる。

3.8 LDAP (Lightweight Directory Access Protocol)

Point!

ネットワークシステムが広域化・複雑化すると，利用者のリソース利用手続きも煩雑になる。ディレクトリサービスは，個人情報や認証・権限情報といった利用者に関する情報や，アプリケーションがどのサーバに実装されているかといった情報を統合的に管理し，煩雑化したリソースの利用手続きを便利にするサービスである。これらのディレクトリサービスにアクセスするためのプロトコルが，LDAPである。

… 30秒チェック！ …
Super Summary

1 DIT

【目標】リソースデータの階層構造であるDITの仕組みを理解する。

□DSE（エントリ）…LDAPが管理するリソースデータの要素

2 LDAPディレクトリへのアクセス

【目標】LDAPのエントリへアクセスする方法を理解する。

□LDIF…ディレクトリデータをやり取りするテキストデータの形式

3 LDAP認証

【目標】LDAPサーバが認証にも用いられることを知る。

1 DIT

LDAPでは，リソースに関するデータが格納されている階層構造のことを**DIT**（**Directory Information Tree**）と呼ぶ。LDAPは，データの種類を示す属性型とデータそのものを示す属性値の組を管理する構造になっている。この属性型と属性値の集合を**DSE**（**Directory Service Entry**），または単にエントリと呼ぶ。エントリは，**DN**（**Distinguished Name**：識別名）によって識別される。

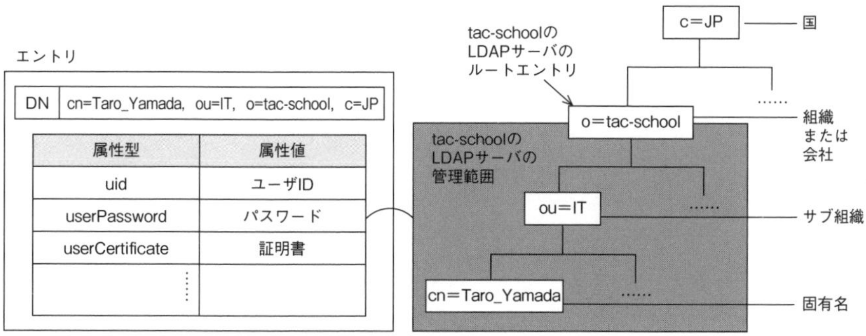

▶図3.8.1　DITの構造とエントリ

▶図3.8.1中のTaro_YamadaのエントリTを指定するDNは，階層構造の最下層から上へたどり，

cn=Taro_Yamada, ou=IT, o=tac-school, c=JP

と表記する。

2 LDAPディレクトリへのアクセス

エントリに対して，追加，更新，削除，検索などのコマンドを利用してアクセスする。データのやり取りは，**LDIF（LDAP Data Interchange Format）**によって行われる。これは，属性と値をコロンで区切って並べ，先頭行にキー項目であるdnを指定した形式である。テキストファイルであるが，符号化方式が標準化されており，小さなバイナリデータを格納することができる。

3 LDAP認証

LDAP認証はLDAPサーバを用いた認証方式で，データベース内の認証情報を用いて認証を行う。

認証方式には，LDAP認証のほかにもRADIUS認証があるが，RADIUSサーバは認証情報のみを管理するのに対し，LDAPサーバは認証情報に加え利用者情報などさまざまな情報を一元的に管理できる。LDAP認証は，Windowsの認証方式として広く用いられている。

LDAP認証の問合せは平文で行われるため，安全性を高めるためにSSLなどを組み合わせて利用する。

Microsoft の Active Directory は LDAP を利用したサービスです。

3.9 IP電話

Point!

IP電話は，VoIP技術を利用した電話サービスである。IP電話では，音声はパケット化され，LANやインターネットなどのIP網を用いて伝送される。IP電話では，IP電話機同士であれば既存の電話回線を用いずに通話ができるため，通信料金を大きく削減することができる。そのため，企業や家庭で急速に普及しつつある。
ここでは，IP電話の構築に必要なプロトコル，技術要素を概観する。

… 30秒チェック！ …
Super Summary

1 IP電話に必要なプロトコル

【目標】IP電話の実現に必要なプロトコルの種類と役割を知る。

□SIP…IP電話のシグナリングを行う代表的なプロトコル
□RTP…IP電話において音声データの伝送に用いるプロトコル
□RTCP…音声データの伝送を監視するプロトコル

2 IP電話の機器構成

【目標】IP電話の実現に必要な代表的な機器と役割を知る。

□PBX…アナログ電話や公衆網を接続する機器
□VoIPゲートウェイ…PBXに接続された公衆網をIP電話網に接続する機器
□SIPサーバ…SIP機能を実装するサーバ

3 音声の符号化

【目標】音声をデジタル化する手順や方式について知る。

□PCM…量子化したアナログ信号をそのまま符号化する方式
□CELP…入力波形に似たパターンを用いて符号化する方式

4 音声の品質評価

【目標】音声品質が劣化する原因や対策，音声の評価指標について知る。

□ジッタ…音声パケットの到着にばらつきが生じること

□エコー…遅延やジッタによって，音声が明瞭に聞こえなくなること
□R値…IP電話の総合的な品質評価指標

1 IP電話に必要なプロトコル

IP電話を実現するためには，

・着信，発信などの呼制御（シグナリング）

・音声パケットをIP網上でリアルタイムに送信

することが必要である。

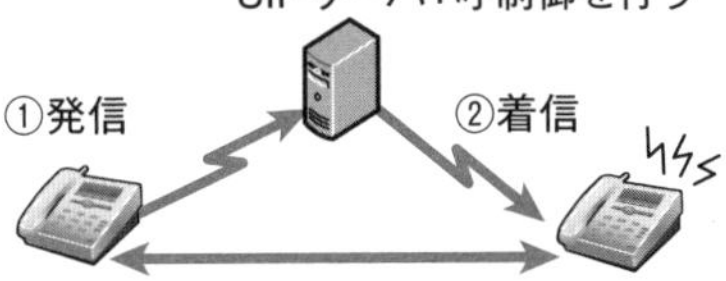

▶図3.9.1　シグナリングと通話

シグナリングを行うプロトコルには，**H.323**や**SIP**がある。SIPは，TCP/IPとの親和性が高く，H.323よりも通信手順や通信制御が簡略化され，接続に必要な時間も短縮化されている。

▶表3.9.1　H.323とSIP

	通信制御手順	呼制御管理機器	情報交換	プロトコル	Webとの連携
H.323	複雑	ゲートキーパ	バイナリ形式	主にTCP	弱い
SIP	簡略	SIPサーバ	テキスト形式	主にUDP	強い

IP電話では，音声パケットを高速に伝送するため，トランスポート層のプロトコルにUDPを用いる。さらに，UDPの上位で通信相手との同期制御や品質確保のため，**RTP**や**RTCP**を用いる。

▶表3.9.2　RTPとRTCP

RTP（Real-time Transport Protocol）	トランスポート層の上位で，音声データの品質とリアルタイム性を実現するプロトコル。シーケンス番号やタイムスタンプを用いた同期制御や，遅延したパケットの破棄などを行う。
RTCP（RTP Control Protocol）	RTPで送受されるパケットについて，パケットが正しく転送されているかどうかを監視する。

RTCPは，パケットの破棄などの通信状況の通知に用いられる。これにより，例えば通信状況が悪い場合には音声品質（転送レート）を低下させて通信状況を改善するなどの処理を，送受信間で行うことが可能になる。

RTPを用いることで，音声パケットの到着間隔のばらつき（ジッタ）を抑えることができます。

2　IP電話の機器構成

以下に，IP電話の構築例を示す。この構築例は，PBXに接続された既存の電話機（アナログ電話機）をそのまま用いて，新規に導入したIP電話機と混在させた例である。

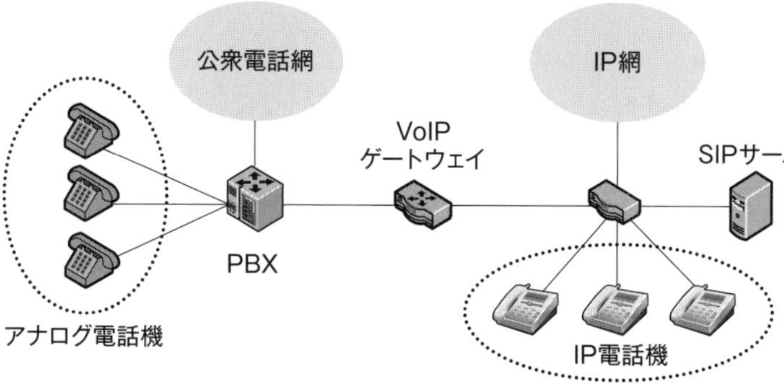

▶図3.9.2　IP電話の構成

1 PBX（Private Branch eXchange：構内交換機）

PBXは，構内電話とPSTN（公衆電話網）などの公衆網を接続する機器である。公衆網との接続機能のほか，内線通話機能や専用線接続機能などがある。

2 VoIPゲートウェイ

VoIPゲートウェイは，アナログの音声信号をデジタル信号に符号化したり，その逆に復号したりする通信機器である。一般の電話機からPBXなどを経由してIP電話網に接続する場合に用いられる。

3 SIPサーバ

SIPサーバは，IP電話における呼制御のプロトコルであるSIP機能を搭載したサーバである。電話番号などの識別情報とIPアドレスの対応を管理し，発信者と通話先の間で呼出しや着信，切断などの制御を行う。

3 音声の符号化

音声をIP網で送受するためには，まず大前提として音声をデジタルデータに符号化しなければならない。符号化の方式であるPCMでは，次のような段階で実施される。

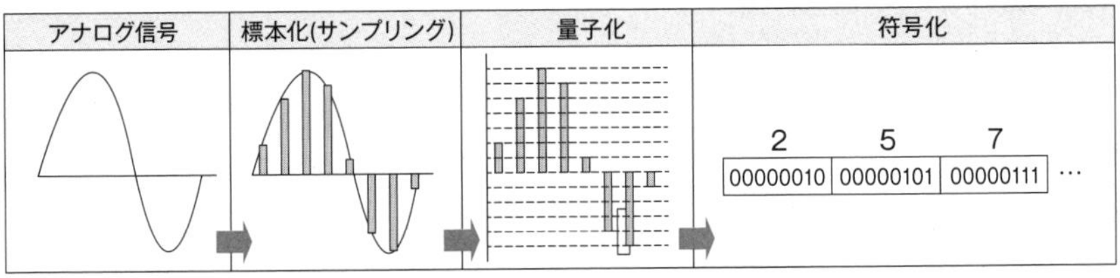

▶図3.9.3　音声の符号化手順

標本化では，アナログ信号から一定間隔でデータを抽出する。この間隔を表す周波数を，サンプリング周波数と呼ぶ。例えばサンプリング周波数8kHzでは，1秒間に8,000回のサンプリングを実行する。量子化はサンプリング結果を値に直し，符号化でデジタル化する。

1 符号化の方式

符号化には大きく次の方式がある。

▶表3.9.3　符号化の方式

PCM（Pulse Code Modulation）	・量子化した入力波形をそのまま符号化する ・音質が良いが，他の方式に比べ最低限必要な帯域が大きくなる ・改良規格にADPCMがある
CELP（Code-Excited Linear Prediction）	・量子化した入力波形を一定間隔で区切り，電話機に保存された波形データの中から最も似ているものを選んで符号化する ・大幅にデータ量を減らすことができる ・改良規格にACELP，CS-ACELPがある

2 帯域計算の事例

平成20年の午前問題で，帯域を計算する次のような問題が出題された。IP電話の復習も兼ねて検討しよう。

【例題】 次の条件でCS-ACELP（G.729）8kビット/秒圧縮による音声符号化を行うIP電話を導入した。1通話当たりに必要な帯域は何kビット/秒か。

〔条件〕
・音声ペイロード長は20バイト
・IPヘッダ，UDPヘッダ，RTPヘッダの合計値は40バイト
・データリンク層のオーバヘッドは考慮しない

問題を解くにあたって，CS-ACELPの知識は特には必要ない。

CS-ACELPによって音声通話が8kビット/秒に符号化されたということは，1秒間の音声は8,000ビット＝1,000バイトのデータに置き換えられたことになる。IP電話は，この音声データを，音声ペイロード長である20バイトごとに区切って，1秒間に50の音声データをIP網に送出することになる。

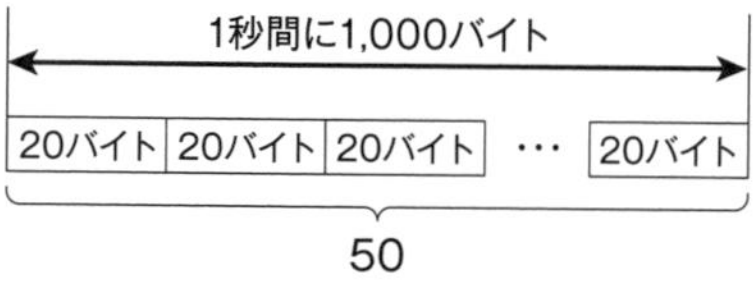

▶図3.9.4　1秒間に送出する音声データ

音声データはパケット化されてIP網に送出される。IP電話は音声をRTPで伝送するのでRTPヘッダが付与される。さらに，トランスポート層にUDPを用いるのでUDP

ヘッダが，ネットワーク層ではIPヘッダが付与される。

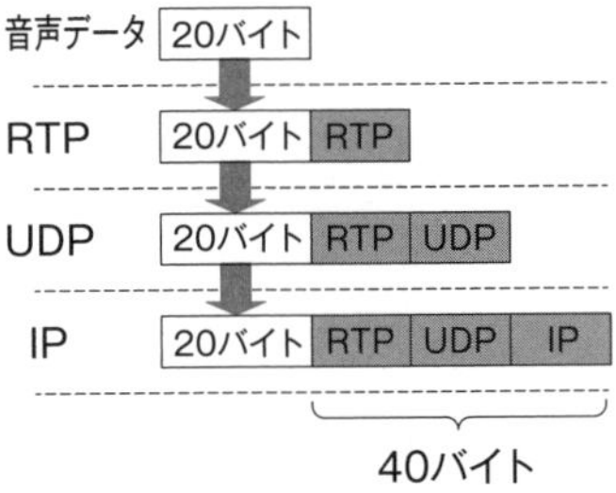

▶図3.9.5　音声データのパケット化

この結果，20バイトの音声データは，60バイトのIPパケットにパケット化される。これを１秒間に50回送出するので，最低限必要な帯域は，

60×50＝3000［バイト/秒］＝3000×８［ビット/秒］＝24［kビット/秒］

となる。

4　音声の品質評価

ネットワークの品質や利用状況によって，音声品質に劣化が生じることがある。主な音声劣化の要因や現象には次のものがある。

▶表3.9.4　音声品質の劣化

遅延（ディレイ）	パケット変換やルーティング処理などの工程で，音声に遅延が生じること。相手の声がすぐに聞こえず，会話しづらくなる。
パケットロス	UDP／IPはパケットを再送しないので，パケットが消失する可能性がある。パケットが消失すると，音とびが発生する。
ゆらぎ（ジッタ）	遅延などの影響で，パケットの到着間隔にばらつきが生じること。音とび，ノイズ，音声品質劣化の原因となる。
反響（エコー）	遅延やゆらぎによって，音声が明瞭に聞こえなくなる現象

また，音声品質を制御する技術として，QoSで説明したIntServ，DiffServ，ポリシングなどが用いられる。

▶表3.9.5　音声品質の制御技術

IntServ（Integrated Services）	必要な帯域をあらかじめ予約する方式
DiffServ（Differentiated Services）	パケットに優先順位を設定する方式
ポリシング	通信量を監視し，設定範囲を超えたパケットを破棄する方式
フロー制御	パケットがバッファからあふれる場合，送信レートを下げる方式

1 音声品質の評価指標

IP電話の品質評価指標には，次のものがある。

▶表3.9.6　IP電話の品質評価指標

MOS値（Mean Opinion Score）	IP電話の主観的な通話品質を評価する指標
PSQM（Perceptual Speech Quality Measure）	IP電話の客観的な通話品質を評価する指標
R値（Rating factor）	IP電話の総合音声伝送品質を評価する指標

R 値は，ノイズ，エコー，遅延などから算出される総合的な指標です。

Focus SIPの詳細

「IP電話は一時期の出題ブーム以降はめっきり目にしなくなった」と油断していると，突然出題されて痛い目に遭います。目にしなくなったのは，廃れたからではなく，当たり前になったからなのです。今後も，本命のテーマと絡めてIP電話が出題されることが十分考えられます。注意しましょう。

■ 基礎編のおさらい

SIPについて，基礎編で説明した事項を確認しておく。

・着信，発信などの呼制御を行うシグナリングプロトコルである。
・音声データの伝送には，SIPではなくRTPを用いる。
・SIP機能を搭載したサーバをSIPサーバと呼ぶ。

■ SIPサーバの構成

SIPにおいて，IP電話機などの端末側のプロセスを**UA**（**User Agent**）と呼ぶ。SIPは，UAとの間でセッションの生成，変更，切断を行う。

SIPサーバは，異なる役割を持つ複数のサーバプロセスから構成される。これらのプロセスは，通常は１台のサーバマシン（SIPサーバ）に組み込まれる。

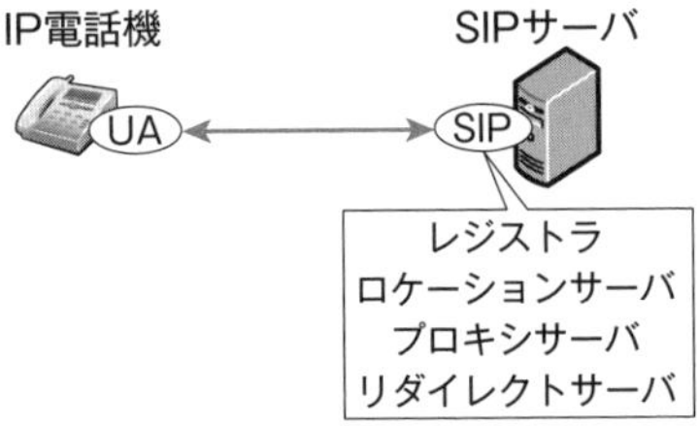

▶図3.9.6　SIPサーバの構成

▶表3.9.7　SIPサーバの構成要素

レジストラ（Registrar）	UAの情報（SIP-URIとIPアドレスのペア）をロケーションサーバに登録するサーバ
ロケーションサーバ	SIP-URIの所在地情報を管理するサーバ
プロキシサーバ	SIPメッセージをUAの代理で中継するサーバ
リダイレクトサーバ	所在地情報をもとに，SIPメッセージの転送先を知らせるサーバ

■ SIP-URI

SIP-URI(SIP-Uniform Resource Identifier)は，通話時の宛先や送信元として利用される。表記はメールアドレスに似ている。また，DNSと同じく，SIP-URIとIPアドレスを対応させて管理することも可能である。表記形式は，

　　プロトコル名:ユーザID@ドメイン名

となる。したがって，tac-school.co.jpのユーザIDがtanakaであるSIP-URIは，

　　sip:tanaka@tac-school.co.jp

となる。

■ SIPシーケンス

SIPを用いたシグナリングは，次の手順で行われる。

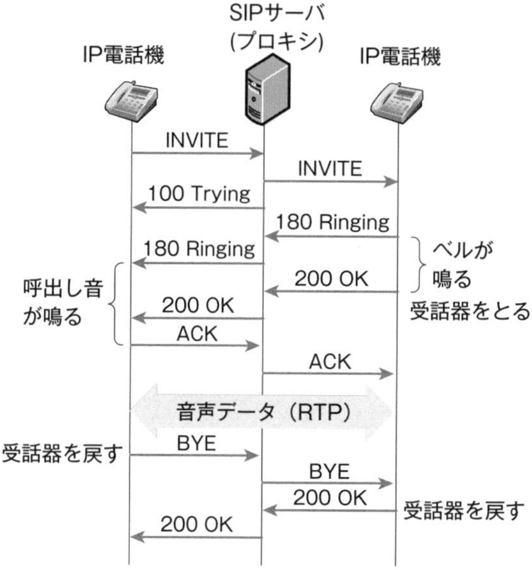

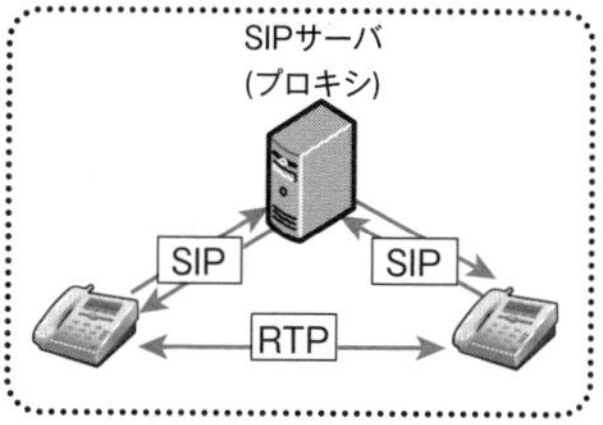

メッセージ

INVITE	接続要求（招待）
Trying	INVITE実行中の通知
Ringing	呼出中の通知
BYE	切断要求

ステータスコード

100番台	暫定応答
200番台	成功

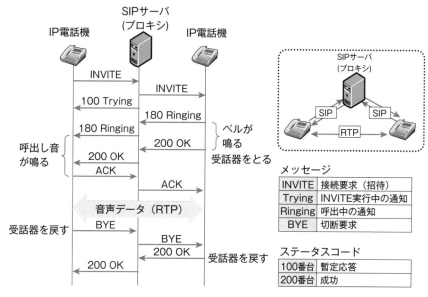

▶図3.9.7　SIPシーケンス

発呼側のIP電話機は，SIPサーバに対して接続を要求する。SIPサーバは，着呼側のIP電話機のIPアドレスを解決して，着呼側のIP電話機へ接続を要求する。

接続が開始したら，IP電話機間のRTPセッションで音声データをやり取りする。

受話器を戻す（通話を切る）と，BYEメッセージが送られ，これにOKを応答するとセッションが切断され，通話が終了する。

■ SIPメッセージ

SIPは，HTTPをベースとしている。そのため，SIPメッセージはテキスト形式である。以下に，INVITEリクエストの例を示す。

```
INVITE sip:050yyyy1234@example.ne.jp;user=phone SIP/2.0
Via: SIP/2.0/UDP （発信元の IP アドレス）:5060;branch=（省略）
Max-Forwards: 70
From: <sip:050yyyy5678@example.ne.jp>;tag=（省略）
To: <sip:050yyyy1234@example.ne.jp;user=phone>
Call-ID: （省略）
CSeq: （省略） INVITE
Contact: <sip:050yyyy5678@（発信元の IP アドレス）>
Content-Type: application/sdp
Content-Length: （省略）

v=0
o=- （省略） （省略） IN IP4 （発信元の IP アドレス）
s=-
c=IN IP4 （発信元の IP アドレス）
t=0 0
m=audio 5090 RTP/AVP 0
a=rtpmap:0 PCMU/8000
```

先頭行：INVITE sip:050yyyy1234@example.ne.jp;user=phone SIP/2.0

SIP ヘッダ：Via 〜 Content-Length

空白行

ボディ（SDP）：v=0 〜 a=rtpmap:0 PCMU/8000

ボディはSDP形式で記述されている（Content-Type: application/sdp）

音声データをRTPで送信する（m=audio 5090 RTP/AVP 0）

注記　yyyy は，URI の利用者識別子の一部を構成する数字を表す。

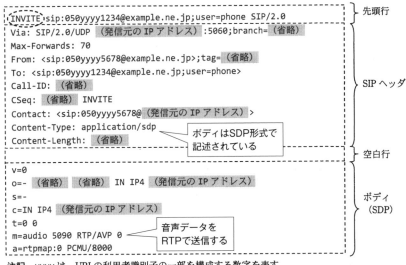

▶図3.9.8　SIPメッセージの例
(平成26年午後Ⅱ問２図３を基に編集)

▶図3.9.8の様式のうち，SIPが定めているのは先頭行とSIPヘッダの内容のみであり，ボディについては定められていない。VoIPでは，一般的にSDPと呼ばれる記述フォーマットに則ってボディが記述される。

> **【参考】 ～SDP（Session Description Protocol）**
> SIPのメッセージには，音声パケットを転送しているRTPの拠点間情報（IPアドレス，ポート番号）やデータのコーデック情報，メディアの種類などのセッションの詳細情報が記述されている。このセッションの詳細情報のやり取りの記述フォーマットが，**SDP**で定義されている。

■ NATルータ越え

組織とインターネットの境界には，アドレス変換のためNAT機能を持つルータ（NATルータ）が設置されることがある。ところが，標準的なNAT機能は，IPヘッダのアドレス変換は行うが，データ部の内容は変換しない。そのため，SIPメッセージ内の送信元アドレスがプライベートアドレスのまま宛先に送られてしまう。結果として，**プライベートアドレスを指定した通話セッションの生成が試みられ，セッションの生成に失敗する**。

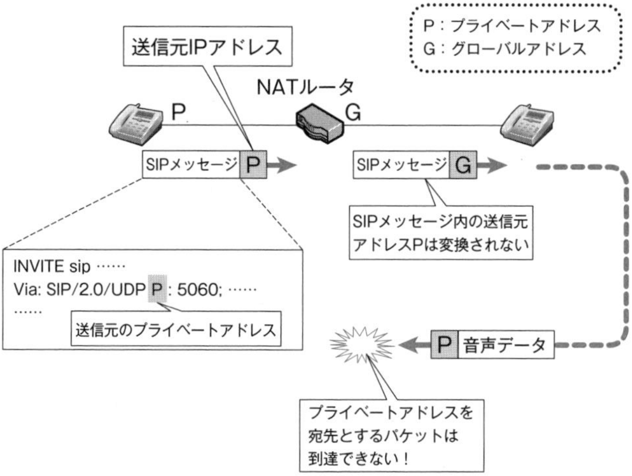

▶図3.9.9 NATによるアドレス変換

このような不具合を防ぐためには，IPヘッダだけではなく**データ部（SIPメッセージ）に記録されたプライベートアドレスもアドレス変換の対象とする**ような特別な機能が必要となる。

■ 出題の切り口

平成26年午後Ⅱ問2に，VoIP対応電話システムを題材としたシステム構築が出題された。その中で，IP電話の構築に必要なプロトコルやSIPの性質について問われた。

まず，IP電話関連のプロトコルについて，次の空欄が問われた。

・（SIPによって制御されたセッション上で）音声データを転送する場合の一般的なプロトコルは，RFC3550で規定された[①]であり，そのトランスポート層のプロトコルには，リアルタイム性を重視し，再送制御を行わない[②]が使われる。
・SIPで使われるメッセージは，[③]形式で記述されるので，判読しやすい。

①②③ [①]～[③]に入れる適切な字句を答えよ。

さらに，SIPメッセージについて▶図3.9.8と同様の例が提示され，NATルータ越えについて，その理由が問われた。

④　標準的なNAT装置では，通話セッションが生成できないという問題が発生する。その原因をSIPメッセージの例（▶図3.9.8）を参考に50字以内で述べよ。

【解説】

①：VoIPにおいて，音声データの伝送にはRTPが用いられる。

②：VoIPは，TCP，UDPのどちらにも対応している。ただし，一般的にはリアルタイム性を重視したUDPが用いられる。デフォルトもUDPである。

③：SIPメッセージはHTTPベースのテキスト形式である。

④：SIPメッセージはIPパケットにカプセル化されて送受される。一般的なNAT機能は，IPパケットのヘッダについてアドレス変換を行うが，カプセルの中身であるSIPメッセージ内のアドレスは変換されない。そのため，SIPメッセージに記録された送信元アドレスは，プライベートアドレスのまま宛先に伝わってしまう。

【解答】

①　RTP　　②　UDP　　③　テキスト

④　アドレス変換対象外のSIPメッセージ内に送信者のプライベートIPアドレスが含まれている。

3.10 NTPサーバ

Point!

現在のネットワークには，時刻を利用した認証や電子証明書の有効期限などのように，正しい時刻であることを前提としている仕組みが多い。NTPサーバは，ネットワーク機器に正確な時刻を設定するために設置するサーバである。

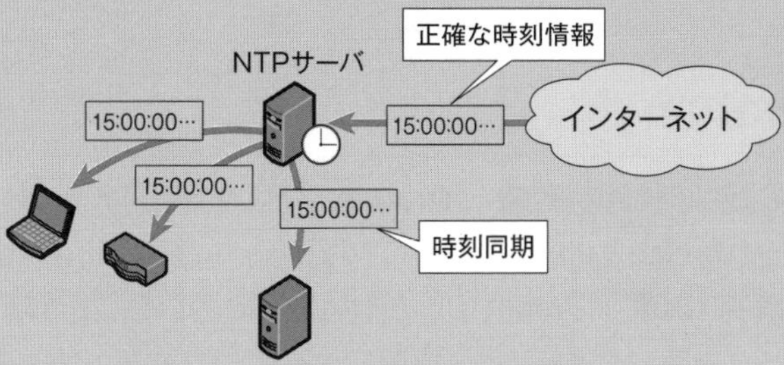

… 30秒チェック！ …
Super Summary

1 NTP

【目標】NTPの役割や時刻提供の仕組みを理解する。

□stratum…NTPサーバの階層構造

2 NTPの脆弱性

【目標】NTPの脆弱性やその対策を知る。

□monlist機能の無効化…NTPをDoS攻撃の踏み台にされないための設定

1 NTP（Network Time Protocol）

NTPは，ネットワーク機器に内蔵されたシステムクロックを，ネットワークを介して同期させるプロトコルである。NTPは，トランスポート層にUDPを用いることで，時刻情報を高速に送受する。クライアントは，NTPサーバから取得した時刻をもとに，ネットワークによる遅延を考慮して補正を行い，正確な時刻を設定する。

なお，NTPはクライアント，サーバともにポート番号123を用いる。

▶図3.10.1　NTPサーバのポート

1 stratum

NTPの時刻の提供の構造は，**stratum**と呼ばれる階層構造になっている。最上位のNTPサーバが「stratum 1」で，これはサーバに直接接続された原子時計やGPSなどの正確な時刻源（stratum 0）から時刻を取得する。上位のNTPサーバは下位のNTPサーバに時刻を提供する。下位になるほどstratumの数字が大きくなる（最大15）。

2 NTPの脆弱性

2014年前後にNTPサーバを踏み台としたDoS攻撃が増加した。これは，NTPサーバの状態確認機能（**monlist**）を悪用したもので，送信元を偽造したmonlistをNTPサーバに送信し，その返信を標的に集中させる攻撃である。monlistはNTPサーバに時刻を問い合わせたすべてのクライアントのIPアドレスを返却するため，大きなサイズのデータを標的に集中させることが可能であった。

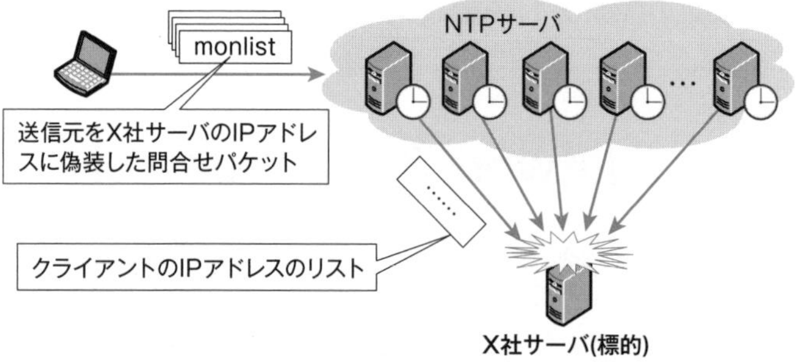

▶図3.10.2　NTPサーバを踏み台としたDoS攻撃

現在では，この脆弱性が修正されたNTPプロセスが公開されている。また，脆弱性が残っているNTPプロセスを使用している場合でも，

- monlist機能を無効化する
- 外部からの時刻問合せを制限する

などの対処を行うことで，攻撃を防ぐことができる。

2014 年の DoS 攻撃を受けて，平成 28 年（2016 年）の情報処理技術者試験に，対策の内容が出題されました。セキュリティ関係の事例は，数年のタイムラグで試験に出題されることがあります。日ごろからアンテナを張っておきましょう。

午前Ⅱ試験 確認問題

問1 ☑□ □□ UDPを使用するプロトコルはどれか。 (H29問10, H27問11)

ア DHCP　　イ FTP　　ウ HTTP　　エ SMTP

問1 解答解説

UDP (User Datagram Protocol) は，コネクションレス型のトランスポート層のプロトコルである。TCP と比較して通信の信頼性は劣るが，オーバヘッドが小さいことから効率性が要求される通信には適している。UDP を使用するアプリケーション層のプロトコルには，ネットワーク構成情報を自動的に設定するDHCP (Dynamic Host Configuration Protocol)，ドメイン名を管理するDNS (Domain Name System)，ネットワーク管理を行うSNMP (Simple Network Management Protocol)，時刻同期に利用するNTP (Network Time Protocol) などがある。

FTP (File Transfer Protocol)：ファイル転送プロトコル。TCP を使用する。簡易的なファイル転送プロトコルであるTFTP (Trivial FTP) はUDP を使用する
HTTP (HyperText Transfer Protocol)：Web クライアントからの要求をWeb サーバに送り，その応答を返すプロトコル。TCP を使用する
SMTP (Simple Mail Transfer Protocol)：電子メールを転送するプロトコル。TCP を使用する

《解答》ア

問2 ☑□ □□ DHCPを用いるネットワーク構成において，DHCPリレーエージェントが必要になるのは，ネットワーク間がどの機器で接続されている場合か。 (R元問7, H21問8, H18問44)

ア スイッチングハブ　　イ ブリッジ
ウ リピータ　　エ ルータ

問2 解答解説

DHCP (Dynamic Host Configuration Protocol) は，TCP/IPネットワークにおいて，ネットワーク構成情報が設定されていないコンピュータに対して，自動的にネットワーク構

成情報の設定を行うプロトコルである。IPアドレスが設定されていないコンピュータは，ブロードキャスト通信を利用してDHCP要求を行い，DHCPサーバからの応答を待つ。このとき，ブロードキャストドメインがルータによって分割されていると，DHCP要求がDHCPサーバに届かず，ネットワーク構成情報が設定されない。リレーエージェントとは，ブロードキャストとして受信したDHCP要求を，ユニキャスト通信で，他のブロードキャストドメインに配置されているDHCPサーバに代理中継する機能である。リレーエージェントを用いれば，ルータによってブロードキャストドメインが分割されている場合でも，ネットワーク構成情報の設定を行うことができる。

ア，イ，ウ　スイッチングハブ，ブリッジ，リピータは，ネットワーク層よりも下位で動作するLAN間接続装置であり，ブロードキャストドメインは分割されないので，DHCP要求はDHCPサーバに到達する。

《解答》エ

問3 ☑□ □□　DNSでのホスト名とIPアドレスの対応付けに関する記述のうち，適切なものはどれか。（R3問9，H30問7，H26問8）

ア　一つのホスト名に複数のIPアドレスを対応させることはできるが，複数のホスト名に同一のIPアドレスを対応させることはできない。

イ　一つのホスト名に複数のIPアドレスを対応させることも，複数のホスト名に同一のIPアドレスを対応させることもできる。

ウ　複数のホスト名に同一のIPアドレスを対応させることはできるが，一つのホスト名に複数のIPアドレスを対応させることはできない。

エ　ホスト名とIPアドレスの対応は全て1対1である。

問3　解答解説

同じホスト名で複数のAレコードを作成することによって，複数のIPアドレスを割り振ることができる。この場合，問合せのたびに異なるIPアドレスを回答することになり，DNSラウンドロビンという負荷分散が可能となる。

また，1台のサーバで複数のドメインを運用するバーチャルホストのように，複数のホスト名に同一のIPアドレスを対応させることもできる。

《解答》イ

問4 ☑□ □□　インターネットの国際化ドメイン名（IDN：Internationalized Domain Name）の説明として，適切なものはどれか。（H26問15）

ア　IDNでは，全角英数字を含むドメイン名（例：ＥＸＡＭＰＬＥ１.jp）と半角英数字によるドメイン名（例：EXAMPLE1.jp）は異なるドメイン名として扱われる。

イ　IDNでは，通信する際に，漢字やアラビア文字などのドメイン名を，ASCII文字だけから成る文字列のドメイン名に一定の規則で変換する。

ウ　IDNとは，“.com”や“.net”などの，どの国からも取得できるトップレベルドメイン名のことである。

エ　IDNとは，“.jp”や“.uk”などの，国別トップレベルドメインを使ったドメイン名のことである。

問4　解答解説

国際化ドメイン名（IDN：Internationalized Domain Name）とは，漢字やアラビア文字などさまざまな文字をドメイン名として利用できるようにしたものである。通信を行う際には，IDNをNAMEPREPと呼ばれる仕組みを用いて正規化し，さらにPunycodeと呼ばれるアルゴリズムに従って7ビットASCII文字に変換することによって，DNSで名前解決を行うことができるようにしている。

ア　NAMEPREPでは，全角英数字は半角英数字に正規化されるため，“EXAMPLE1.jp”と“ＥＸＡＭＰＬＥ１.jp”は同一のドメイン名として扱われる。

ウ　“.com”や“.net”などの誰もが登録できるトップレベルドメイン名（TLD）は，ジェネリックトップレベルドメイン（gTLD：generic TLD）と呼ばれる。IDNであることと，gTLDであることには，関連性はない。

エ　IDNであることと，国別トップレベルドメイン（ccTLD：coutry code TLD）を使ったドメイン名であることには，関連性はない。　《解答》イ

問5　☑☐☐☐　DNSの資源レコード（リソースレコード，RR）に関する記述のうち，適切なものはどれか。　(H27問1)

ア　CNAMEレコードは，他のDNSサーバのキャッシュ領域に情報を残す許可時間や，ゾーン情報の更新をチェックする間隔などを指定するレコードである。

イ　MXレコードは，電子メールの送り先となるサーバのIPアドレスを指定するレコードである。

ウ　NSレコードは，そのゾーン自身や下位ドメインに関するDNSサーバのホスト名を指定するレコードである。

エ　PTRレコードは，名前に対応するIPアドレスを指定するレコードである。

問5　解答解説

DNSの資源レコード（リソースレコード）には，主に次のようなものがある。

SOAレコード：DNSサーバが管理しているゾーンに関する情報を定義する

Aレコード：ホスト名に対応するIPv4アドレスを定義する
NSレコード：DNSサーバのホスト名を定義する
CNAMEレコード：ホスト名の別名を定義する
MXレコード：メールサーバのホスト名とプレファレンス（優先度）を定義する
PTRレコード：IPアドレスに対応するホスト名を定義する
AAAAレコード：ホスト名に対応するIPv6アドレスを定義する
TXTレコード：コメントなどを保存する

NSレコードには，そのゾーンのDNSサーバだけでなく，権限を委譲している下位のDNSサーバのホスト名も定義する。

ア　CNAMEレコードではなく，SOAレコードに関する記述である。
イ　MXレコードには，電子メールの送り先となるサーバのIPアドレスではなく，ホスト名を定義する。そのホスト名に対応するIPアドレスは，Aレコード（IPv6の場合はAAAAレコード）に定義する。
エ　PTRレコードではなく，AレコードやAAAAレコードに関する記述である。

《解答》ウ

問6 ☑☐☐☐　DNSゾーンデータファイルのMXレコードに関する記述のうち，適切なものはどれか。（H29問6）

ア　先頭フィールド（NAMEフィールド）には，メールアドレスのドメイン名を記述する。
イ　プリファレンス値が大きい方が優先度は高い。
ウ　メール交換ホストをIPアドレスで指定する。
エ　メールサーバの別名を記述できる。

問6　解答解説

DNSゾーンデータファイルのMXレコードは，ドメイン名に対応するメールサーバのホスト名とプリファレンス（優先度）を定義するレコードである。先頭フィールド（NAMEフィールド）には，メールアドレスのドメイン名を記述する。

イ　MXレコードのプリファレンス値が小さい方が優先度は高い。
ウ　MXレコードには，メール交換ホスト（メールサーバ）をホスト名で指定する。
エ　メールサーバの別名は，MXレコードではなく，CNAMEレコードに記述する。

《解答》ア

問7 ☑☐ ☐☐ DNSゾーンデータファイルのNSレコードに関する記述のうち，適切なものはどれか。 (R元問8)

ア 先頭フィールドには，ネームサーバのホスト名を記述する。

イ ゾーン分割を行ってサブドメインに権限委譲する場合は，そのネームサーバをNSレコードで指定する。

ウ データ部（RDATA）には，ゾーンのドメイン名を記述する。

エ データ部（RDATA）には，ネームサーバの正規のホスト名と別名のいずれも記述できる。

問7 解答解説

DNSゾーンデータファイルのNSレコードは，ネームサーバ（権威DNSサーバ）のホスト名を定義するレコードである。ゾーン分割を行ってサブドメインに権限委譲する場合は，サブドメインのネームサーバのホスト名をNSレコードで指定する必要がある。

なお，DNSゾーンデータファイルのリソースレコードのフォーマットは，次のようになっている。

NAME TYPE CLASS TTL RDLENGTH RDATA

NAMEには，ゾーンのドメイン名を記述する。TYPEがNSの場合，RDATAにネームサーバのホスト名を記述する。

ア 先頭フィールドのNAMEには，ネームサーバのホスト名ではなくゾーンのドメイン名を記述する。

ウ データ部（RDATA）には，ゾーンのドメイン名ではなくネームサーバのホスト名を記述する。

エ データ部（RDATA）には，ネームサーバの正規のホスト名を記述する必要があり，別名を記述してはならない。

《解答》 イ

問8 ☑☐ ☐☐ 企業のDMZ上で1台のDNSサーバをインターネット公開用と社内用で共用している。このDNSサーバが，DNSキャッシュポイズニングの被害を受けた結果，引き起こされ得る現象はどれか。 (H21問19)

ア DNSサーバで設定された自社の公開WebサーバのFQDN情報が書き換えられ，外部からの参照者が，本来とは異なるWebサーバに誘導される。

イ DNSサーバのメモリ上にワームが常駐し，DNS参照元に対して不正プログラムを送り込む。

ウ 社内の利用者が，インターネット上の特定のWebサーバを参照する場合に，本来とは異なるWebサーバに誘導される。
エ　電子メールの不正中継対策をした自社のメールサーバが，不正中継の踏み台にされる。

問8　解答解説

DNSキャッシュポイズニングとは，攻撃者が悪意を持ってDNS問合せを行い，キャッシュサーバからコンテンツサーバへの問合せ時に正規のコンテンツサーバがその応答内容を応答するよりも早く，攻撃者が偽の応答をキャッシュサーバに送り込み，キャッシュサーバを汚染する攻撃手法のことである。インターネット公開用と社内用で共用するDNSサーバをDMZ上に設置しておくと，そのDNSサーバのキャッシュがインターネット上の攻撃者からのDNSキャッシュポイズニングによって汚染され，社内の利用者がキャッシュされたFQDN（完全修飾ドメイン名）に対応する偽のIPアドレスに誘導されるリスクが顕在化する。インターネット上の特定のWebサーバのFQDNがDNSキャッシュポイズニングによって書き換えられてしまうと，社内の利用者がそのWebサーバを参照しようとした場合，本来とは異なるWebサーバに誘導されるという現象が起きる。

ア　DNSサーバへの侵入攻撃（管理者権限奪取）によってDNSサーバのAレコードを改ざんする攻撃を受けた場合に引き起こされる現象である。
イ　マルウェアの一種であるワームに感染した場合に引き起こされる現象である。
エ　メールサーバへの侵入攻撃（管理者権限奪取）によって電子メールの配送規則を改ざんする攻撃を受けた場合に引き起こされる現象であり，DNSサーバは被害を受けていない。

《解答》ウ

問9　☑□□□　DNSSECの機能はどれか。（H29問19，H26問16）

ア　DNSキャッシュサーバの設定によって再帰的な問合せを受け付ける送信元の範囲が最大になるようにする。
イ　DNSサーバから受け取るリソースレコードに対するディジタル署名を利用して，リソースレコードの送信者の正当性とデータの完全性を検証する。
ウ　ISPなどのセカンダリDNSサーバを利用してDNSコンテンツサーバを二重化することによって，名前解決の可用性を高める。
エ　共通鍵暗号技術とハッシュ関数を利用したセキュアな方法によって，DNS更新要求が許可されているエンドポイントを特定して認証する。

問9 解答解説

DNSSEC（DNS SECurity extensions）とは，ディジタル署名を利用して，DNS応答パケットが正規のDNSサーバから送信され，改ざんされていないことを検証するためのDNSのセキュリティ拡張機能である。正規のDNSコンテンツサーバがリソースレコードに対してディジタル署名した応答パケットを受信側（DNSキャッシュサーバなど）で検証することによって，送信者の真正性とDNSデータの完全性を確認することができる。ディジタル署名の検証に用いる公開鍵の真正性は，公開鍵のハッシュ値を親ゾーンのDNSサーバがディジタル署名する「信頼の連鎖」と呼ばれる仕組みによって確保している。

DNSSECはDNSキャッシュポイズニングに対する有効な手段であるが，DNSサーバやネットワークの負荷の増大，運用管理負荷の増大などの課題もある。

ア　DNSキャッシュサーバの再帰的な問合せを受け付ける送信元の範囲を最大になるように設定すると，DNSキャッシュポイズニングなどの攻撃を受ける可能性が高まる。

ウ　DNSコンテンツサーバの冗長化構成に関する記述である。

エ　TSIG（Transaction SIGnature）に関する記述である。　《解答》イ

問10 ✔□ □□　DNSの再帰的な問合せを使ったサービス妨害攻撃（DNSリフレクタ攻撃）の踏み台にされないための対策はどれか。

（R4問21，R元問21，H29問21）

ア　DNSサーバをDNSキャッシュサーバと権威DNSサーバに分離し，インターネット側からDNSキャッシュサーバに問合せできないようにする。

イ　問合せがあったドメインに関する情報をWhoisデータベースで確認してからDNSキャッシュサーバに登録する。

ウ　一つのDNSレコードに複数のサーバのIPアドレスを割り当て，サーバへのアクセスを振り分けて分散させるように設定する。

エ　ほかの権威DNSサーバから送られてくるIPアドレスとホスト名の対応情報の信頼性を，デジタル署名で確認するように設定する。

問10 解答解説

DNSリフレクタ（リフレクション）攻撃は，DNS amp攻撃とも呼ばれ，DNSの再帰的な問合せを使ったサービス妨害攻撃である。送信元IPアドレスを標的サーバのIPアドレスに偽装したDNSの再帰的な問合せを大量に行い，DNSサーバの応答という反射（reflection）の仕組みを悪用した攻撃である。踏み台のDNSサーバに偽の大きなサイズのTXTレコードを登録させておくことによってDNS応答パケットサイズを増幅（amplification）させ，DNS拡張メカニズム（EDNS(0)）を用いて送信する。踏み台のDNSサーバが外部からの再帰的な問合せを許可していることを悪用しているので，DNSキャッシュサーバを権威DNS

サーバと分離して内部ネットワークに配置し，外部の攻撃者からDNSキャッシュサーバへの再帰問合せができないようにする対策が有効である。

イ　DNSリフレクタ攻撃は送信元IPアドレスを標的サーバのIPアドレスに偽装した攻撃なので，Whoisデータベースで送信元アドレスを検索しても，攻撃者の送信元IPアドレスを特定できず，DNSリフレクタ攻撃の踏み台にされることは防止できない。

ウ　DNSラウンドロビンによってサーバ処理を負荷分散する方法によって，大量に送り付けられたDNS応答パケットを複数のサーバに振り分けて分散処理することはできるが，DNSリフレクタ攻撃の踏み台にされることは防止できない。

エ　他の権威DNSサーバから送られてくるIPアドレスとホスト名の対応情報は標的サーバの情報であり，その信頼性をデジタル署名で確認しても，DNSリフレクタ攻撃の踏み台にされることは防止できない。

《解答》ア

問11 ☑□ □□　WebブラウザでURLにhttps://ftp.example.jp/index.cgi?port=123と指定したときに，Webブラウザが接続しにいくサーバのTCPポート番号はどれか。（H30問14，H25問15，H23問17）

ア　21　　イ　80　　ウ　123　　エ　443

問11　解答解説

Webブラウザで URLに，「https://ftp.example.jp/index.cgi?port=123」と指定した場合の意味は，次のとおりである。

「://」より前の「https」の部分はURLスキームと呼ばれ，プロトコルを示す。httpsのウェルノウンポート番号は443である。なお，httpのウェルノウンポート番号は80である。

「://」から「/」までの「ftp.example.jp」の部分はオーソリティを示す。「ftp.example.jp」というホスト名であり，このホスト名は管理者が自由に設定でき，ftp（ウェルノウンポート番号21）というプロトコルを利用することを示しているわけではない。なお，ホスト名の後ろに「:」に続けてポート番号を指定でき，「ftp.example.jp:8080」と指定した場合は，ポート番号8080に接続することを意味する。

「/」から始まる部分はパスを示す。提示されているURLでは，ルートディレクトリにあるindex.cgiというファイルを指している。

「?」に続けてGETメソッドで渡されるパラメタを記述できる。「port=123」により，portという変数に123が設定されてcgiプログラムに渡される。ポート番号123を示しているわけではない。

よって，Webブラウザが接続しにいくサーバのTCPポート番号は，「https」のウェルノウンポート番号である443となる。

《解答》エ

問12 ☑☐☐☐ HTTPの認証機能を利用するクライアント側の処理として，適切なものはどれか。 (H24問17)

ア ダイジェスト認証では，利用者IDとパスワードを“:”で連結したものを，MD5を使ってエンコードしAuthorizationヘッダで指定する。

イ ダイジェスト認証では，利用者IDとパスワードを“:”で連結したものを，SHAを使ってエンコードしAuthorizationヘッダで指定する。

ウ ベーシック認証では，利用者IDとパスワードを“:”で連結したものを，BASE64でエンコードしAuthorizationヘッダで指定する。

エ ベーシック認証では，利用者IDとパスワードを“:”で連結したものを，エンコードせずにAuthorizationヘッダで指定する。

問12 解答解説

ベーシック認証は，クライアント側の処理として，平文の利用者IDとパスワードをコロン「:」で連結し，復元可能なBASE64でエンコードしたものをAuthorizationヘッダで指定するというHTTP認証方式である。通信経路上で盗聴された場合，誰でもBASE64でデコードを行えるので，利用者IDとパスワードを簡単に読み取られてしまう脅威がある。

ア，イ ダイジェスト認証では，擬似乱数とパスワードを連結したものをハッシュ値（ダイジェスト）にしてAuthorizationヘッダで指定する。擬似乱数を用いることによって毎回異なるダイジェストが生成されるので，リプレイアタックの脅威を低減できる。

エ ベーシック認証では，BASE64でエンコードしてAuthorizationヘッダで指定する。

《解答》ウ

問13 ☑☐☐☐ WebDAVの特徴はどれか。 (R5問13，H28問14)

ア HTTP上のSOAPによってソフトウェア同士が通信して，ネットワーク上に分散したアプリケーションプログラムを連携させることができる。

イ HTTPを拡張したプロトコルを使って，サーバ上のファイルの参照，作成，削除及びバージョン管理が行える。

ウ WebアプリケーションからIMAPサーバにアクセスして，Webブラウザから添付ファイルを含む電子メールの操作ができる。

エ Webブラウザで“ftp://”から始まるURLを指定して，ソフトウェアなどの大きなファイルのダウンロードができる。

問13 解答解説

WebDAV（Web-based Distributed Authoring and Versioning）は，HTTPを拡張してWebサーバ上のファイル管理を行えるようにRFC4918で定義されているプロトコルである。Webサーバ上のファイルに対して，参照，作成，複写，削除などのファイル操作を直接行うことができる。また，ファイルの所有者，更新日，バージョンなどのファイル属性を管理することもできる。

ア　SOAPによるWebサービスの特徴を示す記述である。
ウ　Webメールの特徴を示す記述である。
エ　WebFtpの特徴を示す記述である。　《解答》イ

問14

☑☐☐☐　チャットアプリケーションのようなWebブラウザとWebサーバ間でのリアルタイム性の高い双方向通信に利用されているWebSocketプロトコルの特徴はどれか。　（H28問15）

ア　WebブラウザとWebサーバ間で双方向通信を行うためのデータ形式はXMLを使って定義されている。
イ　WebブラウザとWebサーバ間でリアルタイム性の高い通信を実現するためにRTPを使用する。
ウ　WebブラウザとWebサーバとの非同期通信にはXMLHttpRequestオブジェクトを利用する。
エ　Webブラウザは最初にHTTPを使ってWebサーバにハンドシェイクの要求を送る。

問14 解答解説

WebSocketとは，WebブラウザとWebサーバ間でのリアルタイム性の高い双方向通信を実現するプロトコルである。WebブラウザからHTTPを用いてWebサーバにハンドシェイク要求を送信し，Webサーバからのハンドシェイク応答によってWebSocketによるコネクションを確立する。その後は明示的に切断するまで，そのコネクションを使用して双方向でデータのやり取りを行うことができる。

ア　Ajaxの特徴である。WebSocketのデータ形式は，テキストデータまたはバイナリデータである。
イ　WebSocketでは，最初にHTTPを用いてコネクションを確立した後はWebSocketプロトコルを利用する。
ウ　Ajaxの特徴である。　《解答》エ

問15 ☑☐ ☐☐ CookieにSecure属性を設定しなかったときと比較した，設定したときの動作として，適切なものはどれか。 （R元問17）

ア　Cookieに設定された有効期間を過ぎると，Cookieが無効化される。

イ　JavaScriptによるCookieの読出しが禁止される。

ウ　URL内のスキームがhttpsのときだけ，WebブラウザからCookieが送出される。

エ　WebブラウザがアクセスするURL内のパスとCookieに設定されたパスのプレフィックスが一致するときだけ，WebブラウザからCookieが送出される。

問15　解答解説

CookieのSecure属性とは，Cookieがhttp通信によって平文のまま送信されないようにするための属性である。Set-CookieでCookieを発行する際にSecure属性を設定すると，http通信ではCookieが送信されず，https通信によって暗号化される場合だけWebブラウザからCookieが送信されるようにアクセス制御する。１台のWebサーバでhttp通信とhttps通信が混在する場合，Secure属性を設定しておかないと，http通信時にも平文のCookieが送信されてしまい，Cookieに格納されたセッション情報などの機密情報が漏えいするリスクが高くなる。

ア　CookieのExpires属性やMax-Age属性を設定したときの動作に関する記述である。

イ　CookieのHttpOnly属性を設定したときの動作に関する記述である。

エ　CookieのPath属性を設定したときの動作に関する記述である。 《解答》ウ

問16 ☑☐ ☐☐ SMTP（ESMTPを含む）のセッション開始を表すコマンドはどれか。 （R4問8，R元問9）

ア　DATA　　イ　EHLO　　ウ　MAIL　　エ　RCPT

問16 解答解説

SMTPの通信シーケンスは次図のとおりである。

SMTPおよびそのサービス拡張であるESMTPのセッション開始を表すコマンドはEHLOまたはHELOである。その後，MAIL FROMコマンドで送信者アドレスを，RCPT TOコマンドで受信者アドレスを送る。DATAコマンドでメール本文の開始を通知後，メールヘッダと本文を送信する。ピリオドのみの行を送ることでメール本文の終了を通知し，QUITコマンドを送信してセッションを終了する。

《解答》 イ

問17 ☑☐ ☐☐ SMTPに関する記述のうち，適切なものはどれか。 (H29問9)

ア SMTPサーバは，SMTPクライアントのHELOコマンドに対して利用できる拡張機能の一覧を応答する。

イ 宛先のメールアドレスが複数ある場合は，SMTPの一つのRCPTコマンドにまとめて指定する。

ウ 差出人のメールアドレスは，SMTPのDATAコマンドに指定する。

エ 迷惑メールの防止のために，メールクライアントからの電子メール送信とメールサーバ間での電子メール転送とで，異なるポート番号を利用できる。

問17 解答解説

OP25Bと呼ばれる迷惑メール対策では，SMTPの25番ポートで外部との通信を行うパケットを遮断し，代わりにサブミッションポート（587番）を用いた通信を許可する。この場合，メールクライアントからの電子メール送信には587番ポートを利用し，メールサーバ間での電子メール転送には25番ポートを利用することになる。

ア　SMTP拡張機能を利用するためには，SMTPクライアントはHELOコマンドではなくEHLOコマンドを送り，それに対してSMTPサーバは利用できる拡張機能の一覧を応答する。

イ　宛先のメールアドレスが複数ある場合は，RCPT TOに宛先メールアドレスを一つ指定したRCPTコマンドを複数回送信する。

ウ　差出人のメールアドレスはMAILコマンドを利用し，MAIL FROMに指定する。

《解答》エ

問18 ☑☐☐☐　利用者が別の機能によって認証された後，一定時間に限ってメールの送信を許可する仕組みはどれか。（H26問21）

ア　DKIM　　イ　OP25B

ウ　POP before SMTP　　エ　SPF

問18　解答解説

電子メール送信時に，POP認証によって認証された利用者が一定時間内のみ電子メールの送信を許可される仕組みをPOP before SMTPという。

DKIM（Domain Keys Identified Mail）：送信メールサーバで電子メールのヘッダにディジタル署名を付加し，受信メールサーバで署名検証を行う送信ドメイン認証技術

OP25B（Outbound Port 25 Blocking）：内部ネットワークから外部のメールサーバのTCPポート25番への直接の通信を禁止するスパムメール対策技術

SPF（Sender Policy Framework）：SMTPのMAIL FROMコマンドで与えられた送信ドメイン名をもとに，そのドメインを管理しているDNSサーバのSPFレコードに設定されているIPアドレスと，SMTP接続した送信メールサーバのIPアドレスの適合性を受信メールサーバで検証する送信ドメイン認証技術

《解答》ウ

問19 ☑☐☐☐　スパムメールの対策として，TCPポート番号25への通信に対してISPが実施するOP25Bの例はどれか。（R5問20）

ア　ISP管理外のネットワークからの通信のうち，スパムメールのシグネチャに合致するものを遮断する。

イ　ISP管理下の動的IPアドレスからISP管理外のネットワークへの直接の通信を遮断する。
ウ　メール送信元のメールサーバについてDNSの逆引きができない場合，そのメールサーバからの通信を遮断する。
エ　メール不正中継の脆弱性をもつメールサーバからの通信を遮断する。

問19　解答解説

OP25B（Outbound Port 25 Blocking）とは，ISP管理下の動的IPアドレスを割り当てたPCから，そのISPのSMTPサーバを経由せずに，25番ポートを使用して外部のSMTPサーバに送信される電子メールを遮断するという，スパムメール対策である。ISPのユーザーがスパムメールを外部に大量送信することを防止するために，ISPユーザーの外部への25番ポートを利用したメール送信をISPのSMTPサーバ経由に集約し，一定時間内でのメールの大量送信をISPのSMTPサーバのメール配送規則によって制限する。

ア　フィルタリングによるスパムメール対策の説明である。
ウ　メールヘッダーを偽装したスパムメールの対策に関する説明である。
エ　踏み台メールサーバからのメール受信拒否についての説明である。　《解答》イ

問20 ☑☐ ☐☐　送信元を詐称した電子メールを拒否するために，SPF（Sender Policy Framework）の仕組みにおいて受信側が行うことはどれか。

（H22問21）

ア　Resent-Sender:，Resent-From:，Sender:，From:などのメールヘッダ情報の送信者メールアドレスを基に送信メールアカウントを検証する。
イ　SMTPが利用するポート番号25の通信を拒否する。
ウ　SMTP通信中にやり取りされるMAIL FROMコマンドで与えられた送信ドメインと送信サーバのIPアドレスの適合性を検証する。
エ　付加されたディジタル署名を受信側が検証する。

問20　解答解説

SPF（Sender Policy Framework）とは，SMTPのMAIL FROMコマンドで指定した送信元のドメイン名，そのドメイン名を管理しているDNSのSPFレコードの内容，電子メールを送信しているメールサーバのIPアドレスをチェックし，送信ドメイン認証を行う仕組みである。

DNSのTXTレコードに，SPFレコードとしてそのドメインが認証するメールサーバのIPア

ドレスが設定されていた場合，それ以外の送信元IPアドレスのメールサーバからの電子メールは，送信元を詐称した電子メールであると判定し，受信を拒否するなどの制御を行う。

ア　Sender IDの仕組みを利用した送信ドメイン認証に関する記述である。
イ　OP25B（Outbound Port 25 Blocking）の仕組みを利用した電子メールの中継拒否に関する記述である。
エ　DKIM（DomainKeys Identified Mail）の仕組みを利用した送信ドメイン認証に関する記述である。
《解答》ウ

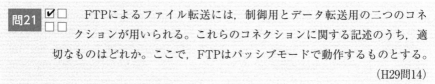

問21 ☑☐☐☐　FTPによるファイル転送には，制御用とデータ転送用の二つのコネクションが用いられる。これらのコネクションに関する記述のうち，適切なものはどれか。ここで，FTPはパッシブモードで動作するものとする。
(H29問14)

ア　制御用コネクションの確立はクライアントからサーバに対して，データ転送用コネクションの確立はサーバからクライアントに対して行う。
イ　制御用コネクションの確立はサーバからクライアントに対して，データ転送用コネクションの確立はクライアントからサーバに対して行う。
ウ　どちらのコネクションの確立もクライアントからサーバに対して行う。
エ　どちらのコネクションの確立もサーバからクライアントに対して行う。

問21　解答解説

FTPにはコネクション確立の方法として，アクティブモードとパッシブモードの二つがある。パッシブモードでは，制御用とデータ転送用の二つのコネクション確立ともに，クライアントからサーバに対して行う。

ア　アクティブモードのコネクション確立に関する記述である。
イ，エ　制御用コネクションの確立は，いずれのモードにおいてもクライアントからサーバに対して行う。
《解答》ウ

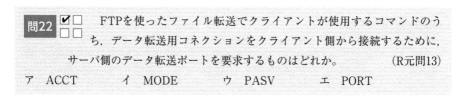

問22 ☑☐☐☐　FTPを使ったファイル転送でクライアントが使用するコマンドのうち，データ転送用コネクションをクライアント側から接続するために，サーバ側のデータ転送ポートを要求するものはどれか。　(R元問13)

ア　ACCT　　イ　MODE　　ウ　PASV　　エ　PORT

問22 解答解説

FTPでは，制御用とデータ転送用の二つのコネクションを確立し，それぞれ別のポートを用いる。コネクション確立の方法には，アクティブモードとパッシブモードの二つがある。いずれのモードでも制御用コネクションの確立はクライアントからサーバに対して行う。アクティブモードでは，クライアントがPORTコマンドを用いてクライアント側のデータ転送用のポートとIPアドレスをサーバに通知し，サーバからクライアントに対してデータ転送用のコネクション確立を行う。一方，パッシブモードでは，クライアントがPASVコマンドを発行してサーバ側のデータ転送用のポートを要求して取得し，クライアントからサーバに対してデータ転送用のコネクション確立を行う。

ACCT：アカウント情報を通知するコマンド
MODE：ファイル転送モード（ストリーム／ブロック／圧縮）を設定するコマンド
PORT：アクティブモードのデータ転送用のコネクションで使用するIPアドレスとポート番号を通知するコマンド

《解答》ウ

問23 ✔□ □□ TCP/IPにおけるネットワーク管理プロトコルであるSNMPに関する記述のうち，適切なものはどれか。 (H18問45)

ア SNMPで定義されているメッセージは，マネージャからの要求に対してエージェントが応答する形式のものだけである。

イ SNMPは，UDPを用いている。

ウ エージェントからのすべてのメッセージは，マネージャの同一ポートに送られる。

エ マネージャがエージェントにアクセスする管理情報のデータベースは，RDBと呼ばれる。

問23 解答解説

SNMP（Simple Network Management Protocol）とは，UDP上で動作するTCP/IPネットワークのネットワーク管理プロトコルのことである。ネットワーク機器にエージェントを実装し，管理ステーションに実装されたマネージャの要求に応答する形態でネットワーク管理情報を収集する仕組みになっている。

ア エージェント側で障害を検出すると，トラップ（trap）と呼ばれるイベント通知機能によってエージェントからマネージャに通知する形式もある。

ウ 通常のメッセージはマネージャのポート番号161番で受信するが，trapはポート番号162番で受信する。

エ　マネージャがエージェントにアクセスする管理情報のデータベースは，MIB（Management Information Base）である。　《解答》イ

問24 ☑☐ ☐☐　プロキシサーバ又はリバースプロキシサーバを新たにDMZに導入するセキュリティ強化策のうち，導入によるセキュリティ上の効果が最も高いものはどれか。（H27問18）

ア　DMZ上の公開用Webサーバとしてリバースプロキシサーバを設置し，その参照先のWebサーバを，外部からアクセスできない別のDMZに移設することによって，外部のPCとの通信におけるインターネット上での盗聴を防ぐ。

イ　DMZ上の公開用Webサーバとしてリバースプロキシサーバを設置し，その参照先のWebサーバを，外部からアクセスできない別のDMZに移設することによって，外部から直接Webサーバのコンテンツが改ざんされることを防ぐ。

ウ　社内PCからインターネット上のWebサーバにアクセスするときの中継サーバとしてプロキシサーバをDMZに設置することによって，参照先のWebサーバと社内PC間の通信におけるインターネット上での盗聴を防ぐ。

エ　社内PCからインターネット上のWebサーバにアクセスするときの中継サーバとしてプロキシサーバをDMZに設置することによって，参照するコンテンツのインターネット上での改ざんを防ぐ。

問24　解答解説

プロキシサーバは，社内からのアクセスを代理で行うための中継サーバである。社内PCからインターネット上のWebサーバにアクセスするときの中継サーバとしてプロキシサーバをDMZに設置すると，送信元アドレスがプロキシサーバのアドレスになる。このため，社内のネットワーク構成を隠ぺいすることができるというセキュリティ上の効果がある。

一方，リバースプロキシサーバは，インターネット側から社内へのアクセスを代理で行うための中継サーバである。DMZ上の公開サーバとしてリバースプロキシサーバを設置し，その参照先のWebサーバを，外部からアクセスできない別のDMZに移設すると，Webサーバが外部から直接アクセスすることができなくなることから，Webサーバが攻撃を受けてコンテンツが改ざんされることを防ぐことができる。

ア　外部のPCとの通信におけるインターネット上での盗聴を防ぐには，SSL/TLSなどによる暗号化を行う必要があり，リバースプロキシサーバの設置とは直接的な関連はない。

ウ　参照先のWebサーバと社内PC間の通信におけるインターネット上での盗聴を防ぐには，参照先のWebサーバが暗号化に対応している必要があり，社内にプロキシサーバを設置しても防ぐことはできない。

エ　インターネット上のWebサーバで管理されているコンテンツの改ざんを，クライアントである社内側から防ぐことはできない。

《解答》イ

問25 ☑☐☐☐　Webサーバを使ったシステムにおいて，インターネットから受け取ったリクエストをWebサーバに中継する仕組みはどれか。　(H21問17)

ア　DMZ　　イ　フォワードプロキシ
ウ　プロキシARP　　エ　リバースプロキシ

問25 解答解説

リバースプロキシとは，外部セグメントから内部セグメントやDMZセグメントの固定された宛先へのリクエストを代理アクセス機能によって中継する仕組みである。

Webサーバを使ったシステムにおいては，インターネットから内部セグメントにあるWebサーバへのリクエストをリバースプロキシの代理アクセス機能によって中継し，インターネットから内部セグメントのリソースに直接アクセスできないようにする。

DMZ（DeMilitarized Zone；非武装領域）：外部ネットワークと内部ネットワーク双方からのアクセスを制御し，それぞれのアクセス条件を満たしたアクセスだけを許可するネットワークセグメントのこと
フォワードプロキシ：内部ネットワークから受け取ったインターネットへのリクエストを代理アクセスによって中継する仕組み
プロキシARP：ARP応答の代理を行うプロトコル

《解答》エ

問26 ☑☐☐☐　LDAPの説明として，適切なものはどれか。　(H30問9)

ア　OSIのディレクトリサービスであるX.500シリーズに機能を追加して作成され，X.500シリーズのプロトコルを包含している。
イ　インターネット上のLDAPサーバの最上位サーバとしてルートDSEが設置されている。
ウ　ディレクトリツリーへのアクセス手順や，データ交換フォーマットが規定されている。
エ　問合せ処理を軽くするためにTCPは使わずUDPによって通信し，通信の信頼性はLDAPプロトコル自身で確保する。

問26 解答解説

LDAP（Lightweight Directory Access Protocol）は，ネットワーク上のリソース情報や利用者情報をディレクトリと呼ばれるツリー構造を用いて統合的に管理し，これらのデータへのアクセスを提供するディレクトリサービスに用いられるプロトコルである。LDAPでは，データの種類を示す属性型とデータそのものを示す属性値の組をツリー構造で管理し，この属性の集合をDSE（Directory Service Entry）またはエントリという。エントリに対しては，追加／更新／削除／検索などのコマンドを利用してアクセスする手順や，データ交換をLDIF（LDAP Data Interchange Format）と呼ばれるフォーマットを用いて行うことなどが規定されている。

ア　LDAPはX.500シリーズの一部であるDAP（Directory Access Protocol）をTCP/IP向けに軽量化したプロトコルである。
イ　ルートDSEとは，LDAPサーバが管理するエントリのうち，ツリー構造の最上位にあるエントリのことである。
エ　LDAPはTCPポート389番を使用する。　《解答》ウ

問27 ☑□□□　SIPの説明として，適切なものはどれか。　(H20問35)

ア　音声，映像などのメディアの種類，データ通信のためのプロトコルが使用するポート番号などを記述する。
イ　音声情報をリアルタイムストリームとしてIPネットワークに送り出す際のペイロード種別，シーケンス番号，タイムスタンプを記述する。
ウ　パケットの欠落数やパケット到着間隔のばらつきなどの統計値を端末間でやり取りするために使用する。
エ　ユーザエージェント相互間で，音声や映像などのマルチメディア通信のセションの確立，変更，切断を行う。

問27 解答解説

SIP（Session Initiation Protocol）はIP電話用のプロトコルであり，動作がシンプルで，他のインターネットプロトコルと相性が良いという特徴を持つ。SIPは，ユーザエージェントであるIP電話機などの相互間で，セッションの確立，変更，切断を行うプロトコルである。

ア　SDP（Session Description Protocol）に関する説明である。
イ　RTP（Real-time Transport Protocol）に関する説明である。
ウ　SNMP（Simple Network Management Protocol）に関する説明である。

《解答》エ

問28 ☑□ □□ CS-ACELP（G.729）による8kビット/秒の音声符号化を行うVoIPゲートウェイ装置において，パケットを生成する周期が20ミリ秒のとき，1パケットに含まれる音声ペイロードは何バイトか。

（R6問2，H24問3，H19問41）

ア 20　　イ 160　　ウ 200　　エ 1,000

問28 解答解説

CS-ACELP（G.729）は，CELP（Code-Excited Linear Prediction）と呼ばれる符号化方式の一種である。音を波形パターンとして符号と対応させてデータベース化して電話機に登録しておき，送信側の電話機で音声波形を一定間隔ごとに区切り，最も類似している波形パターンに対応する符号を選んで送信する。CELP方式で8kビット/秒の音声符号化を行う場合，

8k［ビット/秒］＝1,000［バイト/秒］＝1［バイト/ミリ秒］

となり，1ミリ秒で1バイトの音声符号化が行える。よって，パケットを生成する周期が20ミリ秒のとき，

1［バイト/ミリ秒］×20［ミリ秒/パケット］＝20［バイト/パケット］

となり，1パケットに含まれる音声ペイロードは20バイトになる。　《解答》ア

問29 ☑□ □□ IP電話の音声品質を表す指標のうち，ノイズ，エコー，遅延などから算出されるものはどれか。　（R6問15，R4問15，H29問15，H27問15）

ア MOS値　　イ R値　　ウ ジッタ　　エ パケット損失率

問29 解答解説

R値は，ITU-T G.107勧告におけるE-Modelに基づき算出される，IP電話を評価する音声伝送品質の指標である。信号の大きさに，ノイズ，エコー，遅延などのマイナス指標を作用させて算出する。R値が50より大きければ，一定以上の音声伝送品質であることを保証するものである。

MOS値：実音声データを評価者に聴かせ，IP電話の通信品質を主観的に評価する指標
ジッタ：通信のゆらぎ。一定間隔で送出したパケットの到着間隔にバラツキが生じる現象
パケット損失率：送信パケット数に対する損失パケット数の割合

《解答》イ

問30 ☑☐☐☐ NTPを使った増幅型のDDoS攻撃に対して，NTPサーバが踏み台にされることを防止する対策の一つとして，適切なものはどれか。

（R5問17，H28問18）

ア　NTPサーバの設定変更によって，NTPサーバの状態確認機能（monlist）を無効にする。

イ　NTPサーバの設定変更によって，自ネットワーク外のNTPサーバへの時刻問合せができないようにする。

ウ　ファイアウォールの設定変更によって，NTPサーバが存在するネットワークのブロードキャストアドレス宛てのパケットを拒否する。

エ　ファイアウォールの設定変更によって，自ネットワーク外からのUDPサービスへのアクセスはNTPだけを許す。

問30 解答解説

NTP（Network Time Protocol）を使った増幅型のDDoS攻撃は，NTPリフレクション攻撃と呼ばれ，NTPサーバの状態を確認するためのmonlist機能を悪用した攻撃手法である。monlist機能が有効となっているNTPサーバに状態確認のための問合せを送信すると，レスポンスデータを非常に大きなサイズに増幅して返信させることができる。NTPリフレクション攻撃では，送信元IPアドレスを攻撃対象のホストのものに偽装した状態確認のための問合せを脆弱（ぜい）なNTPサーバに一斉に送信することによって，攻撃対象のホストに大きなサイズのレスポンスデータを大量に送り込み，サービス停止させる。

NTPサーバのmonlist機能を無効化することによって，NTPサーバがNTPリフレクション攻撃の踏み台として悪用されることを防止できる。

イ　外部のNTPサーバへの時刻問合せを禁止してもNTPサーバが攻撃の踏み台にされることを防止できないだけでなく，時刻同期を行うこともできなくなる。

ウ　NTPは，ユニキャストモード，マルチキャストモード，エニーキャストモードで動作するので，ブロードキャストパケットを拒否してもNTPサーバが攻撃の踏み台にされることを防止できない。

エ　NTPリフレクション攻撃にはNTPのパケットが利用されるので，外部からのUDPサービスへのアクセスをNTPだけ許可してもNTPサーバが攻撃の踏み台にされることを防止できない。

《解答》ア

第4章

午後問題演習編

4.1 午後Ⅰ問題の演習

問1 ネットワークの再構築 （出題年度：H25問3）

ネットワークの再構築に関する次の記述を読んで，設問１～３に答えよ。

C社は，P銀行グループのITサービス会社であり，グループ内企業（以下，顧客という）を対象に，システムの開発及び運用を行っている。開発が完了した顧客システムの多くは，C社が保有するデータセンタ（以下，DCという）に設置され，C社が運用している。運用形態は，顧客又は業務によって，ホスティングやハウジングなど様々である。

C社では，顧客のシステム開発は，担当部門を分けて対応している。顧客システムが，大型コンピュータから分散システムへと移行するに従い，統一されていた運用や管理が，担当部門ごとの管理になった。ネットワーク（以下，NWという）も，大型コンピュータと端末間を接続するという形態だった頃には，運用部門での一元管理が可能だったが，DC内に顧客システム用NW（以下，顧客NWという）が個別に構築されるようになると，一元管理が困難となった。DC内にあるTCP/IPによるNWの現状と問題を整理すると，次のとおりである。

・顧客システムごとにNWが存在し，IPアドレスとVLAN IDは，各担当部門が管理している。
・顧客システムのサーバやNW機器などを監視するサービスを行うための監視サーバと，それを顧客システムに接続するNW（以下，監視NWという）がある。
・C社が保有する大型コンピュータと顧客システム側のサーバ間で転送を行うNW（以下，転送NWという）がある。
・監視NW，転送NWは，運用部門が管理しており，顧客NWとの接続に当たっては，それぞれファイアウォール（以下，FWという）を設置している。
・大型コンピュータの運用端末，監視サーバ用の監視端末は，運用監視エリアに設置され，運用部門の担当者が操作を行っている。
・顧客システムの中には，運用端末を運用監視エリアに設置するものもある。
・NWの中には，２階と３階など，フロア間をまたがって構築されているものがあるが，フロア間配線の資源に余裕がなくなってきた。
・管理不十分な状態でNWが接続されてきたので，あるシステムのイーサネットフレームのループ発生による障害が，他のシステムに影響を与えたことがある。

これらの問題を解決するために，運用部門のNW担当のD君が，DC内の共通基盤としてのNW（以下，NW基盤という）を構築し，新たな顧客システムを皮切りに順次適用していくことになった。D君が考えたNW基盤の構成案を図1に示す。顧客システムは複数階に存在するが，図1では4階部分だけを抜粋している。

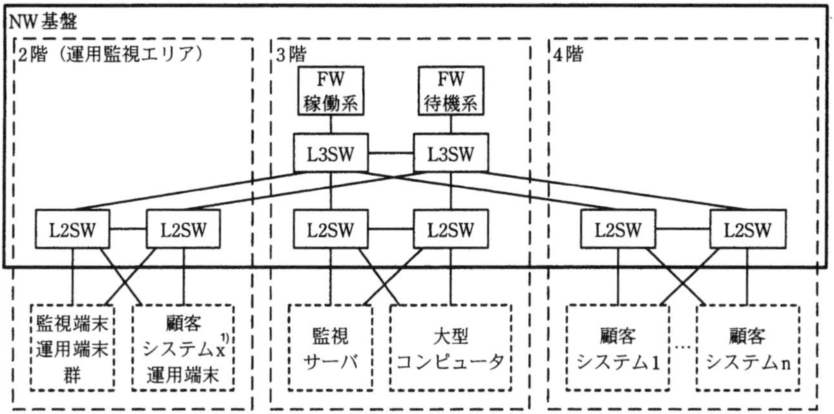

L2SW：レイヤ2スイッチ　　L3SW：レイヤ3スイッチ

注 1)　xは，1からnのいずれかを表す。

図1　NW基盤の構成案

NW基盤には，複数のNWが収容されるので，それぞれのNWは，独立した環境を維持できるようにする方針である。特に，顧客システムがNW基盤を使用する際には，顧客システム側でIPアドレスとVLAN IDなどの変更を行わないで済むように設計した。D君の構成案において，取り入れた主な技術要素は，次のとおりである。

〔IEEE 802.1Qトンネリング〕

VLAN用の[　ア　]は，32ビットで構成され，VIDには[　イ　]ビットが割り当てられる。しかし，<u>（Ⅰ）VLANを使用する複数の顧客に対して，物理的に共用するNWを提供する場合，幾つかの問題が発生してしまう</u>。そこで，ある顧客のIEEE 802.1Qタグ付きのイーサネット通信（以下，VLAN通信という）を，他の顧客の設定に影響を与えずに，NW基盤を経由して転送させるには，IEEE 802.1Qトンネリング技術が必要となる。

このトンネリングは，顧客のVLANタグ付きのパケットを，更に別のVLANタグを付けることによってカプセル化する。これは，IEEE 802.1adによって標準化されている。例えば，同一セグメント上の異なるフロアにある顧客 α のサーバ間において，VLANトンネリングを適用してサーバ1（以下，SV1という）からサーバ2（以下，SV2という）にフレームを送った場合のフレーム構成は，図2のようになる。図2中の①～③はフレーム番号であり，各フレームの送信箇所で採取されたフレームを表す。DAとSAには，それぞれ該当機器の宛先アドレス，送信元アドレスが入る。

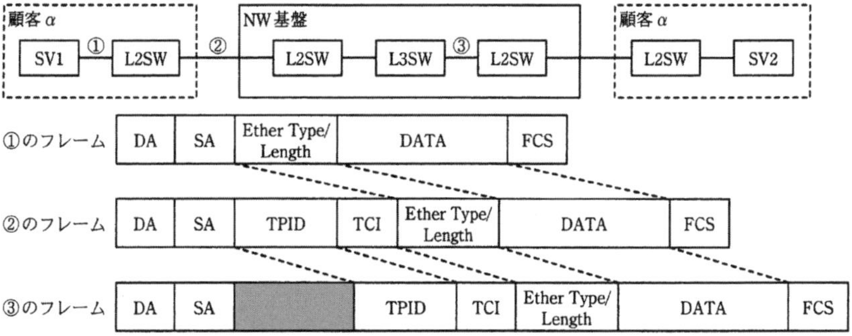

注記　設問のため，網掛け部分を省略している。

図2　VLANトンネリング時のフレーム

〔NWの仮想化〕

図1のL3SWとL2SW間では，複数のリンクを単一のリンクとして扱うことができるリンクアグリゲーション機能を使用する。この機能によって，リンクの冗長化，[　ウ　]の有効活用を実現することができる。

L2SWには，通過するブロードキャストやマルチキャストが設定した値以上になった場合に，ポートを閉塞する機能がある。この機能によって，ある顧客のシステムで，イーサネットフレームのループが発生しても，他のシステムには影響を及ぼさないようにできる。

L3SWには，VRF（Virtual Routing and Forwarding）機能をもたせる。これは，一つのルータやL3SWに，複数の独立した仮想[　エ　]を稼働させる機能である。この機能によって，個別に構築されてきたL3SWを統合することができる。

L2SW，L3SWともに，複数の物理筐体を接続し，単一のスイッチとして機能させる[　オ　]機能を使用する。これによって，複数の筐体を一つのIPアドレスで管理できるようになる。

なお，FWについては，Active-Standby構成で冗長化するので，管理用として別々のIPアドレスが必要となる。

図1の構成にすることによって，冗長構成を実現させながらも，ループ発生による障害を排除することができる。また，図1のNW基盤の構成が，監視システム上のマップでは，図3のように表現できるようになり，管理しやすくなる。

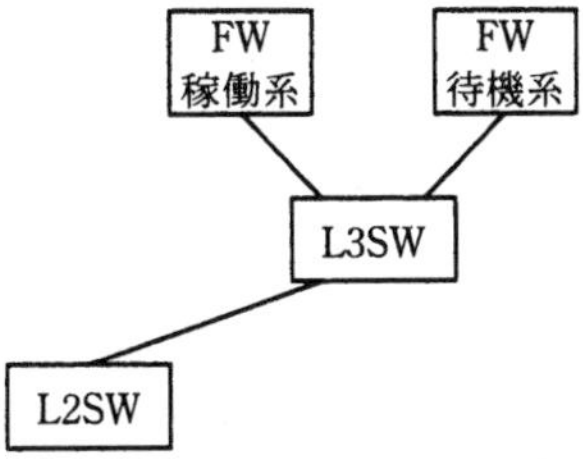

注記　設問のため，図の一部を省略している。

図3　監視システム上のマップ

以上のD君の構成案が，システム部内で承認されたので，D君をプロジェクトリーダとして，NW基盤の構築作業が進められることになった。

設問1　本文中の［　ア　］～［　オ　］に入れる適切な字句を答えよ。

設問2　〔IEEE 802.1Qトンネリング〕について，図2を参照し，(1)～(4)に答えよ。

(1)　SA及びDAのアドレスの種別を答えよ。

(2)　フレーム番号①～③のDA，SAの該当機器名を答えよ。ここで，フレーム番号①のSAの該当機器は，SV1であることを前提とする。

(3)　フレーム番号③の網掛け部分を適切に分割し，フィールド名を記入せよ。

(4)　本文中の下線部（Ⅰ）の問題を二つ挙げ，それぞれ30字以内で述べよ。

設問3　〔NWの仮想化〕について，(1)～(3)に答えよ。

(1)　図3を完成させよ。

(2)　NW基盤の冗長構成を利用するには，顧客システムのL2SWから2本のケーブルを，NW基盤のL2SWの別々の筐体に接続する。その際に両方のL2SWで対応する方法が2種類ある。その方法を，それぞれ30字以内で述べよ。

(3)　D君の構成案において，FW装置に必要な機能を，40字以内で述べよ。

問1 One Point

■ ネットワークの再構成

長年運用されたネットワークが，組織の統合や運用の改善を契機として全面的に見直されることがある。このような「ネットワークの再構成」は，ネットワークスペシャリスト試験の大きなテーマである。ここでは，問題に使われているVLANトンネリングとVRFについて説明する。なお，VLANトンネリングの詳細については 2.3 Focus **VLANトンネリング**で説明している。

□ VLANトンネリング（IEEE802.1Qトンネリング）

VLANは一意のVLAN IDで識別される。ところが，個別に管理されたVLAN群を統合したとき「VLAN IDが重複する」おそれがある。かといって，VLAN IDを振り直すと今度は「VLAN IDが規格上の範囲（1～4094）に収まらない」ことも考えられる。

このような統合のトラブルを解決する技術が，VLANトンネリングである。要は，フレームが共用ネットワークを通過する際に，元のVLANタグに加えて顧客ネットワークなどを識別するVLANタグを新たに付与（ダブルタギング）し，フレームを識別する方式である。

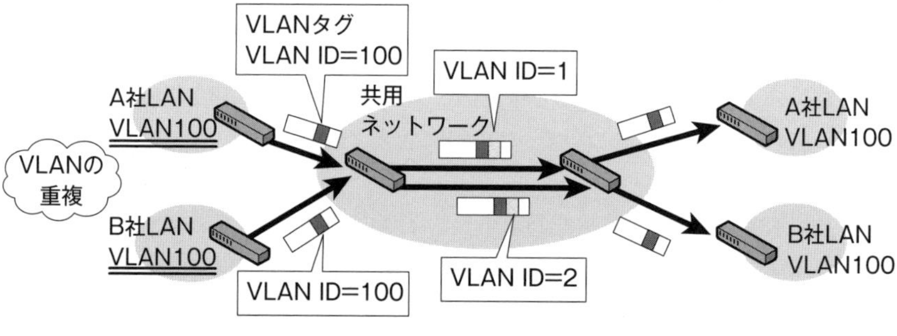

図4　VLANトンネリング

VLANトンネリングを用いることで，元のVLAN IDに重複があったとしても，それを一切変更することなくVLAN群を統合することが可能となる。

□ VRF（Virtual Routing and Forwarding）

個別に管理された複数のネットワークを統合するとき，ネットワークごとに異なる経路情報を設定する必要がある。これを解決する技術がVRFである。

VRFは，1台のルータ（L3スイッチ）上に複数台の仮想ルータを設ける技術である。各仮想ルータはルーティングテーブルを個別に保持できるため，他の仮想ルータに影響を受けることなく，独立してルーティング処理を実行できる。そのため，IPアドレスが重複したLANを，それぞれ別の仮想ルータに接続するようにすれば，元のIPアドレスを変更することなくネットワークを統合することが可能となる。

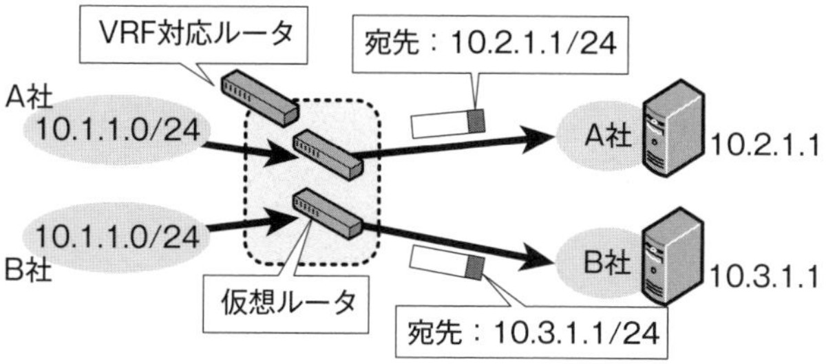

図5　VRF

VLAN トンネリングと VRF を併用すれば，VLAN ID や IP アドレスが重複していても，それらを変更することなくネットワークを統合（再構成）することができます。

■ スイッチの冗長化

ネットワークの冗長性を高めるためスイッチを多重化構成にする。これによってネットワークの信頼性が高まるほか，リンクを束ねることで性能も向上する。ここでは，問題に使われているSTPとスタック，リンクアグリゲーションについて改めて説明する。なお，STPとリンクアグリゲーションの詳細については，第2章で説明している。

□ STP（Spanning Tree Protocol）

スイッチを多重化したとき，物理的なループが生じることでブロードキャストストームなどの不具合が生じる。STPはループを構成するポートの一部をブロックすることで，ループを論理的なツリー構造とする技術である。なお，ブロックされた経路は障害時にう回経路として使用される。

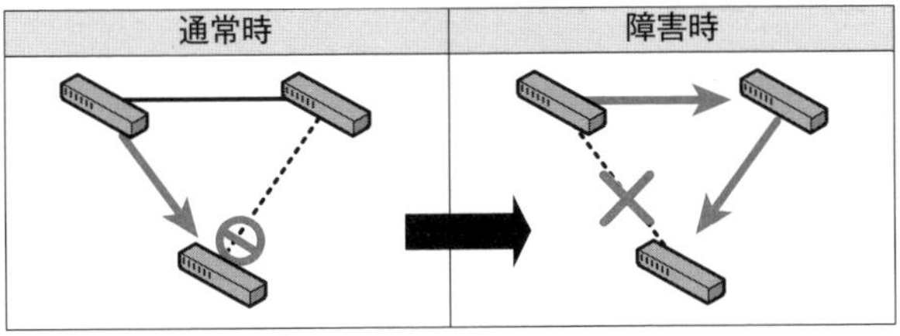

図6　STP

□スタックとリンクアグリゲーション

スタックは，複数のスイッチを接続した構成である。スタック接続されたスイッチは論理的には1台のスイッチとして扱われる。スタック同士を結ぶ回線をスタックリンクと呼ぶ。複数の回線を用いることで，スタックリンクを多重化することもできる。

スタック接続は，そのままではスイッチのポート増設に過ぎないが，リンクアグリゲーションと組み合わせることで冗長経路を実現できる。リンクアグリゲーションは複数のリンクを論理的に1本のリンクと見なすため，ループが生じることはない。

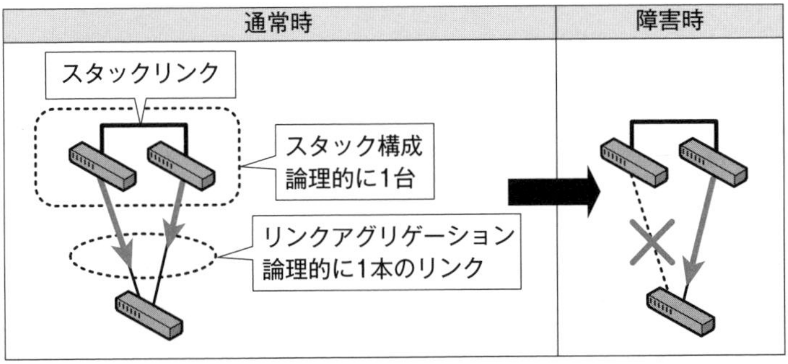

図7　スタックとリンクアグリゲーション

問1 解説

［設問１］

（ア，イについて）

IEEE802.1Qはタグ VLANとも呼ばれ，イーサネットフレームにVLAN用の**タグ**（VLANタグ）を付加したフレームを送受信する。

VLANタグは，32ビット（4オクテット）からなるVLAN用のヘッダで，次の構造をとる。

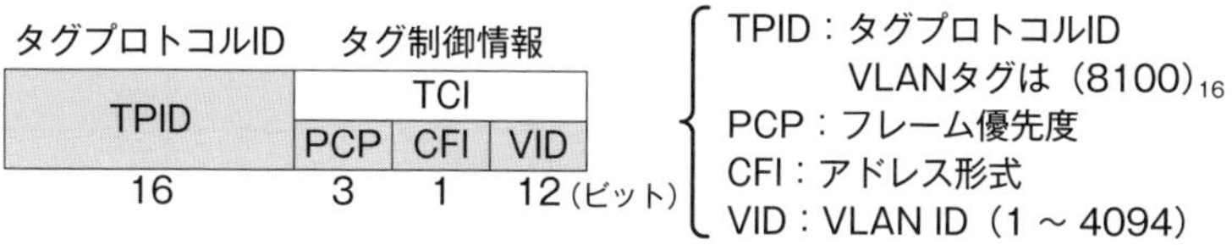

図8　VLANタグ

VLANタグはTPID（タグプロトコルID）とTCIに分けられる。TCIの下位**12**ビットは利用者のVLANを識別するID（VID）で，１～4094の値が入る。

（ウについて）

〔NWの仮想化〕に記述されているように，リンクアグリゲーション機能とは「複数のリンクを単一のリンクとして扱うことができる」機能である。リンクアグリゲーション機能を用いると，一方のリンクに障害が発生しても，残るリンクを用いて通信を継続できるというリンクの冗長化に加え，複数のリンクが正常な場合に複数のリンクにトラフィックを分散させることによる**帯域**の有効活用を実現することができる。

（エについて）

VRF（Virtual Routing and Forwarding）機能とは，一つのルータやL3SWに，複数の独立した仮想**ルータ**を稼働させる機能であり，仮想ルータごとに別々のルーティングテーブルを保持する。

（オについて） ☞ 問1 One Point

問題文の〔NWの仮想化〕に記述されている「L2SW，L3SWともに，複数の物理筐体を接続し，単一のスイッチとして機能させる」機能を**スタック**機能という。スタック接続されたスイッチは「ポートが増設された１台のスイッチ」と見なされるため，例えばL3SWをスタック接続したとき，各L3SWを単一のIPアドレスで管理できるようになる。

問1 One Point にも示したとおり，スタック接続とリンクアグリゲーションを組み合わせることで，スイッチの冗長化を実現できる。

[設問2] (1)

VLANはレイヤ2のレベルでLANを仮想化する機能で，図2の①のフレーム（イーサネットフレーム）にVLAN用のタグを付与した②のフレームを生成する。VLANトンネリングは，複数の利用者（本問の場合，顧客）の②のフレームを共用ネットワークに集約する機能で，利用者の識別のために②のフレームにさらにVLANタグを付与した③のフレームを生成する。

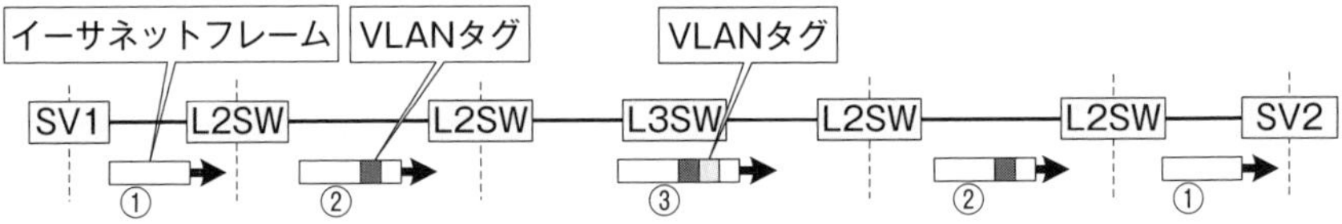

図9　タグの付与と除去

いずれにせよ，①～③のフレームは「VLANタグが付与されているかどうか」が異なるだけで，その元はイーサネットフレームである。よって，DAには宛先の，DSには送信元の**MACアドレス**が入る。

[設問2] (2)

本設問では，①から③へとフレームが変化する中で，宛先アドレスや送信元アドレスに変化があるかどうかが問われている。

問題文の図2を見ると，顧客αのLAN同士がL3SWで接続されている。そのため，通常の転送ではL3SWで送信元と宛先のMACアドレスが付け替えられて転送される。ただし，本問の構成ではNW基盤に設定されたVLANトンネル（レイヤ2）を介して，顧客αのLAN同士が接続されている。トンネルの内部では，トンネルに指定されたインタフェース間の転送のみが行われるため，トンネル内のL3SWではアドレスの付替えは生じない。

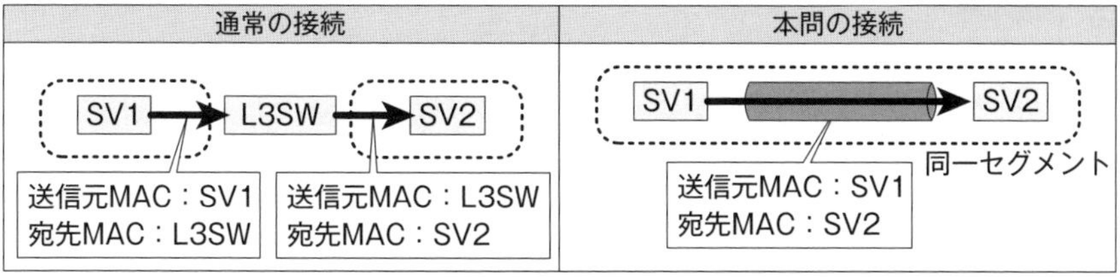

図10　トンネルとMACアドレスの付替え

以上より，宛先MACアドレスと送信元MACアドレスは，①～③のいずれのフレームでも同一であり，宛先MACアドレス（DA）が**SV2**，送信元MACアドレス（SA）が**SV1**となる。

問題文には「同一セグメント上の……顧客αのサーバ間」という表現で，SV1とSV2が同一セグメント（同一LAN）に属することが示されています。これをヒントに解答できたかもしれません。

[設問2](3)

設問2(1)の解説で説明したように，問題文の図2の③は顧客のVLANタグ付きのフレームをさらに別のVLANタグでカプセル化したイーサネットフレームであることから，網掛け部分にはVLANタグのフィールドが該当する。VLANタグは**TPID**と**TCI**で構成されるので，解答図のようにこの二つを記入すればよい。

[設問2](4) ☞ 問1 One Point

問題文冒頭の現状と問題の中で述べられているように，再構築前の顧客NWでは「顧客システムごとにNWが存在し，IPアドレスとVLAN IDは，各担当部門が管理」していたことから，担当者間でVLAN IDが調整されていないことが分かる。このような顧客NWを，共用のNW基盤に集約したとき，**別々の顧客で使用しているVLAN IDが重複する**という問題が生じるおそれがある。また，VLAN IDの調整を行い，重複を取り除いた場合でも，VLAN IDに設定できる値には制限（1～4094）がある。そのため，**VLAN数に制限があるが，これを超える**という問題が生じるおそれがある。

これらの問題を回避するために，本問の事例ではVLANトンネリングを導入した。なお，独立したネットワークごとにネットワーク層（L3）で中継を行うことから，L3SWではVRFを導入した。その経緯については 問1 One Point を参照してほしい。

[設問3](1)

スタック接続されたスイッチは，論理的には１つのスイッチと見なされる。また，リンクアグリゲーションが適用された複数のリンクは，論理的には１つのリンクと見なされる。

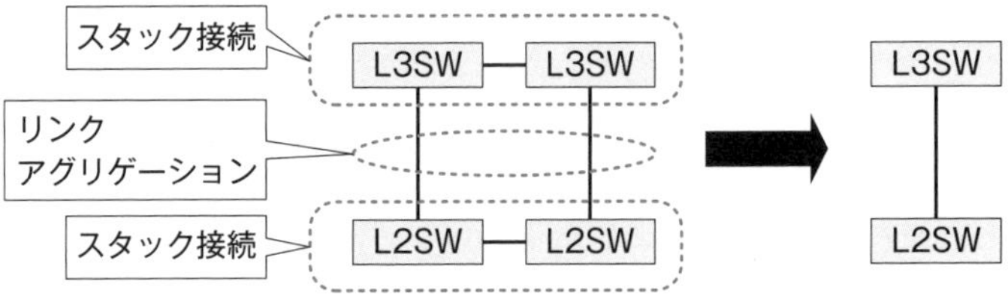

図11　スタック接続とリンクアグリゲーションの論理構造

問題文の図３は，２階に設置されたL2SWと３階に設置されたL3SWとFWとの論理構造を表している。同様の構造を，同じくスタック接続とリンクアグリゲーションで結ばれた３階のL2SW，４階のL2SWについても追加すればよい。

[設問3](2) ☞ 問1 One Point

設問文にあるとおり，「顧客システムのL2SWから２本のケーブルを，NW基盤のL2SWの別々の筐体に接続」したとき，物理的なループが生じる。ループによる問題を回避するためには，**STPを動作させ，ブロックポートを設ける**ことで，優先度の低いリンクを遮断したり，複数のリンクを**リンクアグリゲーションで，単一のリンクとして扱う**方法が考えられる。詳細については 問1 One Point を参照してほしい。

[設問3](3)

問題文冒頭の現状と問題の中に「顧客NWとの接続に当たっては，それぞれファイアウォール（以下，FWという）を設置している」とある。一方，問題文の図１のNW基盤ではFWの稼働系は１台のみである。１台のFW装置で，顧客ごとに独立していたFW機能を提供するためには，**複数の独立したFW機能を，１台のFW装置で稼働させる機能**が必要である。

問1 解答

設問		解答例・解答の要点
設問1	ア	タグ
	イ	12
	ウ	帯域
	エ	ルータ
	オ	スタック
設問2	(1)	MACアドレス
	(2)	下表
	(3)	下図
	(4)	① ・別々の顧客で使用しているVLAN IDが重複する。 ② ・VLAN数に制限があるが，これを超える。
設問3	(1)	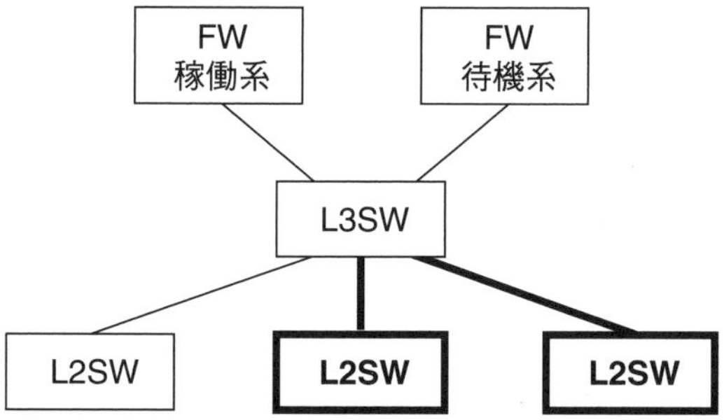
	(2)	① ・STPを動作させ，ブロックポートを設ける。 ② ・リンクアグリゲーションで，単一のリンクとして扱う。
	(3)	複数の独立したFW機能を，１台のFW装置で稼働させる機能

設問2 (2)

	DA	SA
フレーム①	**SV2**	SV1
フレーム②	**SV2**	**SV1**
フレーム③	**SV2**	**SV1**

設問2 (3)

DA	SA	**TPID**	**TCI**	TPID	…

設問3 (1)

※IPA発表

問2 侵入検知・防御システムの導入 (出題年度：H27問3)

侵入検知・防御システムの導入に関する次の記述を読んで，設問1～3に答えよ。

F社は，中堅の輸入食品卸売会社であり，自社で営業支援システムを運用している。現在の営業支援システムのネットワーク図を，図1に示す。

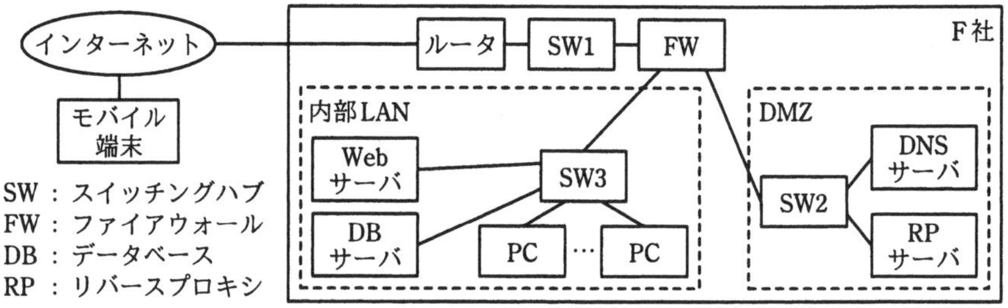

図1 現在の営業支援システムのネットワーク構成（抜粋）

F社の営業部員は，社内で営業支援システムにアクセスする場合には，自席のPCを使い，社外からは，モバイル端末を使って営業支援システムにアクセスする。営業支援システムで主なサービスを提供しているWebサーバを社外から利用するには，SSL/TLSを実装したRPサーバを経由してアクセスする。社内のPCからインターネットへのアクセスは，RPサーバを経由しない。

F社では数年前にネットワーク構成を見直し，侵入検知システム（IDS）の機能をもったFWを導入した。最近になって営業部員から，インターネットを通じたサービスのレスポンスがしばしば悪化していると，苦情が寄せられるようになった。F社の情報システム部が調査した結果，現在のFWはIDSとしての性能の限界に近づいており，これがレスポンス悪化の原因となっていると考えられた。IDS機能を使わなければFWは負荷が軽減され，今後も継続して利用できることが分かった。

また，最近発見された一部のサーバのミドルウェアの脆(ぜい)弱性を悪用する攻撃は，FWのIDS機能では検出できないものであった。このときは，アプリケーションへの影響確認テストに時間が掛かり，当該サーバにセキュリティパッチを適用するまで，営業支援システムを数日間休止せざるを得なかった。

F社の情報システム部は，インターネットを通じた様々なサイバー攻撃の増大が頻繁に報道されていることも考慮し，営業支援システムのセキュリティレベルを向上させるために，プロジェクトを立ち上げた。プロジェクトのリーダにはH君が任命された。まずH君は，IDSの見直しを開始した。

〔IDSの見直し〕

侵入検知の仕組みとしては，次の２種類がある。

一方はシグネチャ型と呼ばれ，不正なパケットに関する一定のルールやパターンを使う。原則として未知の攻撃には対応できないが，あらかじめ様々な種類のシグネチャが登録されている。

他方の［　ア　］型は，定義されたプロトコルの仕様などから逸脱したアクセスがあった場合に不正とみなす。シグネチャ型と比べて，未知の攻撃に対しては柔軟に対応できるが，正常と判断する基準によっては，正常なパケットを異常とみなすこともある。H君は，それぞれの仕組みの特長を生かすために，両方の機能をもったIDSを採用することにした。

次に，H君は，IDSのネットワークへの接続について検討した。

IDSは，監視対象のネットワークにあるSWの［　イ　］ポートに接続し，IDS側のネットワークポートを［　ウ　］モードにすることで，IDS以外を宛先とする通信も取り込むことができる。また，IDS側のネットワークポートに［　エ　］アドレスを割り当てなければ，IDS自体がOSI基本参照モデルの第３層レベルの攻撃を受けることを回避できる。

検出可能な通信は，IDSの接続箇所によって異なる。例えば，インターネットとDMZ間の通信は，IDSをSW1又はSW2に接続した場合は検出可能だが，SW3に接続した場合は検出できない。図１中のSW1 ?SW3にそれぞれIDSを接続した場合に，IDSで検出可能な通信を表１に示す。

表１　IDSで検出可能な通信（接続箇所別）

通信の範囲	IDS の接続箇所		
	SW1	SW2	SW3
インターネット ⇔ DMZ	○	○	×
DMZ ⇔ DMZ	×	○	×
DMZ ⇔ 内部 LAN	×	○	○
内部 LAN ⇔ 内部 LAN	×	×	○
（設問のため，省略）			

○：検出可　×：検出不可

H君が調査したIDSには，検知した攻撃を遮断する機能を実装している機種があった。遮断機能のうちの一つは，①IDSとFWが連携することで，検知した送信元アドレスからの不正な接続を遮断するというものであった。

また，IDSが不正なTCPコネクションを検知した場合に，該当する通信を強制的に切断する目的で，送信元と宛先の双方のIPアドレス宛てに，TCPのRSTフラグをオンにしたパケットを送る機能があった。検知した不正パケットがUDPの場合には，該当するパケットの送信元に，ICMPヘッダのコードにport［　オ　］を設定したパケットを送って，更なる攻撃の抑止を試みることができる。しかし，H君は，②このICMPを使った攻撃抑止のためのパケットが，実際は攻撃者に届かないことがあること，又はこのパケット自体が他のサイトへの攻撃となることもあると考えた。

これまでの検討結果から，H君は，より高度な侵入防御の仕組みが必要であると考え，ネットワークの重要な部分へは侵入防止システム（IPS）を追加することを検討した。

〔IPSの追加〕

IPSは，不正アクセスを監視するだけでなく，遮断する機能を強化したネットワーク機器である。例えば，SQLインジェクションのような，Webアプリケーションの脆弱性に対応する機能をもつもの，及び③防御対象のサーバに新たな脆弱性が発見された場合の一時的な運用に対応できるものがある。しかし，IPSは正常な通信を誤って不正と検知してしまうこと（フォールスポジティブ），又は不正な通信を見逃してしまうこと（フォールスネガティブ）があり，双方のバランスをとって効果的な侵入防御を実現することが重要である。

また，高度な機能をもつIPSには高い負荷が掛かることが予想される。ネットワークの通信量が急激に増えた場合でも，営業支援システムのレスポンス悪化を避け，継続して利用できる状態にすることが重要であることから，H君はIPSの障害対策について検討した。

IPSの障害対策には，並列に複数台導入する冗長化が考えられる。しかし，導入候補のIPSには，④IPSの機能の一部が故障した場合に備えた機能があった。費用対効果の観点と，IDSが併設されていることや，営業支援システムの継続利用を優先することから，H君はIPSを冗長化しないことにした。

以上の検討の結果，H君は営業支援システムのネットワークに，IDSとIPSの両方を追加し，管理用PCを接続した管理用LANを設けることを考えた。

H君による，見直し後の営業支援システムのネットワーク構成案を，図2に示す。

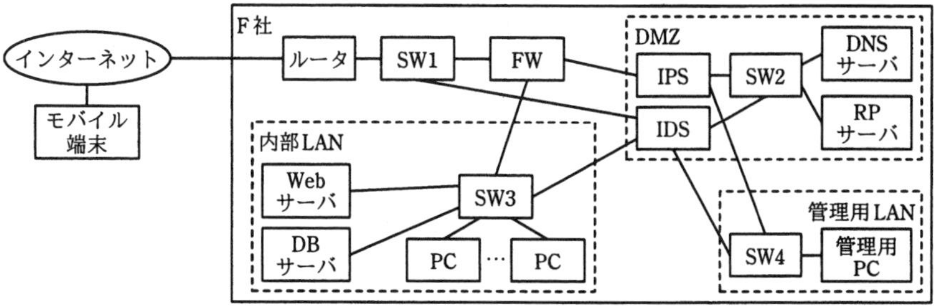

図2　見直し後の営業支援システムのネットワーク構成案（抜粋）

H君が考えたネットワーク構成案は承認され，営業支援システムの見直しプロジェクトが開始された。

設問1　本文中の［　ア　］～［　オ　］に入れる適切な字句を答えよ。

設問2　〔IDSの見直し〕について，(1)～(3)に答えよ。

(1)　IDSで検出可能な通信の範囲を追加して，表1を完成させよ。

(2)　本文中の下線①で，IDSとFWが連携することで不正な接続を遮断する仕組みとは，どのようなものか。40字以内で具体的に述べよ。

(3)　H君が，本文中の下線②のように考えたのはなぜか。35字以内で述べよ。

設問3　〔IPSの追加〕について，(1)～(3)に答えよ。

(1)　本文中の下線③で可能としている，一時的な運用を50字以内で述べよ。

(2)　本文中の下線④の，IPSが実装している機能とは何か。25字以内で述べよ。

(3)　IDSとIPSの導入後に，セキュリティレベルの継続的な向上のために，管理用PCを使ってどのようなことを行うか。35字以内で具体的に述べよ。

問2 One Point

■ 不正アクセスに対するIDSの対処

IDSは不正アクセスを検知する機能や製品である。IDS製品の中には，不正アクセスを検知するだけではなく，対処する機能を持つものもある。本問でも，不正なパケットを検出したときにIDSが行う対処として，TCPの場合とUDPの場合について説明されていた。主要なテーマではなかったが，理解を深めるために改めて説明する。

□ 不正なTCPパケットを検出したときの対処

TCPは通信に先立ってTCPコネクションを確立する。したがって，不正なTCPパケットを検出したときは，そのTCPコネクションを破棄し，通信を強制的に中断すればよい。このような「接続の拒否や中断」に用いるパケットが，TCPヘッダのRSTフラグをONにしたパケット，いわゆるRSTパケットである。

IDSが不正なTCPパケットを検出したとき，IDSは送信者と受信者の双方にRSTパケットを送出することで通信を強制的に中断する。

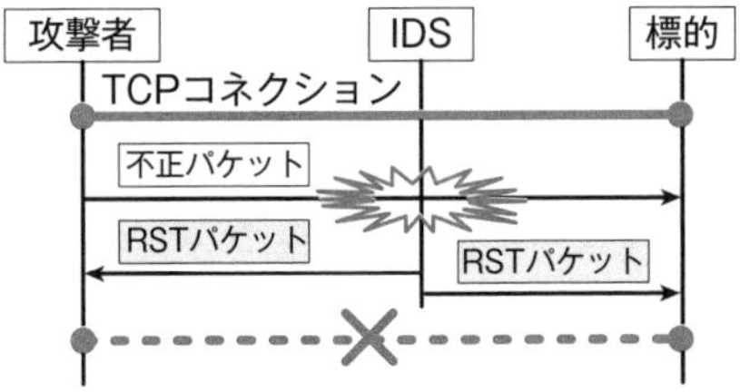

図3　TCPコネクションの強制中断

□ 不正なUDPパケットを検出したときの対処

不正なUDPパケットを検出したときの対処は，TCPの場合とは様子が異なる。というのも，UDPはコネクションという概念を持たないため，通信を中断するような手順がないからである。そこで，ICMPメッセージを用いた対処を行う。TCP/IPでは，稼働していない（閉じている）ポートに対してパケットを送ったとき，port unreachableというICMPメッセージを返送する。

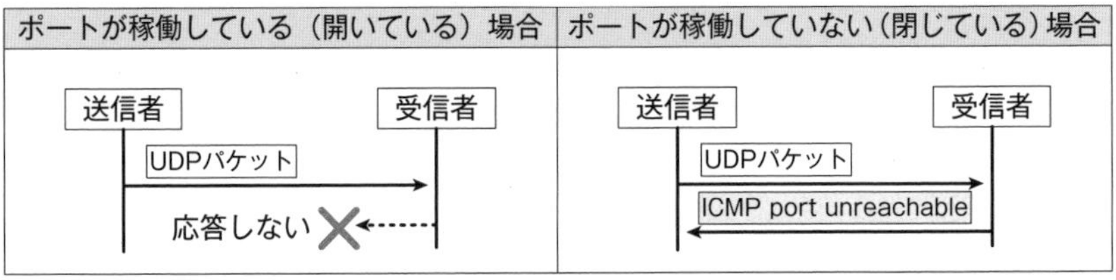

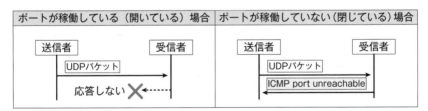

図4　port unreachableの返送

このような仕組みを用いて，IDSが不正なUDPパケットを検出したとき，攻撃者にport unreachableメッセージを返送することで，攻撃者に「当該ポートが稼働していない」と誤認させ，以降の攻撃を抑止することができる。

□ ICMP

ICMPはネットワークの診断やトラブルの通知に用いられるプロトコルで，これをトラブルの通知に用いる場合には，ICMPヘッダのタイプにトラブルの種別を，コードにトラブルの原因を設定して通知する。前述のport unreachableメッセージは，タイプに3，コードに3を設定したICMPメッセージである。

8	8	16(ビット)	
タイプ	コード	チェックサム	データ

ICMPメッセージのフォーマット

代表的なタイプ（トラブル通知）

3	宛先に接続できない
11	経由ルータ数の上限を超えた

代表的なコード（タイプ=3の場合）

0：network unreachable	ルータなどの障害
1：host unreachable	相手サーバの障害
3：port unreachable	ポートが閉じている

図5　ICMPによるトラブル通知

問2 解説

[設問1]

（アについて）

侵入検知の仕組みには，シグネチャ型と**アノマリ（異常検知）型**の２種類がある。アノマリ型は，正常な通信が行われている場合の仕様をルールとして定め，通信の様子を観察する。ルールに違反している場合に，不正アクセスと判断する方法で，未知の攻撃を検知することができる。

（イ，ウについて） ☞ 2.5 Focus IDS/IPS

IDSは，自身が接続された機器を通過するすべてのパケットをモニタしなければならない。そのため，IDSをスイッチ（SW）に接続する際には，次の設定を行う。

①SW側のポートを**ミラー**ポート（**ミラーリング**ポート）に設定する（空欄イ）

②IDS自身のネットワークポートを**プロミスキャス**モードに設定する（空欄エ）

ミラーポートは，他のポートを通過するパケットをコピーして受信するポートである。ミラーポートにIDSを接続することで，他のポートを流れるパケットをIDSへ流し込むことができる。

一方で，IDS自身のネットワークポートには，コピーされたパケットをすべて取り込む，すなわち「宛先MACアドレスが自身のMACアドレスでないパケットも取り込む」ような設定が必要である。そのようなモードをプロミスキャスモードと呼ぶ。

以下に，スイッチとIDSの接続に関する図を第２章から再掲する。なお，機器名は本問に合わせて書き換えている。

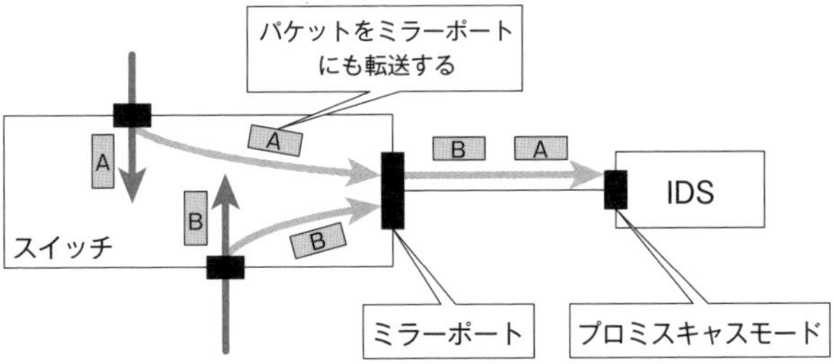

図6　ミラーポートとプロミスキャスモード（再掲）

（エについて）

パケットのコピーやIDSへの流し込みは，第２層（データリンク層）のレベル（フレームレベル）で行われる。そのため，IDS側のネットワークポートには，第３層（ネットワーク層）のアドレスである**IP**アドレスを設定する必要はない。IDSにIPアドレスを設定しなければ，IDSが不正なpingコマンドなどに応答しなくなるため，IDSの存在を攻撃者から隠すことができる。これを，ステルスモードと呼ぶこともある。

空欄直後の「第３層レベルの攻撃～」という記述から，攻撃がIPレベルで行われることが読み取れます。IPレベルの攻撃からIDSを隠すためには「IPアドレスを設定しない」と答えられたかもしれません。

（オについて） ☞ 問2 One Point

不正なUDPパケットを検出したとき，IDSは送信元にport **unreachable**メッセージを送ることで，攻撃者にポートが閉じていると誤認させてさらなる攻撃の抑止を試みることができる。詳細については 問2 One Point を参照してほしい。

[設問２]（1）

問題文冒頭で述べられている「社内のPCからインターネットへのアクセスは，RP

サーバを経由しない」ことに着目する。これは，RPサーバはプロキシ（フォワードプロキシ）機能を持たず，社内PCからインターネットへのアクセスは，DMZを介さずに直接行われることを表している。このような，インターネットと内部LANとの通信が問題文中の表１に欠けている。

インターネットと内部LAN間で行われる「直接の通信」は，次の経路を用いて行われる。

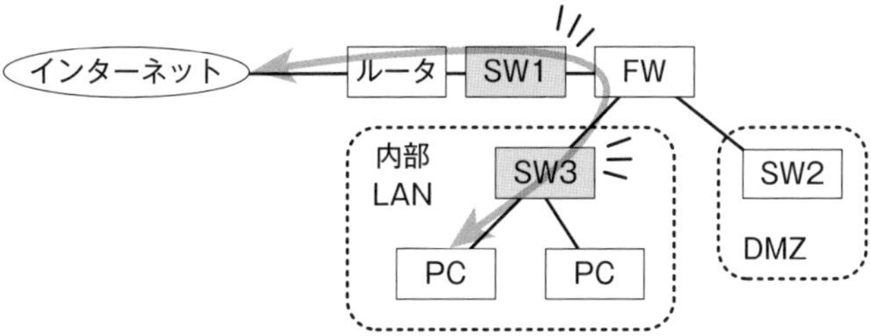

	SW1	SW2	SW3
インターネット ⟺ 内部LAN	○	×	○

図７　通信経路

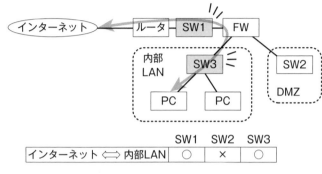

この通信を検出可能なスイッチは，通信経路上にあるSW1とSW3であり，SW2では検出できないことが分かる。

[設問２](2)

下線①では，「検知した送信元アドレスからの不正な接続を遮断」と述べられている。このような特定の送信元アドレスからの不正な接続を遮断する機能はFWが持っており，FWはアクセス制御リスト（ACL）に基づいてパケットの通過や遮断といった制御を行うことを考慮すると，アクセス制御リストに検知した送信元アドレスからの通信を遮断するようなルールを追加すればよいと考えられる。

このような動作原理に加え，下線①で述べられている「IDSとFWが連携する」ことを考えると，IDSが不正な通信（攻撃や侵入）を検出すると，その送信元アドレスをFWに通知し，FWがACLを動的に変更する，といった仕組みになるはずである。これを40字以内にまとめ，**FWのACLを動的に変更して，遮断の対象とする送信元アドレスを追加する**などのように解答すればよい。

[設問2](3)

下線②では，攻撃の抑止に用いたICMPを使ったパケットが「実際は攻撃者に届かないことがある」としている。ここで，ICMPを使ったパケットとはport unreachableを設定したICMPメッセージで，これを送信者のIPアドレスへ返送することで，攻撃の抑止を試みている。

さて，攻撃者が自身のIPアドレスを用いて攻撃を仕掛けているならば，確かにICMPパケットは攻撃者に返送される。しかし，攻撃の種類によっては，攻撃者は自身のIPアドレスを偽る場合がある。例えばDoS攻撃などのように「パケットを送りつけるだけ」が目的であれば，攻撃者は自身のIPアドレスを用いる必要はない。攻撃者が第三者のIPアドレスに偽って大量のパケットを送り込んだ場合，攻撃を抑止するためのはずの大量のICMPパケットが第三者に送りつけられてしまう。つまり，ICMPパケットが攻撃者に返されないだけでなく，結果的には無関係な他サイトへのDoS攻撃となるおそれがある。

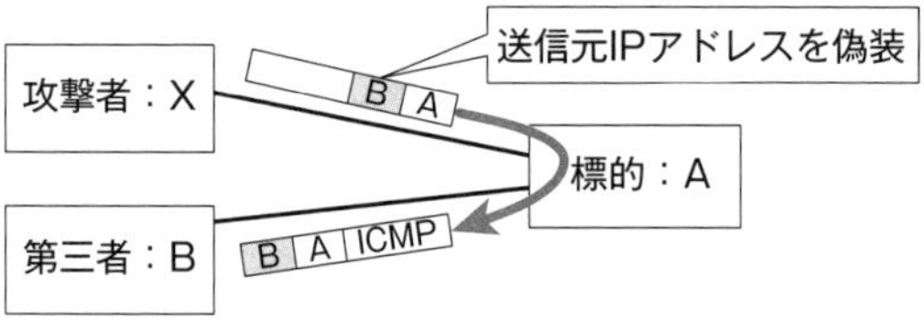

図8　IPアドレスの偽装

本問では，H君が下線②のように考えた理由が問われているので，**不正アクセスの送信元アドレスが偽装されている可能性があるから**のように解答すればよい。

[設問3](1)

ここでは，下線③に示された「サーバに新たな脆弱性が発見された場合の一時的な運用に対応できる」ようなIPSの機能を答える。

新たな脆弱性が発見された場合，それに対応するセキュリティパッチを早急に適用することが望ましい。しかし，さまざまな理由によりセキュリティパッチの適用までに時間を要することがある。F社でも「(セキュリティパッチの) アプリケーションへの影響確認テストに時間が掛かり」セキュリティパッチの適用が遅れてしまったことが述べられている。確認テストが終わるまでの数日間，F社は営業支援システムを休止させたが，これはもちろん営業的には好ましくない。脆弱性にかかわる攻撃を遮断しつつ，営業支援システムを稼働し続けることが望ましい。

IPSは，不正アクセスの監視とともにそれを遮断する機能を強化したセキュリティ機器であり，サーバに新たな脆弱性が発見された場合の一時的な運用として，**保護する機器にセキュリティパッチを適用するまでの間，脆弱性を悪用する攻撃の通信を遮断する**機能を備えている。

［設問3］(2) ☞ 2.5 Focus IDS/IPS

問題文の図２に示されている見直し後の営業支援システムのネットワーク構成案では，IPSがFWとSW2およびSW4の間に設置されている。このような通信経路上に設置するIPSをインライン型という。インライン型のIPSが故障すると，通信が一切できなくなってしまう。そこで，障害の発生時は，自身をう回するような形で通信を維持できるような機能を持つIPSが多い。この機能をバイパス（フェイルオープン）といい，通信は維持するがIPSによる攻撃の検知や遮断は制限される。

本設問では，バイパス機能の概要を25字以内でまとめればよい。よって，**通信をそのまま通過させ，遮断しない機能**などのように解答すればよい。

［設問3］(3)

本設問では「セキュリティレベルの継続的な向上」のために実施すべきことが求められている。ここで大きなヒントになるのが，問題文の〔IPSの追加〕の「IPSは正常な通信を誤って不正と検知してしまうこと（フォールスポジティブ），又は不正な通信を見逃してしまうこと（フォールスネガティブ）があり」という記述である。IPSを導入しても，誤検知や見逃しが多ければ，セキュリティレベルは向上しないからである。

フォールスポジティブとフォールスネガティブはトレードオフの関係にある。攻撃と判断する基準を厳しくするとフォールスポジティブが，緩めるとフォールスネガティブが生じやすくなる。そこで，運用を通して調整を行うことで双方のバランスをとって効果的な侵入防御を実現することが必要になる。そのために不可欠なことが，ログの取得と解析である。具体的には，ログを解析することでフォールスポジティブやフォールスネガティブの発生状況を把握し，両者のバランスをとるよう判断基準を調整する。このようなログの取得や解析は，IDSやIPSに接続された管理用PCを用いて実施できる。

以上より，解答は**不正アクセスへの対応を最適化するために，ログを取得して解析する**となる。

問2 解答

<table>
<tr><th colspan="2">設問</th><th colspan="2">解答例・解答の要点</th></tr>
<tr><td colspan="2" rowspan="5">設問1</td><td>ア</td><td>アノマリ　又は　異常検知</td></tr>
<tr><td>イ</td><td>ミラー　又は　ミラーリング</td></tr>
<tr><td>ウ</td><td>プロミスキャス</td></tr>
<tr><td>エ</td><td>IP</td></tr>
<tr><td>オ</td><td>unreachable</td></tr>
<tr><td rowspan="3">設問2</td><td>(1)</td><td colspan="2"><table>
<tr><th>通信の範囲</th><th colspan="3">IDSの接続箇所</th></tr>
<tr><td></td><td>SW1</td><td>SW2</td><td>SW3</td></tr>
<tr><td>インターネット⇔内部LAN</td><td>○</td><td>×</td><td>○</td></tr>
</table></td></tr>
<tr><td>(2)</td><td colspan="2">FWのACLを動的に変更して，遮断の対象とする送信元アドレスを追加する。</td></tr>
<tr><td>(3)</td><td colspan="2">不正アクセスの送信元アドレスが偽装されている可能性があるから</td></tr>
<tr><td rowspan="3">設問3</td><td>(1)</td><td colspan="2">保護する機器にセキュリティパッチを適用するまでの間，脆弱性を悪用する攻撃の通信を遮断する。</td></tr>
<tr><td>(2)</td><td colspan="2">通信をそのまま通過させ，遮断しない機能</td></tr>
<tr><td>(3)</td><td colspan="2">不正アクセスへの対応を最適化するために，ログを取得して解析する。</td></tr>
</table>

※IPA発表

問3 SSL-VPNの導入 (出題年度：H29問１)

SSL-VPNの導入に関する次の記述を読んで，設問１～４に答えよ。

H社は，顧客の業務システムの構築（以下，顧客システム構築という）を主力業務とする，中堅のシステム開発会社である。顧客システムは，様々なサーバ機器，OS，ミドルウェアなどを組み合わせて構築され，利用されるプロトコルも様々である。H社の拠点で構築されて，最終的に顧客の拠点に納入されたシステムは，顧客社内のPCなどから利用される。

〔H社の現行ネットワーク〕

H社では，受注した顧客システム構築専用のネットワーク（以下，顧客システム構築ネットワークという）をそれぞれ設け，一つの顧客システム構築ネットワークに，H社の内部LANのサブネットを一つ割り当てている。顧客システム構築は，開発LANに接続されたPCから顧客システム構築ネットワークにアクセスして行っている。現在，E社，F社，G社の３社から受注した顧客システムを構築中である。H社は，内部LANからインターネットへのWebアクセスを，DMZのプロキシサーバを経由して行っている。H社の現行ネットワーク構成を，図１に示す。

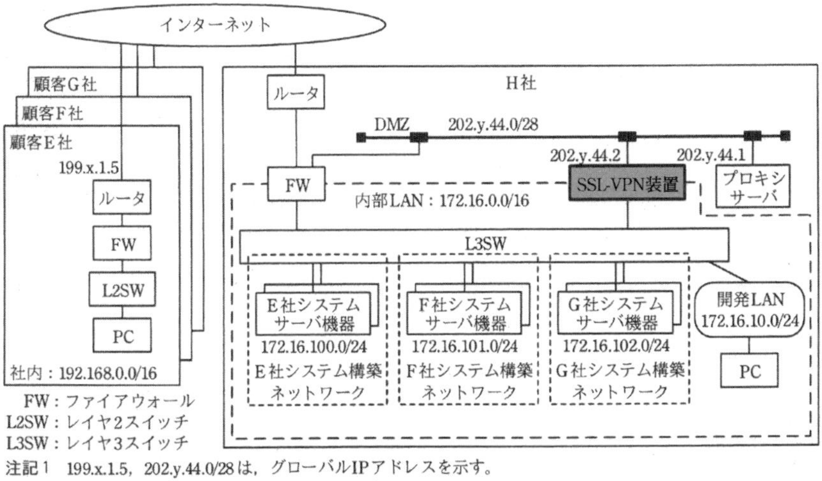

注記１　199.x.1.5，202.y.44.0/28は，グローバルIPアドレスを示す。
注記２　網掛け部分は，追加予定の機器であることを示す。
注記３　E社システム構築ネットワーク，F社システム構築ネットワーク，G社システム構築ネットワークは，各社の顧客システム構築ネットワークを示す。

図１　H社の現行ネットワーク構成（抜粋）

〔顧客システム構築業務の問題とその解決策〕

H社では，顧客システム構築業務において次に示す問題を抱えている。

（問題１）顧客システム構築ネットワークに対して，当該構築業務とは関係がないPCから不正なアクセスを受ける可能性がある。

（問題２）顧客システム構築をH社の拠点で行っているので，顧客はシステムが納入されるまで動作確認ができない。

これらの問題に対処するために，解決策の検討を任されたH社情報システム部のSさんは，SSL-VPNを利用すれば解決できると考えた。Sさんの検討結果を次に示す。

(1) SSL-VPNについて

SSL-VPNは，SSL/TLSプロトコルを利用したVPN技術である。その利用には，SSL/TLSのプロトコルのバージョン，及びプロトコルに含まれるアルゴリズムについて，次に示す点を考慮する必要がある。

・十分な安全性を確保できないとされるハッシュアルゴリズムであるMD5又は［ア］を使用しないで済むように，TLSプロトコルのバージョン［イ］以上を利用する。

・SSL/TLSのコネクション開設時に，クライアント側から送られる［ウ］メッセージと，サーバ側から返される［エ］メッセージの交換が行われる。このとき，それ以降で用いられる暗号スイート（アルゴリズムの組合せを示した情報）が決定される。その情報には，アプリケーション層の暗号化に使われる暗号アルゴリズム以外に，<u>（Ⅰ）２種類の暗号アルゴリズムと１種類のハッシュアルゴリズム</u>が含まれる。

(2) SSL-VPNの動作方式

SSL-VPNの基本的な動作には，［オ］，ポートフォワーディング，L2フォワーディングの３方式がある。<u>（Ⅱ）H社の場合はL2フォワーディング方式が望ましいと，Sさんは判断した</u>。Sさんがベンダに確認したL2フォワーディング方式の動作概要を次に示す。

・PCにインストールするクライアントモジュールからSSL/TLS接続を行う。

・<u>（Ⅲ）接続時の認証に応じて，PCに適切なIPアドレスを割り当てる</u>。

・PCとSSL-VPN装置間のSSL/TLS接続トンネル上で，レイヤ２の中継を行う。

Sさんは，これらの検討結果から，開発LAN及び顧客各社のPCから顧客システム構築ネットワークに対する必要なアクセスを全てSSL-VPN経由で行うようにすることで，問題1と問題2に対応できると考え，SSL-VPN装置を新たに導入することにした。また，その問題の対応には，FW，L3SWなどの設定変更も必要になると考えた。

〔SSL-VPN装置の導入のための検討〕

Sさんは，SSL-VPN装置導入のための具体的な項目の検討を行った。検討結果は，次のとおりである。

(1) SSL-VPN装置の設置位置
- 顧客からインターネット経由でVPN接続することと，開発LANからVPN接続することを考慮して，SSL-VPN装置の設置位置はDMZとL3SWの間とする。
- SSL-VPN装置から内部LANへの通信用に，L3SWに新たなVLAN（VLAN201）を設け，SSL-VPN装置の内側のインタフェースをL3SWに接続する。PCから顧客システム構築ネットワークへのアクセス経路が［PC→SSL-VPN装置→VLAN201→顧客システム構築ネットワーク］となるように経路を設定する。

(2) SSL-VPN装置へのユーザに関する情報登録
- SSL-VPN装置に，VPNを利用するユーザに関する情報（以下，ユーザ情報という）を登録する。ユーザ情報には，VPN接続時のユーザ認証のための情報も含まれる。
- ユーザ情報中の設定項目であるグループ番号には，そのユーザに対応する顧客番号を設定する。顧客番号は，顧客ごとに割り当てられている1以上100以下の整数である。以下，この整数をkで表す。

(3) IPアドレスの割当て
- 顧客番号kの顧客（以下，顧客kという）に対応する顧客システム構築ネットワーク：172.16.z.0/24（ここで，zは99＋kとする）
- 顧客kに対応するVPN接続PC用IPアドレスプール：10.100.k.1～10.100.k.200
- VPN接続時には，認証されたユーザに対応する顧客番号を用いて，IPアドレスプールを選択する。

(4) FWのルール設定

SSL-VPN導入後のFWのルールは，表1のとおり設定する。

表1　通信を許可するFWルール設定（抜粋）

アクセス経路	送信元IPアドレス	宛先IPアドレス	プロトコル／宛先ポート	アドレス変換
カ → キ	ク	202.y.44.0/28	任意	無
DMZ→インターネット	202.y.44.0/28	任意	任意	無
インターネット→DMZ	任意	ケ	TCP/443	無

〔検討後のネットワーク構成〕

Sさんは，更に検討を進め，図2に示すネットワーク構成を作成した。

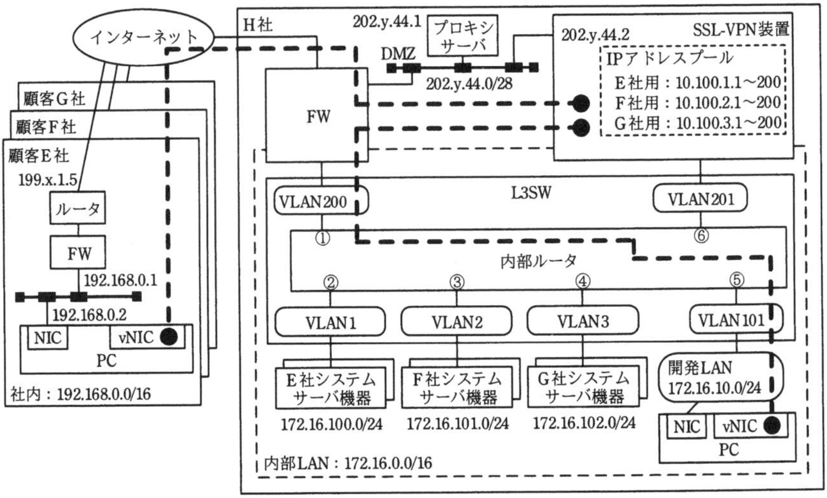

NIC：ネットワークインタフェースカード
vNIC：仮想ネットワークインタフェースカード
内部ルータ：L3SW中のL3処理機能
注記1 ●– – –● は，SSL-VPNトンネルを示す。
注記2 ①～⑥は，内部ルータの仮想インタフェースを示す。

図2 検討後のネットワーク構成（抜粋）

〔問題1の解決策〕

Sさんは，問題1の解決策として，次の二つの通信制限をすることにした。

(1) VLAN間の不正通信制限

(Ⅳ) 表2に示すアクセスリストをL3SWに設定して通信制限する。

表2 VLAN間通信制限のためのアクセスリスト

項番	動作	送信元 IP アドレス	宛先 IP アドレス
1	禁止	Any	172.16.0.0/16
2	許可	Any	Any

注記1 Any は，パケットフィルタリングにおいてチェックしないことを示す。
注記2 アクセスリストは，項番が小さい順に参照され，最初に該当したルールが適用される。
注記3 どのルールにも該当しないものは禁止される。

表2のアクセスリストは，H社内のVLAN間通信のうちで不正なものを禁止する。

具体的には，開発LANから顧客システム構築ネットワークへの直接アクセス（SSL-VPNを経由しないアクセス）と，(Ⅴ) それ以外の不正な通信を禁止する。

(2) SSL-VPN接続するPC（以下，VPN-PCという）の通信制限

(Ⅵ) 表３に示すアクセスリストをL3SWに設定して通信制限する。

表３　VPN-PCの通信制限のためのアクセスリスト

項番	動作	送信元 IP アドレス	宛先 IP アドレス
1	許可	10.100.1.0/24	172.16.100.0/24
2	許可	10.100.2.0/24	172.16.101.0/24
3	許可	10.100.3.0/24	172.16.102.0/24

注記１　アクセスリストは，項番が小さい順に参照され，最初に該当したルールが適用される。
注記２　どのルールにも該当しないものは禁止される。

表３のアクセスリストは，VPN-PCからの不正な通信を禁止する。その通信は，VPN-PCから，そのVPN-PCと関係がない顧客システム構築ネットワークへのアクセスである。

H社では，Sさんの検討結果を踏まえてSSL-VPNの導入を行った。その結果，社内PCからも顧客PCからも安全にアクセスできる，利便性が高い顧客システム構築ネットワークが実現した。

設問１　本文中の［ア］～［オ］に入れる適切な字句を答えよ。

設問２　〔顧客システム構築業務の問題とその解決策〕について，(1)～(3)に答えよ。

(1) 本文中の下線（Ⅰ）について，２種類の暗号アルゴリズムと１種類のハッシュアルゴリズムのそれぞれの用途を答えよ。

(2) 本文中の下線（Ⅱ）について，判断の根拠となった，H社が構築する顧客システムの特徴を，30字以内で述べよ。

(3) 本文中の下線（Ⅲ）について，割り当てられたIPアドレスは，PCのどのネットワークインタフェースに設定されるか。図２中の字句を用いて答えよ。

設問３　表１中の［カ］～［ケ］に入れる適切な字句を答えよ。

設問４　〔問題１の解決策〕について，(1)～(3)に答えよ。

(1) 本文中の下線（Ⅳ）について，表２のアクセスリストを設定すべきインタフェースを，図２中の①～⑥の記号で全て答えよ。ここで，アクセスリストはインタフェースの入力方向に設定するものとする。

(2) 本文中の下線（V）について，禁止される通信は何か。本文中の字句を用いて，45字以内で答えよ。

(3) 本文中の下線（VI）について，表3のアクセスリストを設定すべきインタフェースを，図2中の①～⑥の記号で答えよ。ここで，アクセスリストはインタフェースの入力方向に設定するものとする。

問3 One Point

本問では，SSL-VPNを用いたネットワーク構築について出題された。SSL-VPNについては，2.5 Focus SSL-VPNで説明しているので，しっかり学んでほしい。

□ SSL-VPNの動作方式 ☞ 2.5 Focus SSL-VPN

SSL-VPNの動作方式と特徴について，改めてまとめておく。詳細については，2.5 Focus SSL-VPNを参照してほしい。

表4　SSL-VPNの動作方式

リバースプロキシ方式	・SSL-VPN装置から内部サーバへ代理アクセスする ・Webアプリケーションに利用が限定される
ポートフォワーディング方式	・SSL-VPN装置に転送先のサーバを事前に登録する ・通信中にポート番号が変化する場合は利用できない
L2フォワーディング方式	・レイヤ2フレームをSSL/TLSでカプセル化する ・利用するプロトコルに制限はない

□ L2フォワーディング方式

本問で取り上げられているL2フォワーディング方式について，データ通信の手順を簡単にまとめておく。

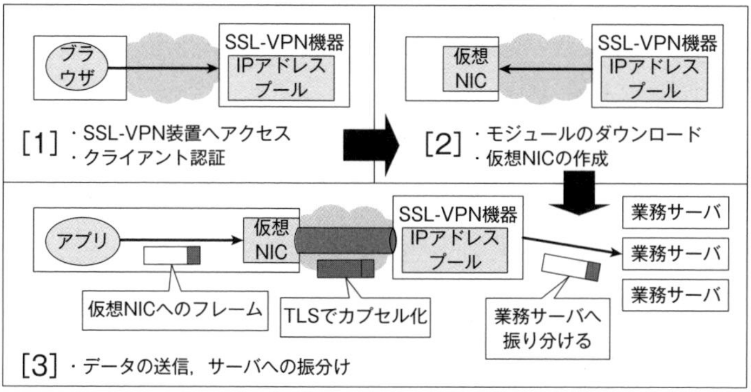

図3　L2フォワーディング方式

［1］リモートアクセスを行うクライアントが，ブラウザを用いてSSL-VPN機器にアクセスする。このとき，クライアント認証も行う。

［2］認証が成功したクライアントへ，SSL-VPN機器はL2フォワーディング用のソフトウェアモジュールを送信する。クライアントがこれを実行すると，クライアントに仮想NICが作成される。仮想NICにはSSL-VPN機器がプールしたIPアドレスが割り当てられる。

［3］アプリケーションの送信データは，クライアント内部で仮想NICに送られる。仮想NICはこれをSSL/TLSでカプセル化し，トンネルを通してSSL-VPN機器に送信する。これを受信したSSL-VPN装置はカプセル化を解いて，通常のパケット処理と同様に宛先へ転送する。

この方式であれば，クライアントは通常のLAN利用と同様にサーバ群を利用できる。FTPのように「通信途中でポート番号が変化する」アプリケーションであっても，問題が生じることはない。

問3　解説

［設問1］

（ア，イについて）

セキュリティプロトコルとして名高いSSL/TLSは，

… SSL3.0 → TLS1.0/1.1 → TLS1.2 → TLS1.3

と変遷している。特にTLS1.1以前で用いられてきたハッシュ関数MD5や**SHA-1**（空欄ア）は安全ではないことが確認され，より安全なSHA-256を用いる**TLS1.2**（空欄イ）以上の利用が推奨されている。

（ウ，エについて）

SSL/TLSでは，次のような手順でコネクションを開設し，暗号化通信を行う。

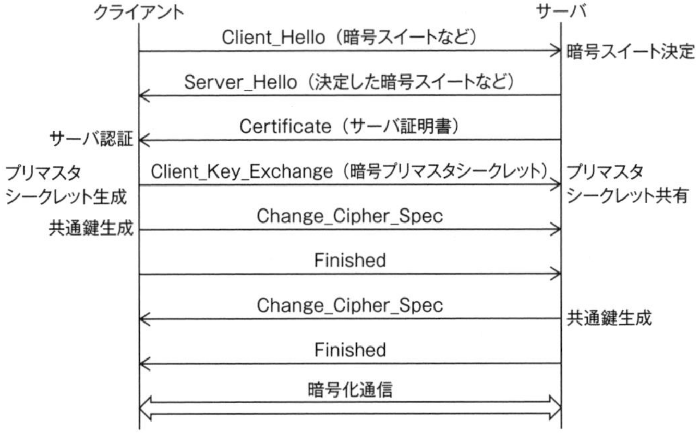

図４　TLS1.2のコネクション開設の流れの概要（クライアント認証省略）

最初に，クライアント側から**Client_Hello**（空欄ウ）メッセージで，ブラウザで利用できるプロトコルバージョンや暗号スイート（暗号アルゴリズムやハッシュアルゴリズム）の一覧などをサーバ側に送付する。サーバ側では，それ以降に用いるプロトコルバージョンや暗号スイートを決定し，**Server_Hello**（空欄エ）でクライアント側に通知する。

（オについて） ☞ 問3 One Point

問3 One Point にまとめたとおり，SSL-VPNの基本的な動作には，**リバースプロキシ**，ポートフォワーディング，L2フォワーディングの３方式がある。

[設問２](1)

SSL/TLSが提供する機能には，次のようなものが挙げられる。

- サーバ認証
- クライアント認証
- 通信内容（アプリケーション層）の暗号化
- 通信内容の完全性の保証（メッセージ認証）

サーバ認証およびクライアント認証には，公開鍵証明書（デジタル証明書）を利用した公開鍵暗号が用いられる。代表的な公開鍵暗号アルゴリズムにはRSAやECDSAなどがある。

通信内容（アプリケーション層）の暗号化には共通鍵暗号が用いられ，サーバとクライアント間でその共通鍵を安全に共有するために，鍵交換によって共通鍵が生成される。この鍵交換の内容も鍵交換アルゴリズムによって暗号化される。鍵交換アルゴリズムは暗号スイートに含まれる暗号アルゴリズムで，DH（Diffie-Hellman）やECDH，RSAなどがある。

通信内容の完全性の保証はメッセージ認証を行うことで実現され，SHA-256などのハッシュ関数で生成されたメッセージ認証コード（MAC：Message Authentication Code）が用いられる。

下線（Ⅰ）の前に「アプリケーション層の暗号化に使われる暗号アルゴリズム以外に」と述べられているので，アプリケーション層の暗号化以外の２種類の暗号アルゴリズムの用途は，**鍵交換**と**認証**であり，ハッシュアルゴリズムの用途は，**メッセージ認証**である。

[設問２]（2） ☞ 問3 One Point

問3 One Point で述べたとおり，L2フォワーディング方式の最大の特徴は，利用するプロトコルに制限がないことである。

問題文の冒頭で「顧客システムは，様々なサーバ機器，OS，ミドルウェアなどを組み合わせて構築され，利用されるプロトコルも様々である」と述べられていることから，**顧客システムは，様々なプロトコルを利用している**ことが分かる。このような利用に対応するためにも，プロトコルに制限のないL2フォワーディング方式でSSL-VPNを実現することが適切である。

[設問２]（3） ☞ 問3 One Point

問3 One Point のL2フォワーディング方式で述べたとおり，SSL-VPN装置にプールされたIPアドレスは，認証が成功したクライアントの**vNIC**（仮想NIC）に割り当てられる。

SSL-VPNトンネルが仮想NICとSSL-VPN装置間に設定されること，仮想NICがSSL-VPNエージェントとなることが分かっていれば，解答できたと思います。

[設問3]

解答を導く前に，本問で言及されている通信について，その経路を確認する。

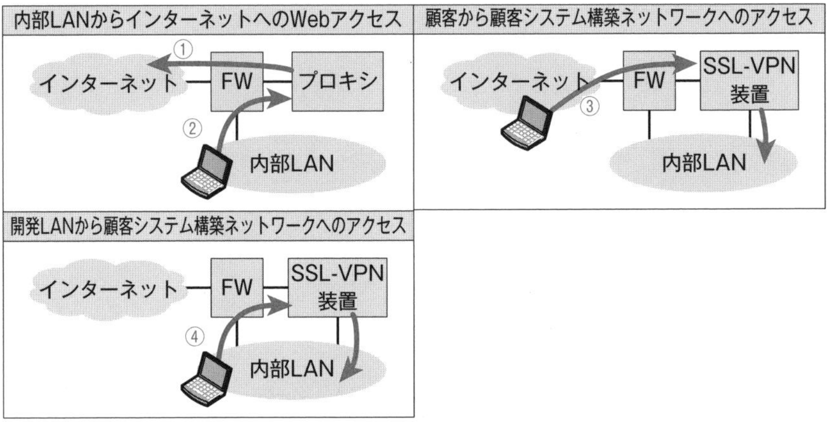

図5　本問の通信経路

図5に示した通信経路より，FWは少なくとも①～④の通信を許可しなければならないことが分かる。

①の許可は，問題文の表1の2行目で行われている。送信元IPアドレスがプロキシ固定ではなく，プロキシを含む202.y.44.0/28となっているのは，例えばメールサーバなどプロキシ以外のサーバの通信も許可するためである。

③の許可は，表1の3行目で行う。この通信の宛先ポートは443（SSL-VPN）なので，宛先はSSL-VPN装置に限られる。よって，宛先IPアドレスにはSSL-VPN装置の**202.y.44.2/32**が入る（空欄ケ）。

②と④は，併せて1行目で許可されている。アクセス経路は**内部LAN**（空欄カ）からプロキシやSSL-VPN装置が接続された**DMZ**（空欄キ）であり，送信元IPアドレスは内部LANを表す**172.16.0.0/16**が入る（空欄ク）。

[設問4](1)

問題文の表2のアクセスリストは「内部LANへのアクセスを禁止する」ものである。これを，問題文の図2の①～⑥の適切なインタフェースの入力方向に設定することで，「(問題1) 顧客システム構築ネットワークに対して，当該構築業務とは関係がないPCから不正なアクセスを受ける可能性」を排除することが目的である。

では，図6のインタフェース①～⑥から内部LANを宛先として入力される通信について，不正な通信であるかどうかを検討する。

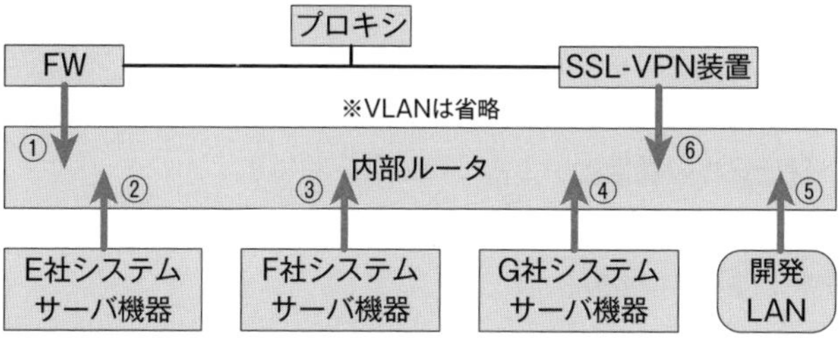

図6　インタフェース①～⑥

①：内部LANからインターネットへWebアクセスしたとき，その返信は①の経路で内部LANへ入力される。そのため，①で内部LANへのアクセスを禁止するとWebアクセスができなくなる。

②～④：各社システムサーバ機器へはSSL-VPN装置を経由して行われるため，その返信はSSL-VPN装置を宛先として入力されるはずである。そのため，これらのインタフェースから内部LANを宛先とする入力は，不正アクセスとして禁止すべきである。

⑤：開発LANから各社システムサーバ機器へはSSL-VPN装置を経由して行う。そのため，開発LANから内部LANを宛先とする入力は，SSL-VPN装置を経由しない不正アクセスとして禁止すべきである。

⑥：顧客や開発LANから内部LANにアクセスする場合は，必ずSSL-VPN装置を経由する。そのため，このインタフェースから内部LANへの入力は，正規のアクセスと考えられる。

以上のことから，表2のアクセスリストを設定すべきインタフェースは，**②，③，④，⑤**である。

[設問4](2)

下線(V)の前に「VLAN間通信のうちで不正なものを禁止する」ことが述べられている。ここから,どのようなVLAN間通信が不正となるのかを考える。図2から分かるように,E社,F社,G社のそれぞれの顧客システム構築ネットワークへの通信用には別々のVLANが設定されている。ある顧客システム構築ネットワークから別の顧客システム構築ネットワークへアクセスできてしまうと,情報漏えいや改ざんなどのリスクが生じる。よって,このような通信が不正な通信に該当するので,VLAN間通信制限によって禁止しなければならないと判断できる。設問では,「本文中の字句を用いて」解答することが求められているので,本文中の「顧客システム構築ネットワーク」という字句を用いて,**顧客システム構築ネットワークから他社の顧客システム構築ネットワークへの通信**というように表現すればよい。

[設問4](3) ☞ 問3 One Point

問題文の表3で許可された送信元IPアドレスはいずれもSSL-VPN装置に設定されたIPアドレスプールのものである。 問3 One Point でも説明したとおり,これらのIPアドレスはクライアント(本問では各顧客のPC)の仮想NIC(vNIC)に割り当てられ,VPN接続に用いられる。このVPN接続は,SSL-VPN装置によってインタフェース⑥へフォワーディングされ,目的の顧客システム構築ネットワークに届けられる。

以上より,表3で通信を許可するインタフェースは⑥である。

問3 解答

設問			解答例・解答の要点
設問1		ア	SHA-1
		イ	1.2
		ウ	Client_Hello
		エ	Server_Hello
		オ	リバースプロキシ
設問2	(1)	暗号アルゴリズム	① ・鍵交換 ② ・認証
		ハッシュアルゴリズム	メッセージ認証
	(2)		顧客システムは，様々なプロトコルを利用している。
	(3)		vNIC
設問3		カ	内部LAN
		キ	DMZ
		ク	172.16.0.0/16
		ケ	202.y.44.2/32
設問4	(1)		②，③，④，⑤
	(2)		顧客システム構築ネットワークから他社の顧客システム構築ネットワークへの通信
	(3)		⑥

※IPA発表

問4 Webシステムの構成変更 （出題年度：R元問2）

Webシステムの構成変更に関する次の記述を読んで，設問1～3に答えよ。

A社は，中堅の菓子メーカであり，自社で製造する商品を，店舗とオンラインショップで販売している。オンラインショップの利用者は，Webブラウザを使ってWebシステムにアクセスする。A社のオンラインショップを構成する，現行のWebシステムを図1に示す。

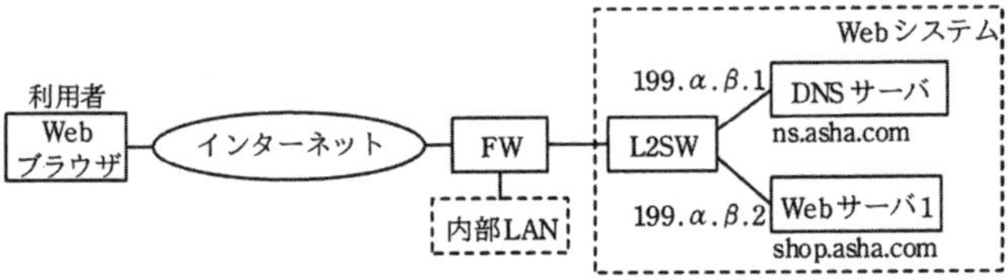

L2SW：レイヤ2スイッチ　　FW：ファイアウォール
注記1　199.α.β.1及び199.α.β.2は，グローバルIPアドレスを示す。
注記2　インターネットからWebシステムへの通信について，DNSとHTTPSだけを許可するアクセス制御を，FWに設定している。

図1　現行のWebシステム（抜粋）

A社では，Webシステムのアクセス数の増加に対応するために，Webサーバの増設と負荷分散装置（以下，LBという）の導入を決めた。また，昨今，Webアプリケーションプログラム（以下，WebAPという）の脆弱性を悪用したサイバー攻撃が報告されていることから，WAF（Web Application Firewall）サービスの導入を検討することになった。そのための事前調査から設計までを情報システム部のUさんが担当することになった。

〔WAFサービス導入の検討〕

Uさんは，SaaS事業者のT社が提供するWAFサービスを調査した。T社によるWAFサービスの説明は，次のとおりである。

・WAFサービスは，利用者のWebブラウザとWebシステム間のHTTPS通信を中継する。利用者のWebブラウザは，WAFサービスにアクセスするためのIPアドレス（以下，IP-wlという）宛てにHTTPリクエストを送信する。
・WAFサービスは，HTTPS通信を復号してHTTPリクエストを検査する。そのために，A社は，現行と同じコモンネームのサーバ証明書と秘密鍵を，WAFサービスに提供する必要がある。
・WAFサービスは，WebAPへのサイバー攻撃が疑われる通信を検知し，Webシステムへのアクセスを制御する。
・WAFサービスは，アクセスを許可したHTTPリクエストの送信元IPアドレスを，HTTPヘッダのX-Forwarded-Forヘッダフィールド（以下，XFFヘッダという）に追加する。XFFヘッダへの追加後に，HTTPリクエストの送信元IPアドレスを，HTTPレスポンスがWAFサービスに送られるようにするためのIPアドレス（以下，IP-w2という）に変更する。
・WAFサービスは，HTTPリクエストを再度HTTPSで暗号化して，Webシステムにアクセスするためのアドレスである199.α.β.2宛てに転送する。
・WAFサービスは，HTTPレスポンスを検査する。HTTPレスポンスに対する処理の説明は省略する。

Uさんは，Webブラウザから送信されるHTTPリクエストを，WAFサービス宛てに変える方法について，T社に確認した。T社からの回答は，次のとおりである。
・A社DNSサーバに，RDATAにIP-w1を設定したAレコードを登録する方式と，RDATAにT社WAFサービスのFQDNを設定したCNAMEレコードを登録する方式がある。
・T社は，IP-w1を変更する場合があるので，①CNAMEレコードを登録する方式を推奨している。

T社からの説明を踏まえて，Uさんが検討したA社DNSサーバのゾーンファイルを，図2に示す。

```
$ORIGIN        asha.com.
$TTL           3600
（省略）
               IN    NS       ns
ns             IN    A        199.α.β.1
shop           IN    CNAME    waf-asha.tsha.net.
（省略）
```

注記 “waf-asha.tsha.net.”は，A社WebシステムでWAFサービスを利用するために，T社から割り当てられたFQDNである。

図2　A社DNSサーバのゾーンファイル（抜粋）

現行のWebAPでは，Webシステムへのアクセス時の送信元IPアドレスをアクセスログに記録している。Uさんは，送信元IPアドレスの代わりにXFFヘッダの情報を記録するように，WebAPの設定を変更することにした。

Uさんは，FWに設定しているWebシステムへのHTTPS通信に関するアクセス制御について，IP-w2を送信元とする通信だけを許可するように，設定を変更することにした。

〔LBに関する検討〕

A社が導入するLBは，HTTPリクエストの振分け機能，死活監視機能，セッション維持機能，TLSアクセラレーション機能，HTTPヘッダの編集（追加，変更，削除）機能をもっている。

HTTPリクエストの振分け機能について，Uさんは，HTTPリクエストをWebサーバに［ ア ］に振り分けるラウンドロビン方式を採用することにした。

死活監視機能について，Uさんは，WebAPの稼働状況を監視するために，レイヤ7方式を利用することにした。死活監視に用いるメッセージの設定を表1に示す。

表1　メッセージの設定（抜粋）

メッセージ	項目	設定値
HTTP リクエスト	宛先 IP アドレス	Web サーバの IP アドレス
	ポート番号	［ イ ］
	メソッド	GET
	パス名	/index.php
成功時の HTTP レスポンス	ステータスコード	［ ウ ］

セッション維持機能には，HTTPリクエストの送信元IPアドレスに基づいて行う方式と，LBによって生成されるセッションIDに基づいて行う方式がある。セッションIDに基づいて行う方式では，WebサーバとWebブラウザ間で状態を管理するために用いられるCookieを利用する。LBは，HTTPレスポンスの［ エ ］ヘッダフィールドにセッションIDを追加する。HTTPレスポンスを受け取った利用者のWebブラウザは，［ エ ］ヘッダフィールドにあるセッションIDを，次に送信するHTTPリクエストの［ オ ］ヘッダフィールドに追加する。HTTPリクエストを受け取ったLBは，［ オ ］ヘッダフィールドのセッションIDに基づいて，セッション維持を行う。Uさんは，②WAFサービスの利用を考慮し，セッションIDに基づいて行う方式を採

用した。

TLSアクセラレーション機能は，TLSの暗号化・復号処理を専用ハードウェアで高速に処理する機能である。Uさんは，TLSの暗号化・復号処理の性能向上の目的と，③LBが行うある処理のために，TLSアクセラレーション機能を利用することにした。Uさんは，LBとWebサーバ間の通信にHTTPを用い，ポート番号にHTTPのウェルノウンポート番号を用いることにした。

構成変更後のWebシステムを図３に示す。

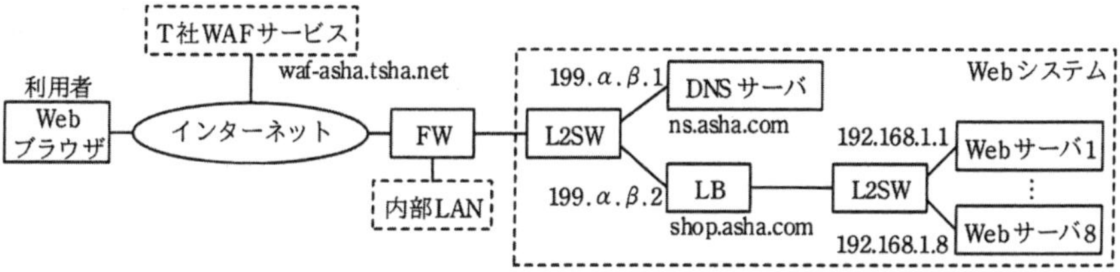

図３　構成変更後のWebシステム（抜粋）

〔WAFサービス停止時の対応検討〕

Uさんは，障害などでWAFサービスを１日以上利用できなくなった場合に備え，対応を検討した。WAFサービス停止期間中も，オンラインショップでの商品販売を継続させたい。Uさんは，WAFサービスを経由せずに，利用者のWebブラウザとWebシステム間で直接通信させるために，WAFサービス導入時に設定変更を予定している［　カ　］の④設定を変更することと，図２中の⑤資源レコードの１行を書き換えることで対応できると考えた。

Uさんは，WebAPのアクセスログについて，WAFサービスの有無にかかわらず，XFFヘッダの情報からWebシステムへのアクセス時の送信元IPアドレスを記録することとし，⑥LBに設定を追加した。

その後，Webシステムの構成変更に関するUさんの報告書は経営会議で承認され，導入の準備を開始した。

設問１　本文中の下線①について，A社にとっての利点を45字以内で述べよ。

設問２　〔LBに関する検討〕について，(1)～(3)に答えよ。

(1)　本文及び表１中の［　ア　］～［　オ　］に入れる適切な字句又は数値を答えよ。

(2) 本文中の下線②について，送信元IPアドレスに基づいて行う方式を採用した場合に発生するおそれがある問題を，10字以内で述べよ。

(3) 本文中の下線③の処理の内容を，20字以内で答えよ。

設問3 〔WAFサービス停止時の対応検討〕について，(1)～(3)に答えよ。

(1) 本文中の[カ]に入れる機器を，図3中のDNSサーバ以外の機器名で答えよ。また，本文中の下線④の変更内容を35字以内で述べよ。

(2) 本文中の下線⑤について，書換え後の資源レコードを答えよ。

(3) 本文中の下線⑥の設定内容を，30字以内で答えよ。

問4 One Point

本問ではWebシステムの構成変更をテーマに，HTTPリクエスト／レスポンス，DNS，LBによる負荷分散など幅広く知識が問われた。このように，Webシステムは「話を広げる」ことが容易で，出題者にとっては使い勝手がよい。今後も同様の出題が続くと思っておいたほうがよい。このように幅広い問題に対しては，Webシステムにこだわることなく個々の技術要素についてしっかり学んでおくべきである。本問を題材に理解を深めておきたい。

問4 解 説

[設問1] ☞ 3.2 2 ゾーン情報の設定

〔WAFサービス導入の検討〕においてT社が回答した「Aレコードを登録する方式」は，A社DNSサーバに次のレコードを登録する。

```
shop   IN   A   IP-w1
```

この方式では，T社がIP-w1を変更したとき，それに合わせてA社DNSサーバのゾーンファイルを修正しなければならない。

これに対して，下線①の「CNAMEレコードを登録する方式」は，A社DNSサーバに次のレコードを登録する。

```
shop   IN   CNAME   waf-asha.tsha.net.
```

このとき，利用者はA社のDNSサーバからオンラインショップのドメイン名として「waf-asha.tsha.net」を取得し，これをもとに改めてDNSへの問合せを行い，T社のDNSサーバからIP-w1を取得する。この方法では，A社のDNSサーバにはIP-w1を直接登録していないため，**T社がIP-w1を変更しても，A社DNSサーバの変更作業が不要となる**という利点がある。

[設問2](1)

(アについて) ☞ 2.6 Focus **ロードバランサ**

Uさんが採用したHTTPリクエストの振分け機能は，ラウンドロビン方式である。この方式は，HTTPリクエストをセッション毎にWebサーバに**順番**に振り分ける方式である。

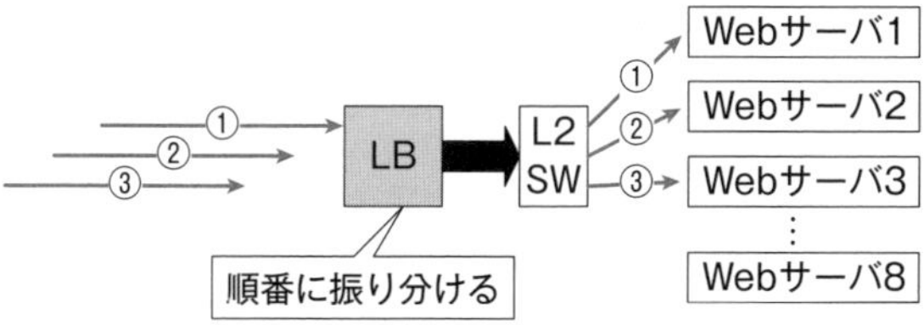

図4　ラウンドロビン方式

(イについて)

表1のメッセージの内容から，死活監視機能は「LBからWebサーバへHTTPリクエストを送信し，そのHTTPレスポンスを受け取る」という方式で実装されていることが分かる。このようなLBとWebサーバ間の通信は，Uさんによって「HTTPを用い，ポート番号にHTTPのウェルノウンポート番号を用いる」よう設計されている。よって，空欄イにはHTTPのウェルノウンポート番号である**80**が入る。

(ウについて)

空欄ウには，HTTPリクエストのGETメソッドが成功したときに戻される，HTTPステータスコード値が入る。表1のGETメソッドが成功した場合は，クライアントにindex.phpの内容と，成功を表すステータスコード**200**が戻される。

(エ，オについて) ☞ 3.3 Focus **クッキー**

Cookieを利用してセッションを維持するためには，Webサーバが作成したセッションIDを利用者のブラウザにCookieとして保管する。本問ではLBがセッションの維持機能を持つため，LBがセッションIDを作成しCookieとしてWebブラウザに戻す。LBが戻したセッションIDは，WebブラウザがCookieを生成して保存する。

Webブラウザが，同じセッションに連なるHTTPリクエストを行う場合は，Cookieに保存したセッションIDをHTTPリクエストヘッダに追加してHTTPリクエストを送信する。これを受けたLBは，同セッションを処理するWebサーバへHTTPリクエストを転送する。

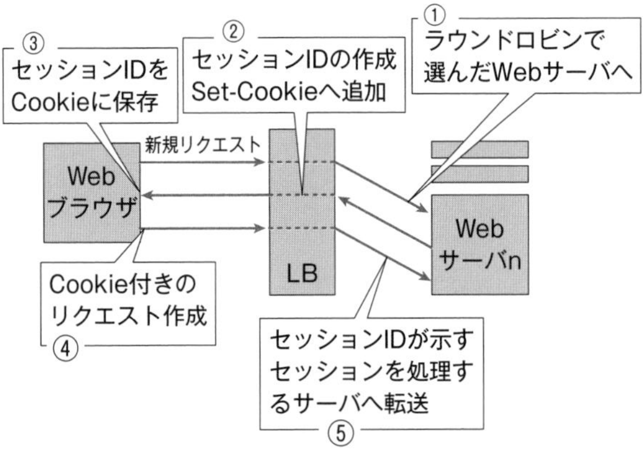

図5　セッションの維持

図５の②において，LBは作成したセッションIDを，HTTPレスポンスの**Set-Cookie**ヘッダフィールドに追加する（空欄エ）。また④において，Webブラウザは，Cookieに保存したセッションIDをHTTPリクエストの**Cookie**ヘッダフィールドに追加する（空欄オ）。

［設問２］(2)

送信元IPアドレスに基づくセッション維持は，同じ送信元IPアドレスを持つすべてのHTTPリクエストを同一のWebサーバに振り分けて処理する方法である。ところが，WAFサービスを導入したとき，問題文の〔WAFサービス導入の検討〕に「HTTPリクエストの送信元IPアドレスを，HTTPレスポンスがWAFサービスに送られるようにするためのIPアドレス（以下，IP-w2という）に変更する」とあるように，すべてのHTTPリクエストの送信元IPアドレスはIP-w2に変更されているため，すべてのHTTPリクエストは常に同一のWebサーバで処理されてしまい，**負荷が偏る**ことになる。

これに対してセッションIDを用いる方式では，HTTPリクエストはセッション単位にWebサーバへ振り分けられるため，負荷は平均的に分散される。

[設問2](3)

〔WAFサービス導入の検討〕に「WAFサービスは，HTTPリクエストを再度HTTPSで暗号化して」とあることから，LBに届くHTTPリクエストは暗号化されており，TLSアクセラレーション機能を用いて復号しなければ，暗号化されたままであることが読み取れる。このことから，TLSアクセラレーション機能を利用する目的である「LBが行うある処理」とは，暗号化されたままでは処理が行えないものであると推測できる。〔LBに関する検討〕より，A社が導入するLBは，「HTTPヘッダの編集（追加，変更，削除）機能」を持っている。ところが，LBに届くHTTPリクエストはHTTPヘッダも含めてTLSで暗号化されているため，そのままではHTTPヘッダの編集を行うことができない。HTTPヘッダの編集は，TLSペイロードを復号したうえで実行する必要がある。

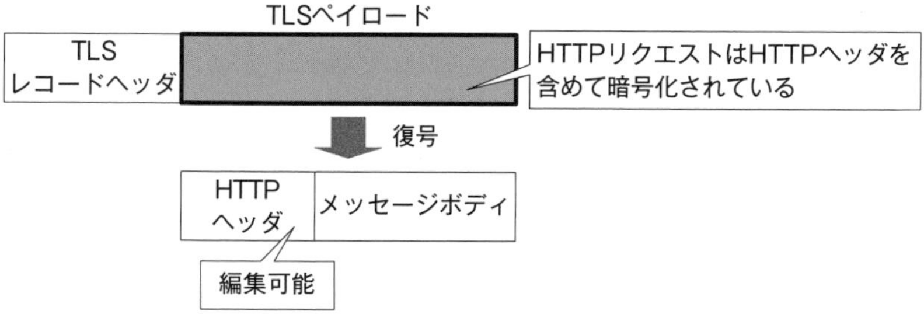

図6　TLSパケット

TLSアクセラレーション機能は，このような**HTTPヘッダを編集する処理**を実行する目的でも利用されている。

[設問3](1) ☞ 2.5 5 3 パケットフィルタリング

〔WAFサービス導入の検討〕に記述されているように，WAFサービスを利用したとき，HTTPリクエストの送信元IPアドレスはIP-w2に書き換えられている。また，これに応じて，WebシステムへのHTTPS通信に関するアクセス制御について，IP-w2を送信元とする通信だけを許可するよう，FWに設定されている。

第4章 午後問題演習編

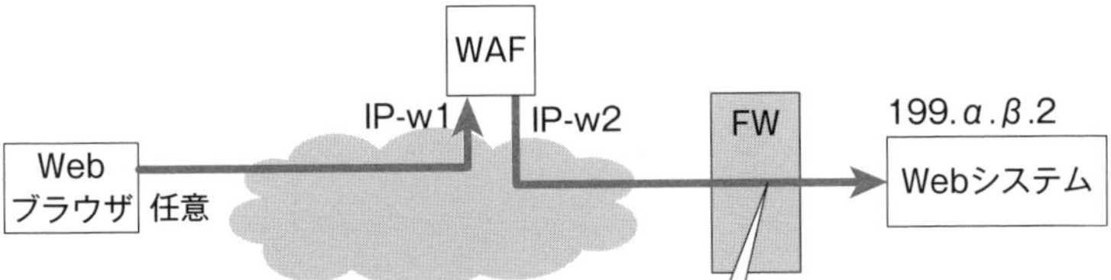

プロトコル	送信元IPアドレス	宛先IPアドレス	通過／拒否
⋮	⋮	⋮	⋮
HTTPS	IP-w2	199.α.β.2	通過
任意	任意	任意	拒否

WAFからWebシステムへの通過許可

図7　FWの設定（正常時）

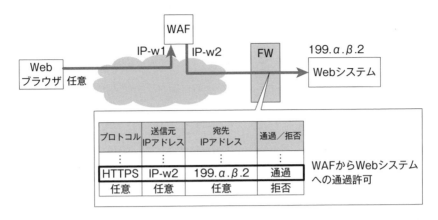

このとき，何らかの理由でWAFサービスが利用できないとき，送信元IPアドレスの書換えが行われないため，FWの設定を変えなければ，HTTPSリクエストはFWを通過できない。これを通過させるためには，任意のIPアドレスからWebシステムへのHTTPS通信を許可する必要がある。

プロトコル	送信元IPアドレス	宛先IPアドレス	通過／拒否
⋮	⋮	⋮	⋮
HTTPS	任意	199.α.β.2	通過
任意	任意	任意	拒否

Webブラウザから
Webシステムへの
通過許可

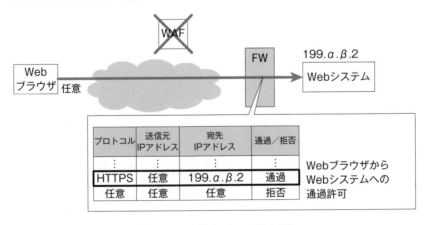

図8　FWの設定（WAF停止時）

以上より，WAFサービス停止時に設定変更が必要な機器は**FW**（空欄カ）で，具体的な変更内容は，**任意のIPアドレスからWebシステムへのHTTPS通信を許可する**となる。

[設問3] (2)

問題文中，図2のCNAMEレコードは，オンラインショップのドメイン名がT社のWAFサービス（waf-asha.tsha.net）であることを表している。ここで，WAFサービスが利用できないのであれば，オンラインショップのIPアドレスとしてLBのIPアドレス（199.α.β.2）を回答するよう資源レコードを変更しなければならない。具体的には，図2のCNAMEレコードを，次のレコードに書き換える。

```
shop  IN  A  199.α.β.2
```

[設問3] (3)

WAFサービスを利用したとき，Webシステムに届くHTTPリクエストの送信元IPアドレスは，WAFサービスの応答用アドレスであるIP-w2に書き換えられているため，送信元IPアドレスをクライアントの識別に用いることはできない。

〔WAFサービス導入の検討〕に記述されているように，Webシステムにクライアントの識別情報を提供するために，WAFサービスは「アクセスを許可したHTTPリクエストの送信元IPアドレスを，HTTPヘッダのX-Forwarded-Forヘッダフィールド（XFFヘッダ）に追加」している。WebAPはこれをXFFヘッダから取得してアクセスログに記録する。ところがこの方式では，WAFサービスを利用できない場合は，クライアントの識別情報をXFFヘッダから取得することができなくなってしまう。〔WAFサービス停止時の対応検討〕では，WebAPのアクセスログに「WAFサービスの有無にかかわらず，XFFヘッダの情報からWebシステムへのアクセス時の送信元IPアドレスを記録する」と述べられている。XFFヘッダからクライアントの識別情報を得るためには，HTTPヘッダの編集機能を持つLBが送信元IPアドレスをXFFヘッダに追加すればよい。

以上より，LBに追加する設定内容は**XFFヘッダに送信元IPアドレスを追加する設定**となる。

問4 解答

設問			解答例・解答の要点
設問1			T社がIP-w1を変更しても，A社DNSサーバの変更作業が不要となる。
設問2	(1)	ア	順番
		イ	80
		ウ	200
		エ	Set-Cookie
		オ	Cookie
	(2)		負荷が偏る。
	(3)		HTTPヘッダを編集する処理
設問3	(1)	カ	FW
		変更内容	任意のIPアドレスからWebシステムへのHTTPS通信を許可する。
	(2)		shop IN A 199.α.β.2
	(3)		XFFヘッダに送信元IPアドレスを追加する設定

※IPA発表

問5 メールサーバの更改 (出題年度：H28問3)

メールサーバの更改に関する次の記述を読んで，設問1～3に答えよ。

D社では，老朽化したメールサーバの更改を計画している。D社の現行ネットワーク（以下，現行NWという）の構成を，図1に示す。

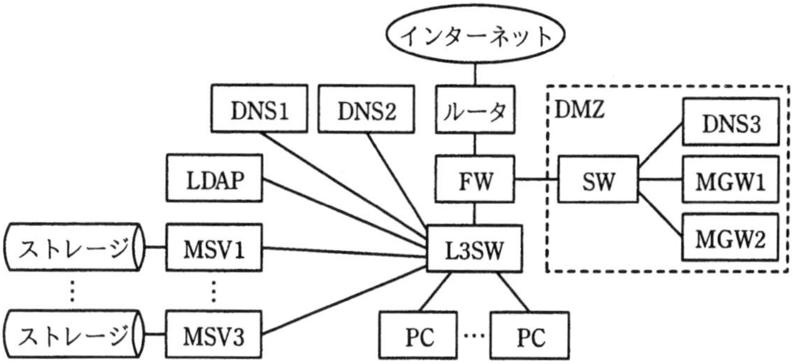

MSV：メールサーバ　MGW：中継メールサーバ　SW：スイッチングハブ
DNS：DNSサーバ　FW：ファイアウォール　L3SW：レイヤ3スイッチ
LDAP：LDAP（Lightweight Directory Access Protocol）サーバ
注記　MSV1～3は，個々にホットスタンバイ構成による冗長化をしている。

図1　現行NWの構成（抜粋）

〔現行NWの仕様〕

現行NWの仕様を次に示す。

(1) D社のプライマリDNSはDNS1である。DNS2は非公開のD社内ゾーン情報だけを保有するセカンダリDNSである。DNS3は公開ゾーン情報だけを保有するセカンダリDNSである。プライマリDNSは，セカンダリDNSとだけ通信を行う。ゾーン情報の更新時には，プライマリDNSがセカンダリDNSへ更新通知（NOTIFYメッセージ）を送信する。これを契機として，[　a　]が行われる。

(2) 社員のメールボックス（以下，MBOXという）は，MSV1～3に分散収容しており，メールアドレスとそのMBOXを収容するMSVとの対応を，LDAPに登録している。MSV1～3は，LDAPを参照して，受信したメールの宛先メールアドレスに対応するMBOXが収容されているMSVを決定し，他のMSVへの転送，又は自分のMBOXへの格納を行う。この動作をメールルーティングと呼ぶ。

(3) ①MGWからMSVへのメール転送は，DNSラウンドロビンを用いても，負荷の偏りが生じやすい。また，社外から届くメールを負荷分散しなくても，MSVの性能に問題がないので，MGWの転送先はMSV1に固定している。

(4) MGW1，2とも正常動作時には，社内から社外へのメールはMGW1が，社外から社内へのメールはMGW2が中継先として選択される。一方のMGWが停止しているときは，他方のMGWが，両方向のメールの中継先に選択される。

(5) FWによって，DMZ上の機器とMSV及びDNSとの間で許可されている通信を，表1に示す。

表1　DMZ上の機器とMSV及びDNSとの間で許可されている通信

項番	送信元	宛先	プロトコル
1	MGW1，2	MSV1	b
2	MSV1～3	MGW1，2	b
3	DNS3	c	DNS プロトコル
4	DNS1	DNS3	DNS プロトコル

注記　FWでは，ステートフルインスペクションを使用している。

〔新メールサーバの負荷分散の仕様〕

更改対象はMSVであり，MGWは更改しない。更改によって新規に設置されるMSV（以下，新MSVという）は2台である。更改後のネットワーク（以下，更改後NWという）における，社内－社外間の正常時のメール転送経路を図2に示す。

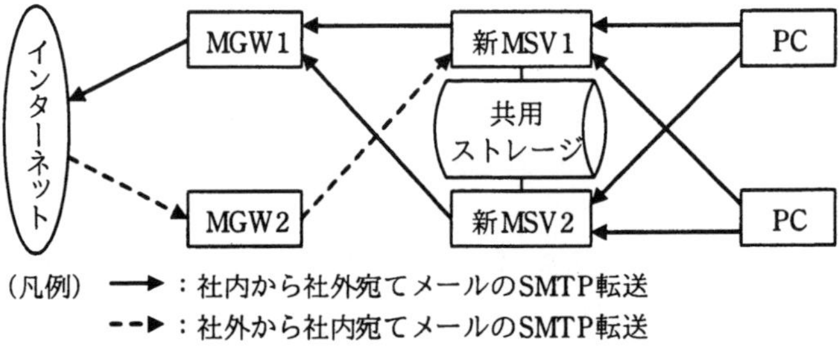

図2　社内－社外間の正常時のメール転送経路

図2のメール転送の負荷分散と冗長化の仕様を，次に示す。

(1) MBOXは新MSV1，2の共用ストレージに配置する。どちらの新MSVからも全てのMBOXにアクセスできる。

(2) 新MSV1，2とも正常時には，PCからのアクセスが分散し，一方の故障時には他方にだけアクセスが行われるように，VRRPとDNSラウンドロビンを併用する。
・[d]と[e]に，VRRPを２グループ設定する。それぞれのグループをVRRPg1，VRRPg2と呼ぶ。
・新MSV1の実IPアドレスはIP1，新MSV2の実IPアドレスはIP2，VRRPg1の仮想IPアドレスはVIP1，VRRPg2の仮想IPアドレスはVIP2である。
・VRRPg1は[d]の優先度を高く設定し，VRRPg2は[e]の優先度を高く設定する。
・新MSV1のホスト名はmsv1，新MSV2のホスト名はmsv2，新MSV1，2共通のホスト名はmsvcである。
・PCのメールソフトのメール送受信サーバには，msvcを設定する。

(3) MGWから新MSV1，2へのメール転送は，正常時には新MSV1に転送されるように，転送先をVIP1に固定する。新MSV1の故障時には，VRRPによって転送先が切り替わる。

(4) メールの転送方向に応じたMGWの選択方法は，〔現行NWの仕様〕の(4)から変更しない。

〔MSVの移行〕

現行NWから更改後NWへの移行期間中のネットワーク（以下，移行中NWという）の構成を，図３に示す。

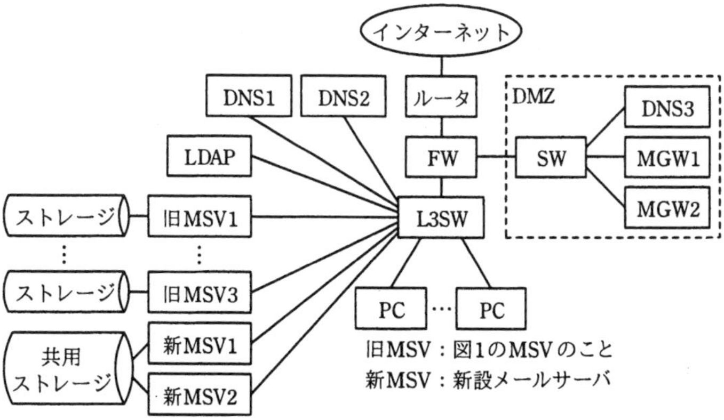

図３　移行中NWの構成（抜粋）

図３から旧MSV1～3と，それらに接続したストレージを撤去したものが，更改後NWの構成となる。

現行NWから移行中NWへの変更点を，次に示す。

・旧MSVと新MSVとを並行稼働させる。すなわち，旧MSV，新MSVとも，社内・社外宛てのメール送信，及び社内・社外からのメール受信を可能にする。

・②新MSVも，旧MSVと同様に，LDAPの情報を用いてメールルーティングを行う。

MSVの移行で，MBOXを新MSVのものに変更するが，旧MSV1～3のMBOX内のメールを移動や複製はしない。

移行中NWにおける，MSV移行工程の概要を，表２に示す。

表２　MSV移行工程の概要

工程名	各工程の概要
開始工程	・現行NWに対し，機器の追加，設定を行い，移行中NWを構築する。 ・MGW1，2の，社内宛てメールの転送先IPアドレスを，VIP1に変更する。 ・開始工程終了時点では，社員がアクセスするMSVは，旧MSVだけである。
移行工程	・次の二つの実施によって，社員ごとに，メール送受信サーバを新MSVに変更する。 (1) PCと新MSVの間でメール送受信を行えるように，PCのメールソフトのメール送受信サーバ設定に，新MSVを追加する。また，旧MSVの使用も継続できるように，旧MSVの設定は残す。この設定作業は，各社員が行う。 (2) 各社員の申告に基づいて，③LDAPの情報を変更する（申告を受け付け，LDAPの情報を変更するWebアプリケーションが，事前に用意されている）。 ・各社員は，任意の日時に，移行工程の作業を実施する。このため，移行工程の期間は，メール送受信サーバの変更を実施済みの社員と，未実施の社員（以下，未変更社員という）が混在する。 ・移行工程の期間は，あらかじめ全社員に周知する。その期間の経過後は，未変更社員が残っていても，次行程（終了工程）に移る。
終了工程	・新MSVの設定を変更し，LDAPの情報によるメールルーティングを停止する。この後の未変更社員宛てのメールは，新MSVのMBOXに格納される。未変更社員は，PCのメールソフトのメール送受信サーバ設定を変更するまで，新たなメールの受信が行えない。 ・事前に周知した期間経過後，旧MSVを停止する。旧MSVに残ったメールは，消去する。 ・各社員は，PCのメールソフトのメール送受信サーバ設定から，旧MSVの定義を削除する。

以上の計画に基づいて，D社のメールサーバ移行は実施され，新サーバへの更改は完了した。

設問１　〔現行NWの仕様〕について，(1)～(4)に答えよ。

(1) 本文中の［　a　］及び表１中の［　b　］に入れる適切な字句を答えよ。

(2) 表１中の［　c　］に入れる適切な機器名を，図１中の機器名を用いて答えよ。

(3) 表１中の項番４で許可されている通信では，どのような情報が送信されるか。15字以内で答えよ。

(4) 本文中の下線①は，送信元によって選択される宛先に偏りが生じやすく，その偏りが長時間継続しやすいからである。宛先に偏りが生じやすくなる条件を15字以内で答えよ。また，その偏りが継続しやすい理由を40字以内で述べよ。

設問2 〔新メールサーバの負荷分散の仕様〕について，(1)，(2)に答えよ。

(1) 本文中の［ d ］，［ e ］に入れる適切な機器名を，図2中の機器名を用いて答えよ。

(2) 本文で定義されている仕様において必要な，社内ゾーン情報に定義する2件のAレコードについて，そのホスト名とIPアドレスの組合せを答えよ。

設問3 〔MSVの移行〕について，(1)〜(4)に答えよ。

(1) 現行NWから移行中NWへの変更において，DNSとMGW以外で，設定変更が必要な現行NWの機器名を，図3中の機器名を用いて答えよ。また，その設定変更内容を40字以内で述べよ。

(2) 本文中の下線②が必要な理由は，移行期間中に，どのような送信元と宛先のメールが送受信されるからか。その組合せを一つ答えよ。

(3) 表2中の移行工程におけるメールの転送経路の例を，次の（ア），（イ）に示す。"旧MSV"，"新MSV"，"→"を用いて，経路を完成させよ。

（ア）送信元が社外，宛先が未変更社員

送信元のメールサーバ → MGW → ［ (A) ］

（イ）送信元が未変更社員，宛先が社外

送信元PC → ［ (B) ］ → MGW → 宛先のメールサーバ

(4) 表2中の下線③では，LDAPのどのような情報がどのように変更されるか。40字以内で述べよ。

問5 One Point

■ DNS

本問の題材はメールサーバの更改であるが，その実はDNSやVRRPなどについても問われる複合的な問題であった。

DNSは複数年度で出題された定番テーマであり，学習効果の高い「お買い得」な分野といえる。第3章の 3.2 **DNSサーバ**で詳述しているので，よく復習しておいてほしい。ここでは，その中から設問で要求されているゾーン転送とDNSラウンドロビンについて，改めて掘り下げる。

□ ゾーン転送 ☞ 3.2 1 3 プライマリサーバとセカンダリサーバ

DNSにおいて，コンテンツサーバをプライマリサーバとセカンダリサーバに分けたとき，両サーバのゾーン情報を同期させなければならない。これを行う仕組みがゾーン転送である。ゾーン転送は，プライマリサーバの持つ最新のゾーン情報を，セカンダリサーバへコピーすることで行う。なお，セカンダリサーバのゾーン情報が最新かどうかは，ゾーン情報のSOAレコードに含まれるシリアル番号で確認する。

図４にゾーン転送のシーケンスを示す。

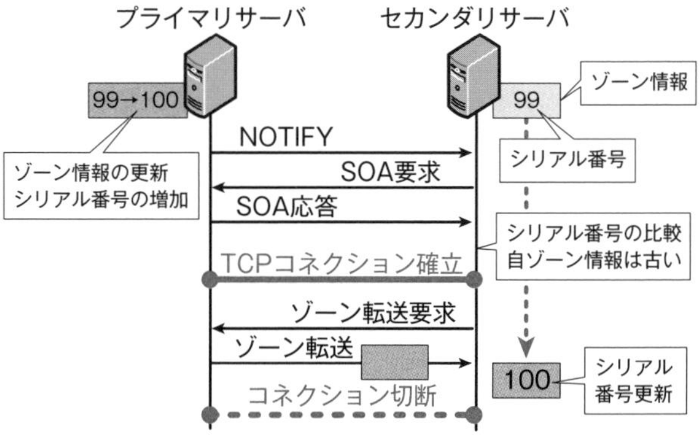

図４　ゾーン転送のシーケンス

プライマリサーバは，自身のゾーン情報を更新したときSOAレコードのシリアル番号を増加する。次にNOTIFYメッセージを用いてセカンダリサーバへ更新を通知する。これを受けたセカンダリサーバは，プライマリサーバへSOAレコードを問い合わせ，同期が必要であればゾーン転送を要求する。

一連のシーケンスのうち，NOTIFYメッセージやSOA要求はUDPで行われる。そのため，セカンダリサーバがNOTIFYメッセージを取りこぼしてしまい，結果としてゾーン情報の同期が行われないおそれがある。これを防ぐため，ゾーン情報には更新間隔（リフレッシュタイム）が設けられており，タイムアウトを契機にセカンダリサーバはプライマリサーバへシリアル番号の確認を行い，増加していればゾーン転送を要求する。

SOAのシリアル番号はどのように実装しても構いませんが，RFCではYYYYMMDDnn（年月日連番）とする方式が推奨されています。

□ DNSラウンドロビン

DNSラウンドロビンは，複数サーバへの負荷分散をDNSのゾーン情報の設定だけで実現する方法である。図5に，DNSラウンドロビンによる負荷分散の仕組みを示す。

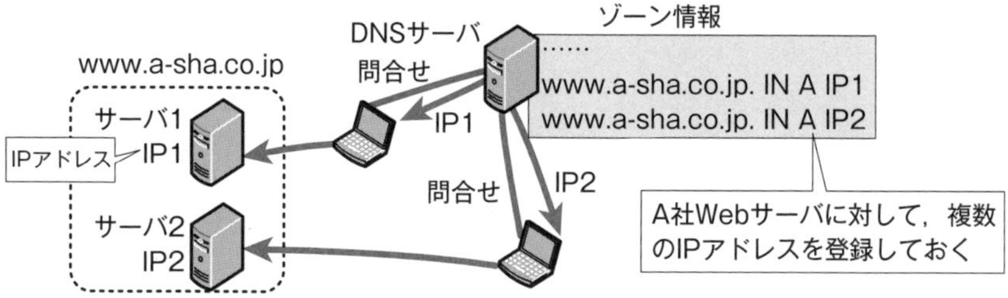

図5　DNSラウンドロビン

DNSラウンドロビンでは，１つのホスト名に複数のIPアドレスが対応するようにDNSサーバを設定する。図5のように，A社Webサーバ（サーバ1，サーバ2）のホスト名に対し，IP1，IP2をゾーン情報に設定しておけば，DNSサーバはA社Webサーバの名前解決に対して，IP1とIP2を交互に応答する。結果として，A社Webサーバへのアクセスは，サーバ1とサーバ2へ交互に振り分けられることになる。

なお，DNSラウンドロビンはサーバの状態にかかわらずアクセスを機械的に振り分けてしまう。そのため，振分け先に過負荷やダウン状態のサーバが選ばれ，処理の遅延やエラーが生じるおそれがある。また，同一セッションのアクセスを同一サーバに振り分けるなどのセッションの維持も行わないため，Webショッピングなどセッションが長く続く場合に，途中でセッションが切れるおそれがある。

セッションの維持や効率的な負荷分散が必要な場合には，DNSラウンドロビンではなくロードバランサなどの専用の機器を導入します。DNSラウンドロビンはWeb閲覧やメール転送（本問の事例）がせいぜいでしょう。

問5 解説

[設問1](1)

(aについて) ☞ 問5 One Point

問5 One Point でも述べたとおり，プライマリDNSとセカンダリDNSのゾーン情報を同期するため**ゾーン転送**が行われる。ゾーン転送の詳細は， 問5 One Point を参照してほしい。

(bについて)

社外とD社内との間で，メールがどのような経路で転送されるかを整理すると，図6のようになる。青の矢印は社外から届くメールの経路，黒の矢印は社内から社外へ送るメールの経路を示す。破線は通常時に使われるMGWが停止した場合の経路である。

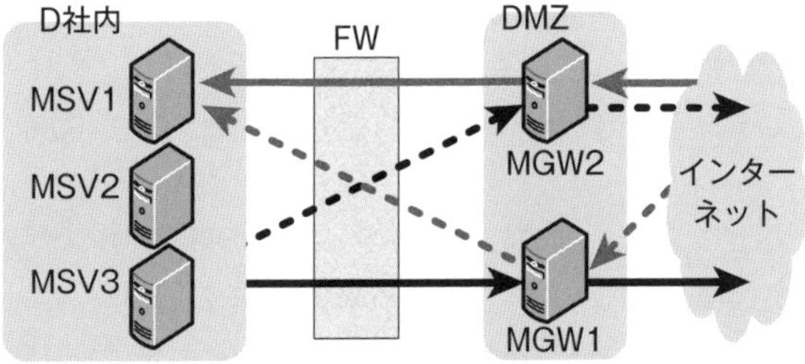

図6　メールの転送経路

社外から届くメールは，通常時はMGW2が受信してMSV1へ固定的に転送する。MGW2が停止している場合はMGW1が転送を行う。一方，社内から社外へ送るメールはMSV1～3のいずれかが受信しMGW1へ転送する。MGW1はこれをインターネットへ転送する。MGW1が停止している場合はMGW2が転送する。

以上の通信を，FWは許可しなければならない。すなわち，社外から届くメールについて，MGW1，2からMSV1へのメール転送（**SMTP**）を許可する。同時に，社内から社外へ送るメールについて，MSV1～3からMGW1，2へのメール転送（**SMTP**）を許可する。これらの許可は，問題文中の表１の項番１，２で行われている。

[設問1](2)

(cについて) ☞ 問5 One Point

表1の項番3の送信元であるDNS3は，〔現行NWの仕様〕の(1)より「公開ゾーン情報だけを保有するセカンダリDNS」である。 問5 One Point でも述べたとおり，セカンダリDNSはゾーン情報を最新化するため，プライマリDNS（DNS1）に対してゾーン転送を要求し，その応答としてゾーン情報を取得する。FWはこのような通信，すなわちDNS3から**DNS1**へのDNSプロトコルの通信を許可する必要がある。

[設問1](3) ☞ 問5 One Point

表1の項番4は，プライマリDNSであるDNS1からセカンダリDNSであるDNS3へのDNSプロトコルの通信である。〔現行NWの仕様〕の(1)に「ゾーン情報の更新時には，プライマリDNSがセカンダリDNSへ更新通知（NOTIFYメッセージ）を送信する」とあることから，このゾーン情報の更新通知が該当することが分かる。ただし，DNS3は公開ゾーン情報だけを保有するセカンダリDNSであり，非公開のD社内ゾーン情報だけを保有するセカンダリDNSであるDNS2と分離されていることから，**公開ゾーン情報の更新通知**のように「公開」を付けるのが望ましい。

設問の解答は 問5 One Point に示したシーケンスからも読み取ることができます。ゾーン転送の仕組みについて，理解を深めておきましょう。

[設問1](4) ☞ 問5 One Point

DNSラウンドロビンとは，１つのホスト名に複数のサーバのIPアドレスを対応づけ，DNS問合せに対して順番にIPアドレスを応答することによって負荷分散を実現する仕組みである。

MGWからMSVへ転送されるメールは，「社外から届くメール」である。このメール転送にDNSラウンドロビンを用いるということは，MGWがDNSクライアントとしてMSVの名前解決をDNSサーバに要求することになる。ただし，MGW（DNSクライアント）のキャッシュに情報があればそれを使用し，キャッシュの生存期間（TTL）の間はDNS問合せを行わず，宛先のMSVのIPアドレスは変わらない。そのため，MSVへのメールの負荷分散がうまく行われず，宛先に偏りが生じることになる。これは，送信元がMGW1台のみであることが原因であり，送信元が多ければそれぞれの送信元のDNSキャッシュに異なるIPアドレスの応答が保存され，負荷分散される。

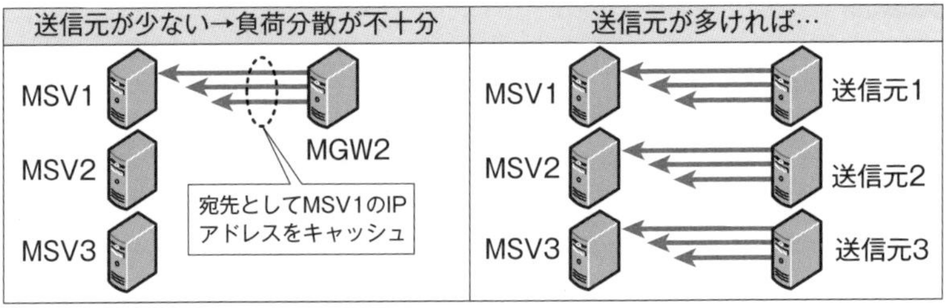

図7　送信元の数と負荷分散

以上より，宛先に偏りが生じやすくなる条件は，**送信元が少数の場合**であり，その偏りが長時間継続しやすい理由は，**送信元は，DNSのキャッシュが生存している間，宛先を変えないから**のように表現すればよい。

[設問2]（1）

VRRP（Virtual Router Redundancy Protocol）とは，ルータなどの冗長構成を実現するプロトコルである。本問ではこれをメールサーバ（新MSV1，2）に適用することで，メールサーバの冗長構成を実現している。

VRRPで冗長化を行う場合，VRRPグループの中で優先度の異なる機器を設置する。優先度の高い機器がマスタとなり，優先度の低い機器はそのバックアップとなる（図8左）。ただし，そのような単純な構成では，優先度の低い機器を有効に使うことはできない。そこで通常は，複数のVRRPグループを設けて，その中で互いにバックアップし合う構成とする（図8右）。

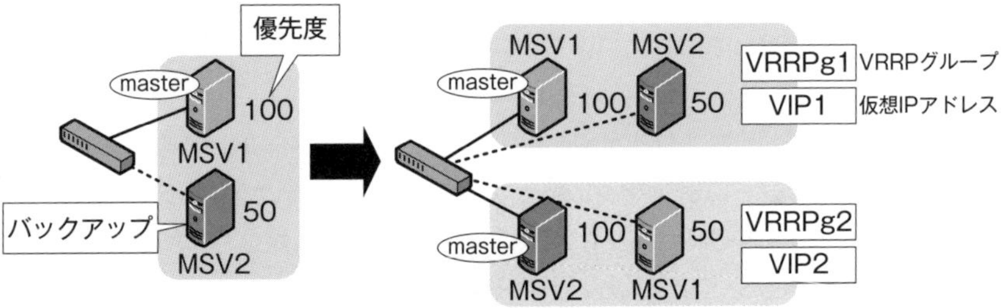

図8　VRRPによるメールサーバの冗長化

空欄d，eに答えるためには，二つのVRRPグループ（VRRPg1，2）の中でどのメールサーバがマスタに設定されるかを見分けなければならない。〔新メールサーバの負荷分散の仕様〕に「VRRPg1の仮想IPアドレスはVIP1」,「MGWから…のメール転送は，正常時には新MSV1に転送されるように，転送先をVIP1に固定する」とあることから，新MSV1がVRRPg1のマスタであることが分かる。このように設定するためには，「VRRPg1は**新MSV1**の優先度を高く設定し（空欄d），VRRPg2は**新MSV2**の優先度を高く設定する（空欄d）」必要がある。

[設問2](2) ☞ 問5 One Point

問5 One Point に示したとおり，DNSラウンドロビンで負荷分散を行う場合，同じホスト名で異なるIPアドレスを持つ行（Aレコード）をゾーン情報に登録する。新MSV1，2共通のホスト名が**msvc**であるので，単純にDNSラウンドロビンのみを考えるならば，これに新MSV1，2のIPアドレス（IP1，IP2）を対応づけた２件のAレコードを登録すればよい。しかし，本問の仕様では新メールサーバはVRRPグループで冗長化されているため，実際にはメール転送はVRRPg1とVRRPg2で負荷分散されることになる。したがって，ホスト名msvcに対応するIPアドレスは，それぞれのVRRPグループの仮想IPアドレスである**VIP1**と**VIP2**となる。

[設問3](1)

設問では「現行NWから移行中NWへの変更」において設定変更が必要な機器と変更内容を求めている。〔MSVの移行〕では，現行NWから移行中NWへの変更について，次の２点が挙げられている。

・旧MSVと新MSVとを並行稼働させる。すなわち，旧MSV，新MSVとも，社内・社外宛てのメール送信，及び社内・社外からのメール受信を可能にする。

・新MSVも，旧MSVと同様に，LDAPの情報を用いてメールルーティングを行う。

１点目を実現するためには，DNSやMGWの設定に加えて新MSVとMGWとの通信をFWで許可する必要がある。２点目の実現のためには，新MSVを利用する社員について，MBOXを収容するMSVを（旧MSVから）新MSVにするようにLDAPの設定情報を変更する。ただし，この変更は移行中NWの運用を通して「各社員の申告に基づいて」行うもので，移行中NWの構築時に行うものではない。問題文の表２の開始工程にも「開始工程終了時点では，社員がアクセスするMSVは，旧MSVだけである」と示されているとおり，移行中NWへの変更においてはLDAPの設定変更は必要ない。

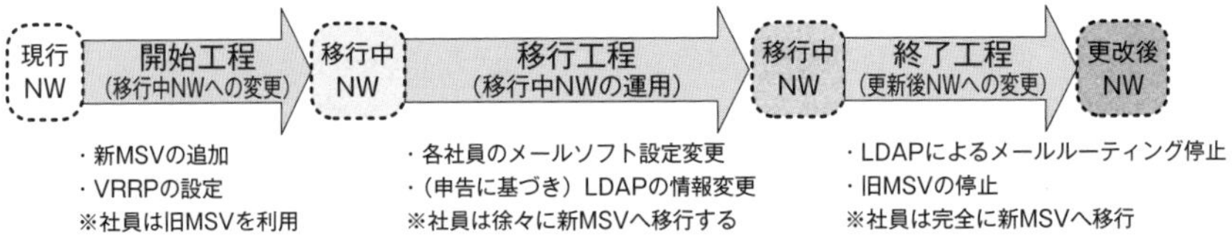

図9　MSV移行工程の概要

以上より，設定変更が必要な機器名は**FW**であり，設定変更内容は**新MSVとMGWとの間のSMTP通信を，双方向とも許可する**のようにまとめればよい。

[設問3] (2)

設問では，新MSVによるメールルーティングが必要な場合について，送信元と宛先の組合せを求めている。ここで，新MSVは共用ストレージでメールを受信するため，宛先が新MSVを利用しているなら改めてメールルーティングを行う必要はない（図10左）。つまり，新MSVによるメールルーティングが必要な場合は，必然的に宛先が旧MSVを利用している場合に限られることになる（図10右）。

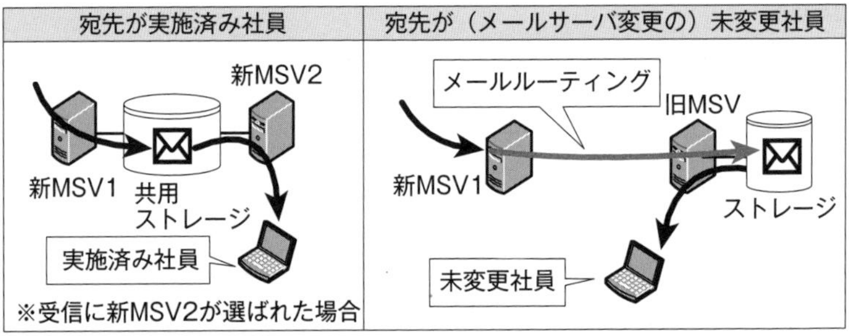

図10　メールルーティングの要否

さらに，送信元についても検討する。新MSVによるメールルーティングが必要になるのは，メールを新MSVが受信する場合である。送信元がメール送受信サーバの変更を実施済みである場合は，もちろんメールは新MSVへ送られる。このほかにも，社外から受信するメールは，MGWを通して新MSVへ送られる。ところが，送信元が未変更社員である場合は旧MSVへ送られるため，新MSVによるメールルーティングは生じない。

以上より，新MSVがメールルーティングを行う必要がある場合については，次のいずれかを解答すればよいことが分かる。

・送信元が**メール送受信サーバの変更を実施済みの社員**で，宛先が**未変更社員**

・送信元が**社外**で，宛先が**未変更社員**

［設問3］(3)

(A) について

送信元が社外，宛先が未変更社員のメールは，MGW（正常時はMGW2，故障時はMGW1）を通して新MSV（正常時は新MSV1，故障時は新MSV2）へ転送される。新MSVでは，LDAPを参照して，未変更社員が利用する旧MSVへメールを転送する。よって，空欄（A）は**新MSV→旧MSV**となる。

(B) について

送信元が未変更社員，宛先が社外のメールは，送信元PCから旧MSVへ転送される。さらに「社内から社外へのメールはMGW1（停止時はMGW2）が中継先として選択される」ことから，旧MSVはMGWへメールを転送し，MGWは社外の宛先メールサーバへメールを転送することが分かる。よって，空欄（B）は**旧MSV**となる。

［設問3］(4)

設問3（1）で述べたとおり，移行中NW構築時はLDAPの内容は変更されておらず，メールアドレスに対応するMSVとして旧MSVが登録されている。ところが，ある社員がPCのメールソフトのメール受信サーバ設定に新MSVを追加した場合，その申告に基づいて，その社員のメールアドレスに対応するMSVを新MSVに変更しなければならない。これを制限字数以内にまとめると，**申請者のメールアドレスに対応するメールサーバが，新MSVに変更される**のようになる。

問5 解答

設問		解答例・解答の要点	
設問1	(1)	a	ゾーン転送
		b	SMTP
	(2)	c	DNS1
	(3)	公開ゾーン情報の更新通知	
	(4)	条件	送信元が少数の場合
		理由	送信元は，DNSのキャッシュが生存している間，宛先を変えないから
設問2	(1)	d	新MSV1
		e	新MSV2
	(2)	ホスト名	IPアドレス
		msvc	VIP1
		msvc	VIP2
設問3	(1)	機器名	FW
		設定変更内容	新MSVとMGWとの間のSMTP通信を，双方向とも許可する。
	(2)	送信元	メール送受信サーバの変更を実施済みの社員　又は　社外
		宛先	未変更社員
	(3)	(A)	新MSV → 旧MSV
		(B)	旧MSV
	(4)	申請者のメールアドレスに対応するメールサーバが，新MSVに変更される。	

※IPA発表

問6 LANのセキュリティ対策 (出題年度：R元問3)

LANのセキュリティ対策に関する次の記述を読んで，設問1～4に答えよ。

E社は，小売業を営む中堅企業である。E社のネットワーク構成を，図1に示す。

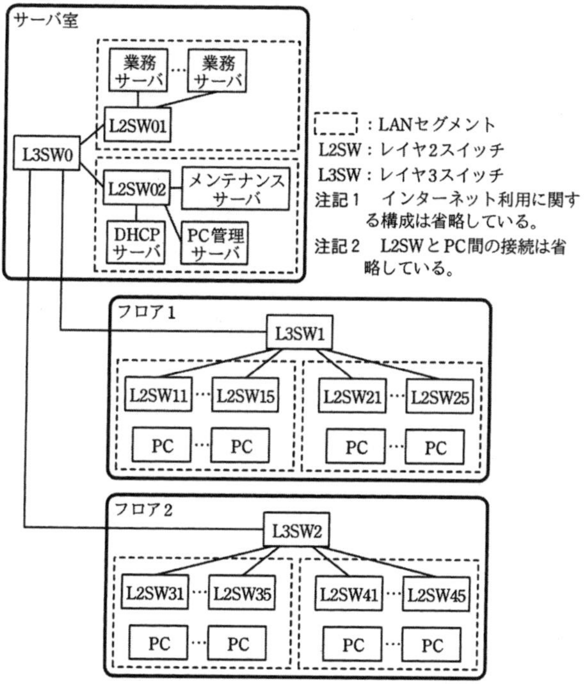

図1　E社のネットワーク構成（抜粋）

図1の概要，及びPCのセキュリティ対策について，次に示す。

- PCを接続するLANは，各フロア二つ，計四つのセグメントに分かれている。
- ルーティング情報は，全てスタティックに定義してある。
- L3SW1，L3SW2で設定されているVLANは，全てポートVLANである。
- ①PCのIPアドレスは，DHCPサーバによって割り当てられる。
- PCはメンテナンスサーバを利用して，OSやアプリケーションプログラムのアップデート，ウイルス定義ファイルのアップデートなどを行う。
- PCには，E社のセキュリティルールに従っているかどうかを検査するソフト（以下，

Sエージェントという）がインストールされている。
・Sエージェントは，検査結果をPC管理サーバに登録する。

E社では，情報システム部（以下，情シス部という）が，定期的にPC管理サーバを参照して，検査結果が不合格であるPCの利用者に，対処を指示している。しかし，対処をしないままPCを使用し続ける利用者が，少なからず存在する。また，無断で個人所有のPCをLANに接続することが，度々起きていた。そこでE社は，セキュリティルールに反したPCに対し，LANの利用を制限することにした。

〔LAN通信制限方法の検討〕

情シス部は，LAN通信制限の要件を次のとおり整理した。
・通信を許可するかしないかは，PC管理サーバ上の情報によって決定する。
・PC管理サーバ上の情報に応じて，PCを次の三つに区分する。
　正常PC：Sエージェントの検査結果が合格のPC
　不正PC：Sエージェントの検査結果が不合格のPC
　未登録PC：PC管理サーバに登録がないPC（無断持込みのPCは，これに該当）
・正常PCは，通信を許可し，不正PCと未登録PC（以下，排除対象PCという）は，通信を許可しない。

情シス部は，LAN通信制限の実現策として，次の２案を検討した。
案１：DHCPサーバとL2SWによる通信制限
　・正常PCだけにIPアドレスを付与するよう，DHCPサーバに機能追加する。
　・<u>②DHCPサーバからIPアドレスを取得したPCだけが通信可能となるように，各フロアのL2SWでDHCPスヌーピングを有効にする</u>。

案２：専用機器による通信制限
　・ARPスプーフィングの手法を使って，LAN上の通信を制限する機能をもつ機器（以下，通信制限装置という）を新たに導入し，排除対象PCによる通信を禁止する。

案２の通信制限装置は，セグメント内のARPパケットを監視し，排除対象PCが送信したARP要求を検出すると，排除対象PCのパケット送信先が通信制限装置となるように偽装したARP応答を送信する。同時に，排除対象PC宛てパケットの送信先が通信制限装置となるように偽装したARP要求を送信する。これら各ARPパケットのデータ部を，表1に示す。

表1　各ARPパケットのデータ部

フィールド名	排除対象PCが送信したARP要求	通信制限装置が送信するARP応答	通信制限装置が送信するARP要求
送信元ハードウェアアドレス	排除対象PCのMACアドレス	a	c
送信元プロトコルアドレス	排除対象PCのIPアドレス	b	d
送信先ハードウェアアドレス	00-00-00-00-00-00	排除対象PCのMACアドレス	00-00-00-00-00-00
送信先プロトコルアドレス	アドレス解決対象のIPアドレス	排除対象PCのIPアドレス	アドレス解決対象のIPアドレス

なお，通信制限装置が送信するARP応答は10秒間隔で繰り返し送信され，あらかじめ設定された時間，又はオペレータによる所定の操作があるまで，継続する。

案1，案2ともに，同等のLAN通信制限ができるが，案2の通信制限装置には，PC管理サーバとの連携を容易にする機能が存在する。そこで，情シス部は案2を採用することにした。

〔通信制限装置の導入〕

通信制限装置のLANポート数は4であり，各LANポートの接続先は，全て異なるセグメントでなければならない。また，タグVLANに対応可能である。

通信制限装置の価格，セグメント数やタグVLAN対応に応じたライセンス料，フロア間配線の工事費用，既存機器の設定変更の工数などを勘案し，情シス部は，③タグVLANを使用せず，フロア間の配線も追加しない構成を選択した。また，④通信制限装置を接続するスイッチは，既設のL3SWとした。

〔運用の整備〕

新規に調達されたPCは，PC管理サーバに検査結果が登録されていないので，通信制限装置の排除対象になってしまう。そこで，新規のPCは，情シス部がPC管理サーバに正常PCとして登録した後に，利用者に配布する運用にした。

また，不正PCを正常PCに復帰させる対処を行うために，不正PCを接続するセグメント（以下，対処用セグメントという）を，フロア1とフロア2に追加することにした。

⑤対処用セグメントから他セグメントの機器への通信は，L3SW1及びL3SW2のパケットフィルタリングによって必要最小限に制限する。

情シス部が作成した計画に基づいて，E社はLANのセキュリティ対策を導入し，運用を開始した。

設問1　本文中の下線①について，DHCPサーバとPCのセグメントが異なっている場合に必要となる，スイッチの機能名を答えよ。また，その機能が有効になっているスイッチを，図1中の機器名で，全て答えよ。ただし，その機能が有効になっているスイッチは，台数が最少となるように選択すること。

設問2　〔LAN通信制限方法の検討〕について，(1)〜(3)に答えよ。

(1)　案1において，本文中の下線②を実施しない場合に生じる問題を，35字以内で述べよ。

(2)　図1中のフロア1，フロア2のL2SWで，DHCPスヌーピングを有効にする際に，L3SWと接続するポートにだけ必要な設定を，25字以内で述べよ。

(3)　表1中の［　a　］〜［　d　］に入れる適切な字句を解答群の中から選び，記号で答えよ。

解答群

ア　アドレス解決対象のIPアドレス

イ　アドレス解決対象のMACアドレス

ウ　通信制限装置のIPアドレス

エ　通信制限装置のMACアドレス

オ　排除対象PCのIPアドレス

カ　排除対象PCのMACアドレス

設問3　〔通信制限装置の導入〕について，(1)，(2)に答えよ。

(1)　本文中の下線③の構成において，必要となる通信制限装置の最少台数を答えよ。ただし，サーバ室での不正PCや未登録PCの利用対策は，考慮しなくてよいものとする。

(2)　本文中の下線④について，導入する通信制限装置のうちの1台を対象として，そのLANポート1〜4の接続先を，図1中の機器名でそれぞれ答えよ。ただし，LANポート1〜4は番号の小さい順に使用し，使用しないポートには“空き”と記入すること。

設問4　〔運用の整備〕について，(1)，(2)に答えよ。

(1)　本文中の下線⑤について，対処用セグメントのPCの通信先として許可される他セグメントの機器を二つ挙げ，それぞれ図1中の機器名で答えよ。

(2)　対処用セグメントを追加する際に，L3SW1，L3SW2以外に設定変更が必要な機器を二つ挙げ，それぞれ図1中の機器名で答えよ。また，それぞれの機器の変更内容を，30字以内で述べよ。

問6 One Point

ネットワークはもともとセキュリティと密接にかかわっており，両者を完全に切り分けることはできない。この関係はネットワークスペシャリスト試験の問題にも現れており，年度によってはネットワークスペシャリスト試験なのか情報処理安全確保支援士試験なのか分からない問題が出題されることもある。本問もその一つで，DHCPスヌーピングやARPの偽造（ARPスプーフィング）といったセキュリティ関連の知識が出題された。セキュリティ対策については，過去に出題されたテーマを押さえるようにしたい。本書でもセキュリティに多くページを割いているので，ぜひ活用してほしい。

問6 解説

［設問1］ ☞ 3.1 2 2DHCPリレーエージェント

クライアントがDHCPサーバを探すためのDHCPDISCOVERメッセージなどの送信には，ブロードキャストが用いられる。DHCPサーバとPCのセグメントが異なっている場合には，ブロードキャストフレームはL3スイッチやルータを越えることができないため，それぞれのセグメントを接続するL3スイッチやルータに，DHCPリレーエージェント機能と呼ばれる機能が必要になる。この機能は，DHCPサーバに向けて行われたブロードキャストを，L3スイッチやルータが受け取り，リモートDHCPサーバへのユニキャストに変換して中継する機能である。

ここで，フロア1のPCがDHCPサーバへIPアドレスを要求する場合を考える。PCはDHCPサーバへのアクセス（DHCPDISCOVER，DHCPREQUEST）を自身が属するセグメントへブロードキャストする。このブロードキャストはL3SW1が受け取り，

DHCPサーバを宛先とするユニキャストに変換して中継する。つまり，L3SW1はDHCPリレーエージェント機能を持つ。

DHCPサーバへのユニキャストはL3SW0やL2SW02を経由するが，これらが行う中継はDHCPサーバへの中継機能であり，DHCPリレーエージェントとは関係ない。

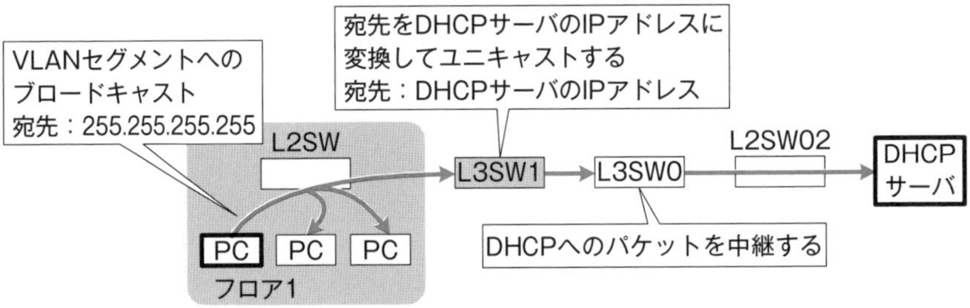

図2　DHCPリレーエージェント（上り）

DHCPサーバからの応答は，L3SW1を宛先とするユニキャストで返され，L3SW1からPCへブロードキャストで戻される。ここでも，ユニキャストとブロードキャストの変換を行うDHCPリレーエージェント機能が用いられている。

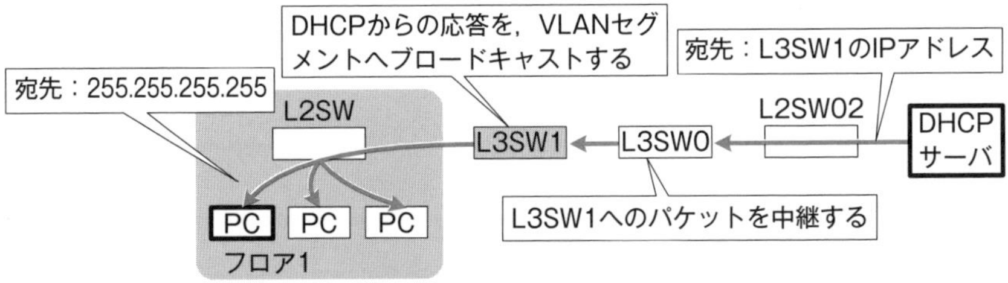

図3　DHCPリレーエージェント（下り）

フロア２のPCについても，同様の仕組みでDHCPサーバにアクセスする。そのためには，L3SW2がDHCPリレーエージェント機能を持つ必要がある。

以上より，DHCPサーバとPCのセグメントが異なっている場合に必要となる，スイッチの機能は**DHCPリレーエージェント**であり，機能が有効になっているスイッチは**L3SW1，L3SW2**である。

[設問２]（1）

DHCPスヌーピングとは，DHCPサーバとクライアント間のDHCPメッセージをL2

スイッチなどで監視（スヌーピング）する機能である。具体的には，スイッチが正常PC（DHCPサーバからIPアドレスを取得したPC）のMACアドレスや接続ポートを記録し，それ以外のMACアドレスやポートからの通信を制限する。

DHCPスヌーピングが有効になっていなければ，検査を受けていない個人所有のPCなどであっても，手動でIPアドレスを設定することでE社ネットワークに接続できてしまう。すなわち，**IPアドレスを固定設定すれば，正常PC以外でも通信できる**という問題が生じることになる。

[設問2]（2）

DHCPスヌーピングを有効にしたスイッチでは，ポートを信頼できる（trusted）ポートと信頼できない（untrusted）ポートに分類する。

信頼できないポートは，DHCPクライアントしか接続できないポートで，このポートに接続したPCは，正規のDHCPサーバからIPアドレスを取得しなければならない。このポートに不正なDHCPサーバを接続しても，DHCPサーバからの応答をポートでフィルタリングするため，セキュリティ事故を未然に防ぐことができる。信頼できるポートは，正規のDHCPサーバを接続するポートで，DHCPスヌーピングの制限を受けることはない。

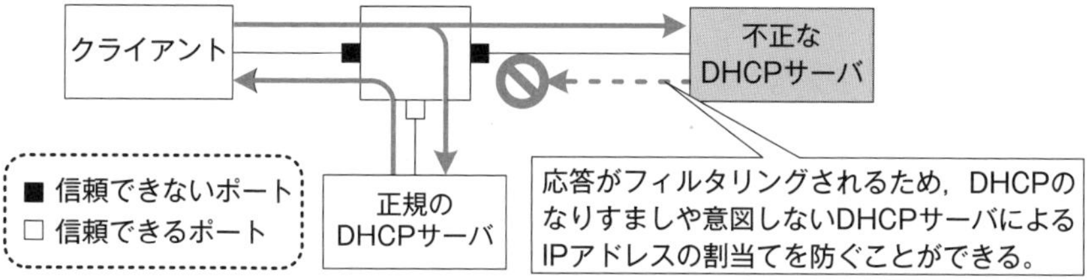

図4　DHCPスヌーピング

本問の構成では，フロア1およびフロア2のL2SWについて，PCを接続するポートを信頼できないポートとし，L3SWを接続するポートを信頼できるポート，すなわち**DHCPスヌーピングの制限を受けない設定**とする。

[設問2]（3） ☞ 1.3 4 **データリンク層との連携**

不正PCや未登録PCといった排除対象PCをネットワークから論理的に切り離すため，案2ではARPスプーフィングの手法を用いる。ARPスプーフィングとは，ARPテーブルに偽の情報をキャッシュさせる手法であり，中間者攻撃を行うための手段として用いられる場合もある。ここでは「排除対象PCによる通信を禁止する」ために用いられ，次のような対処を行う。

① 排除対象PCから送信されるパケットの送信先を通信制限装置とする
② 排除対象PC宛てに送信されるパケットの送信先を通信制限装置とする

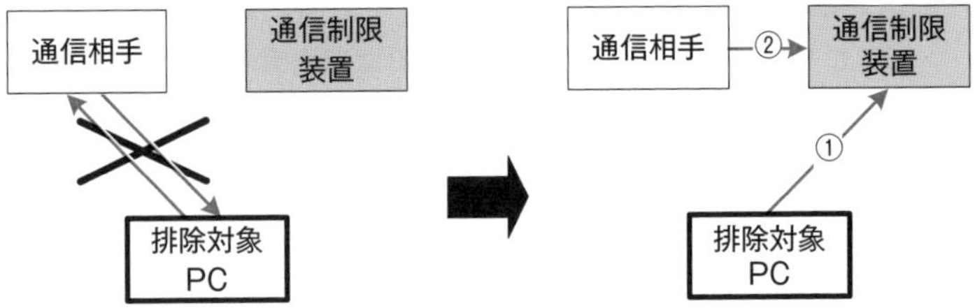

図５　排除対象PCの切り離し

これを実現するためには，排除対象PCおよび通信相手（アドレス解決対象）のARPテーブルを，次のように更新する必要がある。

排除対象PCのARPテーブル：通信相手のIPアドレスに通信制限装置のMACアドレスを対応させる
通信相手のARPテーブル：排除対象PCのIPアドレスに通信制限装置のMACアドレスを対応させる

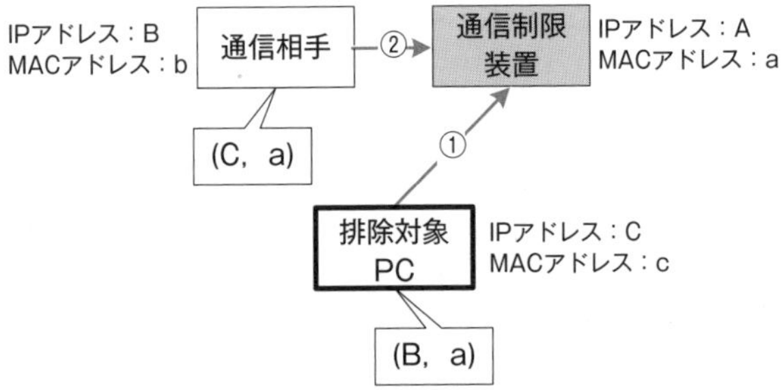

図６　ARPテーブルの更新

ARPテーブルは，ARP要求の受信時とARP応答の受信時に更新される。そこで，排除対象PCのARP要求を契機として通信制限装置が介入し，ARP要求とARP応答を偽装することで両者のARPテーブルを更新させる。

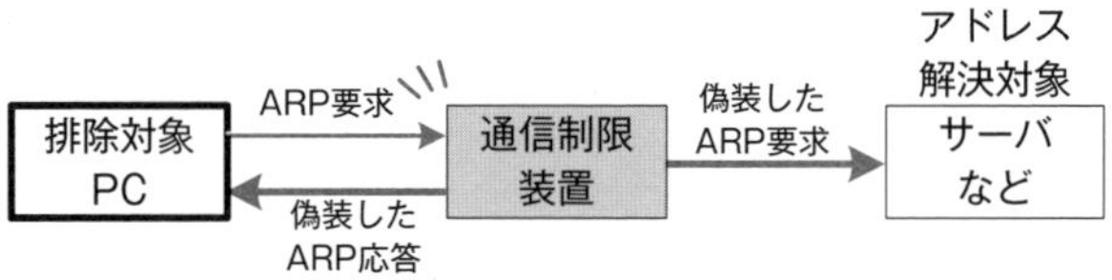

図７　ARP要求/応答の偽装

なお，この偽装パケットは，ARPテーブルの更新を確実にする（偽装していないARP要求と応答で上書きされない）よう，繰り返し送信される。

(a，bについて)

排除対象PCが発したアドレス解決（ARP要求）に対して，通信制限装置がARP応答を偽装する。その目的は，排除対象PCに対して「アドレス解決対象のIPアドレスには通信制限装置のMACアドレスが対応する」と誤認させることである。これを行うため，通信制限装置は，次のようにデータ部の値を設定したARP応答を排除対象PCに送信する。

送信元ハードウェアアドレス（空欄a）：通信制限装置のMACアドレス（**エ**）
送信元プロトコルアドレス（空欄b）：アドレス解決対象のIPアドレス（**ア**）

(c，dについて)

排除対象PCの通信相手（アドレス解決対象）には，「排除対象PCのIPアドレスには通信制限装置のMACアドレスが対応する」と誤認させる必要がある。これを行うため，通信制限装置は，次のようにデータ部の値を設定したARP要求をブロードキャストし，アドレス解決対象のARPテーブルを更新させる。

送信元ハードウェアアドレス（空欄c）：通信制限装置のMACアドレス（**エ**）
送信元プロトコルアドレス（空欄d）：排除対象PCのIPアドレス（**オ**）
送信先プロトコルアドレス：アドレス解決対象のIPアドレス

[設問３]（1）

通信制限装置の設置においては，「サーバ室での不正PCや未登録PCの利用対策は，考慮しなくてよい」ので，サーバ室のセグメントには通信制限装置は不要である。そこで，残る四つのセグメント（フロア１とフロア２のセグメント）について，通信制限装置を追加する。

通信制限装置は各セグメントを監視するので，各セグメントには必ず１台の通信制限装置が接続されなければならない。図８は，通信制限装置の台数が最も多くなる構成である。

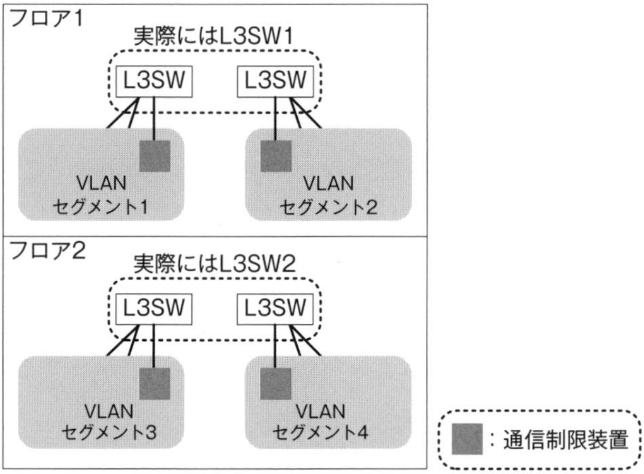

図8　通信制限装置の設置1

通信制限装置は四つのポートを持つので，図9のように接続すれば通信制限装置は1台ですむ。ただし，この構成ではフロア1とフロア2をまたぐ配線が必要となるため，「フロア間の配線を追加しない」という条件を満たさない。

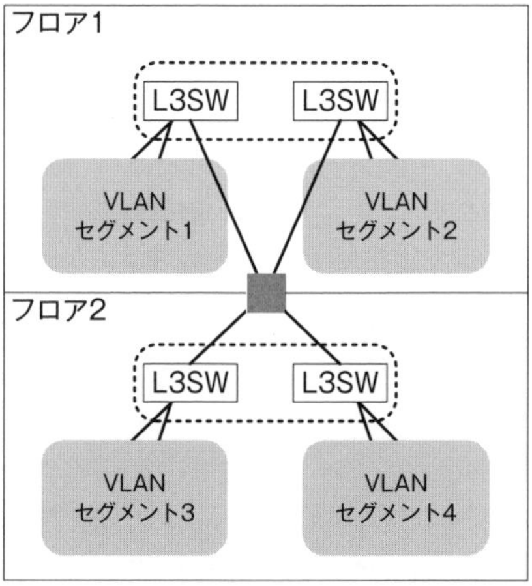

図9　通信制限装置の設置2

「フロア間の配線を追加しない」ためには，図10のようにフロアごとに通信制限装置を1台設置し，通信制限装置の二つのポートをそれぞれのVLANセグメントへ接続すればよい。通信制限装置はフレームを別セグメントへ中継しないため，ポートVLANで構築できる。つまり,「タグVLANを使用しない」という条件も満たしている。

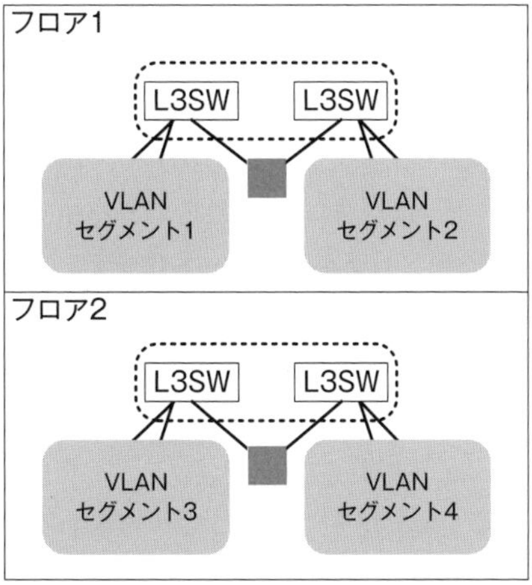

図10　通信制限装置の設置３

以上より，必要となる通信制限装置の最少台数は**2**台となる。

[設問３]（2）

設問３（1）の解説で示した図10の構成をとったとき，例えばフロア１に設置した通信制限装置のポートの接続先は，

LANポート１：**L3SW1**
LANポート２：**L3SW1**
LANポート３：**空き**
LANポート４：**空き**

となる。フロア２に設置した通信制限装置のポートの接続先を答えてもよく，その場合は，

LANポート１：**L3SW2**
LANポート２：**L3SW2**
LANポート３：**空き**
LANポート４：**空き**

となる。

［設問4］(1)

対処用セグメントには不正PCを接続し，正常PCに復帰させる対処を行う。不正PCは「Sエージェントの検査結果が不合格のPC」であり，SエージェントはPCにインストールされている「E社のセキュリティルールに従っているかどうかを検査する」ソフトである。E社のセキュリティルールに関する記述には「PCはメンテナンスサーバを利用して，OSやアプリケーションプログラムのアップデート，ウイルス定義ファイルのアップデートなどを行う」とある。これらのことから，不正PCを正常PCに復帰させるためには，不正PCをメンテナンスサーバに接続して，OSやアプリ，ウイルス定義ファイルのアップデートを行う必要があることが分かる。これを行うためには，対処用セグメントのPCの接続先として**メンテナンスサーバ**が許可されなければならない。

さらに，「Sエージェントは，検査結果をPC管理サーバに登録する」とあることから，メンテナンスサーバによる対処の結果，対処したPCがE社のセキュリティルールに合致したかどうかを検査し，検査結果をPC管理サーバに登録しなければならない。これを行うためには，対処用セグメントのPCの接続先として**PC管理サーバ**が許可されなければならない。

［設問4］(2)

対処用セグメントに接続された不正PCは，他セグメントのPCのように自由に通信させてはならない。そこで，不正PCには他セグメントの機器とは異なるIPアドレスを付与し，それらを対象に，L3SWで通信を制限する。これを行うためには，**DHCPサーバ**に**対処用セグメントのアドレスプールを追加する**ことが必要である。

さらに，設問4(1)で述べたとおり，不正PCはサーバ室に設置されたメンテナンスサーバやPC管理サーバとの通信を行う。このためには，対処用セグメントを宛先とするパケットを，L3SW0がL3SW1またはL3SW2へ正しく中継しなければならない。これを行うためには，L3SW0に対処用セグメントへのルーティング情報が必要である。E社のネットワークは「ルーティング情報は，全てスタティックに定義」しているため，**L3SW0**には，改めて**対処用セグメントへのルーティング情報を追加する**必要がある。

問6 解答

設問		解答例・解答の要点				
設問1		機能名	DHCPリレーエージェント			
		スイッチ	L3SW1，L3SW2			
設問2	(1)	IPアドレスを固定設定すれば，正常PC以外でも通信できる。				
	(2)	DHCPスヌーピングの制限を受けない設定				
	(3)	a	エ			
		b	ア			
		c	エ			
		d	オ			
設問3	(1)	2				
	(2)	LANポート1	L3SW1	又は	L3SW2	
		LANポート2	L3SW1		L3SW2	
		LANポート3	空き		空き	
		LANポート4	空き		空き	
設問4	(1)	① ②	・PC管理サーバ ・メンテナンスサーバ			
	(2)	①	機器	L3SW0	①と②は順不同	
			変更内容	対処用セグメントへのルーティング情報を追加する。		
		②	機器	DHCPサーバ		
			変更内容	対処用セグメントのアドレスプールを追加する。		

※IPA発表

問7 電子メールシステム (出題年度：H28問1)

電子メールシステムに関する次の記述を読んで，設問1～3に答えよ。

A社は，一般消費者向け製品を製造・販売している。現在，販売後の自社製品の購入者向けサポート業務（以下，サポート業務という）を自社内で行っているが，今後はサポート業務をB社に委託する方針である。サポート業務での購入者とのやり取りは，これまでは電話が中心であったが，電子メール（以下，メールという）を活用した運用を開始したところである。現在，A社はISPであるP社のインターネット接続サービスを利用している。また，B社はISPであるQ社のインターネット接続サービスを利用している。A社，B社，P社及びQ社のネットワーク構成を，図1に示す。

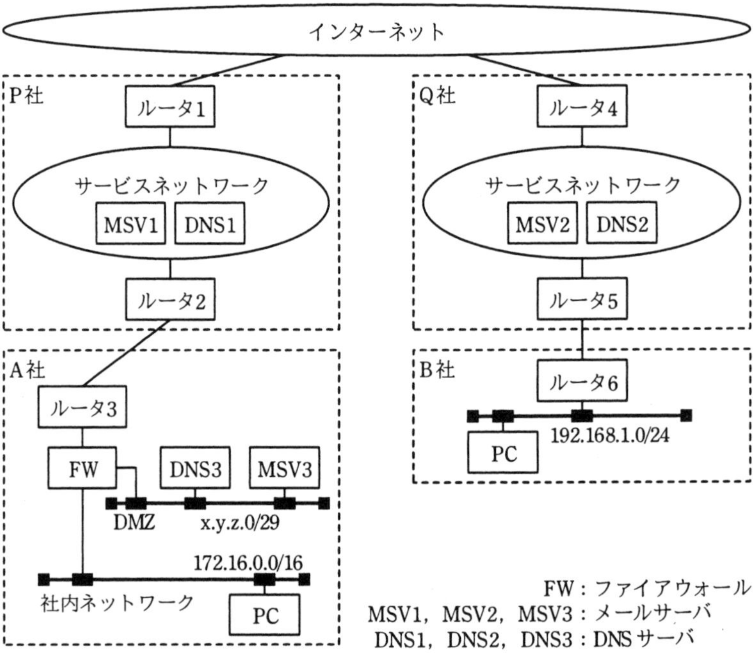

注記1　x.y.z.0/29は，グローバルIPアドレスを示す。
注記2　ルータ5とルータ6間の接続は，詳細を省略している。

図1　A社，B社，P社及びQ社のネットワーク構成（抜粋）

〔ネットワークの概要〕

・P社及びQ社のサービスネットワークは，顧客にインターネット接続サービスを提供するためのネットワークであり，インターネットと顧客ネットワークの間のトラフィックの交換を行う。
・P社とQ社は，MSV1とMSV2をそれぞれ用いて，顧客にメールサービスを提供している。また，P社とQ社は，DNS1とDNS2をそれぞれ用いて，DNSサービスを提供している。
・P社及びQ社はいずれも，迷惑メールの送信を防止する対策として，OP25B（Outbound Port 25 Blocking）のポリシでメールシステムを運用している。具体的には，自社が動的に割り当てたIPアドレスのホストから，自社のサービスネットワーク外のホストへの宛先ポート番号25のSMTP通信を許可しないという運用上のルールを適用している。
・A社は，固定のグローバルIPアドレスブロック（x.y.z.0/29）を付与されており，DMZにそのアドレスを利用している。
・A社は，専用線でP社サービスネットワークに接続されている。
・A社は，社内利用のためのMSV3を社内に立ち上げ，自社ドメイン（a-sha.co.jp）でメールシステムを運用している。
・DNS3は，a-sha.co.jpドメインの権威DNSサーバである。
・B社は，Q社の動的IPアドレス割当てブロック（a.b.0.0/20）から割当てを受けたグローバルIPアドレスを，ルータ6のNAPTに使用することでQ社のサービスネットワークに接続している。
・B社は，社内にメールサーバをもたず，Q社のメールサービスを利用している。
・B社は，独自のドメインをもたず，Q社のネットワークサービス用ドメイン（q-sha.ne.jp）を利用している。

〔A社のメール転送の概要〕

現在，A社のメール転送は次のとおり行われている。

・外部からA社へのメール

外部のメールサーバは，DNS3に設定された資源レコードのうち，［ア］レコードの情報に従って，A社ドメイン宛てのメールを［イ］に転送する。A社内PCは，［イ］に届いたメールを，POP3を用いて取得する。

・A社から外部へのメール

A社内PCは，DMZ上のMSV3にSMTPでメールを送信し，MSV3は，外部へメールを転送する。

〔サポート業務委託時のメール運用の検討〕

B社がサポート業務を行うときには，B社のPCで，A社のメールアドレスを用いる。A社のネットワーク担当のXさんとB社のネットワーク担当のYさんは，メールシステムの実現方法について検討した。次は，そのときのXさんとYさんの会話である。

Xさん：B社では，どのようにしてメールの送受信をしていますか。

Yさん：各社員のPCにインストールしたメールクライアントから，［ウ］にSMTPS（SMTP over TLS）でメールを送信しています。受信については，同じサーバにPOP3S（POP3 over TLS）でアクセスしています。

Xさん：分かりました。B社がA社ドメインのメールでサポート業務を実施するために，A社のメールサーバであるMSV3を利用する方式を検討したいと思います。B社からのMSV3を利用したメール送信について，現在のA社からのメール送信のように，MSV3にSMTPで転送する方式は，その経路の途中のISP内でブロックされるので，採用できません。また，①たとえB社のPCからMSV3へSMTPによるメール送信ができたとしても，MSV3は，a-sha.co.jpドメイン以外への宛先へは，そのメールを転送しない設定になっています。

Yさん：一緒に検討させてください。

B社PCからMSV3に向けたSMTPによるメール送信が不可能となっているのは，②図１中のあるルータにおいて，表１に示すOP25Bのためのアクセスリストが設定されているからである。

表１　OP25Bのためのアクセスリスト

項番	動作	プロトコル（TCP/UDP/IP）	送信元IP アドレス	宛先IP アドレス	宛先ポート番号
1	禁止	［オ］	［カ］	any	［キ］
2	許可	IP	any	any	－

注記　“－”は，設定がないことを示す。

検討の結果，次の方式でB社のPCからサポート業務メールが送受信できることが確認された。

・B社のPCからのメール送受信には，MSV3を用いる。
・MSV3は，SMTPプロトコル上でユーザ認証を行う方式である［　エ　］を導入し，③TCPの587番ポートで接続を受け付ける。また，その通信に対してTLSによる暗号化を行う。
・認証されたSMTPで送られてきたメールであればA社ドメイン以外の宛先への転送をするよう，MSV3を設定変更する。
・受信については，POP3をTLSで暗号化して用いる。
・送受信のための認証に必要な情報は，事前にA社からB社に提供する。
・メール送受信の通信の暗号化は，STARTTLS方式（接続時に平文で通信を開始して，途中で暗号化通信に切り替える方式）を採用し，メールクライアントからのSTARTTLSコマンドに応じてTLS暗号化を開始するよう，MSV3を設定変更する。
・④外部からDMZへの２種類の通信を許可するために，FWを設定変更する。

〔SPFの導入〕

次にA社は，迷惑メール対策として，SPFを導入することにした。SPFは，送信メールサーバの正当性（当該ドメインの真正のメールサーバであること）を，受信メールサーバ側で確認する方式である。SPFの概要は次のとおりである。

・送信側のドメイン所有者は，あらかじめ，当該ドメインのメールサーバのグローバルIPアドレスを，SPFレコードとしてDNSに登録しておく。
・受信側のメールサーバは，メール受信時に，次の手順で送信ドメインを認証する。
  (1) ⑤“SMTP通信中にやり取りされる送信元ドメイン名”を得る。
  (2) 送信元ドメイン名に対するSPFレコードを，DNSに問い合わせる。
  (3) 得られた⑥SPFレコードを用いて送信元ドメインの認証を行う。

Xさんが設定したSPFレコードの設定を図２に示す。

```
a-sha.co.jp.      IN TXT "v=spf1 +ip4:x.y.z.1 -all"
```

注記　x.y.z.1は，MSV3のIPアドレスである。

図２　A社ドメインのSPFレコードの設定（抜粋）

Xさんは，社外からメールを送信してくる外部メールサーバに対して，SPFによる送信ドメイン認証処理を行うよう，MSV3の設定変更を行った。

これらのSPF対応によって，A社ドメインを偽る迷惑メールの防止効果が見られた。また，ドメイン偽装メールの受信拒否も可能となり，メールの信頼性向上が確認できたので，メールを活用したサポート業務のB社への委託を本格的に開始した。

設問1 本文中の[ア]～[エ]に入れる適切な字句を答えよ。

設問2 〔サポート業務委託時のメール運用の検討〕について，(1)～(5)に答えよ。

(1) 本文中の下線①について，この設定がないことによって生じる情報セキュリティ上のリスクを，25字以内で答えよ。

(2) 本文中の下線②のルータ名を答えよ。

(3) 表1中の[オ]～[キ]に入れる適切な字句を答えよ。

(4) 本文中の下線③について，このポートを何と呼ぶかを答えよ。

(5) 本文中の下線④について，2種類の通信の宛先ポート番号を，それぞれ答えよ。

設問3 〔SPFの導入〕について，(1)，(2)に答えよ。

(1) 本文中の下線⑤について，送信元ドメインが得られるSMTPプロトコルのコマンドを答えよ。

(2) 本文中の下線⑥で行われる処理内容について，SPFレコードと照合される情報を，20字以内で具体的に答えよ。

問7 One Point

SNSに押され気味とはいえ，電子メールはコミュニケーションツールの柱であり，その地位は簡単には揺るがないだろう。つまり，電子メールは今後もネットワークスペシャリストの重要テーマであり続けるといえる。

その重要テーマについて，本問は様々な角度から問いかけを行う良問である。本問を学べば，電子メールについて一通りの知識を得ることができるだろう。電子メールについては第3章でも説明しているので，併せて学んでほしい。

問7 解 説

［設問1］

（ア，イについて） ☞ 3.4 Focus **電子メールの詳細**

DNS3は，A社ドメインの名前情報をゾーンファイルに管理している。その中には，

A社メールサーバ（MSV3）のホスト名を記録するMXレコード，ホスト名に対応するIPアドレスを記録するAレコードが含まれている。外部のメールサーバは，A社ドメイン宛てのメールを送信するにあたり，まずDNS3にA社ドメインのメールサーバの問合せを行い，MXレコードと対応するAレコードの情報から転送すべきA社メールサーバのIPアドレスを取得し，メールを転送する。

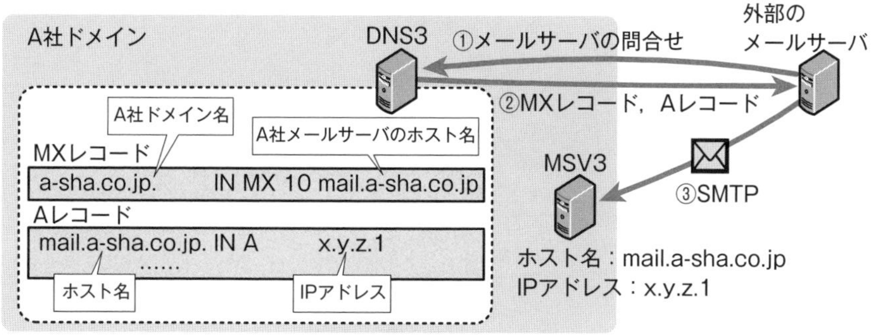

図3　メール転送の流れ

以上より，空欄アには**MX**レコード，空欄イには**MSV3**が入る。

(ウについて)

空欄ウには，B社のPCからメールを送信する際のメール送信サーバが該当する。そこで，B社のメールシステムに関する記述を問題文中から探すと，〔ネットワークの概要〕に「B社は，社内にメールサーバをもたず，Q社のメールサービスを利用している」とある。そして，Q社のメールサービスについては「P社とQ社は，MSV1とMSV2をそれぞれ用いて，顧客にメールサービスを提供している」とあることから，Q社のメールサーバはMSV2であることが分かる。よって，空欄ウは**MSV2**である。

(エについて)

「SMTPプロトコル上でユーザ認証を行う方式」は**SMTP-AUTH**である。SMTP-AUTHでは，メールクライアントからメールサーバへSMTPでメールを送信する際にユーザ認証を行い，認証された場合のみメール送信を行う。

[設問2](1) ☞ 3.4 2 3 **第三者中継の禁止**

問題文の下線①までの会話の中で，サポート業務に限ってはB社の社員がA社のメールサーバであるMSV3を利用することが検討されている。ところが，MSV3はA社の社内利用のためのメールサーバであり，B社からメールが送信されても「a-sha.co.jp

ドメイン以外への宛先へは，そのメールを転送しない設定」となっている（図４左）。これを，a-sha.co.jpドメイン以外の宛先への転送を許すよう設定してしまうと，結果として社外から受けたメールを社外へ転送できることになり，**不正メールの踏み台にされてしまうリスク**が生じる（図４右）。

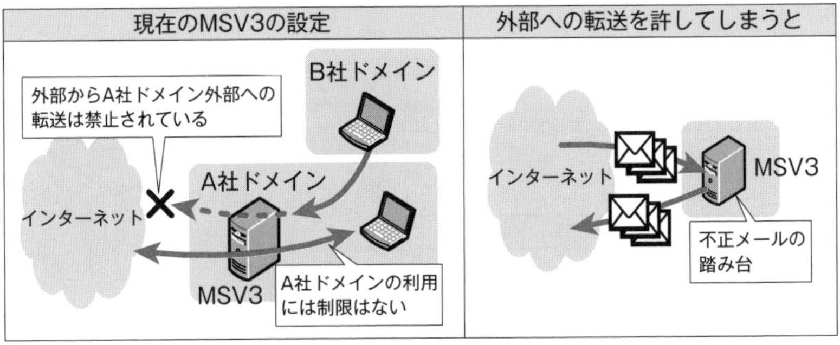

図４　メールの転送設定

なお，社外から社外へのメールを中継することを第三者中継（オープンリレー）という。不正メールの踏み台とならないためにも，第三者中継を禁止すべきである。

[設問２](2)

OP25B（Outbound Port 25 Blocking）は，迷惑メールを減少させることを目的にインターネットサービスプロバイダが実施する対策である。もともとメールの送信や転送に用いられるSMTPは利用に制限のないポートであり，迷惑メールに不正利用されることが多かった。そこで，プロバイダの利用者から外部のメールサーバへのSMTP（ポート25）を禁止し，外部へのメール送信については，SMTPではなくサブミッションポート（ポート587）を許可し，相手先のメールサーバでSMTP-AUTHによる利用者認証を強制する。

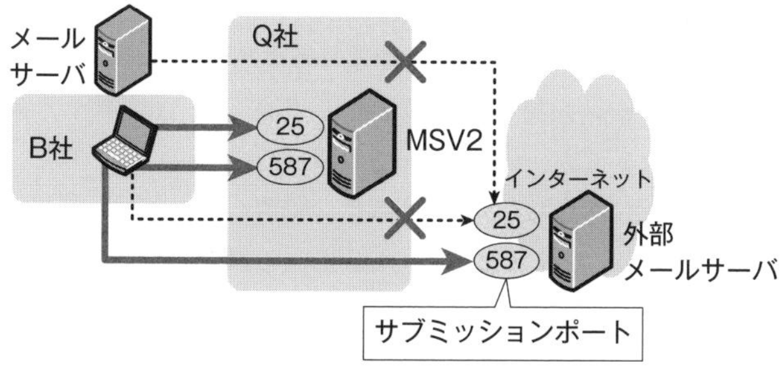

図5　OP25B

OP25Bは，インターネットとの接点に設定する。B社のPCからMSV3に向けたSMTPによる送信は，Q社とインターネットを結ぶ**ルータ4**でブロックされる。

[設問2](3)

(オ～キについて)

Q社におけるOP25Bのためのルールは問題文の〔ネットワークの概要〕に示されているように「Q社が動的に割り当てたIPアドレスのホストから，Q社のサービスネットワーク外のホストへの宛先ポート番号25のSMTP通信を許可しない」というものである。これが表1の項番1の「禁止」のルールに該当すると判断できる。

空欄カの送信元IPアドレスは，Q社がB社などに割り当てた動的IPアドレスとなることから，その割当てブロックである**a.b.0.0/20**が入る。空欄キの宛先ポート番号は**25**（SMTP）である。SMTPはトランスポート層にTCPを用いているので，空欄オには**TCP**が入る。

[設問2](4)

TCPの587番ポートを**サブミッションポート**と呼ぶ。メールを認証なしで受け取る25番ポートとは異なり，SMTP-AUTHによる認証を強制することができる。

[設問2](5)

B社のPCからサポート業務メールが送受信できるようにするためのFWの設定変更について問われている。問題文の図1でFWの配置を確認すると，A社のFWであり，DMZにはDNS3とMSV3がある。DNS3はA社の権威DNSサーバであることから，外部からDNS3への通信はすでに許可されていると考えられる。したがって，「外部からDMZへの2種類の通信を許可する」のは，MSV3への通信であり，B社のPCからのサポート業務メールの送信と受信の2種類であると判断できる。

B社のPCからのサポート業務メールの送信については，〔サポート業務委託時のメール運用の検討〕に「TCPの587番ポートで接続を受け付ける。また，その通信に対してTLSによる暗号化を行う」とある。また，受信については，「POP3をTLSで暗号化して用いる」とある。ここで，「メール送受信の通信の暗号化は，STARTTLS方式（接続時に平文で通信を開始して，途中で暗号化通信に切り替える方式）を採用」とあるように，STARTTLS方式では，暗号化プロトコル用のSMTPSやPOP3Sのポートを利用するのではなく，平文のメール送受信プロトコルのポートを利用して暗号化通信を行うことができる。したがって，FWではメール送受信接続時の平文の通信を許可すればよい。よって，許可する2種類の通信の宛先ポート番号は，**587**番と，POP3の**110**番である。

[設問3](1) ☞ 3.4 Focus 電子メールの詳細

送信元ドメイン名は，送信者のメールアドレスから得られる。それを指定するSMTPコマンドは**MAIL FROM**である。なお，SMTPの主要コマンドは第３章でも紹介しているので参照してほしい。

[設問3](2) ☞ 3.4 2 4 偽装メール対策

A社のSPFレコードには，A社ドメインの正規メールサーバのIPアドレスが設定され，A社が送信したメールの認証に用いられる。Xさんが設定したSPFレコードは，次の意味を持つ。

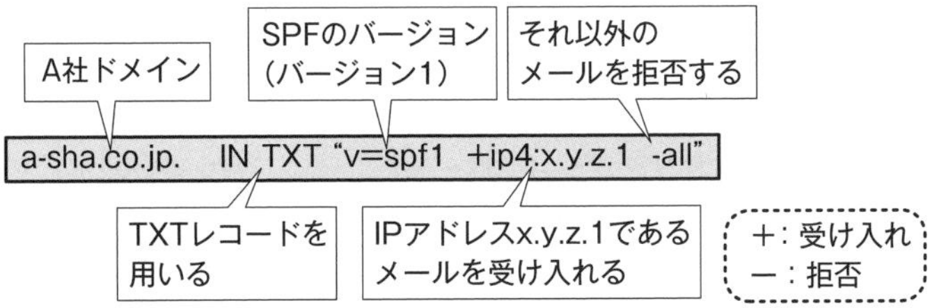

図６　SPFレコード

A社（を名乗る送信元）からメールを受信した受信者は，問題文の手順どおりに送信ドメインを認証する。

(1) “SMTP通信中にやり取りされる送信元ドメイン名”を得る。

送信者のメールアドレスから“a-sha.co.jp”を得る。

⑵ 送信元ドメイン名に対するSPFレコードを，DNSに問い合わせる。

DNSから図6に示したSPFレコードの内容を取得する。

⑶ 得られたSPFレコードを用いて送信元ドメインの認証を行う。

SPFレコードの内容に従った認証を行う。すなわち，受信メールに記録された**送信元メールサーバのIPアドレス**が，SPFレコードに記録されたx.y.z.1に一致すればメールを受け入れ，そうでなければ拒否する。

問7 解答

設問		解答例・解答の要点	
設問1		ア	MX
		イ	MSV3
		ウ	MSV2
		エ	SMTP-AUTH
設問2	(1)	不正メールの踏み台にされてしまうリスク	
	(2)	ルータ4	
	(3)	オ	TCP
		カ	a.b.0.0/20
		キ	25
	(4)	サブミッションポート	
	(5)	① ②	・110 ・587
設問3	(1)	MAIL FROM	
	(2)	送信元メールサーバのIPアドレス	

※IPA発表

問8 ローカルブレイクアウトによる負荷軽減 (出題年度：R6問3)

ローカルブレイクアウトによる負荷軽減に関する次の記述を読んで，設問に答えよ。

A社は，従業員300人の建築デザイン会社である。東京本社のほか，大阪，名古屋，仙台，福岡の4か所の支社を構えている。本社には100名，各支社には50名の従業員が勤務している。

A社は，インターネット上のC社のSaaS（以下，C社SaaSという）を積極的に利用する方針にしている。A社情報システム部ネットワーク担当のBさんは，C社SaaS宛ての通信がHTTPSであることから，ネットワークの負荷軽減を目的に，各支社のPCからC社SaaS宛ての通信を，本社のプロキシサーバを利用せず直接インターネット経由で接続して利用できるようにする，ローカルブレイクアウトについて検討することにした。

〔現在のA社のネットワーク構成〕

現在のA社のネットワーク構成を図1に示す。

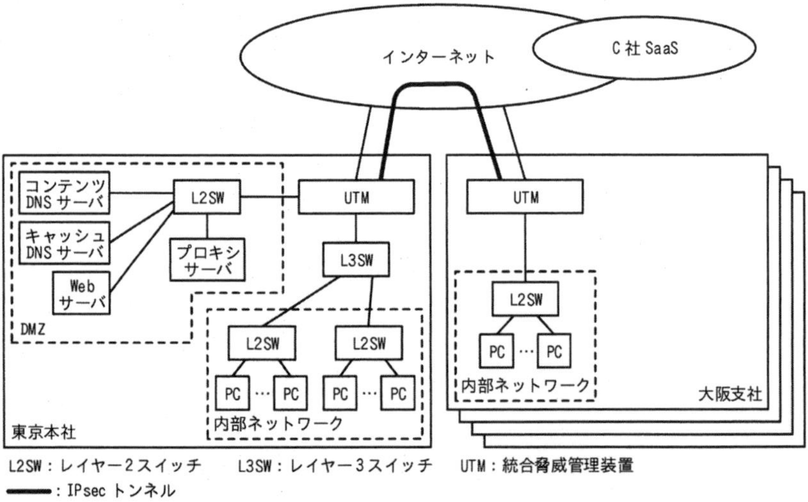

図1 現在のA社のネットワーク構成（抜粋）

現在のA社のネットワーク構成の概要を次に示す。

・本社及び各支社はIPsec VPN機能をもつUTMでインターネットに接続している。
・プロキシサーバは，従業員が利用するPCのHTTP通信，HTTPS通信をそれぞれ中継する。プロキシサーバではセキュリティ対策として各種ログを取得している。
・DMZや内部ネットワークではプライベートIPアドレスを利用している。
・PCには，DHCPを利用してIPアドレスの割当てを行っている。
・PCが利用するサーバは，全て本社のDMZに設置されている。
・A社からインターネット向けの通信については，本社のUTMでNAPTによるIPアドレスとポート番号の変換をしている。

〔現在のA社のVPN構成〕

A社は，UTMのIPsec VPN機能を利用して，本社をハブ，各支社をスポークとする［ ア ］型のVPNを構成している。本社と各支社との間のVPNは，IP in IP トンネリング（以下，IP-IPという）でカプセル化し，さらにIPsecを利用して暗号化することでIP-IP over IPsecインタフェースを構成し，２拠点間をトンネル接続している。①本社のUTMと支社のUTMのペアではIPsecで暗号化するために同じ鍵を共有している。②この鍵はペアごとに異なる値が設定されている。

③IPsecの通信モードには，トランスポートモードとトンネルモードがあるが，A社のVPNではトランスポートモードを利用している。

A社のVPNを構成するIPパケット構造を図２に示す。

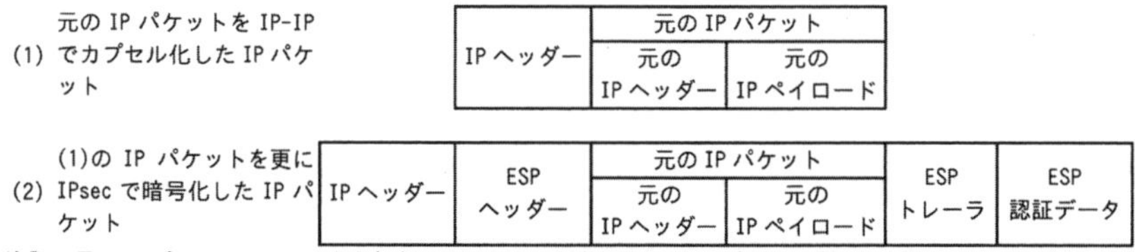

注記　元の IP パケットは，DMZ や内部ネットワークから送信された IP パケットを示す。

図２　A社のVPNを構成するIPパケット構造

VPNを構成するために，本社と各支社のUTMには固定のグローバルIPアドレスを割り当てている。④IP-IP over IPsecインタフェースでは，IP Unnumbered 設定が行われている。また，⑤IP-IP over IPsecインタフェースでは，中継するTCPパケットのIPフラグメントを防止するための設定が行われている。

〔プロキシサーバを利用した制御〕

Bさんが UTMについて調べたところ，追加ライセンスを購入することでプロキシサーバ（以下，UTMプロキシサーバという）として利用できることが分かった。

Bさんは，ネットワークの負荷軽減のために，各支社のPCからC社SaaS宛ての通信は，各支社のUTMプロキシサーバをプロキシサーバとして指定することで直接インターネットに向けることを考えた。また，各支社のPCからその他インターネット宛ての通信は，通信相手を特定できないことから，各種ログを取得するために，これまでどおり本社のプロキシサーバをプロキシサーバとして指定することを考えた。各支社のPCから，C社SaaS宛てとその他インターネット宛ての通信の流れを図3に示す。

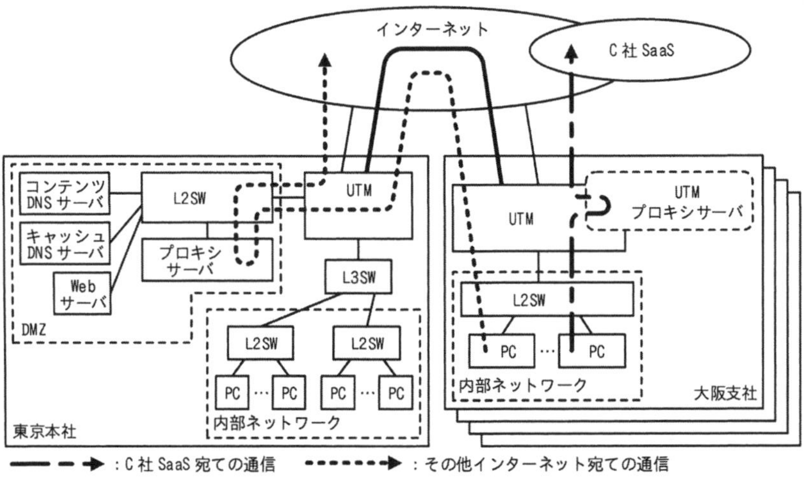

図3　各支社のPCから，C社SaaS宛てとその他インターネット宛ての通信の流れ

Bさんは，各支社のPCが利用するプロキシサーバを制御するためにプロキシ自動設定（以下，PACという）ファイルとWebプロキシ自動検出（以下，WPADという）の導入を検討することにした。

〔PACファイル導入検討〕

BさんはPACファイルの作成方法について調査した。PACファイルはJavaScriptで記述する。PACファイルに記述するFindProxyForURL関数の第1引数であるurlにはアクセス先のURLが，第2引数であるhostにはアクセス先のURLから取得したホスト名が渡される。これらの引数に渡された値を様々な関数を用いて条件分けし，利用するプロキシサーバを決定する。FindProxyForURL関数の戻り値が“DIRECT”ならば，プロキシサーバを利用せず直接通信を行う。戻り値が“PROXY host:port”ならば，指定されたプロキシサーバ（host）のポート番号（port）を利用する。

テスト用に大阪支社のUTMを想定したPACファイルを作成した。Bさんが作成した大阪支社のUTMのPACファイルを図4に示す。

```
function FindProxyForURL(url, host) {
  // (a)
  var ip = dnsResolve(host);

  // (b)
  if (localHostOrDomainIs(host, "localhost") ||
      isInNet(ip, "10.0.0.0", "255.0.0.0") ||
      isInNet(ip, "127.0.0.0", "255.0.0.0") ||
      isInNet(ip, "172.16.0.0", "255.240.0.0") ||
      isInNet(ip, "192.168.0.0", "255.255.0.0") ||
      dnsDomainIs(host, ".a-sha.jp")
      ) {
    return "DIRECT";
  }

  // (c)
  if (
      dnsDomainIs(host, "image.cdn.example") ||
      shExpMatch(host, "*.c-saas.example") ) {
      return "PROXY proxy.osaka.a-sha.jp:8080";
  }

  // (d)
  return "PROXY proxy.a-sha.jp:8080";
}
```

image.cdn.example：C社SaaS利用ドメイン名

処理名	処理の説明文
(a)	host を IP アドレスに変換し，変数 ip に代入する。
(b)	host が localhost，又は(a)で宣言した ip がプライベート IP アドレスやループバックアドレス，又は host が A 社の社内利用ドメイン名に属する場合，FindProxyForURL 関数の戻り値として“DIRECT”を返す。
(c)	host が C 社 SaaS 利用ドメイン名に属する場合，又は host が C 社 SaaS 利用ドメイン名のシェルグロブ表現に一致する場合，FindProxyForURL 関数の戻り値として“PROXY proxy.osaka.a-sha.jp:8080”を返す。
(d)	(b)，(c)どちらにも該当しない場合，FindProxyForURL 関数の戻り値として“PROXY proxy.a-sha.jp:8080”を返す。

a-sha.jp：A社の社内利用ドメイン名
proxy.a-sha.jp：本社のプロキシサーバの FQDN
proxy.osaka.a-sha.jp：大阪支社のUTMプロキシサーバの FQDN
c-saas.example：C社SaaS利用ドメイン名

注記　説明文中の host は，引数 host に渡された値（ホスト名）を示す。

図4　Bさんが作成した大阪支社のUTMのPACファイル

Bさんは，テスト用のPCとテスト用のUTMプロキシサーバを用意し，作成したPACファイルを利用することで，テスト用のPCからC社SaaS宛ての通信が，期待どおりに本社のプロキシサーバを利用せずに，テスト用のUTMプロキシサーバを利用することを確認した。⑥Bさんは各支社のPACファイルを作成した。

〔WPAD導入検討〕

WPADは，［　イ　］や［　ウ　］の機能を利用して，PACファイルの場所を配布するプロトコルである。PCやWebブラウザのWebプロキシ自動検出が有効になっていると，［　イ　］サーバや［　ウ　］サーバと通信を行い，アプリケーションレイヤープロトコルの一つである［　エ　］を利用して［　エ　］サーバからPACファイルのダウンロードを試みる。

WPADの利用には，PCやWebブラウザのWebプロキシ自動検出を有効にするだけでよく，簡便である一方，悪意のある［　イ　］サーバや［　ウ　］サーバがあると⑦PCやWebブラウザが脅威にさらされる可能性も指摘されている。Bさんは，WPADは利用しないことにし，PCやWebブラウザのWebプロキシ自動検出を無効にすることにした。PCやWebブラウザにはPACファイルの［　オ　］を直接設定する。

Bさんが検討した対応案が承認され，情報システム部はプロジェクトを開始した。

設問1　〔現在のA社のVPN構成〕について答えよ。

(1)　本文中の［　ア　］に入れる適切な字句を答えよ。

(2)　本文中の下線①について，本社のUTMと支社のUTMのペアで共有する鍵を何と呼ぶか答えよ。

(3)　本文中の下線②について，鍵は全て同じではなく，ペアごとに異なる値を設定することで得られる効果を，鍵の管理に着目して25字以内で答えよ。

(4)　本文中の下線③について，A社のVPNで利用しているトランスポートモードとした場合は元のIPパケット（元のIPヘッダーと元のIPペイロード）とESPトレーラの範囲を暗号化するのに対し，A社のVPNをトンネルモードとした場合はどの範囲を暗号化するか。図2中の字句で全て答えよ。

(5)　本文中の下線④について，IP Unnumbered設定とはどのような設定か。“IPアドレスの割当て”の字句を用いて30字以内で答えよ。

(6)　本文中の下線⑤について，中継するTCPパケットのIPフラグメントを防止するための設定を行わず，UTMでIPフラグメント処理が発生する場合，UTMにどのような影響があるか。10字以内で答えよ。

設問2　〔PACファイル導入検討〕について答えよ。

(1)　図4について，DMZにあるWebサーバにアクセスする際，プロキシサーバを利用する場合はプロキシサーバ名を答えよ。プロキシサーバを利用しない場合は“利用しない”と答えよ。

(2)　図4について，インターネット上にあるhttps://www.example.com/foo/index.htmlにアクセスする際，プロキシサーバを利用する場合はプロキシサーバ名を答えよ。プロキシサーバを利用しない場合は“利用しない”と答えよ。

(3)　図4について，isInNet(ip,“172.16.0.0”,“255.240.0.0”)のアドレス空間は，

どこからどこまでか。最初のIPアドレスと最後のIPアドレスを答えよ。

(4) 図4について，変数ipがプライベートIPアドレスの場合，戻り値を“DIRECT”にすることで得られる効果を，“負荷軽減”の字句を用いて20字以内で答えよ。

(5) 本文中の下線⑥について，PACファイルは支社ごとに用意する必要がある理由を25字以内で答えよ。

設問3 〔WPAD導入検討〕について答えよ。

(1) 本文中の[イ]～[オ]に入れる適切な字句を答えよ。

(2) 本文中の下線⑦について，どのような脅威があるか。25字以内で答えよ。

問8 解説

[設問1](1)

空欄aを含む文は「A社は，UTMのIPsec VPN機能を利用して，本社をハブ，各支社をスポークとする[ア]型のVPNを構成している」となっている。このように，一つのノードが中心となり，他のノードとそれぞれVPNを構成する形態のVPNを，**ハブアンドスポーク**型のVPNという。

[設問1](3)

下線①に「本社のUTMと支社のUTMのペアではIPsecで暗号化するために同じ鍵を共有している」とある。IPsecでは通信相手と暗号化方式や鍵などの情報を共有するためにSA（Security Association）と呼ばれる論理的なコネクションを確立する。このSAの確立を動的に行うために用いられるのが，IKE（Internet Key Exchange）と呼ばれる鍵交換プロトコルである。IKEの認証方式には，事前共有鍵（PSK:Pre-Shared Key）方式，公開鍵暗号方式などがある。これを踏まえて下線①を確認すると，本社のUTMと支社のUTMのペアでは同じ鍵を共有していることが分かる。続いて「この鍵はペアごとに異なる値が設定されている」とあることから，この鍵は事前に設定されていることが読み取れる。この鍵を**事前共有鍵**といい，IPsec接続時の相手認証に用いられる。

[設問1](3)

下線②に「この鍵はペアごとに異なる値が設定されている」とあるように，事前共有鍵が全て同じではなく，本社のUTMと支社のUTMのペアごとに異なる値を設定する，鍵の管理上の効果が問われている。鍵の管理のうえでは，鍵の漏えいの防止や鍵が漏えいした場合の被害軽減も考慮する必要がある。その意味では，事前共有鍵がペアごとに異なる場合に一つの事前共有鍵が漏えいすると，漏えいした一つの事前共有鍵のみ再生成して対処することになる。他方，事前共有鍵を全てのペアで同一とする場合に事前共有鍵が漏えいすると，全てのペアの事前共有鍵が漏えいすることになるため，影響が大きくなり，事後対処の負荷も高まる。つまり，事前共有鍵がペアごとに異なることにより，鍵が漏えいした際の影響範囲を限定することが可能になる。よって，効果は，**鍵が漏えいした際の影響範囲を小さくできる**となる。

［設問１］(4)

下線③に「IPsecの通信モードには，トランスポートモードとトンネルモードがあるが，A社のVPNではトランスポートモードを利用している」とある。トンネルモードは，IPヘッダーを含んだIPパケット全体をカプセル化するモードであり，トランスポートモードはIPパケットのペイロードのみをカプセル化するモードである。

図２の(1)のIPパケットをESPのトランスポートモードを用いてIPsec VPNを構成するIPパケット構造は，図２の(2)に示されており，元のIPパケットとESPトレーラの範囲が暗号化されることが設問文で述べられている。トンネルモードにおけるIPパケット構造は，(1)のIPパケット全体をESPでカプセル化し，新たにIPヘッダーを付加することになる。暗号化される範囲はESPヘッダーの後ろからESPトレーラまでである。つまり，ESPのペイロードに存在する元のIPパケット全体とESPトレーラの範囲が暗号化される。よって，解答は，**IPヘッダー，元のIPパケット，ESPトレーラ**となる。

［設問１］(5)

設問文で指定されている“IPアドレスの割当て”に着目して問題文を確認すると，〔現在のA社のVPN構成〕に「VPNを構成するために，本社と各支社のUTMには固定のグローバルIPアドレスを割り当てている。IP-IP over IPsecインタフェースでは，IP Unnumbered設定が行われている」とある。これより，IP-IP over IPsecの仮想インタフェースでは，固定のグローバルIPアドレス以外のものが設定されていることが分かる。

IP Unnumbered設定とは，トンネルインタフェースにIPアドレスの割当てを行わない設定のことをいう。この場合，IPアドレスにはLAN側の物理インタフェースが利用されることが多い。IPアドレスがなくても通信先が一意に定まるpoint-to-point通信において，WAN側のIPアドレスの節約や設定の簡素化などのために利用されている技術である。よって，解答は，**インタフェースにIPアドレスの割当てを行わない設定**となる。

[設問1](6)

下線⑤に「IP-IP over IPsecインタフェースでは，中継するTCPパケットのIPフラグメントを防止するための設定が行われている」とある。IPフラグメントとは，最大伝送単位（MTU:Maximum Transmission Unit）以上のIPパケットを転送する場合に，複数のIPパケットに分割して転送することをいう。本問において，IPフラグメントを防止するための設定を行わず，UTMでIPフラグメント処理が発生すると，

- IPフラグメント処理による負荷
- 増加したIPパケットに対するパケット化処理（IP-IPでのカプセル化処理，IPsecでの暗号化）

といった処理が増加し，UTMの**転送負荷の増大**が発生することになる。

[設問2](1)

図4は大阪支社のUTMのPACファイルである。〔PACファイル導入検討〕に「PACファイルに記述するFindProxyForURL関数の第1引数であるurlにはアクセス先のURLが，第2引数であるhostにはアクセス先のURLから取得したホスト名が渡される。これらの引数に渡された値を様々な関数を用いて条件分けし，利用するプロキシサーバを決定する」とある。そこで，設問文にあるアクセス先の「DMZにあるWebサーバ」に着目すると，〔現在のA社のネットワーク構成〕に「DMZや内部ネットワークではプライベートIPアドレスを利用している」とある。プライベートIPアドレスに関して図4を確認すると，(b)の処理の説明文に「hostがlocalhost，又は(a)で宣言したipがプライベートIPアドレスやループバックアドレス，又はhostがA社の社内利用ドメイン名に属する場合，FindProxyForURL関数の戻り値として“DIRECT”を返す」とある。FindProxyForURL関数の戻り値が“DIRECT”であることの説明を確認すると，〔PACファイル導入検討〕に「FindProxyForURL関数の戻り値が“DIRECT”ならば，プロキシサーバを利用せず直接通信を行う」とある。よって，DMZにあるWebサーバにアクセスする際，プロキシサーバを利用しないことが分かる。よって，解答は，**利用しない**となる。

[設問2](2)

設問文にある「インターネット上にある」URLへのアクセスに着目すると，URL「https://www.example.com/foo/index.html」から取得したホスト名は「www.example.com」である。このホスト名が図４の(b)又は(c)の処理の条件に該当するか確認すると，(b)の「A社の社内利用ドメイン名」は脚注より「a-sha.jp」であり，(c)の「C社SaaS利用ドメイン名」は脚注より「image.cdn.example」であることから，どちらにも属さないことが分かる。また，(c)の「C社SaaS利用ドメイン名」のシェルグロブ表現に用いられている「c-saas.example」とも関係がない。したがって，(d)の「(b)，(c)どちらにも該当しない場合，FindProxyForURL関数の戻り値として“PROXY proxy.a-sha.jp:8080”を返す」にあてはまることが分かる。FindProxyForURL関数の戻り値が“PROXY proxy.a-sha.jp:8080”であることの説明を確認すると，〔PACファイル導入検討〕にFindProxyForURL関数の「戻り値が“PROXY host:port”ならば，指定されたプロキシサーバ（host）のポート番号（port）を利用する」とある。図４の脚注に「proxy.a-sha.jp:本社のプロキシサーバのFQDN」とあるため，インターネット上にあるhttps://www.example.com/foo/index.htmlにアクセスする際，本社のプロキシサーバを利用することが分かる。よって，プロキシサーバ名は，**proxy.a-sha.jp**となる。

[設問2](3)

設問文中の「isInNet（ip,"172.16.0.0","255.240.0.0")」はJavaScriptの関数で，第１引数はIPアドレス，第２引数はネットワークアドレス，第３引数はサブネットマスクを表し，第１引数のIPアドレスが第２及び第３引数で指定されたアドレス範囲内かどうかを判定する。

ネットワークアドレス“172.16.0.0”とサブネットマスク“255.240.0.0”をそれぞれ２進数で表すと，次のようになる。

172.16.0.0　　　10101100.00010000.00000000.00000000
255.240.0.0　　 11111111.11110000.00000000.00000000

サブネットマスクが０の部分がホスト部となり，アドレス空間の最初のIPアドレスはホスト部が全て０，最後のIPアドレスはホスト部が全て１となる。

最初のIPアドレス　10101100.00010000.00000000.00000000
最後のIPアドレス　10101100.00011111.11111111.11111111

これらを10進数で表記すると，最初のIPアドレスは**172.16.0.0**，最後のIPアドレスは**172.31.255.255**となる。

[設問2](4)

[設問2](1)の解説で述べたように，図4について，変数ipがプライベートIPアドレスの場合，戻り値が“DIRECT”となり，プロキシサーバを利用せず直接通信を行うことになる。現在のA社のネットワーク構成におけるプロキシサーバの利用形態を確認すると，〔現在のA社のネットワーク構成〕に「プロキシサーバは，従業員が利用するPCのHTTP通信，HTTPS通信をそれぞれ中継する」とある。これに対して，図4のPACファイルを導入することによって，プライベートIPアドレス宛ての通信についてはプロキシサーバを利用せず直接通信を行うため，本社のプロキシサーバの負荷を軽減することができる。よって，得られる効果は，**本社のプロキシサーバの負荷軽減**となる。

[設問2](5)

下線⑥に「Bさんは各支社のPACファイルを作成した」とある。この直前に「Bさんは，テスト用のPCとテスト用のUTMプロキシサーバを用意し，作成したPACファイルを利用することで，テスト用のPCからC社SaaS宛ての通信が，期待どおりに本社のプロキシサーバを利用せずに，テスト用のUTMプロキシサーバを利用することを確認した」ともある。UTMプロキシサーバについてさらに確認すると，〔プロキシサーバを利用した制御〕に「Bさんは，ネットワークの負荷軽減のために，各支社のPCからC社SaaS宛ての通信は，各支社のUTMプロキシサーバをプロキシサーバとして指定することで直接インターネットに向けることを考えた」とある。図3で，C社SaaS宛ての通信は，各支社のUTMプロキシサーバを経由することが示されており，図4を見ると，大阪支社のUTMプロキシサーバのFQDNがproxy.osaka.a-sha.jpとなっていることから，支社ごとにUTMプロキシサーバのFQDNが異なることが分かる。したがって，各支社のUTMプロキシサーバをプロキシサーバとして指定するために，支社ごとに異なるプロキシサーバのFQDNを指定したPACファイルの用意が必要となることが分かる。よって，解答は**UTMプロキシサーバのFQDNが異なるから**となる。

[設問3](1)

(イ，ウについて)

〔WPAD導入検討〕に「WPADは，［　イ　］や［　ウ　］の機能を利用して，PACファイルの場所を配布するプロトコルである。PCやWebブラウザのWebプロキシ自動検出が有効になっていると，［　イ　］サーバや［　ウ　］サーバと通信を

第4章 午後問題演習編

行い，アプリケーションレイヤープロトコルの一つである［　エ　］を利用して［　エ　］サーバからPACファイルのダウンロードを試みる」とある。WPAD（Web Proxy Auto-Discovery Protocol:Webプロキシ自動検出プロトコル）では，最初にDHCPによるPACファイルのURLの取得を行い，これに失敗するとDNSによるプロキシ自動検出を試みる。DHCPを利用する場合は，IPアドレス及び各種ネットワーク設定値の自動設定機能を利用してWPADの設定でPACファイルのURLを指定する。DNSを利用する場合は，ホスト名wpadと，wpad.datファイル（PACファイルと同等のもの）を配置したWebサーバのIPアドレスを設定したAレコードを登録する。よって，空欄イは**DHCP**，空欄ウは**DNS**（イとウは順不同）となる。

（エについて）

〔WPAD導入検討〕に「PCやWebブラウザのWebプロキシ自動検出が有効になっていると，［DHCP］サーバや［DNS］サーバと通信を行い，アプリケーションレイヤープロトコルの一つである［　エ　］を利用して［　エ　］サーバからPACファイルのダウンロードを試みる」とある。PCは，DHCPサーバやDNSサーバと通信を行い，プロキシ設定ファイルのURLを取得し，HTTPを利用してそのURLからPACファイルのダウンロードを試みる。よって，空欄エは**HTTP**となる。

（オについて）

〔WPAD導入検討〕に「PCやWebブラウザにはPACファイルの［　オ　］を直接設定する」とあり，直前には「Bさんは，WPADは利用しないことにし，PCやWebブラウザのWebプロキシ自動検出を無効にすることにした」ともある。PCやWebブラウザのWebプロキシ自動検出を無効にしたことにより，〔WPAD導入検討〕の「PACファイルの場所」の配布が受けられなくなる。そのため，PCやWebブラウザで「PACファイルの場所」を指定する必要性が生じる。ここで，「PACファイルの場所」とは，PACファイルのURL（例えば，http://192.168.1.10/proxy.pac）のことである。よって，空欄オは**URL**となる。

［設問3］(2)

〔WPAD導入検討〕に「WPADの利用には，PCやWebブラウザのWebプロキシ自動検出を有効にするだけでよく，簡便である一方，悪意のある［DHCP］サーバや［DNS］サーバがあるとPCやWebブラウザが脅威にさらされる可能性も指摘されている」とある。悪意のあるDHCPサーバやDNSサーバがあると，不正なPACファイルの場所に誘導され，不正なPACファイルをダウンロードさせられることによって不正なプロキシサーバサーバに中継される可能性が生じる。よって，解答は**不正な**

プロキシサーバに中継されるとなる。

問8 解答

設問		解答例・解答の要点		
設問1	(1)	ア	ハブアンドスポーク	
	(2)	事前共有鍵		
	(3)	鍵が漏えいした際の影響範囲を小さくできる		
	(4)	IPヘッダー，元のIPパケット，ESPトレーラ		
	(5)	インタフェースにIPアドレスの割当てを行わない設定		
	(6)	転送負荷の増大		
設問2	(1)	利用しない		
	(2)	proxy.a-sha.jp		
	(3)	最初	172.16.0.0	
		最後	172.31.255.255	
	(4)	本社のプロキシサーバの負荷軽減		
	(5)	UTMプロキシサーバのFQDNが異なるから		
設問3	(1)	イ	DHCP	順不同
		ウ	DNS	
		エ	HTTP	
		オ	URL	
	(2)	不正なプロキシサーバに中継される		

※IPA発表

4.2 午後Ⅱ問題の演習

問1 サービス基盤の改善 （出題年度：H27問2）

サービス基盤の改善に関する次の記述を読んで，設問1～5に答えよ。

中規模のISPであるY社は，IPv4アドレス（以下，IPアドレスという）を使用したインターネット接続サービスとIaaS（Infrastructure as a Service）を提供している。現在のY社のネットワーク構成を図1に示す。

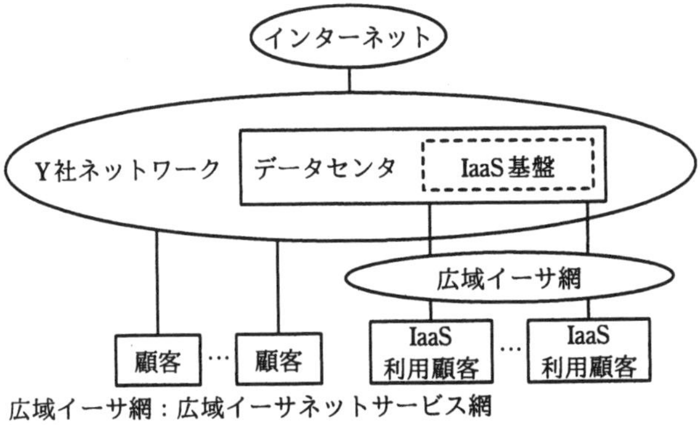

図1　現在のY社のネットワーク構成

Y社では，顧客の増加に伴い，二つの課題への対応が急務になっている。一つは，保有するグローバルIPアドレスが不足する事態が近づいていることから，対応策を確立することである。もう一つは，IaaS基盤のネットワーク（以下，基盤ネットワークという）を，顧客の増加に柔軟に対応できる構成に変更することである。

二つの課題への対応策は，ネットワーク技術部で立案することになり，ネットワーク技術部のT部長は，基盤構築グループのI主任とJ君に対応策の検討を指示した。そこで，I主任とJ君は，まず，グローバルIPアドレス不足への対応策を検討し，その後に，基盤ネットワークの改善策を検討することにした。検討作業はJ君が行い，検討結果をI主任が評価することにした。

〔グローバルIPアドレス不足への対応策の検討〕

グローバルIPアドレスの枯渇対策の中に，大規模NAT又はキャリアグレードNAT（以下，CGNという）と呼ばれる，ISP向けのソリューションがある。CGNを導入することによって，インターネット接続サービスで使用しているグローバルIPアドレスを削減でき，それをIaaSに振り向けることができる。CGNでは，アクセスネットワークにプライベートIPアドレスを割り当て，ISP網内でグローバルIPアドレスに変換する。CGNを実現する技術の中に，NAT444がある。NAT444には，顧客の宅内に設置された機器（以下，CPEという）に変更を加えずにCGNに移行できる利点がある。そこで，J君はNAT444について調査した。

〔NAT444の調査〕

現在，Y社の個人顧客向けのインターネット接続サービスでは，顧客に一つずつグローバルIPアドレスを割り当てている。これをISP Shared Address（以下，シェアードアドレスという）と呼ばれるIPアドレスに置き換え，複数の顧客間でグローバルIPアドレスを共用するのがNAT444である。NAT444では，IPアドレスとポート番号を対にした変換が２回行われる。NAT444の構成を図２に示す。

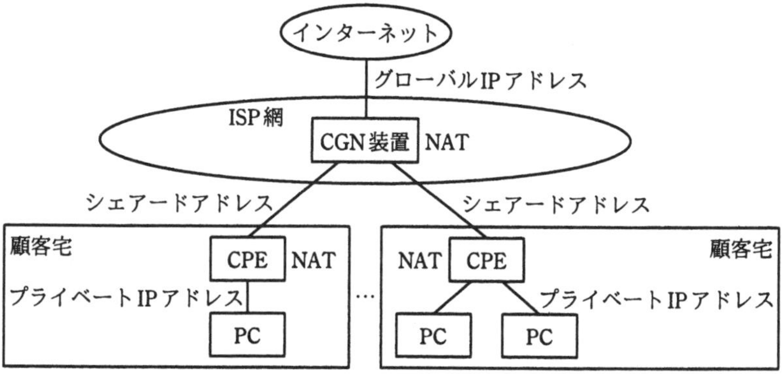

図２　NAT444の構成

図２に示したように，NAT444では，インターネットと顧客宅のLANとの間に，<u>(あ)シェアードアドレスとして定義された，100.64.0.0/10のネットワークプレフィックスのネットワークを設ける</u>。NAT444の“444”は，図２に示したように［　a　］種類のネットワークアドレスで運用されるネットワークを指し，各ネットワークの境界でNATを実行することで，グローバルIPアドレスを節約する。

NAT444を導入すると，一部のアプリケーションの動作に不具合が発生する危険性がある。その主因として想定されるのは，次に示す2点である。

(1)　1顧客が開設できるセッション数の制限

(2)　通信経路中のNAT介在

(1)は，一つのグローバルIPアドレスを複数の顧客で共用することによって発生する。CGNでは，[b]ビットで構成されているTCP/UDPポート番号を複数の顧客に分配するので，1顧客が使用できるポート数が少ない。例えば，CGN装置に設定する1顧客に割り当てるポート数が，実際に使うポート数よりも少ない場合，Webページの閲覧などで不具合が発生してしまう。そこで，仮に，1顧客に割り当てるポート数を10,000に設定したとすると，インターネット接続サービスで使用するグローバルIPアドレスを約1／6に削減できる。

(2)は，NAT444を導入することで発生する。NATが介在すると，例えば，次のようなアプリケーションで不具合が発生する。

・FTPの[c]モードのように，インターネット上のサーバからクライアントが指定したポートに対してTCPコネクションの確立を試みるアプリケーション

・SIPのように，送信先となる機器のIPアドレスをパケットのデータ部に埋め込んで指定するアプリケーション

ただし，NATが介在しても，CGN装置，利用するアプリケーションの実装などで，不具合は回避できる可能性がある。今後，その可能性について，より詳細な調査を行うとともに，評価試験も併せて行うことにする。

その他にも，NATが介在すると，顧客がIPsecを利用している場合に問題が発生する危険性がある。J君は，IPsecを利用する顧客への対応策について検討した。

〔IPsecを利用する顧客への対応策〕

NAT機器を経由した通常のIPsecの通信は，AH，ESP及びIKEプロトコルで問題が発生する。NAT機器を経由したIPsec通信で発生する問題を，表1に示す。

表1　NAT機器を経由したIPsec通信で発生する問題

プロトコル名	問題の内容
AH	トランスポートモード，トンネルモードともに，(い) IP アドレス変換が行われると認証エラーが発生する。
ESP	トランスポートモード，トンネルモードともに，AH のような問題は発生しない。しかし，(う) どちらのモードでもポート変換を行えないので，ESP でカプセル化されたパケットは，NAT 機器を通過することができない。
IKE	ISAKMP メッセージは，送信元ポート，宛先ポートともに UDP の 500 番の使用が求められるので，NAT 機器でポート番号を変換できない。

表1の問題を解決する手段として，ESPプロトコルに対してIPsec NATトラバーサルが規格化された。IPsec NATトラバーサルは，ESPパケットをUDPでカプセル化することによって，NAT機器によるIPアドレスとポート番号の変換を可能にしている。IPsec NATトラバーサルのパケット構成を，図3に示す。

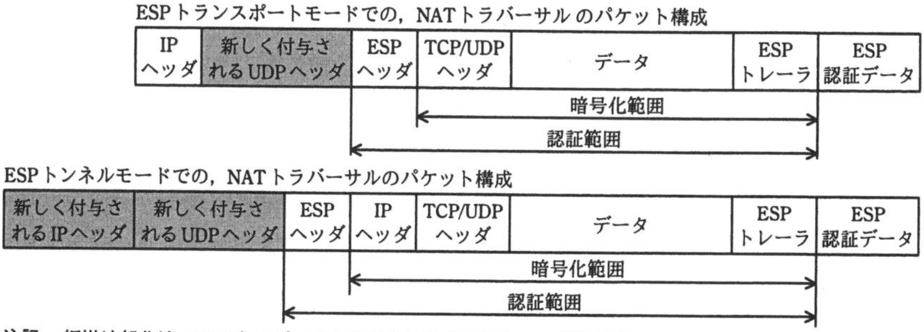

注記　網掛け部分は，NATトラバーサルで新たに付与されるヘッダを示す。

図3　IPsec NATトラバーサルのパケット構成

UDPによるカプセル化は，IKEで次のように自動的に決定される。

・IKEは，IPsecを使用する機器間でISAKMPメッセージを送受信する際に，経路上にNAT機器が存在するかどうか検査する。
・NAT機器を検出した場合，ISAKMPメッセージの送信元ポート番号及び宛先ポート番号を500から4500に変更して，NATトラバーサルを使用することを通知する。このとき，NATが行われると送信元ポート番号が変換されるので，(え) IPsecを使用する機器の，受信パケットに対するフィルタリング設定を変更する必要がある。

J君は，これまでの調査で，CGNの導入には今後解決すべき問題が残されているが，CGNの導入によって，グローバルIPアドレスを節約できることが分かったので，調査結果をI主任に説明した。I主任は，J君の考えが適切であると判断し，調査結果を基にCGNの導入案をまとめて，T部長に報告することを提案した。

次に，J君は，基盤ネットワークの改善策の検討に取り掛かった。

〔基盤ネットワークの課題とその対応〕

基盤ネットワークでは，通信路を顧客ごとに論理的に分離するために，顧客が利用する仮想サーバ（以下，VMという）にVLANを設定している。IEEE 802.1Qで規定されたVLAN数の制限は，4,094である。各顧客に異なる複数のVLAN IDを割り当てるので，顧客の増加に伴ってVLAN数が不足する可能性があった。そこで，基盤ネットワークでは，レイヤ３ネットワークによって物理サーバが属するサブネットを分けている。課題は，このような構成でVMが他の物理サーバに移動した後も，移動後のVMとの通信を可能にしたいというものである。

対応策として，J君は，レイヤ３のネットワーク上にレイヤ２のネットワークを構成できる，オーバレイネットワークが有効ではないかと考えた。VMで，マルチキャスト通信を利用してオーバレイネットワークを実現する技術として，RFC 7348で提案されたVXLAN（Virtual eXtensible Local Area Network）がある。VXLANは，サーバ仮想化機構に実装されているので導入しやすい。そこで，J君はまず，マルチキャスト通信について調査した。

〔マルチキャスト通信の調査〕

マルチキャスト通信は，特定の複数ノードに対して，一つのデータを同時に送信する通信方式である。マルチキャスト通信例を図４に示す。

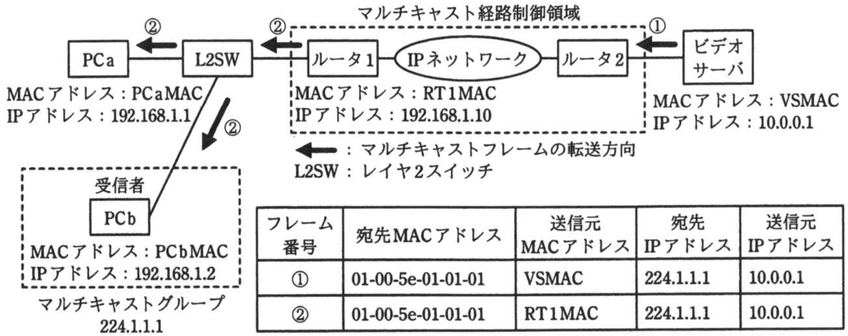

フレーム番号	宛先MACアドレス	送信元MACアドレス	宛先IPアドレス	送信元IPアドレス
①	01-00-5e-01-01-01	VSMAC	224.1.1.1	10.0.0.1
②	01-00-5e-01-01-01	RT1MAC	224.1.1.1	10.0.0.1

図４　マルチキャスト通信例

図４の例では，PCbをビデオサーバから送信される画像データの受信者とする。マルチキャスト通信では，データを受け取りたいPCを，マルチキャストIPアドレスでグループ化する。マルチキャストIPアドレスは，クラス［　d　］のIPアドレスである。(お) 通常，L2SWは，受信したマルチキャストフレームを，受信ポート以外の全てのポートにフラッディングするので，PCaとPCbにマルチキャストフレームが届く。ただし，PCaは当該マルチキャストグループに参加していないので，受信しない。

マルチキャストIPアドレスが設定されたPCでは，当該マルチキャストIPアドレスを基に生成される［　e　］宛てのフレームを受信するように，NIC（Network Interface Card）が動作する。

マルチキャストグループが存在するサブネットの情報は，ルータ間で行われるIPマルチキャストルーティングプロトコルによって伝達され，各ルータでマルチキャスト経路表が生成される。PCが，あるマルチキャストグループに所属したり，離脱したりするのに，IGMP（Internet Group Management Protocol）が使用される。

ビデオサーバからマルチキャストグループ224.1.1.1宛ての画像データが配信されているときの，IGMPの通信例を図５に示す。

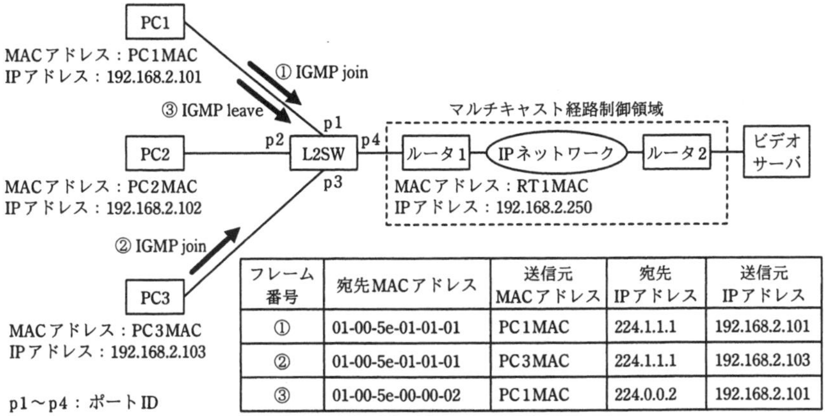

フレーム番号	宛先MACアドレス	送信元MACアドレス	宛先IPアドレス	送信元IPアドレス
①	01-00-5e-01-01-01	PC1MAC	224.1.1.1	192.168.2.101
②	01-00-5e-01-01-01	PC3MAC	224.1.1.1	192.168.2.103
③	01-00-5e-00-00-02	PC1MAC	224.0.0.2	192.168.2.101

注記１　ルータ１が，L2SWから転送されるIGMPパケットによって知ったマルチキャストグループの情報は，IPマルチキャストルーティングプロトコルによってルータ２に届けられる。
注記２　マルチキャストグループは，224.1.1.1である。

図５　IGMPの通信例

図５の例では，IGMPが使用されるのは，PCとルータ１間である。(か) ビデオサーバとルータ２間では，IGMPは使用されない。PCが，あるマルチキャストグループに参加するときは，IGMP joinメッセージによって，所属するサブネットのルータに対

し，参加するマルチキャストグループを知らせる。逆に，PCが，参加しているマルチキャストグループから離脱するときは，所属するサブネットの全てのルータ宛てに，IGMP leaveメッセージを送信する。

ルータ1は，IGMP joinメッセージを受信することによって，配下のサブネットにマルチキャストグループ224.1.1.1が存在するのを知り，ビデオサーバから受信した224.1.1.1宛てのパケットをL2SWに送信する。L2SWは，図4に示したように，受信したフレームを，受信ポート以外の全てのポートにフラッディングするので，どのPCにも224.1.1.1宛てのパケットが届く。しかし，L2SWが，図5中の①と②のフレームを受信した段階では，PC2は224.1.1.1に所属していないので，L2SWのp2からのマルチキャストフレームの転送は不要である。L2SWに実装されるIGMPスヌーピングによって，マルチキャストフレームを必要なポートだけに転送させることができる。IGMPスヌーピングとは，IGMPメッセージの中身をのぞき見することをいい，IGMPスヌーピング機能をもったL2SWは，IGMPメッセージの情報を基にMACアドレステーブルを更新する。J君が調査したL2SWでは，IGMP joinやIGMP leaveメッセージなどから，指定されたマルチキャストグループが存在するポートを知り，自分のMACアドレステーブルにマルチキャストエントリを作成する。通常，MACアドレステーブルには，複数のポートに同じMACアドレスが存在することはないが，マルチキャストMACアドレスは例外である。

図5中のL2SWでIGMPスヌーピング機能を働かせたとき，L2SWに作成されるMACアドレステーブルを，表2に示す。

表2　L2SWに作成されるMACアドレステーブル

MAC アドレス	ポート ID
PC1MAC	p1
PC3MAC	p3
ア	イ

J君は，マルチキャスト通信の調査を終え，次にVXLANの導入について検討した。

〔VXLANの導入検討〕

VXLANは，カプセル化によってオーバレイネットワークを実現する技術である。VXLANのフレーム構成を図6に示す。

外部イーサネットヘッダ	外部IPヘッダ	外部UDPヘッダ	VXLANヘッダ	イーサネットヘッダ	イーサネットデータ	FCS
VXLANで付加されるヘッダ				元のイーサネットフレーム		

図6　VXLANのフレーム構成

VXLANでは，図6に示した4種類のヘッダを付加して元のイーサネットフレームをカプセル化し，IPネットワーク上で転送する。VXLANヘッダには，VXLANネットワーク識別子である24ビットのVNI（VXLAN Network Identifier）があり，VNIごとにVXLANセグメントが構成される。VXLANセグメントによって通信路が論理的に分離されるので，<u>（き）VXLANを導入すれば，VLAN数の制限を緩和できる</u>。

VXLANは，トンネルの終端ポイントであるVTEP（VXLAN Tunnel End Point）で元のイーサネットフレームにカプセル化を実施又は解除して，VTEP間でトンネルを構成する。レイヤ3のネットワーク上に構成されるオーバレイネットワークでは，UDPを使ったマルチキャスト通信に対する応答によって通信先のVTEPが特定され，VM間でのデータリンク層の通信を可能にする。VNIはVMのMACアドレスとひも付けされ，同じ値のVNIのVXLANセグメントに属するVM同士は，VMが同一サブネットの他の物理サーバや，異なるサブネットの物理サーバに移動しても，移動前と同じ通信手順でVM間の通信を継続できる。VTEPは，サーバ仮想化機構の仮想スイッチやVXLANゲートウェイに実装されている。

J君は，VXLANをY社の基盤ネットワークに導入したときの動作について検討した。Y社の基盤ネットワークへのVXLAN導入構成案を，図7に示す。図7では，物理サーバ1に存在していたVM3が，物理サーバ2に移動した状態を示している。

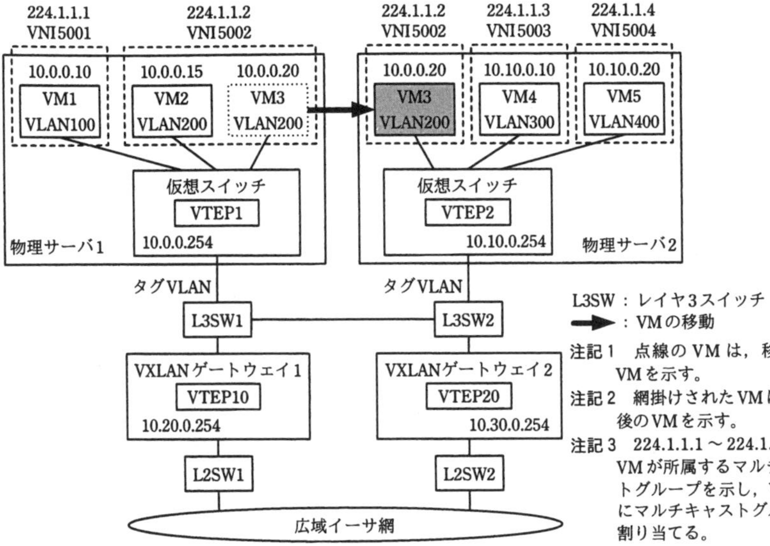

注記1　点線のVMは，移動前のVMを示す。
注記2　網掛けされたVMは，移動後のVMを示す。
注記3　224.1.1.1～224.1.1.4は，VMが所属するマルチキャストグループを示し，VNIごとにマルチキャストグループを割り当てる。

図7　基盤ネットワークへのVXLAN導入構成案（抜粋）

J君は，図7の構成でVXLANを導入したときのVM2とVM3間の通信方法について考え，VM3が物理サーバ2に移動したときの，VM2とVM3間の通信手順を，図8にまとめた。

（i）VM2は，VM3のMACアドレスを取得するために，ARP要求を送信する。
（ii）ARP要求を受信したVTEP1は，図6のカプセル化を行い，VXLANフレームを送信する。
（iii）VTEP1が送信したフレームは，L3SWで経路制御され，VTEP2に届く。
（iv）VTEP2は，VM3が物理サーバ2に移動してきていることを認めると，カプセル化を解除してARP要求をVM3宛てに転送する。
（v）VM3は，受信したARP要求に対して，ARP応答を送信する。
（vi）ARP応答を受信したVTEP2は，図6のカプセル化を行い，VXLANフレームを送信する。
（vii）VTEP2が送信したフレームは，L3SWで経路制御され，VTEP1に届く。
（viii）VTEP1は，VM2が物理サーバ1に存在することを認めると，カプセル化を解除してARP応答をVM2宛てに転送する。
（ix）VM2は，VM3のMACアドレスを取得したので，VM3宛ての通信を行う。
（以下，省略）

図8　VM2とVM3間の通信手順

J君は，広域イーサ網を介した顧客のPCとVM3間でも，移動後のVM3との通信は正常に行えることを確認した。基盤ネットワークにVXLANを導入することによって，顧客の増加に対応できる見通しが立ったので，検討結果をI主任に説明した。I主任は，VXLANの導入が効果的な改善策であると判断した。

I主任とJ君は検討結果を基に，グローバルIPアドレスの不足への対応策と基盤ネットワークの改善策及び今後の進め方をまとめ，T部長に報告した。

設問1　本文中の［　a　］～［　e　］に入れる適切な字句又は数値を答えよ。

設問2　〔NAT444の調査〕について，(1)，(2)に答えよ。

(1)　本文中の下線（あ）について，シェアードアドレスではなく，プライベートIPアドレスを用いたときに，インターネットアクセスができなくなる不具合が発生する可能性がある。どのような場合に発生するかを，図2中の機器名称を用いて，50字以内で述べよ。

(2)　顧客宅のPCがインターネット上のWebサーバにアクセスしたとき，PCを特定するのにWebサーバがログとして記録する必要がある情報を三つ挙げ，それぞれ10字以内で答えよ。

設問3　〔IPsecを利用する顧客への対応策〕について，(1)～(3)に答えよ。

(1)　表1中の下線（い）の認証エラーが発生する理由を，認証対象に着目して，60字以内で述べよ。

(2)　表1中の下線（う）のESPにおいてポート変換が行えない理由を，50字以内で述べよ。

(3)　本文中の下線（え）で必要とする変更を，50字以内で具体的に述べよ。

設問4　〔マルチキャスト通信の調査〕について，(1)～(3)に答えよ。

(1)　本文中の下線（お）について，フラッディングされるのはマルチキャストMACアドレスが学習されないからである。その理由を，40字以内で述べよ。

(2)　本文中の下線（か）について，IGMPが使用されない理由を，図5の通信内容に着目して，35字以内で述べよ。

(3)　表2中の［　ア　］に入れる適切なマルチキャストMACアドレスを答えよ。また，［　イ　］は，図5中の①～③のフレームを受信した順に遷移する。①を受信したとき，②を受信したとき，及び③を受信したときのポートIDを，それぞれ答えよ。ここで，表2は，PC1，PC2，PC3がマルチキャストグループに参加していない状態から，図5中の①～③のフレームを受信して作成されるものとする。

設問5　〔VXLANの導入検討〕について，(1)～(4)に答えよ。

(1)　本文中の下線（き）について，VLAN数の制限が緩和される理由を，25字以内で述べよ。

(2)　図８中の（ii）におけるVXLANの通信は，マルチキャストで行われる。ユニキャストで行われない理由を，20字以内で述べよ。また，（ii）のVXLANフレームの宛先IPアドレスと送信元IPアドレスをそれぞれ答えよ。

(3)　図８中の（iii）で送信されるマルチキャストパケットがVTEP2に届くのは，VM3が移動してきたことをVTEP2が知ったとき，VTEP2によって行われる通信の結果である。その通信について，宛先と送信されるパケットの内容を，60字以内で述べよ。

(4)　図８中の（vi）におけるVXLANの通信は，ユニキャストで行われる。仮に，VTEP間の通信が全てマルチキャストで行われる場合を想定したとき，物理サーバ，VM及びL3SWの数が多いネットワークの場合に顕在化する問題について，60字以内で述べよ。また，（vi）のVXLANフレームの宛先IPアドレスと送信元IPアドレスをそれぞれ答えよ。

問1　One Point

■ IPv4の枯渇対策

□ NAT444

NAT444は，IPアドレスとポート番号を対にした変換を２回行うことで，グローバルIPv4アドレスを節約する仕組みである。その要点は次のとおりである。

(1)　顧客にはグローバルIPv4アドレスに代えて，シェアードアドレスを割り振る

シェアードアドレスは，100.64.0.0/10のアドレス空間であり，プロバイダだけが自由に利用できる。いわば，プロバイダ専用のプライベートIPアドレスである。

(2)　同じシェアードアドレスが割り振られた顧客に対し，ポート番号空間を分配する

ポート番号は16ビットの値なので，60,000を超えるポート番号を利用できる。そこで，例えば問題文に倣って，１顧客あたり10,000のポート番号空間を割り当てたとすると，１つのシェアードアドレスで６顧客を同時に接続できる。そのため１顧客に１つグローバルIPアドレスを割り振る従来方式に比べ，グローバルIPアドレスを1/6に削減できる。

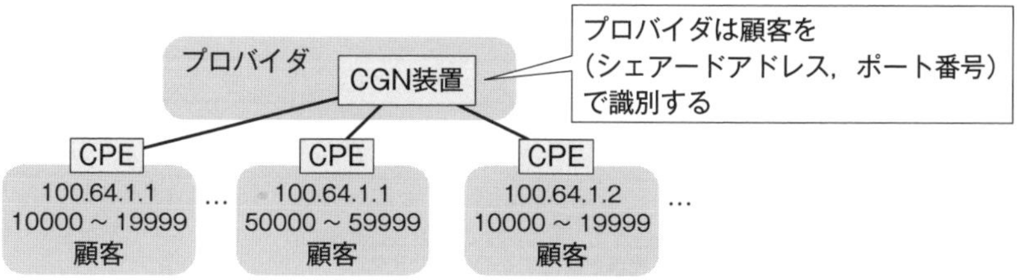

図9　シェアードアドレスとポート番号の分配

⑶　インターネットへの接続にNAPTを２回行う

顧客のPCからインターネットへ接続する際，NAPTを２回実施する。一度目は顧客宅のルータなどのCPE（顧客構内設備）が行うNAPTで，PCに設定されたプライベートIPアドレスが，顧客に割り振られたシェアードアドレスに変換される。二度目はプロバイダ内のCGN装置が行うNAPTで，シェアードアドレスがグローバルIPアドレスに変換される。

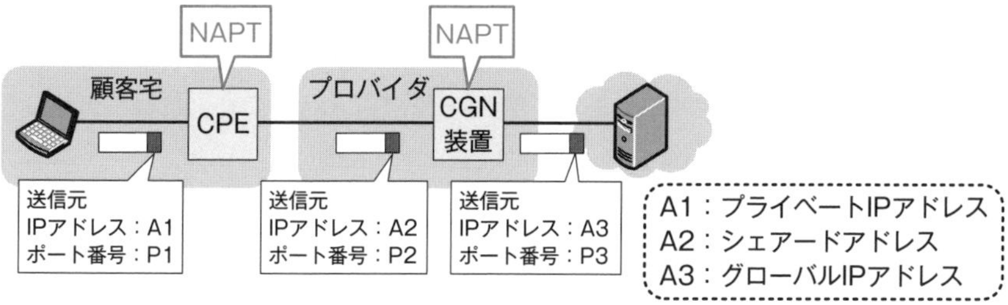

図10　２段階のNAPT

NAT444の“4”はIPv4アドレスのことです。つまりNAT444という名称は，３種類のIPv4アドレス（プライベートアドレス，シェアードアドレス，グローバルアドレス）を変換して利用することを表しているのです。

□ NAT/NAPTとIPsec

NAT/NAPTはグローバルIPアドレスを節約する有効な手段であるが，問題もある。特にIPsecとの相性の悪さが知られており，NAT/NAPT環境でIPsec通信を行うと不具合が生じる。その不具合は問題文にまとめられているので再掲する。

表3　問題文表１の再掲「NAT機器を経由したIPsec通信で発生する問題」

プロトコル名	問題の内容
AH	トランスポートモード，トンネルモードともに，（い）IP アドレス変換が行われると認証エラーが発生する。
ESP	トランスポートモード，トンネルモードともに，AH のような問題は発生しない。しかし，（う）どちらのモードでもポート変換を行えないので，ESP でカプセル化されたパケットは，NAT 機器を通過することができない。
IKE	ISAKMP メッセージは，送信元ポート，宛先ポートともに UDP の 500 番の使用が求められるので，NAT 機器でポート番号を変換できない。

(1)　AHで生じる問題 ☞ 2.5 Focus IPsec

AHはパケットの認証機能を提供するIPsecプロトコルであり，IPヘッダおよびTCPヘッダが認証範囲に含まれる。具体的には，送信側はIPヘッダ，TCPヘッダ，データ部をもとに認証のための値を計算して認証ヘッダに格納する。受信側は，認証ヘッダから取り出した値と受信パケットのIPヘッダ，TCPヘッダ，データ部から改めて計算した値を比較し，両者が一致した場合にパケットを認証する。

このようなパケットがNAT/NAPT機器を経由したとき，IPヘッダの送信元IPアドレスとTCPヘッダの送信元ポート番号が書き換えられてしまうため，認証に失敗してしまう。図11は認証の失敗をトランスポートモードで説明しているが，トンネルモードでも同様の問題が発生する。

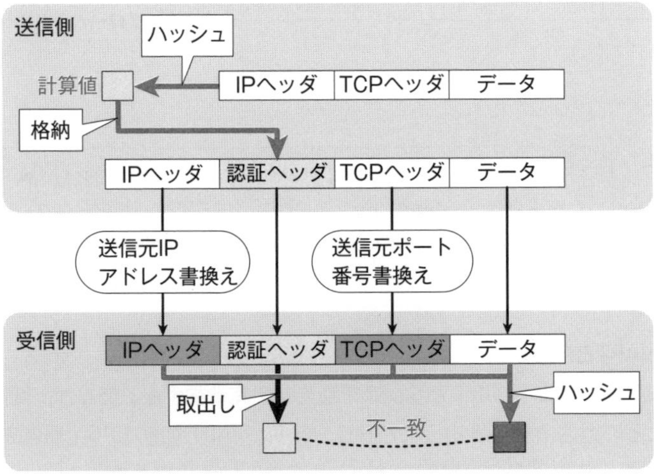

図11　認証エラー（トランスポートモード）

⑵ ESPで生じる問題 ☞ 2.5 Focus IPsec

ESPはパケットの暗号化と認証を行うために用いられるプロトコルであり，ESPヘッダにはポート番号が存在せず，トランスポートモード，トンネルモードともにTCP/UDPヘッダが暗号化範囲に含まれる。この暗号化されたパケットに対し，NAPT機器は送信元ポート番号の付替えを試みるが，送信元ポート番号は暗号化されているため参照も付替えも行うことができない。結果として，暗号化されたパケットはNAPT機器を通過できない。トランスポートモード，トンネルモードともに同様の問題が発生する。

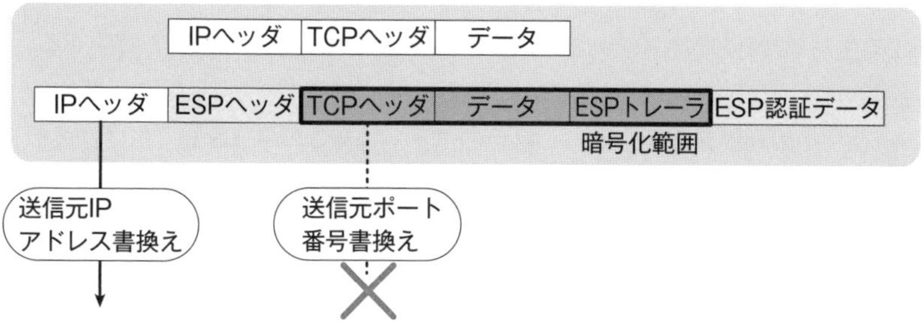

図12　暗号化通信エラー（トランスポートモード）

⑶ IKEで生じる問題 ☞ 2.5 Focus IPsec

IKEは暗号化に先立って行われる鍵交換のためのプロトコルであり，ISAKMPというフレームワークに基づいてメッセージ（ISAKMPメッセージ）が交換される。ISAKMPメッセージは，送信元ポートも宛先ポートもUDPポート番号500を固定で使用すると定められているため，NAPT機器で送信元ポート番号を変換することができない。

■ NATトラバーサル

さきほど「□ **NAT/NAPTとIPsec**」で述べた問題点を解決するため，NATトラバーサルと呼ばれるIPsecの拡張が定められた。その要点は次のとおりである。

① トランスポートモードおよびトンネルモードともに，NATトラバーサル用のUDPヘッダを付与する。このUDPヘッダは認証および暗号化範囲に含まれない。

② トランスポートモードの認証範囲からIPヘッダを外す。トンネルモードではトンネル用に付与する新IPヘッダを認証範囲から外す。

①②によって，認証および暗号化の範囲に含まれないIPヘッダおよびUDPヘッダが存在することになる。そのため，NAPT機器の付替えによる認証エラーも暗号化によるポート番号の付替えエラーも生じなくなり，AHやESPで生じた問題が解決する。

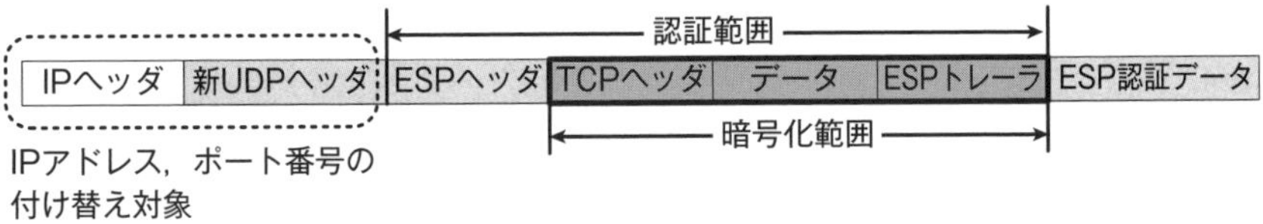

図13　NATトラバーサルのパケット（トランスポートモード）

IKEで生じる問題はNATトラバーサルではなく，IPsec機器の設定で解決する。IKEは当初はポート500を用いるが，NAPT機器の検出後はポート4500に変更してNATトラバーサルの利用を通知する。これらのポート番号はNAPT機器で付け替えられるため，IPsec機器はNAPTに備えて500および4500以外のポート番号も受信するよう設定する。

問1　解 説

［設問 1］

（aについて） ☞ 問1 One Point

問1 One Point で説明したとおり，NAT444は **3** 種類のIPv4アドレスを用いて運用される。

（bについて）

TCP/UDPポート番号は**16**ビットの番号で，0～65,535番までを表現できる。

（cについて） ☞ 3.5 **FTPサーバ**

FTPにはアクティブモードとパッシブモードがある。両者の違いは，データ転送において「クライアントが指定したポートに対してサーバがTCPコネクションの確立を試みる（アクティブ）」か「サーバが指定したポートに対してクライアントがTCPコネクションの確立を試みる（パッシブ）」かである。

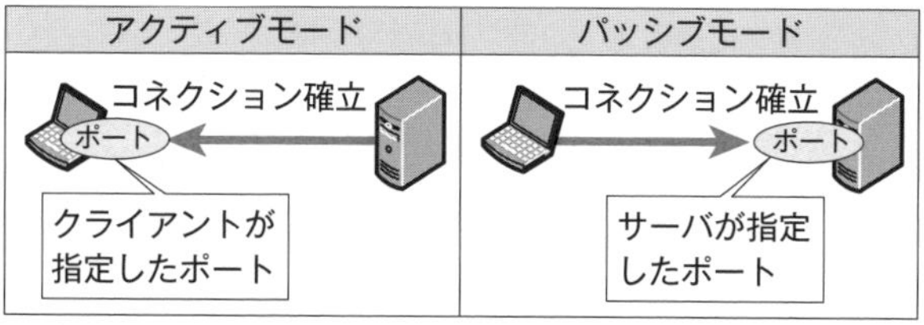

図14　アクティブモードとパッシブモード

以上より，空欄cには**アクティブ**が入る。

なお，NATが介在するインターネット接続ではFTPのアクティブモードは失敗する。なぜなら，クライアントはデータ転送用としてプライベートIPアドレスを用いたポートをサーバへ通知し，サーバはプライベートIPアドレスへデータ転送コネクションの確立を試みるからである。ところが，プライベートIPドレスはインターネットで中継されないためコネクション確立は失敗し，不具合となって現れる。

(dについて)

IPアドレスは，最上位部分のビットパターンによって，次のようにクラスAからクラスEまでの五つに分類されている。

表4　クラス

ビットパターン	クラス	IPアドレスの範囲
" 0"	クラスA	0.0.0.0～127.255.255.255
"10"	クラスB	128.0.0.0～191.255.255.255
"110"	クラスC	192.0.0.0～223.255.255.255
"1110"	クラスD	224.0.0.0～239.255.255.255
"1111"	クラスE	240.0.0.0～255.255.255.255

このうち，クラスDのIPアドレスをマルチキャスト用のIPアドレスと定義している。

(eについて) ☞ 2.2 Focus マルチキャストとIGMP

マルチキャストを行うフレームには，宛先に**マルチキャストMACアドレス**が指定される。マルチキャストMACアドレスは，マルチキャストIPアドレスから導出されるアドレスで，マルチキャストIPアドレスが設定されたホストは，対応するマルチキャストMACアドレスを宛先とするフレームを受信するよう動作する。

空欄 e 前後の「マルチキャスト」「フレーム」「NIC が動作」などの記述から，空欄 e にはマルチキャストに用いるデータリンク層のアドレスが入るということが分かります。

[設問2](1)

CPEとCGN装置間にプライベートIPアドレスを用いると，顧客宅のプライベートIPアドレスと重複するおそれがある。その結果，CPEのルーティングテーブルには，同一の宛先ネットワークに対してPC側とCGN装置側の二つのインタフェースが設定されることになり，正常な通信ができなくなる。以上のことから，インターネットアクセスができなくなるのは，**PCのネットワークアドレスと，CPEとCGN装置間のネットワークアドレスが重なったとき**である。

[設問2](2) ☞ 問1 One Point

問1 One Point で説明したとおり，NAT444環境下ではWebサーバへのアクセス時にCPEとCGN装置において二度のNAPTが発生する。また，それぞれのNAPTの結果はCPEとCGN装置のログに残されている。ここでは，それらのログを参照しながらWebサーバにアクセスしたPCを追跡するために必要な情報が問われている。

Webサーバのログからアクセスした PCを特定するためには，当該アクセスを行ったコネクションを特定する必要がある。そのためには当該アクセスにおける送信元IPアドレスと送信元ポート番号の組が不可欠である。ただし，Webサーバのログに残る送信元IPアドレスと送信元ポート番号はCGN装置によって付け替えられたもので，アクセスが終了すると使い回される。したがって，Webサーバのログには同一の送信元IPアドレスと送信元ポート番号の組を持つ複数のレコードが記録されている可能性がある。それらの中から，当該アクセスのコネクションを特定するためには，**送信元IPアドレス**と**送信元ポート番号**に加え，**アクセス時刻**が必要である。

これらの情報がWebサーバのログに残されていれば，当該アクセスを行ったPCは次の手順で特定できる。

[1] Webサーバのログから，当該アクセスにおける送信元IPアドレス，送信元ポート番号，アクセス時刻を取得する。
[2] 送信元IPアドレス（グローバルIPアドレス）をもとにCGN装置を特定する。
[3] 特定したCGN装置のNAPTログを検索し，NAPTによる変換前の送信元IPアドレス，送信元ポート番号，NAPTの実施時刻を取得する。

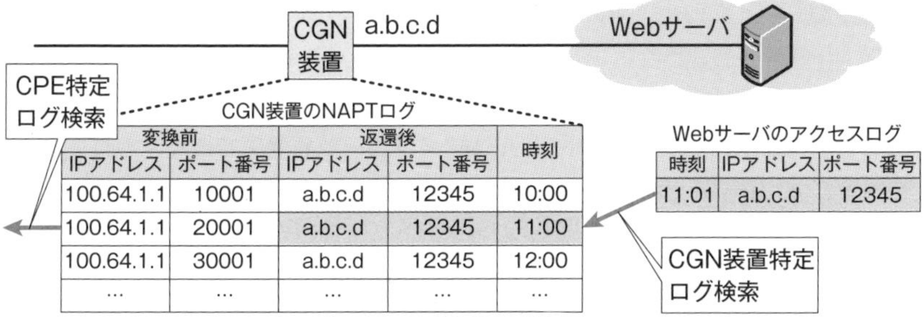

CGN装置のNAPTログ

変換前		返還後		時刻
IPアドレス	ポート番号	IPアドレス	ポート番号	
100.64.1.1	10001	a.b.c.d	12345	10:00
100.64.1.1	20001	a.b.c.d	12345	11:00
100.64.1.1	30001	a.b.c.d	12345	12:00
…	…	…	…	…

Webサーバのアクセスログ

時刻	IPアドレス	ポート番号
11:01	a.b.c.d	12345

図15　ログの検索

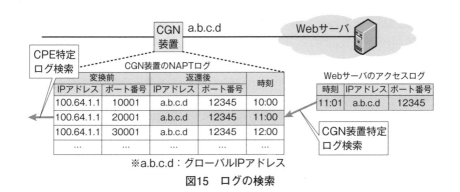

［4］CGN装置から取得した送信元IPアドレス（シェアードアドレス），送信元ポート番号から，顧客のCPEを特定する。

［5］［3］と同様にCPEのNAPTログを検索し，NAPTによる変換前のIPアドレス（プライベートIPアドレス）を取得してPCを特定する。

［設問3］(1) ☞ 問1 One Point

問1 One Point で述べたとおり，NAT/NAPTはAHの認証範囲であるIPヘッダとTCPヘッダを書き換えてしまう。そのため，送信側で付与した計算値と受信側で改めて算出した計算値が異なり，認証に失敗する。

設問では，IPアドレス変換に注目しているので，**IPヘッダが認証対象なので，IPアドレスを書き換えられると認証データが計算値と一致しなくなるから**のように解答すればよい。

［設問3］(2) ☞ 問1 One Point

問1 One Point で述べたとおり，ESPではTCP/UDPヘッダが暗号化されてしまう。そのため，NAPT機器は送信元ポート番号の付け替えができず，パケットがNAT機器を通過できない。これを文字数を考慮して**TCP又はUDPヘッダが暗号化の対象であり，ポート番号が暗号化されていて分からないから**などのように解答すればよい。

また，ESPで暗号化されたパケットは，IPヘッダにESPヘッダ，ESPペイロードが続き，このESPヘッダにはポート番号が存在しない。このことから，**ESPヘッダには，ポート番号が存在しないから**などのように解答してもよい。

[設問3] (3) ☞ 問1 One Point

問1 One Point で述べたとおり，NATトラバーサルにおけるIKEは，ポート500および4500を使用する。IPsec機器は，NAPTによるポート番号の書換えに備えて**送信元ポート番号が500と4500以外のISAKMPメッセージも受信できるようにする**よう設定する。

[設問4] (1) ☞ 2.2 Focus マルチキャストとIGMP

L2SWはフレームを受信した際に「送信元MACアドレスを持つ機器がフレームを受信したポートに接続されている」ことを学習するため，(送信元MACアドレス，送信元ポート番号) の組をアドレステーブルに記録する。ところが，マルチキャスト通信ではフレームはSender (ビデオサーバ) からReceiver (PC) への一方通行なので，**マルチキャストMACアドレスが送信元アドレスになることがない**。結果として，通常のマルチキャスト通信においては，L2SWはマルチキャストMACアドレスを持つ機器がどのポートに接続されているかは学習しない。

[設問4] (2) ☞ 2.2 Focus マルチキャストとIGMP

IGMPは，マルチキャストパケットを受信するReceiverがルータやスイッチに対して，マルチキャストグループへの参加／維持／離脱を通知するプロトコルである。ここで，マルチキャストグループは，同一のマルチキャストアドレスを持つReceiverの集まりである。

マルチキャストパケットを送信するSenderはマルチキャストグループではないため, IGMPは使用しない。これを問題文の図５の構成で言い換えると, **ビデオサーバは, マルチキャストパケットを送信する側だから**，ビデオサーバとルータ２との間ではIGMPは使用されない，となる。

[設問4] (3) ☞ 2.2 Focus マルチキャストとIGMP

設問４ (1) で述べたように，通常のマルチキャストフレームの送受信では，ルータやスイッチはマルチキャストMACアドレスを学習しない。ところが，ルータやスイッチがIGMPスヌーピングを実装している場合は，IGMPメッセージの中身をのぞき見することで，マルチキャストMACアドレスを学習できる。

問題文の図５の順序でICMPメッセージを受けた場合の，L2SWのMACアドレステーブルの変化を図16に示す。

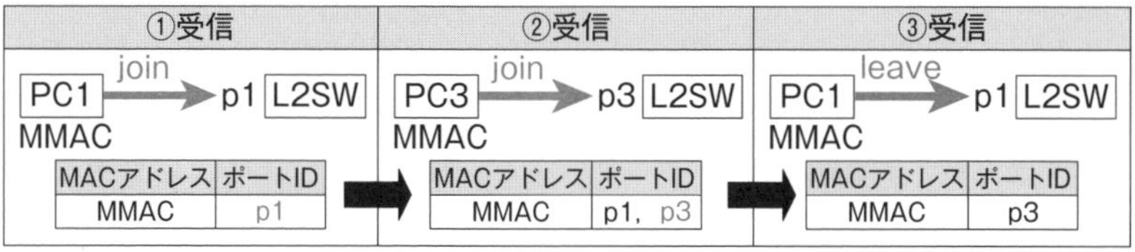

※MMAC：マルチキャストMACアドレス
p1，p3：L2SWのポートID

図16　L2SWのMACアドレステーブルの変化

(アについて)

空欄アには，図５のマルチキャストグループに対応するマルチキャストMACアドレスが入る。マルチキャストMACアドレスはマルチキャストIPアドレスから生成されるアドレスであり，具体的には，上位24ビットは固定値（01-00-5e），下位24ビットのうち先頭ビットが０，残り23ビットがマルチキャストIPアドレスの下位23ビットとなる。

マルチキャストグループに設定されたマルチキャストIPアドレスは224.1.1.1なので，対応するマルチキャストMACアドレスは**01-00-5e-01-01-01**である。

(イについて)

図16に示したとおり，①～③を受信することでL2SWのMACアドレステーブルのポートIDは，①：**p1** → ②：**p1，p3** → ③：**p3**と変化する。

[設問５]（1） ☞ 2.3 Focus **VXLAN**

〔基盤ネットワークの課題とその対応〕にも記されているとおり，IEEE802.1Qで規定されたVLAN数の制限は4,094である。これは，VLANが12ビットのVLANタグで識別していることに理由がある。これに対してVXLANは24ビットのVNIでネットワークを識別するため，最大2^{24}（＝16,777,216）のVXLANセグメントを構成することができる。よって，VXLANではIEEE802.1QにおけるVLAN数の制限はほぼ解消されている。

解答は字数を考慮して，**2^{24}のVXLANセグメントが構成できるから**，あるいは**膨大な数の論理セグメントが構成できるから**などと答えればよい。

[設問５]（2）

VXLANでは，同一のLANセグメントへのブロードキャストは，VXLANセグメントへのマルチキャストで実装される。これを効率的に行うため，VNIごとにマルチキャストIPアドレスを割り振ることが推奨されており，VTEPはそれに応じた転送を行う。

VTEPがユニキャスト／マルチキャストのいずれを用いるかは，送信元となるVTEPが宛先VTEPを知っているかどうかによる。宛先VTEPを知っている場合，送信元のVTEPは宛先VTEPを指定したVXLANヘッダでフレームをカプセル化して，宛先VTEPへユニキャストする。宛先VTEPを知らない場合，送信元のVTEPは宛先VMが所属するVXLANへのマルチキャストIPアドレスを指定したカプセル化を行い，マルチキャストを行う。

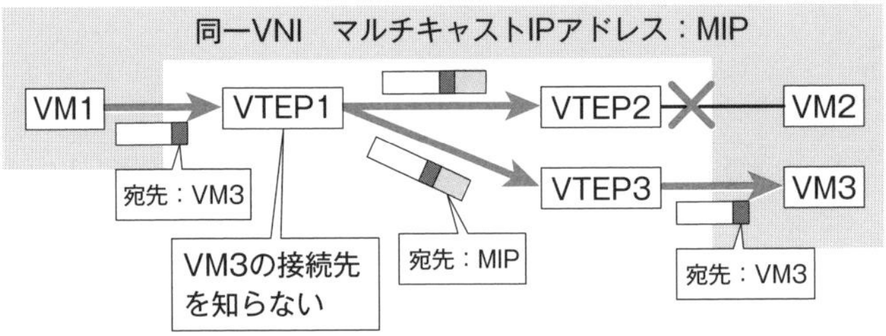

図17　VXLANフレームの転送（マルチキャスト）

●理由について

問題文の図７において，宛先となるVM3はVTEP1からVTEP2へ移動した。しかしこの段階では，VTEP1はVM3の移動先がどのVTEPなのかは知ることができない。そのため，VTEP1はユニキャストを行うことはできない。解答は，**宛先となるVMの存在場所が不明だから**などとすればよい。

●IPアドレスについて

VTEP1は，VM3が所属するVXLAN（VNI5002）へのマルチキャストを行う。その宛先IPアドレスは，VNI5002に割り振られたマルチキャストIPアドレスである**224.1.1.2**となる。

VTEP1が付与するVXLANヘッダは，VTEP1を送信元とするトンネリング用のヘッダである。そのため，送信元IPアドレスはVTEP1の**10.0.0.254**となる。

[設問５]（3）

これまで述べてきたように，個々のVXLANはVNIで区別されるマルチキャストグループで実装される。そのため，VXLANからVMを取り外すことは「マルチキャストグループからの離脱」，VXLANへのVMの接続は「マルチキャストグループへの参加」で実装される。そのため，VM3をVTEP1からVTEP2へ移動する場合は，

［1］VM3がVTEP1へIGMP leaveメッセージを送り，VNI5002（224.1.1.2）から離脱する

［2］VM3がVTEP2へIGMP joinメッセージを送り，VNI5002（224.1.1.2）へ改めて参加する

という手順を踏む。VM3が移動してきたことをVTEP2が知るのは［2］の場合で，［2］の結果VTEP2が行う**マルチキャストグループ224.1.1.2のIGMP joinメッセージを，L3SW2に送信する**という通信の結果，VTEP1が送信したフレームがVTEP2に届くようになる。

［設問5］(4)

●問題について

設問5 (2) で見たとおり，マルチキャストは宛先の位置が不明な場合でもパケットを届けることが可能となるが，（宛先の位置が分かっていれば）本来は転送が不要な経路にもパケットを送ってしまうので，機器やネットワークへの負荷が高まる。この負荷は，転送経路の少ないネットワークであればそれほど問題になることはないが，多数の物理サーバやVM，L3SWが接続された転送経路が多いネットワークでは，問題が顕在化するおそれがある。解答は，文字数を考慮して**不要なマルチキャストパケットがネットワーク内に転送されるので，L3SWやネットワークの負荷が高まる**などと答えればよい。

●IPアドレスについて

問題文の図8中の（vi）のVXLANフレームは，VM3からVM2へのARP応答をカプセル化したものである。したがって，トンネルの終端ポイントとなるVTEP2からVTEP1へ送られるはずである。また，設問文中で述べられているように，このVXLANの通信はユニキャストで行われる。したがって，宛先IPアドレスはVTEP1の**10.0.0.254**，送信元IPアドレスはVTEP2の**10.10.0.254**となる。

問1 解答

設問		解答例・解答の要点		
設問1		a	3	
		b	16	
		c	アクティブ	
		d	D	
		e	マルチキャストMACアドレス	
設問2	(1)	PCのネットワークアドレスと，CPEとCGN装置間のネットワークアドレスが重なったとき		
	(2)	① ② ③	・送信元IPアドレス ・送信元ポート番号 ・アクセス時刻	
設問3	(1)	IPヘッダが認証対象なので，IPアドレスが書き換えられると認証データが計算値と一致しなくなるから		
	(2)	・TCP又はUDPヘッダが暗号化の対象であり，ポート番号が暗号化されていて分からないから ・ESPヘッダには，ポート番号が存在しないから		
	(3)	送信元ポート番号が500と4500以外のISAKMPメッセージも受信できるようにする。		
設問4	(1)	マルチキャストMACアドレスが送信元アドレスになることがないから		
	(2)	ビデオサーバは，マルチキャストパケットを送信する側だから		
	(3)	ア	01-00-5e-01-01-01	
		イ	①を受信したとき	p1
			②を受信したとき	p1，p3
			③を受信したとき	p3
設問5	(1)	・2^{24}のVXLANセグメントが構成できるから ・膨大な数の論理セグメントが構成できるから		
	(2)	理由	宛先となるVMの存在場所が不明だから	
		宛先IPアドレス	224.1.1.2	
		送信元IPアドレス	10.0.0.254	
	(3)	マルチキャストグループ224.1.1.2のIGMP joinメッセージを，L3SW2に送信する。		
	(4)	問題	不要なマルチキャストパケットがネットワーク内に転送されるので，L3SWやネットワークの負荷が高まる。	
		宛先IPアドレス	10.0.0.254	
		送信元IPアドレス	10.10.0.254	

※IPA発表

問2 WAN回線の冗長化設計 （出題年度：H28問2）

WAN回線の冗長化設計に関する次の記述を読んで，設問1～5に答えよ。

Y社は，従業員400名の医療機器販売会社で，東京本社の他に名古屋，大阪，福岡に営業所がある。本社と営業所間は，広域イーサネットサービス網（以下，広域イーサ網という）で接続されている。本社で各種のサーバを運用し，営業所は，広域イーサ網経由でサーバにアクセスしている。また，本社及び営業所からのインターネットアクセスは，本社のプロキシサーバ経由で行っている。現在のY社のネットワーク構成を図1に示す。

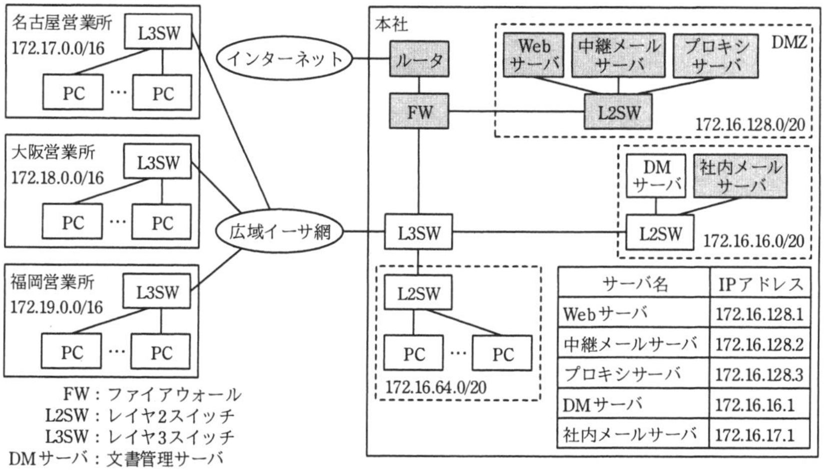

注記1　網掛け部分は，データセンタに移設する予定の機器を示す。
注記2　FWは，ルータに接続するポートでNATを行っている。
注記3　広域イーサ網へのアクセス回線は，本社が100Mビット／秒，営業所が10Mビット／秒である。
注記4　インターネットへのアクセス回線は，100Mビット／秒である。

図1　現在のY社のネットワーク構成

このたび，Y社では，WAN回線の可用性向上を目的に，ネットワーク再構築プロジェクトを発足させた。プロジェクト責任者には情報システム部のM課長が任命され，M課長は，ネットワーク担当のN主任とJ君をプロジェクトメンバに指名し，新ネットワークの検討を指示した。その際，M課長が示した新ネットワークの要件を，次に示す。

・インターネットVPNを新たに導入してWAN回線を冗長化し，アクセス先のサーバ

によって使用するWAN回線を分け，WAN回線を有効に活用すること
・本社のDMサーバ以外のサーバを，Z社のデータセンタに移設する。このとき，サーバのIPアドレスの変更が生じないようにすること

N主任は，インターネットVPNと既設の広域イーサ網間でOSPFを稼働させれば，これらの要件を満たすことができると考えた。そこで，J君に，インターネットVPNの構築技術の検討を指示した。

〔インターネットVPNの構築技術の検討〕

J君はまず，インターネットVPNの構築に広く利用されているIPsecを調査し，その結果を次のとおり整理した。

(1) IPsecルータ
- IPsecで使用される認証方式，暗号化方式，暗号鍵などは，IPsecルータ同士によるIKE（Internet Key Exchange）のネゴシエーションによって，IPsecルータ間で合意される。この合意は，SA（Security Association）と呼ばれる。
- SAの内容が確定すると，SAに関連付けされたSPI（Security Parameters Index）が，［ア］ビットの整数値で割り当てられる。SPIは，IPsec通信の各パケット中に挿入され，そのパケットに適用されたSAの識別キーとなる。
- IPsecルータは，通信相手のIPsecルータにパケットを送信するとき，IPsec通信を行うか否か，IPsec通信を行うときはどのSAを使うかなど，当該パケットに施す処理を示したセキュリティポリシ（以下，SPという）を選択する。処理には，PROTECT（IPsecを適用して送信），BYPASS（IPsecを適用せずに送信），DISCARD（廃棄）の３種類がある。
- SPを選択するキーを［イ］と呼び，IPアドレス，プロトコル，ポート番号などが利用される。SPは，SPデータベースで管理される。SPデータベースは経路表に似た構造をもっている。
- IPsecルータは，通信相手のIPsecルータからパケットを受信すると，パケット中のSPIでSAを識別し，当該SAに関連する情報を取り出す。その情報を基に，受信したパケットを処理する。

(2) IPsecの通信
- IPsecの通信手順は，図２のとおりである。

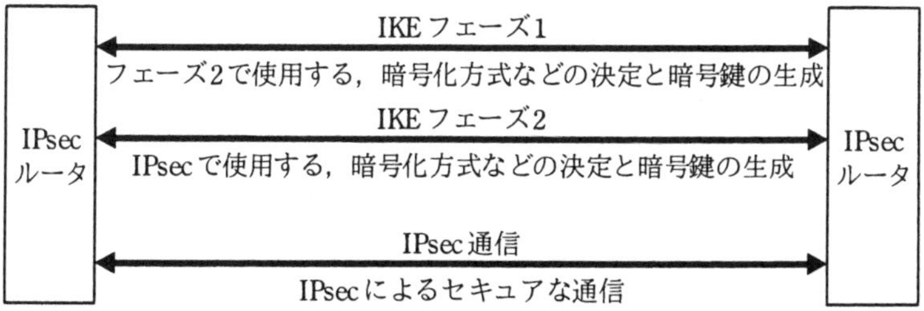

図２　IPsecの通信手順

・IKEフェーズ１では，IKEフェーズ２で使用するISAKMP（Internet Security Association and Key Management Protocol）SA又はIKE SA（以下，両方をISAKMP SAという）に必要なパラメータの交換，鍵交換及び認証が行われる。IKEフェーズ１には，メインモードと［　ウ　］モードがある。メインモードでは３往復の通信が行われるが，［　ウ　］モードは１往復半の通信で完了する。IKEフェーズ１で決定されるパラメータを表１に示す。

表１　IKEフェーズ１で決定されるパラメータ（抜粋）

パラメータ	説明
暗号化方式	ISAKMP メッセージの暗号化アルゴリズム
ハッシュ方式	ISAKMP メッセージの完全性の検証と鍵計算に使用するハッシュアルゴリズム
ライフタイム	ISAKMP SA の生存期間
認証方式	IPsec 通信相手機器の認証方式
鍵交換方式	鍵交換のためのアルゴリズム

・IKEフェーズ２では，IPsec SAに必要なパラメータが決定される。IKEフェーズ２で決定されるパラメータを表２に示す。

表２　IKEフェーズ２で決定されるパラメータ（抜粋）

パラメータ	説明
セキュリティプロトコル	IPsec 通信で使用するセキュリティプロトコル
暗号化方式	IPsec 通信で使用する暗号化アルゴリズム
認証方式	IPsec 通信で使用する認証アルゴリズム
ライフタイム	IPsec SA の生存期間
通信モード	トンネルモード又はトランスポートモード

・IKEフェーズ２の通信は，IKEフェーズ１で確立したISAKMP SAを使って行われる。IKEフェーズ２では，１往復半の通信でIPsec SAを確立する。IPsec通信は，IKEフェーズ２で確立したIPsec SAを使って行われる。
・IPsecは，暗号化機能とトンネリング機能をもち，通信相手のIPsecルータの認証，安全な鍵生成，転送データの暗号化，転送データの完全性の認証などを行う。
・トンネリングは，インターネットのような共用ネットワーク上の２点間で，仮想の専用線を構築することである。トンネリングは，あるプロトコルのトラフィックを別のプロトコルでカプセル化することで実現する。
・IPsecでは，ユニキャストのIPパケットをカプセル化して転送する。

調査の結果，(a)Y社で検討中のIPsecルータは，OSPFの通常の設定では，リンクステート情報の交換パケットをカプセル化できないので，J君は，IPsecによってインターネットVPNを構築したとき，OSPFを稼働することができないと考えた。静的経路制御でも広域イーサ網との間で負荷分散を行うことができるが，運用管理を容易にするためにOSPFを稼働させたい。

そこで，J君は，調査結果を基にN主任に相談したところ，“他のトンネリング技術についても調査するように”という指示を受けた。

〔トンネリング技術の調査〕

ネットワーク層のプロトコルをトンネリングするプロトコルには，GRE（Generic Routing Encapsulation）があり，データリンク層のプロトコルをトンネリングするプロトコルには，L2TP（Layer 2 Tunneling Protocol）がある。

J君が調査した結果，OSPFのリンクステート情報の交換パケットをGRE又はL2TPでカプセル化すれば，そのパケットはIPsecでカプセル化できるので，インターネットVPNでOSPFを稼働できることが分かった。

そこで，J君はまず，GREを調査した。

GREは，RFC 1701，RFC 2784で仕様が公開されている。GREは，ネットワーク層のプロトコルのパケットをカプセル化して転送する機能をもつ。GREでは，IPブロードキャストもIPマルチキャストパケットもカプセル化して転送できる。カプセル化とカプセル化の解除は，GREトンネリングを行う両端の機器で行われる。IPパケットがGREでカプセル化されたときのパケット形式を，図3に示す。

項目名	IP ヘッダ1	GRE ヘッダ	IP ヘッダ2	TCP/UDP ヘッダ	データ
バイト数	20	4	20	20	あ
			元のIPパケット（IPヘッダ2～データ）		

図3　IPパケットがGREでカプセル化されたときのパケット形式

IPパケットをGREでカプセル化すると，カプセル化された元のパケットの宛先への［　エ　］情報をインターネットがもたなくても，元のパケットによるエンドツーエンドの通信が可能になる。GRE利用時の通信例を図4に示す。

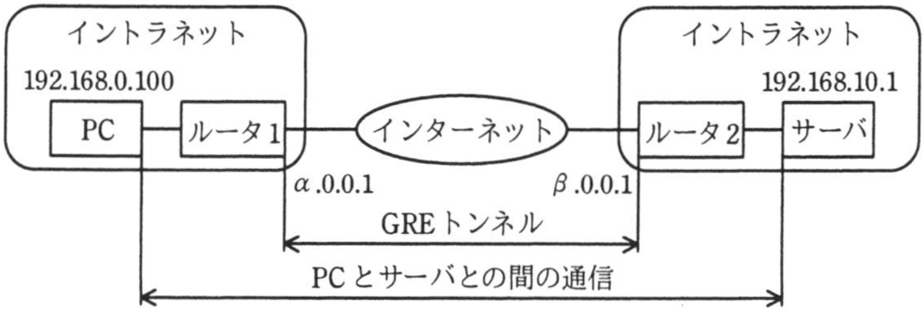

注記　α.0.0.1，β.0.0.1は，グローバルIPアドレスを示す。

図4　GRE利用時の通信例

図3に示したカプセル化によって，図4中の，GREトンネルインタフェースのMTUは，イーサネットインタフェースのMTUよりも24バイト小さくなる。このとき，図4中のPC及びサーバのイーサネットインタフェースのMTUサイズを適切な値に変更することによって，パケットの［　オ　］を防げる。

次に，J君は，RFC 2661で仕様が公開されているL2TPを調査した。

L2TPは，PPPフレームをカプセル化して転送する機能をもつ。カプセル化とカプセル化の解除は，L2TPトンネリングを行うLAC（L2TP Access Concentrator）又はLNS（L2TP Network Server）の機能をもつ両端の機器で行われる。LACは，トンネリングを要求する機器で，LNSは受け入れる機器である。L2TPでカプセル化されたときのパケット形式を，図５に示す。

項目名	IP ヘッダ1	UDP ヘッダ	L2TP ヘッダ	PPP ヘッダ	IP ヘッダ2	TCP/UDP ヘッダ	データ
バイト数	20	8	16	2	20	20	い

（PPPヘッダからデータまで：元のPPPフレーム）

図５　L2TPでカプセル化されたときのパケット形式

L2TPを利用することによって，LAC機能を実装したPCは，LNS機能をもつVPN装置にインターネット経由で接続して，イントラネット内のサーバにリモートアクセスできる。PCがPPPoEでWANに接続する構成における，L2TP利用時の通信例を図６に示す。

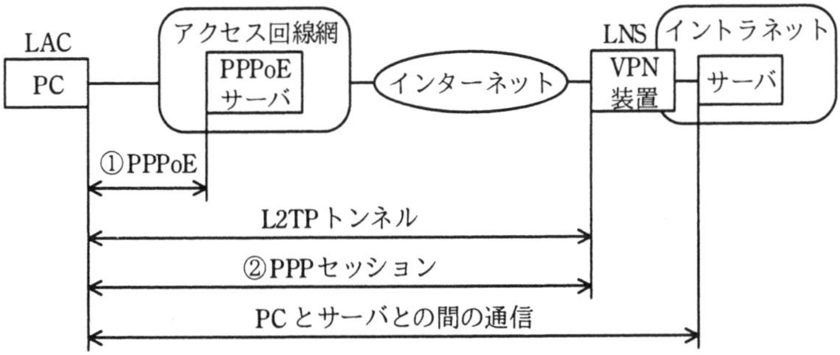

注記　本例では，PCがPPPoEによって，IPアドレスを動的に取得する構成例を示す。

図６　L2TP利用時の通信例

J君は，GRE及びL2TPの機能と動作については理解できたが，どちらのプロトコルを利用すべきか判断できなかったので，調査結果を基にN主任に相談した。N主任からは，"トンネリングプロトコルを使用する目的と，使用したときの影響の度合いを考慮して判断するように"という指示を受けた。

J君は，(b)GREを利用することにして，GRE over IPsecを稼働させる方法について検討した。

〔GRE over IPsecの稼働方法の検討〕

インターネットVPNではデータの暗号化が必要になるので，ESPを利用する。(c)通信モードは，トランスポートモードを選択する。そのときの，GRE over IPsecのパケット形式を図７に示す。

元のパケットの構成

項目名	IP ヘッダ	TCP/UDP ヘッダ	データ

カプセル化されたパケットの構成

項目名	IP ヘッダ1	ESP ヘッダ	GRE ヘッダ	IP ヘッダ2	TCP/UDP ヘッダ	データ	ESP トレーラ	ESP 認証データ
バイト数	20	8	4	20	20	可変	不定	不定

図７　GRE over IPsecのパケット形式

J君は，GRE over IPsecを稼働させたときのOSPFの通信の概要を図８にまとめた。

図８　GRE over IPsecを稼働させたときのOSPFの通信の概要

図７に示したように，GRE over IPsecを稼働させるとカプセル化のオーバヘッドが大きくなる。そこで，必要に応じてIPsecルータでMSS（Maximum Segment Size）を適切な値に書き換えるとともに，トンネルインタフェースに適切なMTUの値を設定する。

図８中のIPsecルータには，IPsec，GRE及びOSPFの設定を行う。PCとサーバからインターネットVPN向けに送信されるパケット，及びOSPFによってインターネットVPNに広告されるリンクステート情報には，GREによるカプセル化とIPsecによる暗号化を設定する。

J君は，GRE over IPsecの稼働方法をまとめた後に，WANの設計を行った。

〔WANの設計〕

現在使用中の広域イーサ網へのアクセス回線は，継続して使用する。本社とデータセンタ間は，10Mビット／秒の専用線を新たに導入して直接接続する。インターネットVPNのアクセス回線は，営業所に100Mビット／秒，データセンタに1Gビット／秒のものを新たに導入する。本社では，既設のインターネットアクセス回線をインターネットVPNのアクセス回線として転用する。データセンタには，インターネットアクセス用に，1Gビット／秒のアクセス回線を導入する。インターネットに公開されるDMZのサーバのグローバルIPアドレスは，FWの静的NAT機能によって，サーバに設定されているプライベートIPアドレスに変換される。J君が設計したWAN回線の構成を図9に示す。

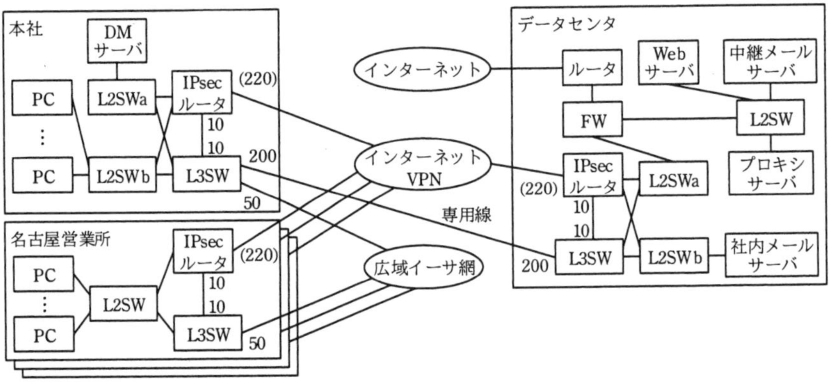

注記1　大阪営業所と福岡営業所は，名古屋営業所と同構成である。
注記2　IPsec ルータと L3SW のポートの数値は，OSPF で設定するコスト値である。
注記3　IPsec ルータのポートに示した ( ) 内の数値は，トンネルインタフェースに設定するコスト値を示す。

図9　J君が設計したWAN回線の構成

図9中のIPsecルータとL3SWでOSPFを稼働させる。インターネットVPNは，データセンタと本社間，及びデータセンタと営業所間で設定する。

図9中の，本社，営業所及びデータセンタ内のL3SWとIPsecルータ間では，それぞれVRRPを稼働させる。OSPFのリンクステート情報の交換は，L3SWとIPsecルータのWANへのアクセス回線を接続するポートだけでなく，L3SWとIPsecルータを直接接続するポートでも行わせる。このとき，L3SWとIPsecルータのポートには，図中に示したコスト値を設定する。

図9に示したWAN回線の構成で，図中のコスト値を設定することによって，営業所のPCからサーバへのアクセスは，広域イーサ網とインターネットVPNを使い分けることができる。PCからサーバへのアクセス経路の一覧を表3に示す。

表３　Bさんが作成した拠点別の移行作業（抜粋）

障害箇所	送信元	宛先	経路
なし	本社の PC	データセンタのサーバ	PC→専用線→データセンタ→サーバ
		インターネット	<u>(d) PC→専用線→データセンタ→プロキシサーバ</u>→インターネット
		DM サーバ	PC→DM サーバ
	営業所の PC	データセンタのサーバ	PC→インターネット VPN→データセンタ→サーバ
		インターネット	PC→インターネット VPN→データセンタ→プロキシサーバ→インターネット
		DM サーバ	PC→広域イーサ網→本社→DM サーバ
名古屋営業所のインターネット VPN 接続	名古屋営業所の PC	データセンタのサーバ	PC→［　う　］→データセンタ→サーバ
		インターネット	PC→［　う　］→データセンタ→プロキシサーバ→インターネット
		DM サーバ	変更なし
名古屋営業所の広域イーサ網接続	名古屋営業所の PC	データセンタのサーバ	変更なし
		インターネット	変更なし
		DM サーバ	PC→［　え　］→本社→DM サーバ

以上の検討を基に，J君はM課長から示された要件を満たすWAN回線の冗長化構成の設計を完了させ，検討結果をN主任に説明した。N主任は，設計内容に問題がないことを確認し，J君とともに検討結果をM課長に報告したところ，設計内容が承認された。

設問1　本文中の［　ア　］～［　オ　］に入れる適切な字句又は数値を答えよ。

設問2　〔インターネットVPNの構築技術の検討〕について，(1)～(3)に答えよ。

(1)　表２中のライフタイムの終了時点に，IPsecルータで行われる処理を答えよ。

(2)　表２中の認証方式によって認証できる対象と，その認証内容を，40字以内で述べよ。

(3)　本文中の下線(a)について，カプセル化できない理由を，“OSPF” 及び “リンクステート情報” という字句を用いて，40字以内で述べよ。

設問3　〔トンネリング技術の調査〕について，(1)～(4)に答えよ。

(1)　図３中の［　あ　］及び図５中の［　い　］に入れる最大バイト数を，それぞれ答えよ。ここで，ジャンボフレームは使用されないものとする。

(2)　図４中のPCからサーバへの通信における，図３中のIPヘッダ1とIPヘッダ

第4章

午後問題演習編

2の送信元IPアドレス及び宛先IPアドレスを，図４中の字句を用いて，それぞれ答えよ。

(3) 図６中の①及び②の通信でPCが取得するIPアドレスが格納されるヘッダを，図５中の項目名でそれぞれ答えよ。

(4) 本文中の下線(b)について，GREを利用する利点を，L2TPを利用する場合と比較して，60字以内で述べよ。

設問4 〔GRE over IPsecの稼働方法の検討〕について，(1)～(3)に答えよ。

(1) 本文中の下線(c)については，トンネルモードで行う必要がない。その理由を，トンネリングに着目して，20字以内で述べよ。

(2) 図７中のESP認証データ長は，表２中のパラメータで選択された方式によって変化する。その理由を，40字以内で述べよ。

(3) 図７において，暗号化される項目名を全て答えよ。

設問5 〔WANの設計〕について，(1)～(6)に答えよ。

(1) 図９の構成において，図１の構成からサーバをデータセンタに移設するのに伴い，サブネットを再設計して，データセンタに移動するサブネットを全て答えよ。ここで，移動するサブネットのプレフィックス長は16，20又は24とする。

(2) 図９中のデータセンタのIPsecルータ，L3SW，L2SWa及びL2SWbの間でレイヤ２のループを発生させないためには，どのようにサブネットを設計すればよいか。“L2SWa”及び“L2SWb”という字句を用いて，30字以内で述べよ。

(3) 図９において，本社，営業所及びデータセンタで設定する仮想IPアドレスの最少の個数を，それぞれ答えよ。

(4) 図９中の名古屋営業所のIPsecルータとL3SWを直接接続する経路が切断されたときの，名古屋営業所のPCから本社及びデータセンタのサーバへのアクセス経路を，“VRRPのマスタルータ”という字句を用いて，60字以内で述べよ。

(5) 表３中の下線(d)について，インターネットVPN経由の経路とならないことを，コスト値を示して，60字以内で述べよ。ここで，PCが接続するVRRPのマスタルータは，L3SWで稼働しているものとする。

(6) 表３中の［　う　］，［　え　］に入れる適切な経路を，表３中の表記に従って全て列挙せよ。

問2 One Point

■ IPsec

本問のテーマはインターネットVPNを用いたWAN回線の冗長化である。VPNはIPsecを用いて構築しており，本問の前半ではIPsecに関する知識が出題された。IPsecについては，2.5 Focus IPsecでもとりあげているが，ここでは改めてSAや鍵交換について説明する。第2章の説明と併せてよく理解してほしい。

□ SA（Security Association）

IPsecはさまざまなレベルのセキュア通信を提供する。そこで，通信を行うにあたり通信相手との間で認証や暗号化などの方式を交渉して合意しなければならない。このような合意をSAと呼び，セキュア通信は確立されたSA上で行われる。その意味で，SAは「IPsecにおける仮想的な通信路」と考えればよい。

□ IKE（Internet Key Exchange）

IKEは，インターネット上で安全に共通鍵を交換するためのプロトコルである。前述のSAは，IKEの処理結果として確立される。IKEはバージョン1から2へと規格化が進んでいる。

IKEバージョン1は2つのフェーズを通してSAを確立する。まず，IKEフェーズ1で鍵交換用のSA（ISAKMP SA）を確立し，IKEフェーズ2で暗号化通信用のSA（IPsec SA）を確立する。IKEフェーズ1にはメインモードとアグレッシブモードがある。メインモードはIDにIPアドレスを用いるため，始動側と受動側は固定IPアドレスを割り当てる必要がある。一方，アグレッシブモードは利用者が定めたIDを用いるため，動的なIPアドレスで接続できる。一般的にメインモードはサイト間接続型VPNに，アグレッシブモードはリモートアクセス型VPNに用いられる。

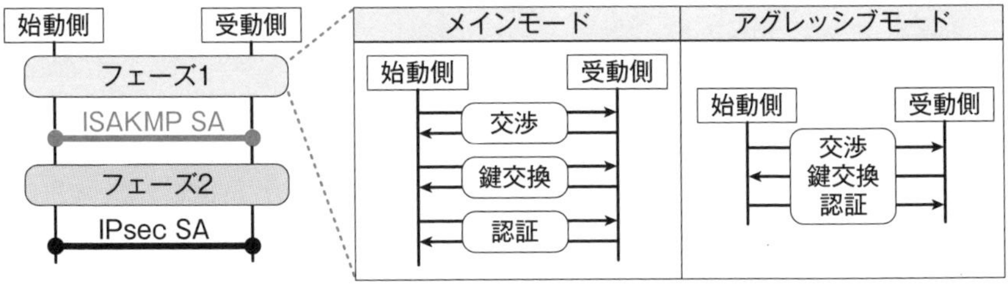

図10　IKEバージョン１

IKEバージョン１は，IPsec以外のプロトコルにも対応するため手順が複雑になっていた。IKEバージョン２は，IPsec専用の鍵交換プロトコルに特化することで手順を簡素化した。IKEバージョン２ではフェーズが廃止され，メインモードやアグレッシブモードという区別もない。

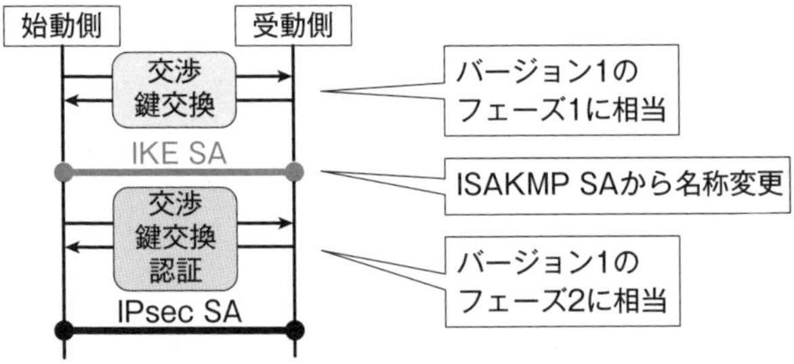

※フェーズ自体は廃止されたが，慣例的にフェーズ1，2という用語を用いることもある

図11　IKEバージョン２

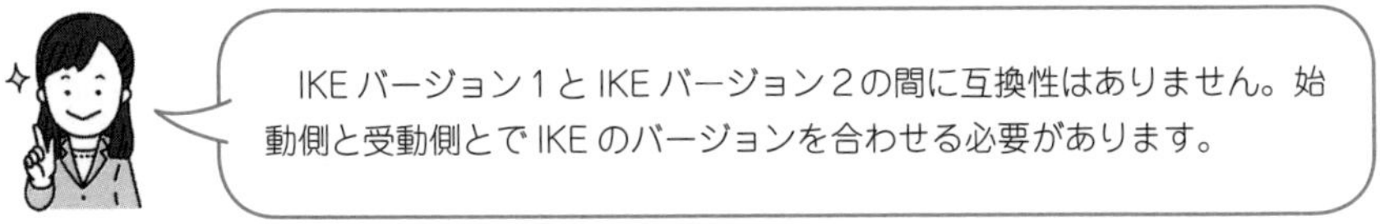

IKE バージョン１と IKE バージョン２の間に互換性はありません。始動側と受動側とで IKE のバージョンを合わせる必要があります。

□暗号化パラメータの交渉

IKEでは暗号化パラメータの交渉が行われる。具体的には始動側が受動側に暗号化パラメータの提案（プロポーザル）を行い，これに受動側が返信することで合意をとる。この交渉はIKEのフェーズ１とフェーズ２のそれぞれで行われる。

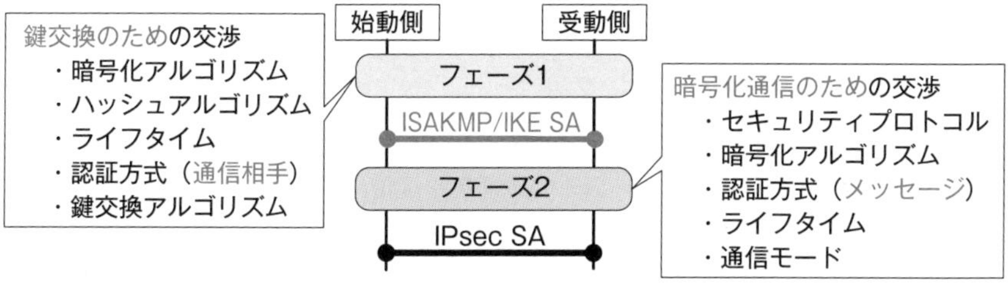

図12　暗号化パラメータの交渉

フェーズ１では鍵交換のための交渉が行われる。ここで合意する各種アルゴリズムは鍵交換のためのアルゴリズムで，ライフタイムは鍵交換用のISAKMP SAのものである。なお，認証方式はIPsec通信における通信機器の正当性を認証する方式である。

フェーズ２ではIPsecによる暗号化通信のための交渉が行われる。ここで合意する暗号化アルゴリズムはIPsec通信に用いるもので，ライフタイムはIPsec SAのものである。また，認証方式はメッセージの完全性（改ざんされていないこと）を確認する方式である。

問2　解 説

本問はIKEバージョン１を出題している。そのため，以降の解説では特に断りのない限り，IKEと表記した場合はIKEバージョン１を指すものとする。

[設問１]

（アについて） ☞ 2.5 Focus IPsec

SPI（Security Parameters Index）は，SAを識別するために用いられる**32**ビットの整数値である。AHやESPのヘッダにはSPIを設定するフィールドがあり，通信相手は宛先IPアドレス，AHまたはESPのプロトコル，SPIの三つの情報によってSAを識別する。

（イについて） ☞ 2.5 Focus IPsec

IPsecルータからパケットを送信する際にパケットに施す処理をセキュリティポリシ（SP）といい，SPデータベースに登録される。パケットに対応させるSPを選択する場合にSPデータベースを検索するキーを**セレクタ**という。セレクタには，送信元

IPアドレス，宛先IPアドレス，プロトコル，送信元ポート番号，宛先ポート番号などを利用する。

(ウについて) ☞ 問2 One Point

IKEにはメインモードとアグレッシブモードがある。 問2 One Point に示したとおり，**アグレッシブ**モードはフェーズ１の処理を１往復半の通信で完了する。

(エについて)

インターネット上でIPパケットを宛先へ転送するためには，経路情報に基づいて経路制御を行う必要がある。ところが，問題文の図４のPCやサーバに割り当てられたIPアドレスはプライベートIPアドレスであるため，その経路情報をインターネットに持たせることはできない。ただし，図４のようにルータ間をトンネルで結べば，トンネル内をパケットが通過できる（実際にはトンネルの出入口に設定したIPアドレスで経路制御行う）ため，PCやサーバへの**経路**情報をインターネットが持たなくても通信が可能となる。

(オについて)

MTU（最大伝送単位）サイズの値は伝送媒体によって異なり，伝送媒体のMTUより大きいサイズのパケットを中継する場合，ルータはパケットを断片化（フラグメント化）する必要が生じ，処理負荷が大きくなる。そこで，パケットを送信する前に，パスMTU探索（PMTUD：Path MTU Discovery）という仕組みによってMTUサイズを適切な値に調整することで，パケットの断片化を防ぐことができる。

GREを利用する場合，カプセル化のオーバヘッドによって，GREトンネルインタフェースのMTUがイーサネットインタフェースのMTUより24バイト小さくなる。GREトンネルインタフェースのMTUに合わせるように調整しない場合，PCやサーバはイーサネットインタフェースのMTUである1,500バイトを想定し，データ部分を最大1,460バイトにしてパケットを送信する。すると，GREのカプセル化によってパケット全体が1,524バイトになり，断片化対象となってしまう。そこで，あらかじめイーサネットインタフェースのMTUを24バイト小さくし1,476バイトに調整しておけば，データ部分は最大1,436バイトで作成され，GREを利用しても1,500バイトに収まり，パケットの断片化を防ぐことができる。よって，空欄オには**断片化**が入る。

[設問２] (1)

IPsecのIKEフェーズ２では，IPsec SAの生存期間であるライフタイムを過ぎると，SAが削除され，通信が切断される。通信が切断されないようにするために，IPsec SAのライフタイム終了時点において，IPsecルータでは新たにIPsec SAを作成する。

この処理を**リキー**（**ReKey**）という。

［設問2］(2) ☞ 問2 One Point

問2 One Point で説明したとおり，IKEのフェーズ２の交渉で決定される認証方式は，IPsec通信メッセージの完全性，すなわち**IPsec通信で送受信されるメッセージが，通信中に改ざんされていないこと**を確認する方式である。具体的にはMD5やSHA，HMACなどの認証方式の中から，双方が対応する最も強度が高いものが選ばれる。

問題文の表１の認証が通信相手の認証であることから，表２の認証はメッセージ認証であることが十分予想できたと思います。あとは設問の要求事項に沿って認証対象（IPsec メッセージ）と認証内容（改ざんされていないこと）を答えれば正解です。

［設問2］(3) ☞ 2.5 Focus トンネリングプロトコル

OSPFはリンクステート型のルーティングプロトコルであり，リンクステート情報の交換（LSA）は，マルチキャスト通信で行う。しかし，問題文の〔インターネットVPNの構築技術の検討〕に「IPsecでは，ユニキャストのIPパケットをカプセル化して転送する」とあるように，IPsecではマルチキャスト通信を行うことができない。

よって，カプセル化できない理由は，**OSPFのリンクステート情報交換は，IPマルチキャスト通信で行われるから**である。

IPsec は単体ではマルチキャストやブロードキャストに対応していません。これは試験でよく出題される切り口なので覚えておきましょう。

［設問3］(1)

（あ，い について）

イーサネットインタフェースのMTUは1,500バイトである。設問文に「ジャンボフレームは使用されないものとする」とあることから，空欄あ の最大バイト数は，問題文の図３に示された各ヘッダのバイト数を1,500バイトから減算した値となる。

1,500－(20＋４＋20＋20)＝**1,436**

同様に，空欄い の最大バイト数は，図５に示された各ヘッダのバイト数を1,500バイトから減算した値となる。

1,500－(20＋８＋16＋２＋20＋20)＝**1,414**

[設問3] (2)

問題文の図４をトンネルのイメージがつきやすいように書き換え，PCからサーバへのパケットを追加したものを図13に示す。

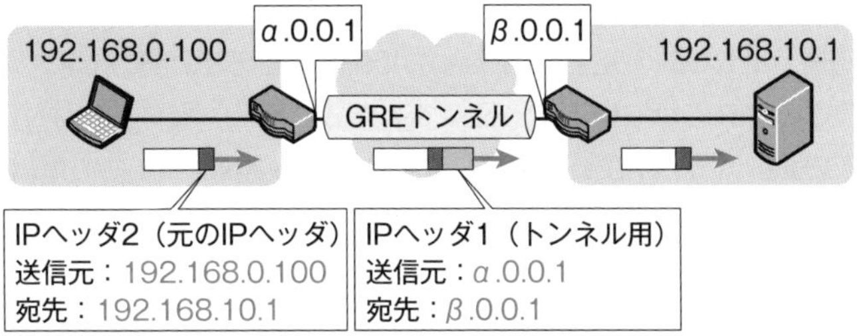

図13　問題文図４の書換え

PCからサーバへ向かうパケットのIPヘッダには，送信元と宛先がエンドツーエンドで指定されるため，送信元IPアドレスはPCのIPアドレス，宛先はサーバのIPアドレスとなる。双方ともプライベートIPアドレスであるが問題はない。インターネット上ではGREトンネルの中を「素通り」するからである。

「素通り」するといっても，実際にはトンネル用のヘッダ（ヘッダ１）が付与されてトンネル内で中継される。それを可能にするため，トンネル用のヘッダにはトンネルの両端を指すグローバルIPアドレスが設定される。

解答は，図13のIPヘッダ１とIPヘッダ２に示したとおりである。

[設問3] (3)

設問３(2) と同様に，問題文の図６をトンネルのイメージがつきやすいように書き換え，通信に必要なIPアドレスを追記したものを図14に示す。IPアドレスG1，G2は，トンネルの両端を指すグローバルIPアドレスで，P1，P2はイントラネット用のプライベートIPアドレスである。

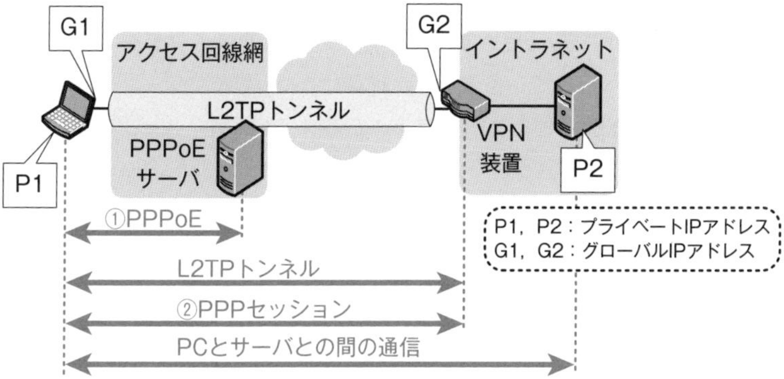

図14　問題文図６の書換え

L2TP利用時の通信は，次の手順で行われる。

［1］PPPoEサーバへのアクセス

PCがアクセス回線網のPPPoEサーバへアクセスする。ここで簡易認証が行われ，認証に成功するとPCにグローバルIPアドレス（G1）が割り当てられる。

［2］L2TPトンネル生成

PCはVPN装置にアクセスし，G1とG2を両端とするL2TPトンネルを生成する。

［3］PPPセッション

PCはL2TPトンネルを用いてVPN装置にアクセスして，イントラネットへログインする。ログインに成功すると，PCにイントラネット用のプライベートIPアドレス（P1）が割り当てられる。

［4］PCとサーバとの間の通信

PCがサーバと通信する。トンネル用のヘッダであるIPヘッダ１には，

送信元アドレス：G1　（①PPPoEで取得）
宛先アドレス：G2　（VPN装置のグローバルIPアドレス）

が設定され，エンドツーエンドのヘッダであるIPヘッダ２には，

送信元アドレス：P1　（②PPPセッションで取得）
宛先アドレス：P2　（DNSなどから取得）

が設定されている。

以上より，①の通信でPCが取得するIPアドレスが格納されるヘッダは**IPヘッダ１**であり，②の通信でPCが取得するIPアドレスが格納されるヘッダは**IPヘッダ２**である。

[設問3](4) ☞ 2.5 Focus **トンネリングプロトコル**

トンネリングプロトコルを使用する目的は，問題文の〔インターネットVPNの構築技術の検討〕で述べられているように，IPsecによってインターネットVPNを構築したとき，OSPFを稼働させるためである。これについては，〔トンネリング技術の調査〕に「OSPFのリンクステート情報の交換パケットをGRE又はL2TPでカプセル化すれば，そのパケットはIPsecでカプセル化できるので，インターネットVPNでOSPFを稼働できる」とあることから，二つのプロトコルともに実現でき，差はない。

使用したときの影響度合いに着目すると，設問3(1)の解説で述べたように，GREのほうがカプセル化によるオーバヘッドが小さく，一つのパケットで転送できるデータ量はGREが1,436バイト，L2TPは1,414バイトで，GREのほうが多い。よって，GREを利用する利点は，**カプセル化によるオーバヘッドがL2TPより小さいので，一つのパケットで転送できるデータ量が多い**となる。

[設問4](1) ☞ 2.5 Focus **トンネリングプロトコル**

問題文の〔GRE over IPsecの稼働方法の検討〕に「GREによるカプセル化とIPsecによる暗号化」とあり，図8にも示されているように，GRE over IPsecではGREによってトンネリングが行われる。GREトンネル区間とIPsec通信区間が同一であることから，IPsecでさらにトンネリングする必要はないので，拠点間接続で通常用いられるトンネルモードを選択する必要はない。よって解答は，**GREでトンネリングが行われるから**となる。

IPsecによるオーバヘッドは，トランスポートモードのほうがトンネルモードよりも20バイト（IPヘッダの分）小さいことから，GRE over IPsecでは，通常トランスポートモードを選択する。

[設問4](2)

ESP認証データ長は，使用する認証アルゴリズム（ハッシュ関数）が出力するハッシュ値の長さに依存し，認証アルゴリズムごとに決まっており同一ではない。よって解答は，**ESP認証データ長は，使用する認証アルゴリズムによって変化するから**となる。

[設問4](3) ☞ 2.5 Focus **トンネリングプロトコル**

ESPのトランスポートモードでは，ESPペイロードとESPトレーラが暗号化対象範囲となる。ESPペイロードは「図7　GRE over IPsecのパケット形式」のESPヘッダの後ろにあるGREヘッダからデータまでである。よって，暗号化される項目は，**GREヘッダ，IPヘッダ2，TCP/UDPヘッダ，データ，ESPトレーラ**となる。

[設問5](1)

サーバ移設の要件は，現在のY社ネットワークから「DMサーバ以外のサーバ」を「サーバのIPアドレスの変更が生じないように」データセンタへ移設することである。図15は，問題文の図1と図9から，サーバ移設にかかわる部分を抜き出したものである。

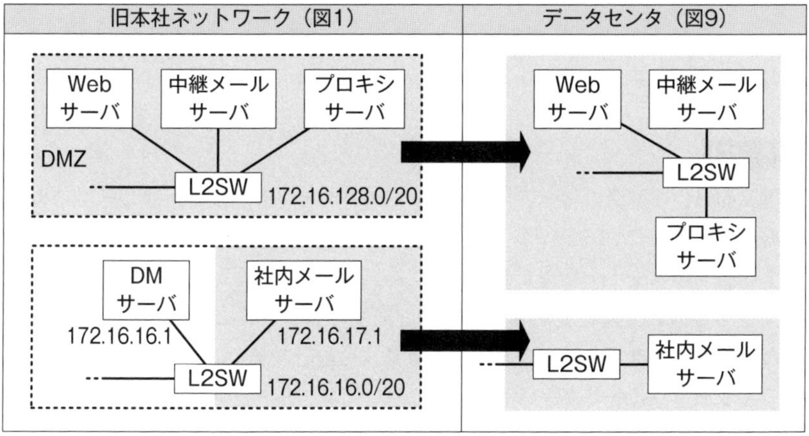

図15 サーバの移設

旧本社ネットワークの中で，DMZ上のサーバ（Web，中継メール，プロキシ）は，そのままデータセンタへ移設する。これらについては，サブネット（172.16.128.0/20）を変えずに移動すればよい。

一方で，DMサーバと社内メールサーバを接続するサブネットは，社内メールサーバのみをデータセンタへ移設する。そのため，これらを接続するサブネット（172.16.16.0/20）を二つに分割したうえで，社内メールサーバのサブネットのみを移動する必要がある。172.16.16.1（DMサーバ）と172.16.17.1（社内メールサーバ）を異なるサブネットに分けるためには，両者に違いが現れる第3オクテットの8ビット目までをネットワークアドレスに含めなければならない。設問文より，移動するサブネットのプレフィックス長は16，20，24のいずれかであることを考え合わせれば，既存のサブネット（172.16.16.0/20）を172.16.16.0/24と172.16.17.0/24

に分割し，172.16.17.0/24をデータセンタへ移設することが分かる。

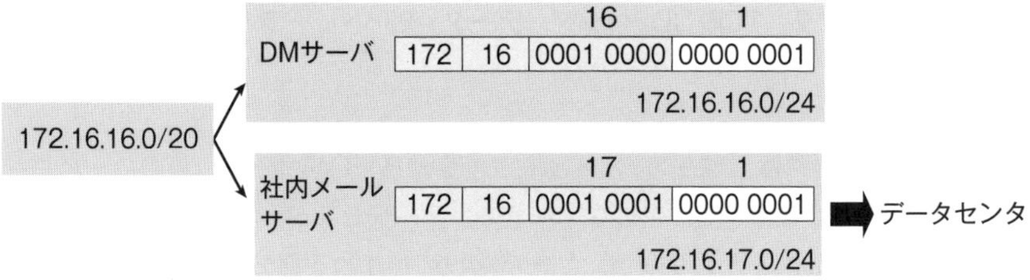

図16　サブネットの分割

以上より，データセンタへ移設するサブネットは**172.16.128.0/20，172.16.17.0/24**となる。

[設問5](2)

設問文の「レイヤ2のループ」とは，ブロードキャストフレームがループすることを意味する。ルータやL3SWは，ブロードキャストフレームを受信ポートと同じサブネットに属するポートへ転送する。そのため，L2SWaとL2SWbが同じサブネットに属している場合は，図17左のようなループが生じる。これに対し，図17右のように**L2SWaとL2SWbを異なるサブネットにする**よう設計すると，ルータやL3SWは異なるサブネットへブロードキャストを転送しないため，ループを防ぐことができる。

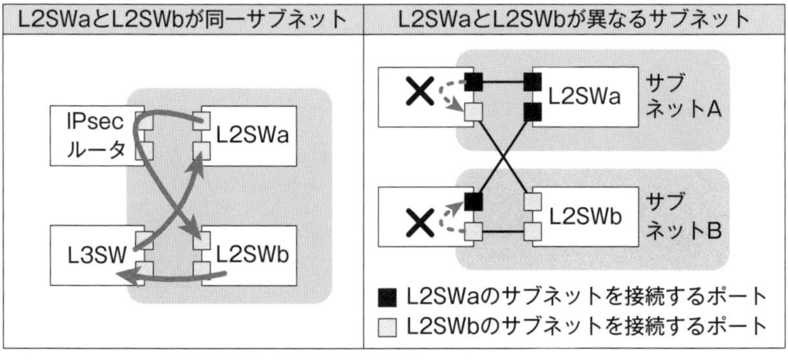

図17　レイヤ2ループとサブネット分割

[設問5](3) ☞ 2.6 2 4 VRRP

VRRPは，2台のルータをマスタとバックアップに用いることで，ルータの冗長化を行う技術である。冗長化したルータをまとめてVRRPグループと呼び，仮想IPアドレスを付与して識別する。なお，２台のルータを互いにバックアップさせるように２つのVRRPグループを作成し，２つのネットワークを相互に接続するような構成をとることもある。

図18に本社，データセンタ及び営業所で構築するVRRPの構成を示す。

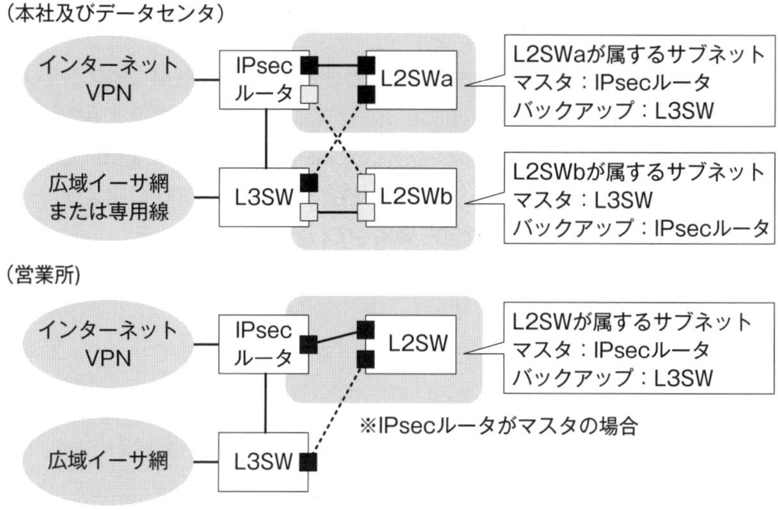

図18　VRRPの構成

仮想IPアドレスは，VRRPグループごとに１つ設定する。本社及びデータセンタには「IPsecルータをマスタとするVRRPグループ」と「L3SWをマスタとするVRRPグループ」の２つが存在するため，それぞれに仮想IPアドレスを設定する。一方，営業所にはPCのサブネットを接続するVRRPグループが１つあればよいので，仮想IPアドレスも１つで足りる。

以上より，仮想IPアドレスの最少の個数は，本社が**2**個，営業所が**1**個，データセンタが**2**個となる。

[設問５](4)

問題文の図９のWAN回線の構成では，営業所のPCからサーバへのアクセスは「広域イーサ網とインターネットVPNが使い分け」られる。具体的には，営業所のL3SWがマスタルータである場合には，

　　　　　データセンタへのアクセス：インターネットVPN経由
　　　　　本社へのアクセス：広域イーサ網経由
とWAN回線が使い分けられている（下記の【検証】参照）。詳しい検証は省くが，営業所のIPsecルータがマスタルータである場合にも，
　　　　　データセンタへのアクセス：インターネットVPN経由
　　　　　本社へのアクセス：広域イーサ網経由
とWAN回線が使い分けられる。

このような使い分けができるのも，L3SWとIPsecルータが直接接続されているからこそである。もし設問のとおり「IPsecルータとL3SWを直接接続する経路が切断されたとき」は，マスタルータからバックアップルータへパケットを転送できず，使い分けも行われない。結果として，**どのサーバアクセスも，VRRPのマスタルータが稼働する機器に接続されたWAN回線を経由して行われる**ことになる。

【検証】

名古屋営業所のL3SWがマスタであるとき，名古屋営業所のPCからデータセンタのサーバへのアクセス経路として次の２つが考えられる。

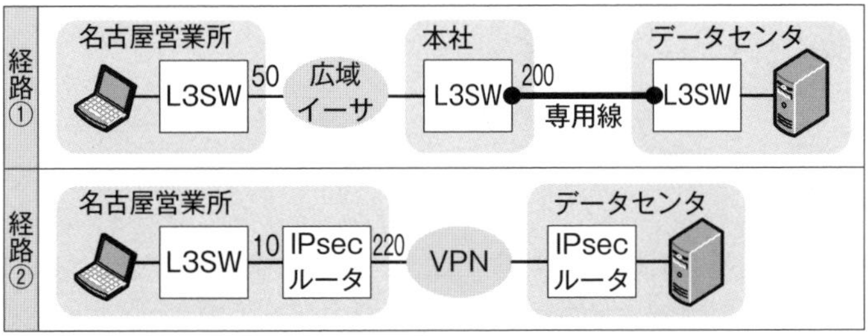

図19　データセンタのサーバへのアクセス経路（L3SWがマスタ）

それぞれの経路の合計コストは経路①が250，経路②が230なので，コストの小さな経路②が選ばれる。つまり，名古屋営業所のPCからデータセンタのサーバへはバックアップルータに接続されたVPN経由でアクセスが行われることになる。

同様の検討を，本社のDMサーバにアクセスする場合についても行う。名古屋営業所のPCから本社のDMサーバへのアクセス経路として次の２つが考えられる。なお，インターネットVPNは「データセンタと本社間，及びデータセンタと営業所間」で設定されているため，営業所からインターネットVPNを用いて本社に接続する場合は，いったんデータセンタを経由することに注意する。

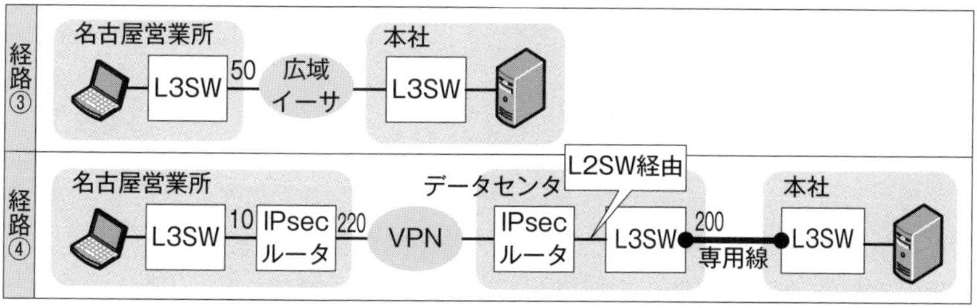

図20　本社のDMサーバへのアクセス経路（L3SWがマスタ）

先ほどと同様に経路の合計コストを計算すると，経路③が50，経路④が430となり，経路③が選択される。

以上のことからL3SWがマスタである場合にも，営業所のPCからは，

データセンタへのアクセス：インターネットVPN経由

本社へのアクセス：広域イーサ網経由

とWAN回線が使い分けられていることが分かる。

［設問５］(5)

設問５(4) と同様に経路とコストの検討を行う。

設問文の条件からマスタルータはL3SWである。このとき，本社PCからインターネットへの経路には次が考えられる。なお，営業所を経由する経路は明らかに遠回りであるので，検討から外している。

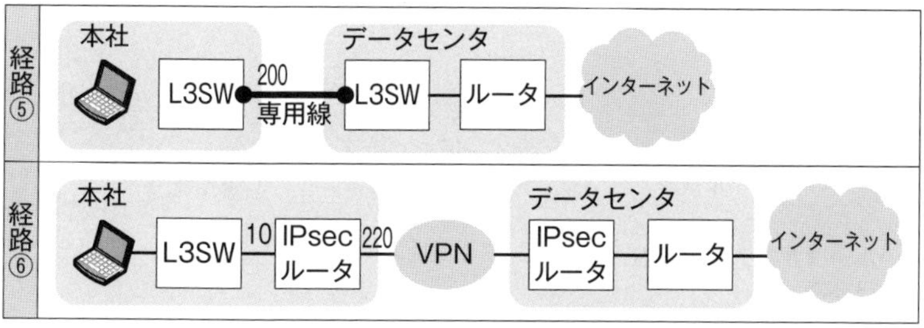

図21　インターネットへのアクセス経路（L3SWがマスタ）

経路⑤のコストは200，経路⑥のコストは230なので，インターネットVPN経由ではなく，専用線経由が選ばれる。解答はコスト値を用いて具体的に**インターネットVPN経由のコスト値が最小230であるのに対して，専用線経由のコスト値は200で**

最も小さいなどと答えればよい。

[設問5] (6)

(う について)

インターネットVPN接続がダウンしたとき，名古屋営業所のPCはデータセンタのサーバへ広域イーサ網を経由してアクセスする。その経路は，設問5 (4) で検討した経路①である。解答にはルータやSWなどのネットワーク機器を示す必要はないので，**広域イーサ網→本社→専用線**と答えればよい。

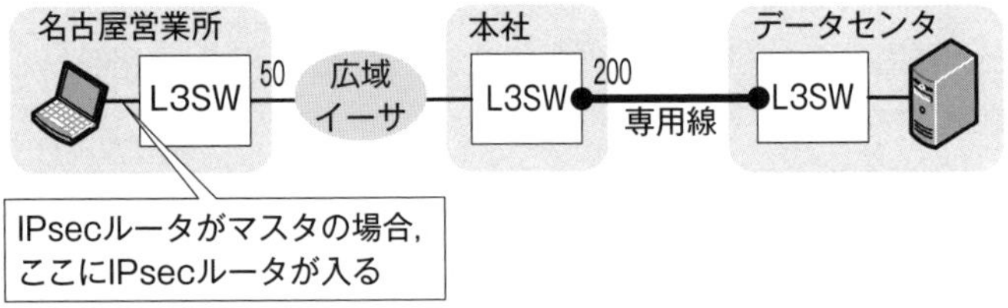

図22　データセンタのサーバへのアクセス経路（VPN接続ダウン時）

(え について)

広域イーサ網接続がダウンしたとき，名古屋営業所のPCは本社のDMサーバへインターネットVPNを経由してアクセスする。その経路は，設問5 (4) で検討した経路④である。繰り返しになるが，インターネットVPNは営業所と本社間では設定されていないことに注意しよう。

解答は**インターネットVPN→データセンタ→専用線**となる。

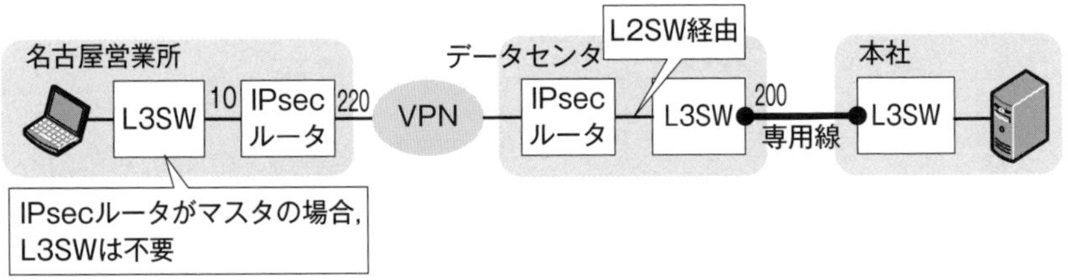

図23　本社のDMサーバへのアクセス経路（広域イーサ網接続ダウン時）

問2 解答

<table>
<tr><th colspan="2">設問</th><th colspan="3">解答例・解答の要点</th></tr>
<tr><td colspan="2" rowspan="5">設問1</td><td>ア</td><td colspan="2">32</td></tr>
<tr><td>イ</td><td colspan="2">セレクタ</td></tr>
<tr><td>ウ</td><td colspan="2">アグレッシブ</td></tr>
<tr><td>エ</td><td colspan="2">経路</td></tr>
<tr><td>オ</td><td colspan="2">断片化</td></tr>
<tr><td rowspan="3">設問2</td><td>(1)</td><td colspan="3">リキー（ReKey）</td></tr>
<tr><td>(2)</td><td colspan="3">IPsec通信で送受信されるメッセージが，通信中に改ざんされていないこと</td></tr>
<tr><td>(3)</td><td colspan="3">OSPFのリンクステート情報交換は，IPマルチキャスト通信で行われるから</td></tr>
<tr><td rowspan="9">設問3</td><td rowspan="2">(1)</td><td>あ</td><td colspan="2">1,436</td></tr>
<tr><td>い</td><td colspan="2">1,414</td></tr>
<tr><td rowspan="4">(2)</td><td rowspan="2">IPヘッダ1</td><td>送信元IPアドレス</td><td>α.0.0.1</td></tr>
<tr><td>宛先IPアドレス</td><td>β.0.0.1</td></tr>
<tr><td rowspan="2">IPヘッダ2</td><td>送信元IPアドレス</td><td>192.168.0.100</td></tr>
<tr><td>宛先IPアドレス</td><td>192.168.10.1</td></tr>
<tr><td rowspan="2">(3)</td><td colspan="2">①の通信でPCが取得するIPアドレスが格納されるヘッダ</td><td>IPヘッダ1</td></tr>
<tr><td colspan="2">②の通信でPCが取得するIPアドレスが格納されるヘッダ</td><td>IPヘッダ2</td></tr>
<tr><td>(4)</td><td colspan="3">カプセル化によるオーバヘッドがL2TPより小さいので，一つのパケットで転送できるデータ量が多い。</td></tr>
<tr><td rowspan="3">設問4</td><td>(1)</td><td colspan="3">GREでトンネリングが行われるから</td></tr>
<tr><td>(2)</td><td colspan="3">ESP認証データ長は，使用する認証アルゴリズムによって変化するから</td></tr>
<tr><td>(3)</td><td colspan="3">GREヘッダ，IPヘッダ2，TCP/UDPヘッダ，データ，ESPトレーラ</td></tr>
<tr><td rowspan="10">設問5</td><td>(1)</td><td colspan="3">172.16.128.0/20，172.16.17.0/24</td></tr>
<tr><td>(2)</td><td colspan="3">L2SWaとL2SWbを異なるサブネットにする。</td></tr>
<tr><td rowspan="3">(3)</td><td colspan="2">本社</td><td>2</td></tr>
<tr><td colspan="2">営業所</td><td>1</td></tr>
<tr><td colspan="2">データセンタ</td><td>2</td></tr>
<tr><td>(4)</td><td colspan="3">どのサーバアクセスも，VRRPのマスタルータが稼働する機器に接続されたWAN回線を経由して行われる。</td></tr>
<tr><td>(5)</td><td colspan="3">インターネットVPN経由のコスト値が最小230であるのに対して，専用線経由のコスト値は200で最も小さい。</td></tr>
<tr><td rowspan="2">(6)</td><td>う</td><td colspan="2">広域イーサ網→本社→専用線</td></tr>
<tr><td>え</td><td colspan="2">インターネットVPN→データセンタ→専用線</td></tr>
</table>

※IPA発表

問3 サービス基盤の構築 (出題年度：H30問2)

サービス基盤の構築に関する次の記述を読んで，設問1～5に答えよ。

Y社は，データセンタ（以下，DCという）を運営し，ホスティングサービスを提供している。ホスティングサービスのシステムは，顧客ごとに独立したネットワークとサーバから構成されている。Y社が運営しているホスティングサービスのシステム構成を図1に示す。

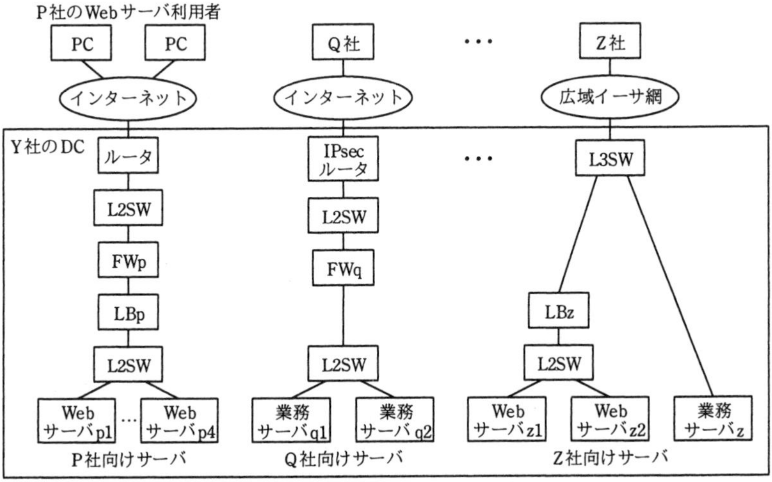

広域イーサ網：広域イーサネットサービス網　FW：ファイアウォール
L2SW：レイヤ2スイッチ　L3SW：レイヤ3スイッチ　LB：サーバ負荷分散装置
注記　P社，Q社，Z社は，Y社の顧客である。

図1　Y社が運営しているホスティングサービスのシステム構成（抜粋）

このたび，Y社では，新規顧客へのサービスの提供やサーバの増設を迅速に行えるようにするとともに，導入コストや運用コストを削減してサービスの収益性を高める目的で，サービス基盤の構築を決定した。このサービス基盤では，ネットワークと物理サーバを顧客間で共用し，論理的に独立した複数の顧客システムを稼働させる，マルチテナント方式のIaaS（Infrastructure as a Service）を提供する。

サービス基盤構築プロジェクトリーダに指名された，基盤開発部のM課長は，部下でネットワーク構築担当のN主任に，次の3点の要件を提示し，サービス基盤の構成を検討するよう指示した。

(1) サーバの仮想化によって，サーバ増設要求に迅速に対応可能とすること
(2) サービス基盤で稼働する顧客システムは，顧客ごとに論理的に独立させること
(3) サービス基盤は冗長構成とし，サービス停止を極力抑えられるようにすること

N主任は，SDN（Software-Defined Networking）技術を用いず，従来の技術を用いた方式（以下，従来方式という）とSDN技術を用いた方式（以下，SDN方式という）の二つの方式に関して，サービス基盤を構築する場合や顧客が増減した場合の作業内容などを比較して，構築方式を決めることにした。この方針を基に，N主任は，部下のJさんに，サービス基盤の構成について検討するよう指示した。

〔従来方式でのサービス基盤の構成案〕
Jさんは，まず，従来方式で構築する場合のサービス基盤の構成を検討した。Jさんが設計した，従来方式によるサービス基盤の構成案を図２に示す。

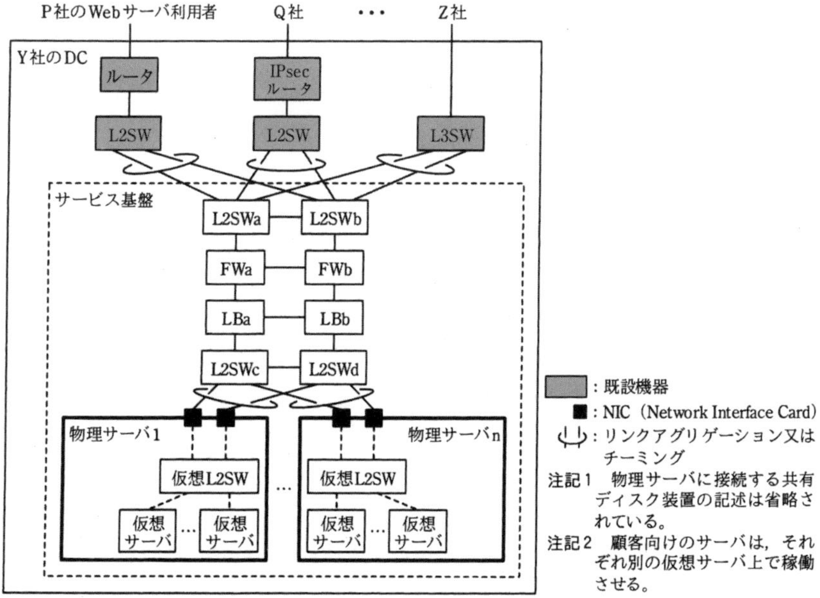

図２　従来方式によるサービス基盤の構成案

サービス基盤は，VLANによって顧客間のネットワークを論理的に独立させる。
図２中の既設のL2SW及びL3SWのサービス基盤への接続ポートには，それぞれリン

クアグリゲーションを設定する。既設のL2SW又はL3SWに接続するL2SWaとL2SWbのポートには，接続先の顧客ごとにリンクアグリゲーションとVLANを設定する。L2SWaとL2SWbの間及びL2SWcとL2SWdの間は，［ア］接続して，それぞれ，一つのL2SWとして動作できるようにする。

FWは，①装置の中に複数の仮想FWを稼働させることができ，②装置の冗長化ができる製品を選定する。冗長構成では，アクティブの仮想FWが保持しているセッション情報が，装置間を直結するケーブルを使って，スタンバイの仮想FWに転送される。セッション情報を継承することで，仮想FWの［イ］フェールオーバを実現している。

LBは，負荷分散対象のサーバ群を一つのグループ（以下，クラスタグループという）としてまとめ，クラスタグループを複数設定できる製品を選定する。クラスタグループごとに仮想IPアドレスと［ウ］アルゴリズムが設定できるので，複数の顧客の処理を１台で行える。LBも冗長化が可能であり，FWと同様の方法で冗長構成を実現している。

図２の構成案では，FWとLBは，FWaとLBaをアクティブに設定する。スタンバイの装置がアクティブに切り替わる条件は，両装置とも同様であり，両装置は連動して切り替わる。

物理サーバには２枚のNICを実装し，［エ］機能を利用してアクティブ／アクティブの状態にする。L2SWcとL2SWdには，リンクアグリゲーションのほかに，③仮想サーバの物理サーバ間移動に必要となるVLANを設定する。

〔SDN方式でのサービス基盤の構成案〕

次に，Ｊさんは，SDN製品のベンダの協力を得て，SDN方式で構築する場合のサービス基盤の構成を検討した。

SDNを実現する技術の中に，OpenFlow（以下，OFという）がある。今回の検討では，標準化が進んでいるOFを利用することにした。

OFは，データ転送を行うスイッチ（以下，OFSという）と，OFSの動作を制御するコントローラ（以下，OFCという）から構成される。OFSによるデータ転送は，OFCによって設定されたフローテーブル（以下，Fテーブルという）に基づいて行われる。

Ｊさんが設計した，OFによるサービス基盤の構成案を図３に示す。

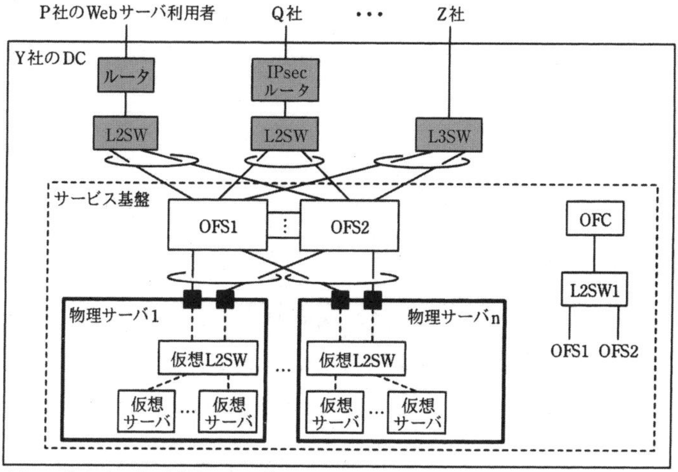

注記1　物理サーバに接続する共有ディスク装置の記述は省略されている。
注記2　OFCはL2SW1を介して，OFS1とOFS2の管理用ポートに接続される。
注記3　顧客向けのサーバ，FW及びLBは，それぞれ別の仮想サーバ上で稼働させる。

図3　OFによるサービス基盤の構成案

OFSは2台構成とし，相互に接続する。図3中の既設のL2SW及びL3SWのサービス基盤への接続ポートには，リンクアグリゲーションを設定し，OFS1とOFS2に接続する。物理サーバには，図2と同様に2枚のNICを実装して各NICをアクティブ／アクティブの状態にする。FWとLBには，仮想サーバ上で稼働する仮想アプライアンス製品を利用する。OFCは，OFS1とOFS2の管理用ポートに接続する。

これらのOFSは，起動するとOFCとの間でTCPコネクションを確立する。その後は，OFCとの間の通信路となるOFチャネルが開設され，それを経由してOFCからFテーブルの作成や更新が行われる。したがって，OFSの導入時には，④OFCとのTCPコネクションの確立に必要な最小限の情報を設定すればよく，導入作業は容易である。

Jさんは，二つの方式で設計したサービス基盤の構成をN主任に説明したところ，二つの方式を比較し，Y社に適した方式を提案するよう指示を受けた。

〔二つの方式の比較〕

Jさんは，図2と図3のサービス基盤を構築する場合について，二つの方式で実施することになる作業内容などを基に，比較表を作成した。Jさんが作成した二つの方式の比較を表1に示す。

表1　Jさんが作成した二つの方式の比較

項番	比較項目	従来方式	SDN 方式（図3の方式）
1	導入機器の数	多い	少ない
2	構築時の設定作業	（設問のため省略）	（設問のため省略）
3	顧客追加時の設定作業	（設問のため省略）	（設問のため省略）
4	サービス基盤の増設時の作業	（省略）	（省略）
5	必要技術の習得	習得済み	未習得

以上の比較検討を基に，Jさんは，OFを用いると技術習得などに時間を要することになるが，今後のサービス拡大に柔軟に対応できるようになると判断し，OFによるサービス基盤の構築を，N主任に提案した。N主任は，Jさんの提案がY社にとって有益であると考え，Jさんの提案を基にサービス基盤の構築案をまとめ，M課長に報告したところ，テストシステムを構築して，OFの導入効果を確認するようにとの指示を受けた。

〔技術習得を目的とした制御方式の設計〕

テストシステムの構築に当たって，N主任とJさんの２人は最初に，OFの技術習得を目的として，MACアドレスの学習によるパケットの転送制御方式を考えることにした。

テストシステムは，図１中のP社，Q社及びZ社の３顧客向けのシステムを収容した構成である。テストシステムの構成を図４に，テストシステム中の機器と仮想サーバのMACアドレスを表２に示す。

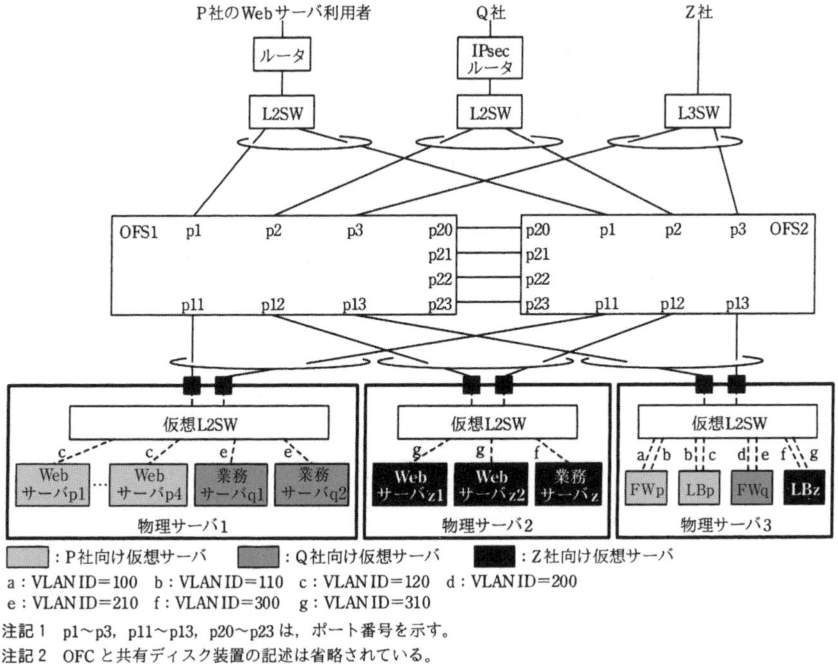

図4　テストシステムの構成

表2　テストシステム中の機器と仮想サーバのMACアドレス

機器名又は仮想サーバ名	MAC アドレス
P 社の Web サーバ p1～p4	mWSp1～mWSp4
Q 社の業務サーバ q1，q2	mGSq1，mGSq2
Z 社の Web サーバ z1，z2	mWSz1，mWSz2
Z 社の業務サーバ z	mGSz

機器名又は仮想サーバ名	内部側[1]の MAC アドレス	WAN 側[2]の MAC アドレス
ルータ	mRT	（省略）
IPsec ルータ	mIPSRT	（省略）
L3SW	mL3SW	（省略）
LBp	mLBp	mLBpw
LBz	mLBz	mLBzw
FWp	mFWp	mFWpw
FWq	mFWq	mFWqw

注記　MAC アドレスの重複はないものとする。
注[1]　内部側は，図1中の各機器の下側のポートを指す。
[2]　WAN 側は，図1中の各機器又はサーバの上側のポートを指す。

図4に示したように，P社にはVLAN IDに100, 110, 120, Q社にはVLAN IDに200, 210, Z社にはVLAN IDに300, 310を，それぞれ割り当てる。各顧客のWebサーバと業務サーバ間の通信は発生しない。

2人は，Fテーブルの構成について検討した。Fテーブルは，OFSのデータ転送動作を確認しやすくするために，最初に処理されるFテーブル0と，パケットの入力ポートに対応して処理されるFテーブル1～4の五つの構成とした。2人がまとめた，五つのFテーブルの役割を表3に示す。

表3　五つのFテーブルの役割

項番	Fテーブル名	役割
1	Fテーブル0	パケットの入力ポートを基にした，処理の振分け
2	Fテーブル1	顧客のネットワークから，p1～p3経由でOFSに入力したパケットの処理
3	Fテーブル2	物理サーバ1から，p11経由でOFSに入力したパケットの処理
4	Fテーブル3	物理サーバ2から，p12経由でOFSに入力したパケットの処理
5	Fテーブル4	物理サーバ3から，p13経由でOFSに入力したパケットの処理

Fテーブルは，複数のフローエントリ（以下，Fエントリという）からなる。

Fエントリは，OFSに入力されたパケットがどのFエントリに一致するかを判定するためのマッチング条件，条件に一致したパケットに対する操作を定義するアクション，パケットが複数のFエントリに一致した場合の優先度などで構成される。入力されたパケットが，Fテーブル内の複数のFエントリのマッチング条件に一致した場合は，優先度が最も高いFエントリのアクションが実行される。また，どのマッチング条件にも一致しないパケットは廃棄される。一つのFエントリには，複数のアクションを定義できる。

OFCとOFSの間では，メッセージの交換が行われる。このメッセージの中には，OFSに対してFエントリを設定するFlow-Modメッセージ，OFSが受信したパケットをOFCに送信するPacket-Inメッセージ，OFCがOFSに対して指定したパケットの転送を指示するPacket-Outメッセージなどがある。

次に，2人は，3顧客で全てのサーバとの通信が正常に行われたとき（以下，正常通信完了時という）に，OFCによってOFSに生成されるFエントリを，机上で作成した。正常通信完了時のFテーブル0～4を，それぞれ表4～8に示す。

表4　正常通信完了時のOFS1とOFS2のFテーブル0

項番	マッチング条件	アクション	優先度
1	入力ポート＝p1	VLAN IDが100のタグをセット，Fテーブル1で定義された処理を行う。	中
2	入力ポート＝p2	VLAN IDが200のタグをセット，Fテーブル1で定義された処理を行う。	中
3	入力ポート＝p3	VLAN IDが300のタグをセット，Fテーブル1で定義された処理を行う。	中
4	入力ポート＝p11	Fテーブル2で定義された処理を行う。	中
5	入力ポート＝P12	Fテーブル3で定義された処理を行う。	中
6	入力ポート＝p13	Fテーブル4で定義された処理を行う。	中

表5　正常通信完了時のOFS1とOFS2のFテーブル1

項番	マッチング条件	アクション	優先度
1	eTYPE[1]＝ARP	OFCにPacket-Inメッセージを送信	低
2	mDES[2]＝mFWpw	p13から出力	中
3	mDES[2]＝mFWqw	p13から出力	中
4	mDES[2]＝mLBzw	p13から出力	中
5	mDES[2]＝mGSz	p12から出力	中

注[1]　eTYPEは，イーサタイプを示す。
[2]　mDESは，宛先MACアドレスを示す。

表6　正常通信完了時のOFS1とOFS2のFテーブル2

項番	マッチング条件	アクション	優先度
1	eTYPE＝ARP	OFCにPacket-Inメッセージを送信	低
2	eTYPE＝ARP，VLAN ID＝120，mDES＝FF-FF-FF-FF-FF-FF	p13から出力	高
3	eTYPE＝ARP，VLAN ID＝210，mDES＝FF-FF-FF-FF-FF-FF	p13から出力	高
4	mDES＝mLBp，mSRC[1]＝mWSp1	p13から出力	中
5	eTYPE＝RARP	OFCにPacket-Inメッセージを送信	高
以下，省略			

注記　項番5は，仮想サーバが物理サーバ1に移動してきたことをOFCに知らせるためのFエントリである。
注[1]　mSRCは，送信元MACアドレスを示す。

表7　正常通信完了時のOFS1とOFS2のFテーブル3

項番	マッチング条件	アクション	優先度
1	eTYPE＝ARP	OFCにPacket-Inメッセージを送信	低
2	eTYPE＝ARP，VLAN ID＝310，mDES＝FF-FF-FF-FF-FF-FF	p13から出力	高
3	mDES＝mLBz，mSRC＝mWSz1	p13から出力	中
4	mDES＝mL3SW，mSRC＝mGSz	VLANタグを削除，p3から出力	中
5	eTYPE＝RARP	OFCにPacket-Inメッセージを送信	高
以下，省略			

注記　項番5は，仮想サーバが物理サーバ2に移動してきたことをOFCに知らせるためのFエントリである。

表8　正常通信完了時のOFS1とOFS2のFテーブル4

項番	マッチング条件	アクション	優先度
1	eTYPE＝ARP	OFCにPacket-Inメッセージを送信	低
2	eTYPE＝ARP，VLAN ID＝100，mDES＝FF-FF-FF-FF-FF-FF	VLANタグを削除，p1から出力	高
3	eTYPE＝ARP，VLAN ID＝120，mDES＝FF-FF-FF-FF-FF-FF	p11から出力	高
4	eTYPE＝ARP，VLAN ID＝300，mDES＝FF-FF-FF-FF-FF-FF	VLANタグを削除，p3から出力	高
5	eTYPE＝ARP，VLAN ID＝310，mDES＝FF-FF-FF-FF-FF-FF	p12から出力	高
6	mDES＝mWSp1，mSRC＝mLBp	p11から出力	中
7	mDES＝mWSp4，mSRC＝mLBp	p11から出力	中
8	mDES＝mWSz1，mSRC＝mLBz	p12から出力	中
9	mDES＝mRT，mSRC＝mFWpw	VLANタグを削除，p1から出力	中
10	mDES＝mIPSRT，mSRC＝mFWqw	VLANタグを削除，p2から出力	中
11	mDES＝mL3SW，mSRC＝mLBzw	VLANタグを削除，p3から出力	中
12	eTYPE＝RARP	OFCにPacket-Inメッセージを送信	高
以下，省略			

注記　項番12は，仮想サーバが物理サーバ3に移動してきたことをOFCに知らせるためのFエントリである。

表8中の項番2は，イーサタイプがARP，VLAN IDが100及び宛先MACアドレスがFF-FF-FF-FF-FF-FFのパケットを，VLANタグを削除してp1から出力することを示している。

OFSにパケットが入力されると，OFSは表4のFテーブル0の処理を最初に実行する。例えば，図4中のQ社のIPsecルータからOFS1のp2にARPリクエストパケットが入力された場合，そのパケットは，表4中の項番2に一致するので，パケットにVLAN IDが200のVLANタグをセットし，次に表5のFテーブル1で定義された処理を行う。表5のFテーブル1では，項番1に一致するので，当該パケットはPacket-Inメッセージに収納されて，OFCに送信される。OFCは受信したパケットの内容を基に，Flow-ModメッセージでFエントリを生成したり，Packet-OutメッセージなどをOFSに送信したりする。

N主任とJさんは，作成したFテーブルの論理チェックを行い，五つのFテーブルによってテストシステムを稼働させることができると判断した。

パケット転送制御方式の机上作成を通してOFの動作イメージが学習できたので，次に，2人は，実際にテストシステムを構築して，動作検証と性能評価を行うことにした。

設問1 本文中の［ア］～［エ］に入れる適切な字句を答えよ。

設問2 〔従来方式でのサービス基盤の構成案〕について，(1)～(3)に答えよ。

(1) 本文中の下線①の要件が必要になる理由を，30字以内で述べよ。

(2) 本文中の下線②の機能について，アクティブのFWをFWaからFWbに切り替えるのに，FWa又はFWbが監視する内容を三つ挙げ，図2中の機器名を用いて，それぞれ25字以内で答えよ。

(3) 本文中の下線③について，VLANを設定するポート及び設定するVLANの内容を，50字以内で具体的に述べよ。

設問3 本文中の下線④の情報を，15字以内で答えよ。

設問4 〔二つの方式の比較〕について，(1)，(2)に答えよ。

(1) 表1中の項番2について，従来方式の場合，FWでは複数の仮想FWを設定することになる。仮想FWの設定に伴って，各仮想FWに対して設定が必要なネットワーク情報を三つ挙げ，それぞれ15字以内で答えよ。

(2) 表1中の項番3について，従来方式の場合，追加する顧客に対応したVLAN設定がサービス基盤の全ての機器及びサーバで必要になる。その中で，ポートVLANを設定する箇所を，図2中の名称を用いて，40字以内で答えよ。

設問5 〔技術習得を目的とした制御方式の設計〕について，(1)～(4)に答えよ。

(1) 本番システムにおいて，図4の形態で3顧客の仮想サーバを配置した場合に発生する可能性がある問題を，40字以内で述べよ。また，その問題を発生させないための仮想サーバの配置を，40字以内で述べよ。

(2)　表８のＦテーブル４中には，FWpの内部側のポートからLBpの仮想IPアドレスをもつポートに，パケットを転送させるためのＦエントリが生成されない。当該ＦエントリがなくてもFWpとLBp間の通信が行われる理由を，70字以内で述べよ。

(3)　Ｐ社のWebサーバ利用者から送信された，Webサーバ宛てのユニキャストパケットがWebサーバp1に転送されるとき，パケットの転送は，次の【パケット転送処理手順】となる。

【パケット転送処理手順】
ルーター→L2SW→Ｆテーブル0，項番１→[　オ　]→FWp→LBp→[　カ　]→[　キ　]→Webサーバp1

【パケット転送処理手順】中の[　オ　]～[　キ　]に入れる適切なＦテーブル名と項番を答えよ。Ｆテーブル名は，Ｆテーブル０～４から選べ。また，項番は表４～８中の項番で答えよ。ここで，パケット転送制御を行うOFSは特定しないものとする。

(4)　Ｐ社のWebサーバp4が物理サーバ２に移動し，表７のOFS1のＦテーブル３中の項番５によって，OFCにPacket-Inメッセージが送信されると，OFCは表８のＦテーブル４中の二つの項番を変更する。Ｆテーブル４が変更されるOFS名を全て答えよ。また，項番３のほかに変更される項番及び変更後のアクションを答えよ。

問3 One Point

本問の前半部分はネットワーク機器の仮想化や多重化について総合的な知識が問われた。そこで，本問のネットワーク構成を題材に，本問で使われた仮想化や多重化技術を整理する。これらの技術は今後も出題が予想されるので，しっかり学んでほしい。

なお，本問の後半部分はOpenFlowに関する出題であったが，細かな知識は不要でパズル的に解くことができた。

■ 従来方式でのサービス基盤の構成案

問題文の図２に示された構成案に沿ってそれらの全体像を概観する。図２のサービス基盤とその論理構造を図５に示すので，見比べてほしい。

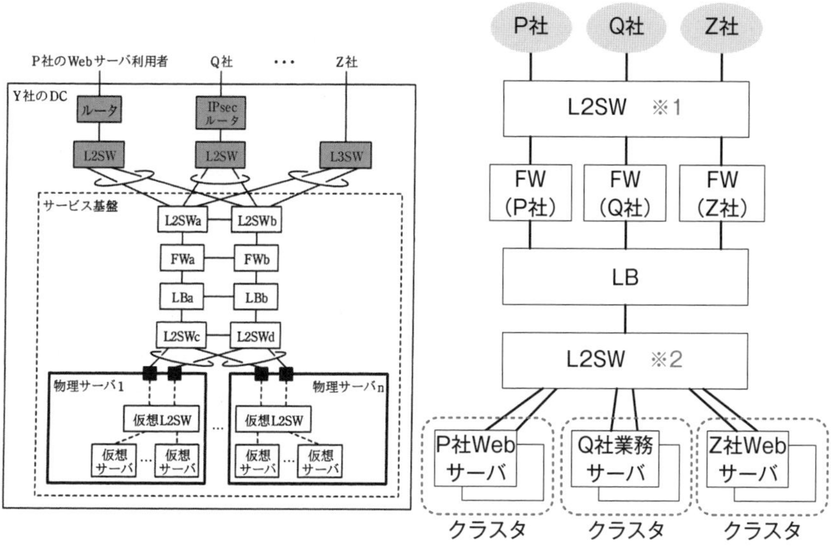

図５　問題文図２（左）とサービス基盤部分の論理構造（右）

□ L2SW（図５の※１）部分

論理的には１台のL2SWであるが，物理的にはL2SWaとL2SWbがスタック接続された構造をとる。スタック接続は，複数のスイッチを論理的には１台のスイッチとして扱う技術である。

スタック接続は，リンクアグリゲーションと併用することで高速化と冗長化を両立できる。

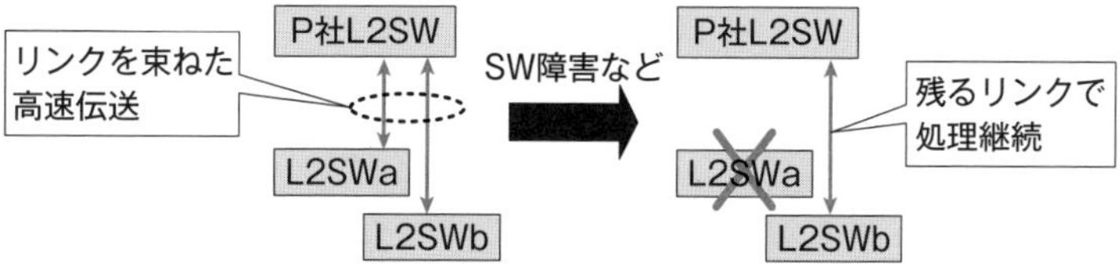

図６　スタック接続とリンクアグリゲーション

□ FW部分

論理的には各社のFWが接続されているが，物理的にはFWaとFWbで２重化された機器の中で，各社の仮想FWが稼働している。FWaとFWbはアクティブ／スタンバイの構成をとり，互いの状態を監視し合っている。

L2SWとFWを結ぶポートにはタグVLANが設定されている。各社のVLANから送信されたフレームに対し，さらに各社を識別するタグがL2SWで付与される。FWはそれらのタグをもとに，フレームを各社の仮想FWへ振り分ける。

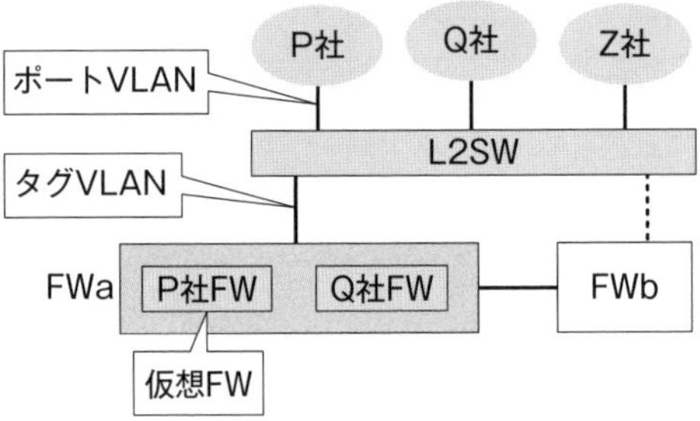

図7　タグVLANと仮想FW

□ LB（負荷分散装置）部分

論理的には１台のLBであるが，物理的にはLBaとLBbで二重化された構造をとる。LBaとLBbはアクティブ／スタンバイの構成をとり，互いの状態を監視し合っている。

LBには負荷分散の対象となるサーバ群（クラスタグループ）を複数設定できる。具体的には「P社のWebサーバ群」や「Z社のWebサーバ群」などをクラスタグループに設定すればよい。クラスタグループごとに仮想IPアドレスが設定される。LBにはクラスタグループごとに適切な負荷分散アルゴリズムを設定できる。

LBがクラスタグループ（の仮想IPアドレス）を宛先とするパケットを受信したとき，LBは設定された負荷分散アルゴリズムに従ってパケットをサーバ群に振り分ける。

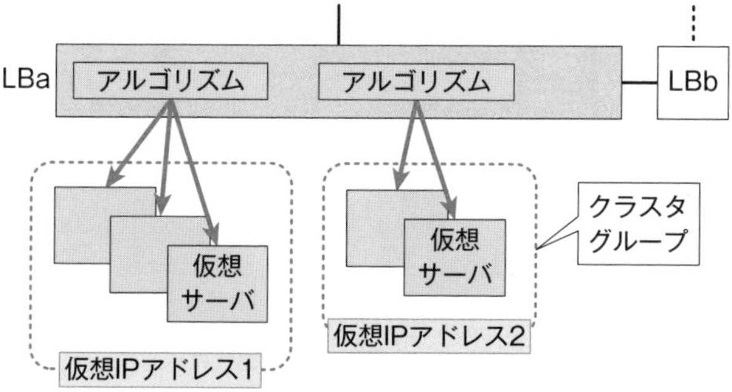

※クラスタグループに属する仮想サーバは，各物理サーバに分散している

図８　LBとクラスタグループ

□ L2SW（図５の※２）部分

L2SW（※１）部分と同様の構造をとる。リンクを束ねるため，サーバ側では複数の物理NICを束ねて１つの仮想NICとして動作させている。この技術をチーミングと呼ぶ。

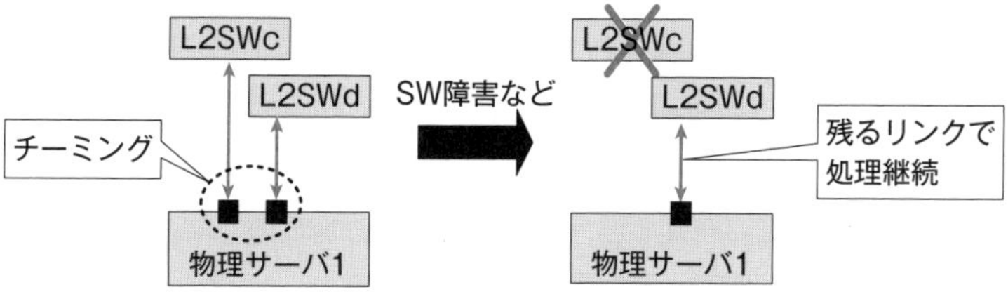

図９　チーミング

□ 物理サーバ部分

１台の物理サーバ上に，仮想L2SWと複数の仮想サーバが構築されている。仮想サーバにはそれぞれIPアドレスが付与され，クラスタグループごとに仮想IPアドレスが付与される。また，個々の仮想サーバには仮想NICが設定され，仮想NICには仮想MACアドレスが付与される。仮想サーバが送信したフレームは，チーミングされた物理NICを通して転送される。

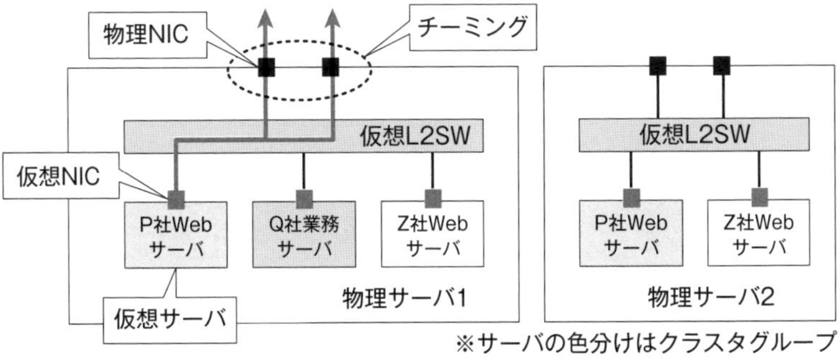

図10　物理サーバと仮想サーバ

問3 解 説

[設問1] ☞ 問3 One Point

(アについて)

複数のL2SWを一つのL2SWとして動作できるようにする接続方法を**スタック**接続という。問題文の図２では，既設のL2SWおよびL3SWのサービス基盤への接続ポートにリンクアグリゲーションを設定し，対向するL2SWaとL2SWbのポートにもリンクアグリゲーションを設定している。しかし，リンクアグリゲーションはL2SW（またはL3SW）を１対１に接続する場合に設定する機能なので，L2SWaとL2SWbをスタック接続して１台のL2SWとみなす必要がある。

(イについて)

FWの冗長構成において，アクティブの仮想FWに障害が発生した場合に，保持しているセッション情報をスタンバイの仮想FWが継承し，引き継ぐ機能を**ステートフル**フェールオーバ機能という。この機能によって，セッションを維持したままスタンバイの仮想FWが処理を継続することができる。

(ウについて)

サーバ負荷分散装置であるLBでは，負荷分散アルゴリズムによってアクセスするサーバを振り分けて負荷分散を行う。代表的な負荷分散アルゴリズムには，ラウンドロビン方式，最少接続方式などがある。よって，空欄ウには**負荷分散**が入る。

(エについて)

複数の物理NICを束ねて一つの仮想的なNICとして動作させる技術を**チーミング**と

いう。図２において，物理サーバ側でチーミング機能を利用してアクティブ／アクティブの状態にし，L2SWcとL2SWdをスタック接続してリンクアグリゲーションを設定することによって，L2SWc/L2SWdと物理サーバ間の帯域幅の拡大と耐障害性を実現できる。

[設問２]（1） ☞ 問3 One Point

問題文の図２の従来方式によるサービス基盤の構成案では，複数の顧客をFWa（障害時はFWb）に集約しているが，FWのフィルタリング設定は顧客ごとに異なるため，これを単一のフィルタリングテーブルで実現するのは困難である。このような場合は 問3 One Point の「FW部分」に示したように，顧客ごとに仮想FWを用意して対応すればよい。よって，複数の仮想FWを稼働させる理由は，**顧客ごとに異なるフィルタリングの設定が必要であるから**となる。

なお，FWはルータ機能を持つものもあり，その場合は顧客ごとにルーティング設定を行うことも必要である。この点に着目して，**顧客ごとにルーティングの設定が必要であるから**と答えてもよい。

[設問２]（2）

アクティブのFWをFWaからFWbに切り替えなければならないのは，次の三つの場合である。

- FWaがダウンした場合
- FWaとL2SWa間のリンクがダウンした場合
- FWaとLBa間のリンクがダウンした場合

FWa本体だけでなく，その上下につながっているリンクがダウンした場合も，FWaを介した経路が直接使えなくなってしまうので，FWbを介する経路に変更する（そのためにはFWbをアクティブに切り替える）必要がある。

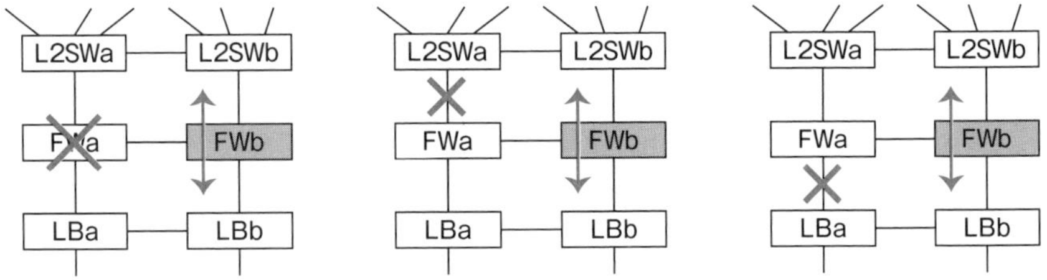

図11　FWを切り替える場合

FWaのダウン検出については，冗長構成の相手であるFWbが稼働状態を監視していればよい。また，リンクについては，FWaが自身の各ポートのリンク状態を監視していればよい。よって，次のようなものを解答として挙げればよい。

- **FWbによるFWaの稼働状態**
- **FWaによるL2SWaへの接続ポートのリンク状態**
- **FWaによるLBaへの接続ポートのリンク状態**

また，正常に切替えを行うためには，スタンバイ側であるFWb，及びFWbにつながっているリンクが正常に稼働していることも必要である。このための監視内容として，両者の立場を入れ替えた，

- **FWaによるFWbの稼働状態**
- **FWbによるL2SWbへの接続ポートのリンク状態**
- **FWbによるLBbへの接続ポートのリンク状態**

を解答として挙げてもよい。

[設問2](3)

物理サーバを接続するL2SW（L2SWcとL2SWd）のポートには，物理サーバ上で稼働する仮想サーバが属するVLAN IDをもれなく設定しなければならない。ところが，次の図12のような冗長性のない設定を行うと，仮想サーバを異なる物理サーバに移した際に，通信が行えなくなるおそれがある。例えば，図12の設定のままVLAN 100に属する仮想サーバを物理サーバ2へ移した場合，物理サーバ2を接続するポートがVLAN 300への転送しか許可していないため，移動した仮想サーバとの通信が行えない。

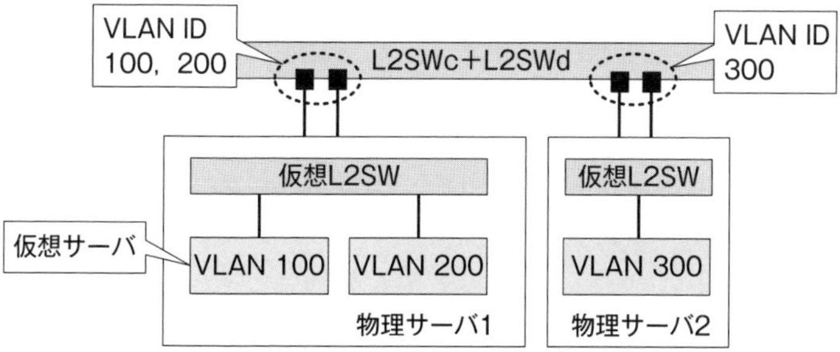

図12　VLAN IDの設定

このような事態を避けて，どの仮想サーバがどの物理サーバへ移動しても通信を行うことができるようにするためには，**物理サーバへの接続ポートに，全ての顧客の仮想サーバに設定されたVLAN IDを設定する**ことが必要である。図12の例でいえば，物理サーバを接続する全てのL2SWのポートに，100，200，300のVLAN IDを設定する。

[設問3]

ここでのOFSは，従来方式におけるL2SWa～L2SWdの役割を果たすものであり，OFSに作成されたFテーブルに従ってフレームを転送する。ただし，OFSの導入時にFテーブルを逐一設定する必要はない。それらはOFCに設定しておけば，OFチャネルを通して各OFSに配送されるからである。したがって，問題文の下線④にも記述されているとおり，OFSの導入時には「OFCとのTCPコネクションの確立に必要な最小限の情報」のみを設定すればよい。

TCPコネクションの確立には，双方のIPアドレスが設定されていなければならない。よって，**OFCのIPアドレス**か**自OFSのIPアドレス**のどちらか一方を解答すればよい。

ちなみにOFチャネルのポート番号は6653です。これはOF製品に事前に登録されているため，改めての設定は不要です。

[設問4]（1）

従来方式の場合，顧客ごとに複数の仮想FWを稼働させるので，仮想FWには顧客に対応したVLAN IDを設定する必要がある。よって，各仮想FWに対して設定が必要なネットワークの情報の一つとして，**仮想FWのVLAN ID**が挙げられる。また，ネットワーク構築に必要な**仮想FWのIPアドレス**，**仮想FWのサブネットマスク**，**仮想FWの仮想MACアドレス**も設定しなければならない。そのほかに，設問2(1) の解説で述べたように，フィルタリングやルーティングの設定も仮想FWごとに必要となるので，**フィルタリングルール**や**ルーティング情報**も解答となる。解答としてはこれらのうち三つを挙げればよい。

[設問4](2)

ポートVLAN（ポートベースVLAN）とは，スイッチのポートごとに一つのVLANに所属させるVLANの方式である。これに対して，VLANタグを用いて，一つのポートに複数のVLANを設定する方式をタグVLANという。

問題文の図2において顧客が追加された場合，顧客の機器と接続させるL2SWa及びL2SWbのポートには，追加した顧客に対応するVLAN IDのポートVLANを単独で設定すればよい。

一方，サービス基盤ではネットワークと物理サーバを顧客間で共用し，VLANによって顧客間のネットワークを論理的に独立させるので，一つのポートに複数のVLANが共存する形となる。つまり，サービス基盤上の他のネットワーク機器やサーバのポートにはタグVLANを設定する。よって，ポートVLANを設定する箇所は，**顧客のL2SW又はL3SWに接続する，L2SWa及びL2SWbのポート**である。

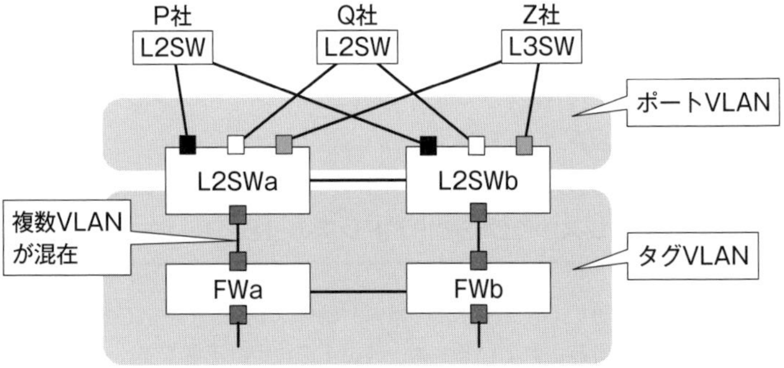

図13　ポートVLANとタグVLANの設定

[設問5](1)

問題文の図4の構成では，物理サーバ3に3顧客のFWやLBの仮想サーバが集中している。このような構成では，各社の利用者がWebサーバや業務サーバにアクセスする際に「必ず物理サーバ３を経由する」ことになる。この構成のままでは，**物理サーバ３の障害によって，３顧客のシステムが同時に停止してしまう**可能性がある。

この問題を避けるためには，サーバ３に集約されたFWやLBを異なる物理サーバに分散すればよい。つまり，**３顧客向けの仮想サーバを，それぞれ異なった物理サーバに配置する**とよい。最終的には，多重化したWebサーバや業務サーバについても異なる物理サーバに分散すれば冗長性も確保できる。

[設問５]（2）

問題文の表３より，Fテーブル4は「物理サーバ３から，p13経由でOFSに入力したパケットの処理」であり，入力されたパケットに対するOFS1とOFS2のマッチング条件と，条件に一致したパケットに対する操作（アクション）が定義されている。一方，図４でFWpとLBpの配置を確認すると，FWpとLBpはともに物理サーバ３内に格納され，仮想L2SWに接続された同一セグメントにあるので，FWpとLBp間のパケット転送は物理サーバ内で処理され，OFS1とOFS2は関与しない。図４においてFWpとLBpにつながるVLANがどちらもb（VLAN ID＝110）を含んでいることからも，同一セグメントに属することが確認できる。

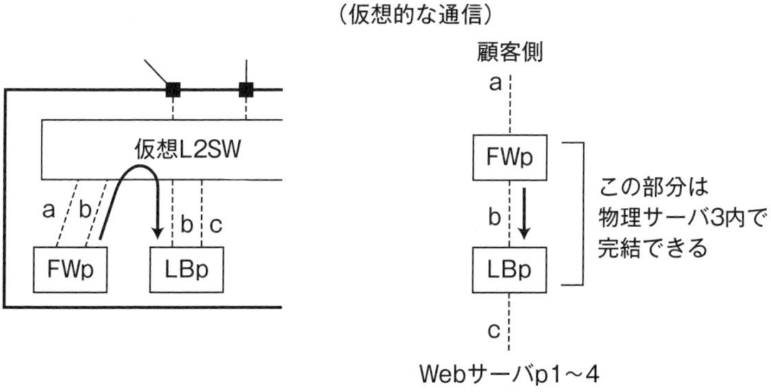

図14　FWp → LBpの通信

よって，Fテーブル４中に，FWpの内部側ポートからLBpの仮想IPアドレスを持つポートにパケットを転送させるためのFエントリがなくても，FWpとLBp間の通信が行われる理由は，**FWpの内部側ポートとLBpの仮想IPアドレスをもつポートは，同一セグメントであり，物理サーバ３内で処理されるから**となる。

[設問5](3) ☞ 2.3 Focus OpenFlow

P社のWebサーバ利用者から送信されたユニキャストは，次の経路をたどってWebサーバp1へ転送されることになる。

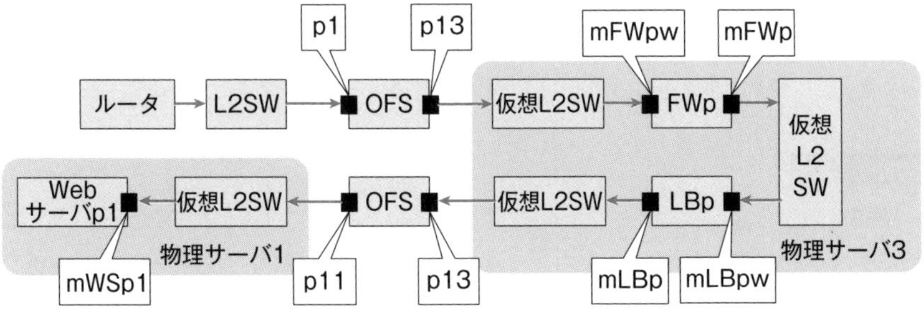

図15　フレームの転送経路

転送の概要について説明する。MACアドレスの変化に注意しながら追いかけてほしい。

(ルータ → L2SW → OFS)

ルータからサービス基盤へ向けて転送されたフレームは，L2SWを中継してポートp1からOFSに入力する。なお，このフレームの宛先MACアドレスはmFWpw（FWpのWAN側）である。

(OFSの処理１)

OFSはフレームの転送にあたり，まずFテーブル０を照合する。フレームの入力ポートはp1なので，問題文の表４のFテーブル０の項番１にマッチする。項番１のアクションに従ってフレームにVLAN IDが100のタグがセットされ，Fテーブル１に処理を移す。

フレームの宛先MACアドレス（mDES）はmFWpwなので，表５の**Fテーブル１**の項番**2**にマッチし（空欄オ），そのアクションに従ってフレームはp13から出力される。

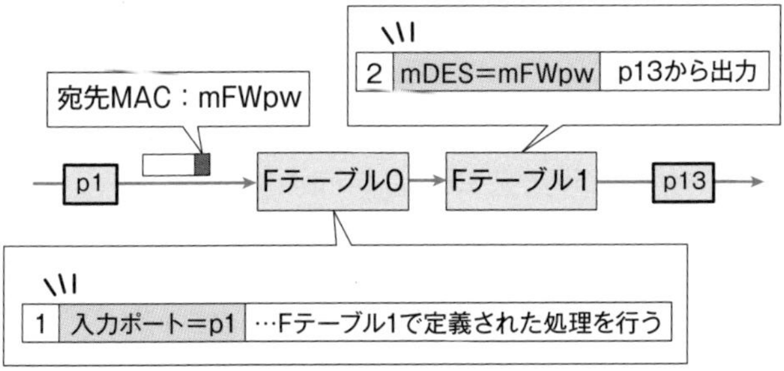

図16　OFSの処理１

（仮想L2SW → FWp → 仮想L2SW → LBp → 仮想L2SW → OFS）

OFSが出力したフレームは，宛先MACアドレスmFWpwに従って仮想L2SWを経由してFWpに転送される。これを受けたFWpは，フィルタリングなどのセキュリティ処理を行った後にフレームをLBpへ転送する。このとき，フレームの宛先MACアドレスはmLBpw，送信元MACアドレス（mSRC）はmFWpに替わっている。

仮想L2SW経由でフレームを受信したLBpは，負荷分散アルゴリズムに従って転送先のWebサーバとしてWebサーバp1を選択し，これに向けてフレームを転送する。このとき，フレームの宛先MACアドレスはmWSp1，送信元MACアドレスはmLBpに替わっている。

フレームは，仮想L2SWを中継してポートp13からOFSに入力する。

（OFSの処理２）

OFSはまずFテーブル０を照合する。フレームの入力ポートはp13なので，表４の**Fテーブル０**の項番**6**にマッチし（空欄カ），Fテーブル４に処理を移す。

フレームの宛先MACアドレスはmWSp1，送信元MACアドレスはmLBpなので，表８の**Fテーブル４**の項番**6**にマッチする（空欄キ）。そのアクションに従ってフレームはp11から出力される。

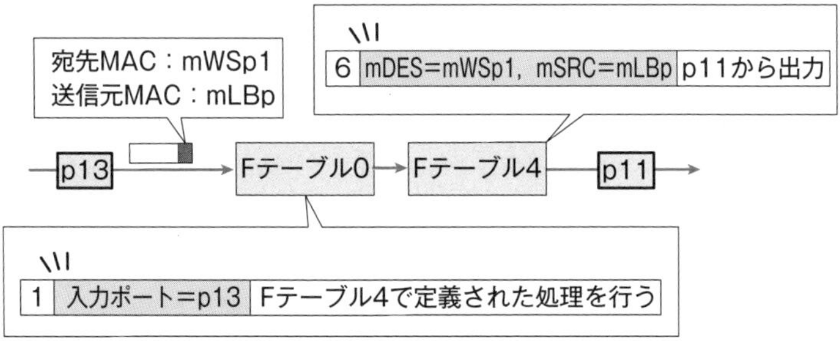

図17　OFSの処理2

（仮想L2SW → Webサーバp1）

OFSが出力したフレームは，仮想L2SWを経由してWebサーバp1へ転送される。

［設問5］(4) ☞ 2.3 Focus OpenFlow

問題文の〔SDN方式でのサービス基盤の構成案〕に記述されているように，OpenFlowでは，OFCがOFSの動作を制御し，OFSはOFCによって設定されたFテーブルに基づいてデータ転送を行う。Webサーバp4が物理サーバ２に移動したことを，OFS1がOFCにPacket-Inメッセージで知らせると，OFCは変更する必要があるFテーブルのFエントリを関係のあるすべてのOFSに通知する。Webサーバp4の物理サーバ２への移動は，図４より，OFS1とOFS2の両方のデータ転送に関係するので，Fテーブル４が変更されるのは**OFS1，OFS2**である。

また，表８より，Webサーバp4に関連するFエントリを探すと，項番７に，LBp（送信元MACアドレス：mLBp）からWebサーバp4（宛先MACアドレス：mWSp4）へのパケットを「p11から出力」とある。図４より，p11は物理サーバ１との接続ポートなので，Webサーバp4が物理サーバ２に移動すると，出力するポートを物理サーバ２との接続ポートであるp12に変更する必要がある。よって，変更されるのは項番**7**で，変更後のアクションは**p12から出力**となる。

問3 解答

設問			解答例・解答の要点
設問1		ア	スタック
		イ	ステートフル
		ウ	負荷分散
		エ	チーミング
設問2	(1)		・顧客ごとに異なるフィルタリングの設定が必要であるから ・顧客ごとにルーティングの設定が必要であるから
	(2)	① ② ③	・FWbによるFWaの稼働状態 ・FWaによるL2SWaへの接続ポートのリンク状態 ・FWaによるLBaへの接続ポートのリンク状態 ・FWaによるFWbの稼働状態 ・FWbによるL2SWbへの接続ポートのリンク状態 ・FWbによるLBbへの接続ポートのリンク状態
	(3)		物理サーバへの接続ポートに，全ての顧客の仮想サーバに設定されたVLAN IDを設定する。
設問3			・OFCのIPアドレス ・自OFSのIPアドレス
設問4	(1)	① ② ③	・フィルタリングルール ・仮想FWのVLAN ID ・仮想FWのIPアドレス ・仮想FWのサブネットマスク ・仮想FWの仮想MACアドレス ・ルーティング情報
	(2)		顧客のL2SW又はL3SWに接続する，L2SWa及びL2SWbのポート

<table>
<tr><td rowspan="13">設問５</td><td rowspan="2">(1)</td><td colspan="3">発生する可能性がある問題</td><td>物理サーバ３の障害によって，３顧客のシステムが同時に停止してしまう。</td></tr>
<tr><td colspan="3">仮想サーバの配置</td><td>３顧客向けの仮想サーバを，それぞれ異なった物理サーバに配置する。</td></tr>
<tr><td>(2)</td><td colspan="4">FWpの内部側ポートとLBpの仮想IPアドレスをもつポートは，同一セグメントであり，物理サーバ３内で処理されるから</td></tr>
<tr><td rowspan="6">(3)</td><td rowspan="2">オ</td><td>Fテーブル名</td><td colspan="2">Fテーブル１</td></tr>
<tr><td>項番</td><td colspan="2">2</td></tr>
<tr><td rowspan="2">カ</td><td>Fテーブル名</td><td colspan="2">Fテーブル０</td></tr>
<tr><td>項番</td><td colspan="2">6</td></tr>
<tr><td rowspan="2">キ</td><td>Fテーブル名</td><td colspan="2">Fテーブル4</td></tr>
<tr><td>項番</td><td colspan="2">6</td></tr>
<tr><td rowspan="3">(4)</td><td colspan="2">OFS名</td><td colspan="2">OFS1，OFS2</td></tr>
<tr><td colspan="2">項番</td><td colspan="2">7</td></tr>
<tr><td colspan="2">変更後のアクション</td><td colspan="2">p12から出力</td></tr>
</table>

※IPA発表

問4 ECサーバの増強 (出題年度：R5問2)

ECサーバの増強に関する次の記述を読んで，設問に答えよ。

Y社は，従業員300名の事務用品の販売会社であり，会員企業向けにインターネットを利用して通信販売を行っている。ECサイトは，Z社のデータセンター（以下，z-DCという）に構築されており，Y社の運用PCを使用して運用管理を行っている。

ECサイトに関連するシステムの構成を図1に示し，DNSサーバに設定されているゾーン情報を図2に示す。

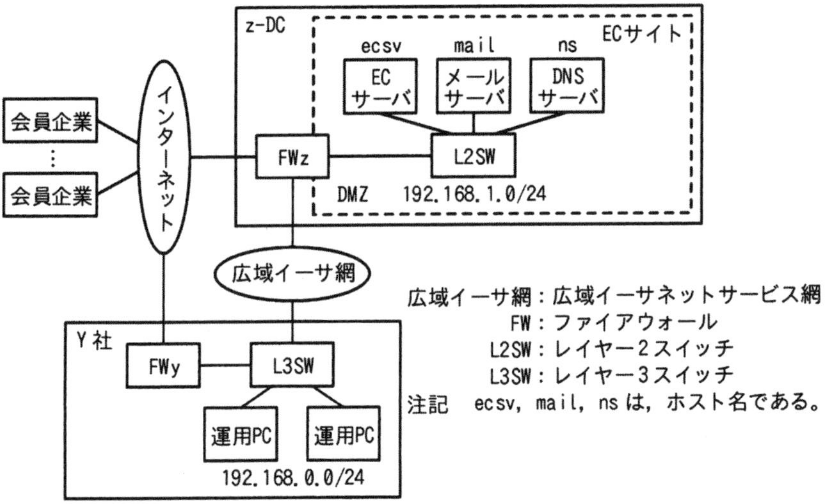

図1 ECサイトに関連するシステムの構成（抜粋）

項番	ゾーン情報
1	@ IN SOA ns.example.jp. hostmaster.example.jp. （省略）
2	IN [a] ns.example.jp.
3	IN [b] 10 mail.example.jp.
4	ns IN A [c]
5	ecsv IN A （省略）
6	mail IN A [d]
7	@ IN SOA ns.y-sha.example.lan. hostmaster.y-sha.example.lan. （省略）
8	IN [a] ns.y-sha.example.lan.
9	IN [b] 10 mail.y-sha.example.lan.
10	ns IN A [e]
11	ecsv IN A （省略）
12	mail IN A [f]

図２　DNSサーバに設定されているゾーン情報（抜粋）

〔ECサイトに関連するシステムの構成，運用及びセッション管理方法〕

・会員企業の事務用品購入の担当者（以下，購買担当者という）は，Webブラウザでhttps://ecsv.example.jp/を指定してECサーバにアクセスする。
・運用担当者は，運用PCのWebブラウザでhttps://ecsv.y-sha.example.lan/を指定して，広域イーサ網経由でECサーバにアクセスする。
・ECサーバに登録されているサーバ証明書は一つであり，マルチドメインに対応していない。
・ECサーバは，アクセス元のIPアドレスなどをログとして管理している。
・DMZのDNSサーバは，ECサイトのインターネット向けドメインexample.jpと，社内向けドメインy-sha.example.lanの二つのドメインのゾーン情報を管理する。
・L3SWには，DMZへの経路とデフォルトルートが設定されている。
・運用PCは，DMZのDNSサーバで名前解決を行う。
・FWzには，表１に示す静的NATが設定されている。

表1　FWzに設定されている静的NATの内容（抜粋）

変換前IPアドレス	変換後IPアドレス	プロトコル／宛先ポート番号
100.α.β.1	192.168.1.1	TCP/53, UDP/53
100.α.β.2	192.168.1.2	TCP/443
100.α.β.3	192.168.1.3	TCP/25

注記　100.α.β.1～100.α.β.3は，グローバルIPアドレスを示す。

ECサーバは，次の方法でセッション管理を行っている。

・Webブラウザから最初にアクセスを受けたときに，ランダムな値のセッションIDを生成する。
・Webブラウザへの応答時に，CookieにセッションIDを書き込んで送信する。
・Webブラウザによるサーバへのアクセスの開始から終了までの一連の通信を，セッションIDを基に，同一のセッションとして管理する。

〔ECサイトの応答速度の低下〕

最近，購買担当者から，ECサイト利用時の応答が遅くなったというクレームが入るようになった。そこで，Y社の情報システム部（以下，情シスという）のネットワークチームのX主任は，運用PCを使用して次の手順で原因究明を行った。

(1)　購買担当者と同じURLでアクセスし，応答が遅いことを確認した。
(2)　ecsv.example.jp及びecsv.y-sha.example.lan宛てに，それぞれpingコマンドを発行して応答時間を測定したところ，両者の測定結果に大きな違いはなかった。
(3)　FWzのログからはサイバー攻撃の兆候は検出されなかった。
(4)　sshコマンドで①ecsv.y-sha.example.lanにアクセスしてCPU使用率を調べたところ，設計値を大きく超えていた。

この結果から，X主任は，ECサーバが処理能力不足になったと判断した。

〔ECサーバの増強構成の設計〕

X主任は，ECサーバの増強が必要になったことを上司のW課長に報告し，W課長からECサーバの増強構成の設計指示を受けた。

ECサーバの増強策としてスケール［　g　］方式とスケール［　h　］方式を比較検討し，ECサイトを停止せずにECサーバの増強を行える，スケール［　h　］方式を採用することを考えた。

X主任は，②ECサーバを２台にすればECサイトは十分な処理能力をもつことになるが，２台増設して３台にし，負荷分散装置（以下，LBという）によって処理を振り分ける構成を設計した。ECサーバの増強構成を図３に示し，DNSサーバに追加する社内向けドメインのリソースレコードを図４に示す。

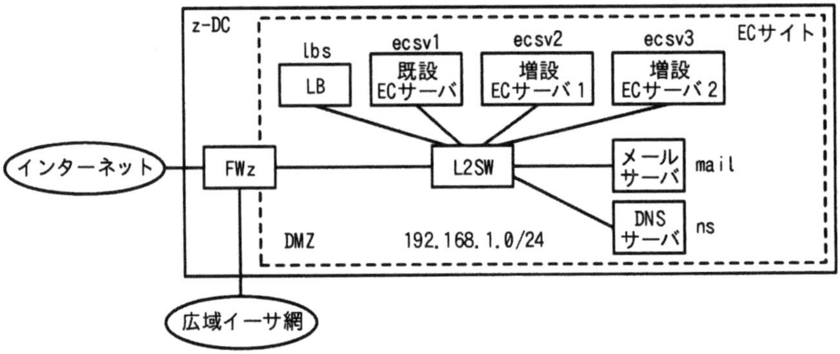

注記　lbs は LB のホスト名であり，ecsv1～ecsv3 は増強後の EC サーバのホスト名である。

図３　ECサーバの増強構成（抜粋）

lbs	IN	A	192.168.1.4	; LB の物理 IP アドレス
ecsv1	IN	A	192.168.1.5	; 既設 EC サーバの IP アドレス
ecsv2	IN	A	192.168.1.6	; 増設 EC サーバ１の IP アドレス
ecsv3	IN	A	192.168.1.7	; 増設 EC サーバ２の IP アドレス

図４　DNSサーバに追加する社内向けドメインのリソースレコード

ECサーバ増強後，購買担当者がWebブラウザでhttps://ecsv.example.jp/を指定してECサーバにアクセスし，アクセス先が既設ECサーバに振り分けられたときのパケットの転送経路を図５に示す。

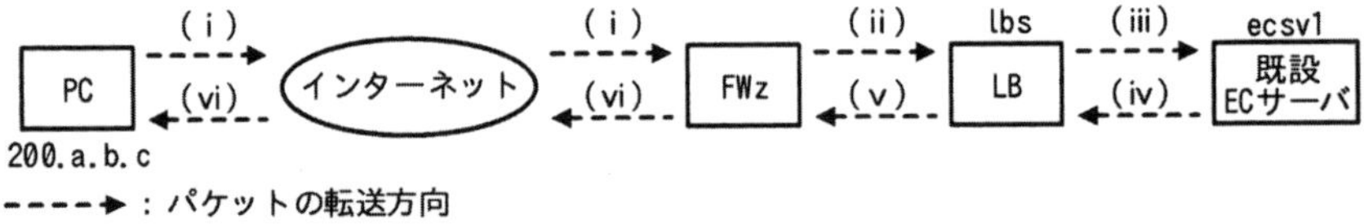

注記　200.a.b.c は，グローバル IP アドレスを示す。

図５　既設ECサーバに振り分けられたときのパケットの転送経路

導入するLBには，負荷分散用のIPアドレスである仮想IPアドレスで受信したパケットをECサーバに振り分けるとき，送信元IPアドレスを変換する方式（以下，ソースNATという）と変換しない方式の二つがある。図５中の（ⅰ）～（ⅵ）でのIPヘッダーのIPアドレスの内容を表２に示す。

表２　図５中の（ⅰ）～（ⅵ）でのIPヘッダーのIPアドレスの内容

図５中の番号	LB でソース NAT を行わない場合		LB でソース NAT を行う場合	
	送信元 IP アドレス	宛先 IP アドレス	送信元 IP アドレス	宛先 IP アドレス
（ⅰ）	200.a.b.c	［ i ］	200.a.b.c	［ i ］
（ⅱ）	200.a.b.c	［ j ］	200.a.b.c	［ j ］
（ⅲ）	200.a.b.c	192.168.1.5	［ k ］	192.168.1.5
（ⅳ）	192.168.1.5	200.a.b.c	192.168.1.5	［ k ］
（ⅴ）	［ j ］	200.a.b.c	［ j ］	200.a.b.c
（ⅵ）	［ i ］	200.a.b.c	［ i ］	200.a.b.c

〔ECサーバの増強構成とLBの設定〕

X主任が設計した内容をW課長に説明したときの，２人の会話を次に示す。

X主任：LBを利用してECサーバを増強する構成を考えました。購買担当者がECサーバにアクセスするときのURLの変更は不要です。

W課長：DNSサーバに対しては，図４のレコードを追加するだけで良いのでしょうか。

X主任：そうです。ECサーバの増強後も，図２で示したゾーン情報の変更は不要ですが，③図２中の項番５と項番11のリソースレコードは，図３の構成では図１とは違う機器の特別なIPアドレスを示すことになります。また，④図４のリソースレコードの追加に対応して，既設ECサーバに設定されている二つの情報を変更します。

W課長：分かりました。LBではソースNATを行うのでしょうか。

X主任：現在のECサーバの運用を変更しないために，ソースNATは行わない予定です。この場合，パケットの転送を図５の経路にするために，⑤既設ECサーバでは，デフォルトゲートウェイのIPアドレスを変更します。

W課長：次に，ECサーバのメンテナンス方法を説明してください。

X主任：はい。まず，メンテナンスを行うECサーバを負荷分散の対象から外し，その後に，運用PCから当該ECサーバにアクセスして，メンテナンス作業を行います。

W課長：X主任が考えている設定では，運用PCからECサーバとは通信できないと思いますが，どうでしょうか。

X主任：うっかりしていました。導入予定のLBはルータとしては動作しませんから，ご指摘の問題が発生してしまいます。対策方法として，ECサーバに設定するデフォルトゲートウェイを図1の構成時のままとし，LBではソースNATを行うとともに，⑥ECサーバ宛てに送信するHTTPヘッダーにX-Forwarded-Forフィールドを追加するようにします。

W課長：それで良いでしょう。ところで，図3の構成では，増設ECサーバにもサーバ証明書をインストールすることになるのでしょうか。

X主任：いいえ。増設ECサーバにはインストールせずに⑦既設ECサーバ内のサーバ証明書の流用で対応できます。

W課長：分かりました。負荷分散やセッション維持などの方法は設計済みでしょうか。

X主任：構成が決まりましたので，これからLBの制御方式について検討します。

〔LBの制御方式の検討〕

X主任は，導入予定のLBがもつ負荷分散機能，セッション維持機能，ヘルスチェック機能の三つについて調査し，次の方式を利用することにした。

・負荷分散機能

アクセス元であるクライアントからのリクエストを，負荷分散対象のサーバに振り分ける機能である。Y社のECサーバは，リクエストの内容によってサーバに掛かる負荷が大きく異なるので，ECサーバにエージェントを導入し，エージェントが取得した情報を基に，ECサーバに掛かる負荷の偏りを小さくすることが可能な動的振分け方式を利用する。

・セッション維持機能

同一のアクセス元からのリクエストを，同一セッションの間は同じサーバに転送する機能である。アクセス元の識別は，IPアドレス，IPアドレスとポート番号との組合せ，及びCookieに記録された情報によって行う，三つの方式がある。IPアドレスでアクセス元を識別する場合，インターネットアクセス時に送信元IPアドレスが同じアドレスになる会員企業では，複数の購買担当者がアクセスするECサーバが同一になってしまう問題が発生する。⑧IPアドレスとポート番号との組合せでアクセス元を識別する場合は，TCPコネクションが切断されると再接続時にセッション維持ができなくなる問題が発生する。そこで，⑨Cookie中のセッションIDと振分け先のサーバから構成されるセッション管理テーブルをLBが作成し，このテーブルを使用してセッションを維持する方式を利用する。

・ヘルスチェック機能

振分け先のサーバの稼働状態を定期的に監視し，障害が発生したサーバを負荷分散の対象から外す機能である。⑩ヘルスチェックは，レイヤー３，４及び７の各レイヤーで稼働状態を監視する方式があり，ここではレイヤー７方式を利用する。

Ｘ主任が，LBの制御方式の検討結果をＷ課長に説明した後，Ｗ課長から新たな検討事項の指示を受けた。そのときの，２人の会話を次に示す。

Ｗ課長：運用チームから，ECサイトのアカウント情報の管理負荷が大きくなってきたので，管理負荷の軽減策の検討要望が挙がっています。会員企業からは，自社で管理しているアカウント情報を使ってECサーバにログインできるようにして欲しいとの要望があります。これらの要望に応えるために，ECサーバのSAML2.0（Security Assertion Markup Language 2.0）への対応について検討してください。

Ｘ主任：分かりました。検討してみます。

〔SAML2.0の調査とECサーバへの対応の検討〕

Ｘ主任がSAML2.0について調査して理解した内容を次に示す。

・SAMLは，認証・認可の要求／応答のプロトコルとその情報を表現するための標準規格であり，一度の認証で複数のサービスが利用できるシングルサインオン（以下，SSOという）を実現することができる。

・SAMLでは，利用者にサービスを提供するSP（Service Provider）と，利用者の認証・認可の情報をSPに提供するIdP（Identity Provider）との間で，情報の交換を行う。

・IdPは，SAMLアサーションと呼ばれるXMLドキュメントを作成し，利用者を介してSPに送信する。SAMLアサーションには，次の三つの種類がある。

(a)　利用者がIdPにログインした時刻，場所，使用した認証の種類などの情報が記述される。

(b)　利用者の名前，生年月日など利用者を識別する情報が記述される。

(c)　利用者がもつサービスを利用する権限などの情報が記述される。

・SPは，IdPから提供されたSAMLアサーションを基に，利用者にサービスを提供する。

・IdP，SP及び利用者間の情報の交換方法は，SAMLプロトコルとしてまとめられており，メッセージの送受信にはHTTPなどが使われる。

・z-DCで稼働するＹ社のECサーバがSAMLのSPに対応すれば，購買担当者は，自社内のディレクトリサーバ（以下，DSという）などで管理するアカウント情報を使って，ECサーバに安全にSSOでアクセスできる。

Ｘ主任は，ケルベロス認証を利用して社内のサーバにSSOでアクセスしている会員企業ｅ社を例として取り上げ，ｅ社内のPCがSAMLを利用してY社のECサーバにもSSOでアクセスする場合のシステム構成及び通信手順について考えた。

会員企業ｅ社のシステム構成を図６に示す。

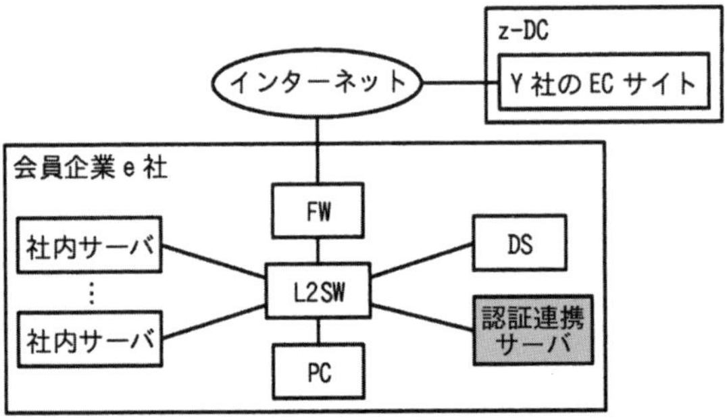

注記　網掛けの認証連携サーバは，SAML を利用するために新たに導入する。

図６　会員企業ｅ社のシステム構成（抜粋）

図６で示した会員企業ｅ社のシステムの概要を次に示す。

・ｅ社ではケルベロス認証を利用し，社内サーバにSSOでアクセスしている。
・ｅ社内のDSは，従業員のアカウント情報を管理している。
・PC及び社内サーバは，それぞれ自身の共通鍵を保有している。
・DSは，PC及び社内サーバそれぞれの共通鍵の管理を行うとともに，チケットの発行を行う鍵配布センター（以下，KDCという）機能をもっている。
・KDCが発行するチケットには，PCの利用者の身分証明書に相当するチケット（以下，TGTという）とPCの利用者がアクセスするサーバで認証を受けるためのチケット（以下，STという）の２種類がある。
・認証連携サーバはIdPとして働き，ケルベロス認証とSAMLとの間で認証連携を行う。

Ｘ主任は，ｅ社内のPCからＹ社のECサーバにSAMLを利用してSSOでアクセスするときの通信手順と処理の概要を，次のようにまとめた。

ｅ社内のPCからECサーバにSSOでアクセスするときの通信手順を図７に示す。

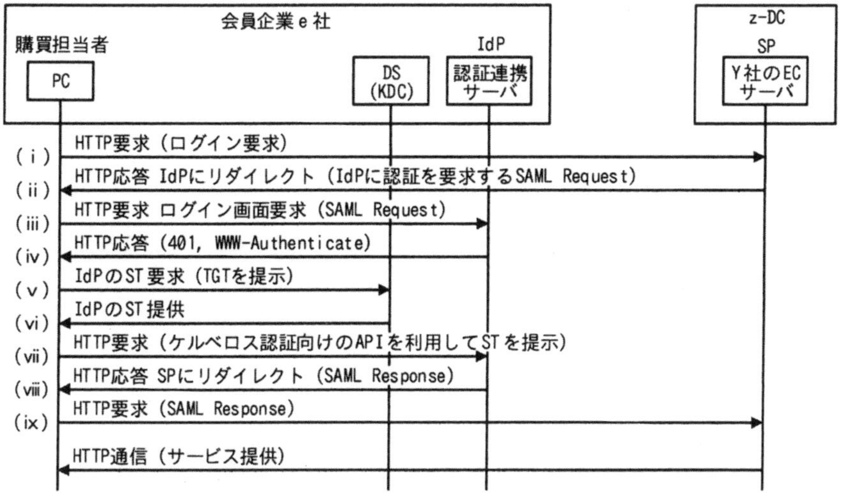

注記1　本図では，購買担当者はPCにログインしてTGTを取得しているが，IdP向けのSTを所有していない状態での通信手順を示している。
注記2　LBの記述は，図中から省略している。

図7　e社内のPCからECサーバにSSOでアクセスするときの通信手順（抜粋）

図7中の，（ⅰ）～（ⅸ）の処理の概要を次に示す。

（ⅰ）購買担当者がPCを使用してECサーバにログイン要求を行う。

（ⅱ）SPであるECサーバは，⑪SAML認証要求（SAML Request）を作成しIdPである認証連携サーバにリダイレクトを要求する応答を行う。

ここで，ECサーバには，⑫IdPが作成するデジタル署名の検証に必要な情報などが設定され，IdPとの間で信頼関係が構築されている。

（ⅲ）PCはSAML RequestをIdPに転送する。

（ⅳ）IdPはPCに認証を求める。

（ⅴ）PCは，KDCにTGTを提示してIdPへのアクセスに必要なSTの発行を要求する。

（ⅵ）KDCは，TGTを基に，購買担当者の身元情報やセッション鍵が含まれたSTを発行し，IdPの鍵でSTを暗号化する。さらに，KDCは，暗号化したSTにセッション鍵などを付加し，全体をPCの鍵で暗号化した情報をPCに払い出す。

（ⅶ）PCは，⑬受信した情報の中からSTを取り出し，ケルベロス認証向けのAPIを利用して，STをIdPに提示する。

（ⅷ）IdPは，STの内容を基に購買担当者を認証し，デジタル署名付きのSAMLアサーションを含むSAML応答（SAML Response）を作成して，SPにリダイレクトを要求する応答を行う。

(ix) PCは，SAML ResponseをSPに転送する。SPは，SAML Responseに含まれる⑭デジタル署名を検証し，検証結果に問題がない場合，SAMLアサーションを基に，購買担当者が正当な利用者であることの確認，及び購買担当者に対して提供するサービス範囲を定めた利用権限の付与の，二つの処理を行う。

X主任は，ECサーバのSAML2.0対応の検討結果を基に，SAML2.0に対応する場合のECサーバプログラムの改修作業の概要をW課長に説明した。

W課長は，X主任の設計したECサーバの増強案，及びSAML2.0対応のためのECサーバの改修などについて，経営会議で提案して承認を得ることができた。

設問1 図2中の[a]，[b]に入れる適切なリソースレコード名を，[c]～[f]に入れる適切なIPアドレスを，それぞれ答えよ。

設問2 〔ECサイトの応答速度の低下〕について答えよ。

(1) URLをhttps://ecsv.y-sha.example.lan/に設定してECサーバにアクセスすると，TLSのハンドシェイク中にエラーメッセージがWebブラウザに表示される。その理由を，サーバ証明書のコモン名に着目して，25字以内で答えよ。

(2) 本文中の下線①でアクセスしたとき，運用PCが送信したパケットがECサーバに届くまでに経由する機器を，図1中の機器名で全て答えよ。

設問3 〔ECサーバの増強構成の設計〕について答えよ。

(1) 本文中の[g]，[h]に入れる適切な字句を答えよ。

(2) 本文中の下線②について，2台ではなく3台構成にする目的を，35字以内で答えよ。ここで，将来のアクセス増加については考慮しないものとする。

(3) 表2中の[i]～[k]に入れる適切なIPアドレスを答えよ。

設問4 〔ECサーバの増強構成とLBの設定〕について答えよ。

(1) 本文中の下線③について，どの機器を示すことになるかを，図3中の機器名で答えよ。また，下線③の特別なIPアドレスは何と呼ばれるかを，本文中の字句で答えよ。

(2) 本文中の下線④について，ホスト名のほかに変更する情報を答えよ。

(3) 本文中の下線⑤について，どの機器からどの機器のIPアドレスに変更するのかを，図3中の機器名で答えよ。

(4) 本文中の下線⑥について，X-Forwarded-Forフィールドを追加する目的を，35字以内で答えよ。

(5) 本文中の下線⑦について，対応するための作業内容を，50字以内で答えよ。

設問5 〔LBの制御方式の検討〕について答えよ。

(1) 本文中の下線⑧について，セッション維持ができなくなる理由を，50字以内で答えよ。

(2) 本文中の下線⑨について，LBがセッション管理テーブルに新たなレコードを登録するのは，どのような場合か。60字以内で答えよ。

(3) 本文中の下線⑩について，レイヤー3及びレイヤー4方式では適切な監視が行われない。その理由を25字以内で答えよ。

設問6 〔SAML2.0の調査とECサーバへの対応の検討〕について答えよ。

(1) 本文中の下線⑪について，ログイン要求を受信したECサーバがリダイレクト応答を行うために必要とする情報を，購買担当者の認証・認可の情報を提供するIdPが会員企業によって異なることに着目して，30字以内で答えよ。

(2) 本文中の下線⑫について，図7の手順の処理を行うために，ECサーバに登録すべき情報を，15字以内で答えよ。

(3) 本文中の下線⑬について，取り出したSTをPCは改ざんすることができない。その理由を20字以内で答えよ。

(4) 本文中の下線⑭について，受信したSAMLアサーションに対して検証できる内容を二つ挙げ，それぞれ25字以内で答えよ。

問4 One Point

インターネットで通信販売を行うECサイトでは，顧客数に増大に伴い処理能力を向上させることが必要となる。ECサーバの冗長化と負荷分散装置の導入は一般的によく利用され，ネットワークスペシャリスト試験でも出題されることが多い。負荷分散装置については，本書のFocusでもとり上げているので確認してほしい。

また，最近ではECサイトにおける認証強化は重要な課題となっており，認証連携技術の活用が求められるようになってきている。本問ではSAMLとKerberos認証がとり上げられ，ネットワーク技術だけでなくセキュリティ技術についても知識を習得しておく必要がある。

問4 解説

［設問1］ ☞ 3.2 2 ゾーン情報の設定

(aについて)

〔ECサイトに関連するシステムの構成，運用及びセッション管理方法〕に「DMZのDNSサーバは，ECサイトのインターネット向けドメインexample.jpと，社内向けドメインy-sha.example.lanの二つのドメインのゾーン情報を管理する」とあり，そのゾーン情報が図２に示されている。

ホスト名nsは図１よりDNSサーバであることが分かる。ゾーンに対する権威を持つDNSサーバを指定するためのリソースレコードはNSレコードである。よって，空欄aは，**NS**となる。

(bについて)

ホスト名mailは図１よりメールサーバであることが分かる。ゾーンに対する電子メールの配送先を指定するためのリソースレコードはMXレコードである。よって，空欄bは，**MX**となる。

(cについて)

Aレコードはドメイン名に対するIPv4アドレスを指定するリソースレコードである。空欄cにはns.example.jpのIPv4アドレスが入る。〔ECサイトに関連するシステムの構成，運用及びセッション管理方法〕に「FWzには，表１に示す静的NATが設定されている」とあり，IPアドレスについては表１に記載がある。インターネット側からアクセスできるグローバルIPアドレスは，変換前アドレスとして100.α.β.1～100.α.β.3の三つのアドレスが記載されており，このうちDNSサーバで用いるTCP/53，UDP/53の通信を行うのがns.example.jpのIPアドレスとなるため，空欄cは**100.α.β.1**となる。

(dについて)

空欄dにはmail.example.jpのIPv4アドレスが入る。表１中のアドレスのうちインターネット側からアクセスできるグローバルIPアドレスで，メールサーバで用いるTCP/25（SMTP）の通信を行うのがmail.example.jpのIPアドレスとなるため，空欄dは**100.α.β.3**となる。

(eについて)

空欄eにはns.y-sha.example.lanのIPv4アドレスが入る。表１中のアドレスのうち広域イーサ網からのアクセスで利用され，DNSサーバで用いるポートで転送を受け取るアドレスはFWzの静的NAT変換後のIPアドレスとなるため，空欄eは**192.168.1.1**となる。

(fについて)

空欄fにはmail.y-sha.example.lanのIPv4アドレスが入る。表１中のアドレスのうち広域イーサ網からのアクセスで利用され，メールサーバで用いるポートで転送を受け取るアドレスはFWzの静的NAT変換後のIPアドレスとなるため，空欄fは**192.168.1.3**となる。

[設問２]（1）

〔ECサイトに関連するシステムの構成，運用及びセッション管理方法〕に「ECサーバに登録されているサーバ証明書は一つであり，マルチドメインに対応していない」という記述がある。つまり，サーバ証明書のコモン名はインターネット側からのアクセスを想定したecsv.example.jpのみであり，設問にあるようにブラウザからURLをhttps://ecsv.y-sha.example.lan/としてアクセスすると，URLのドメイン名がサーバ証明書のコモン名と異なるために，サーバ証明書の検証に失敗し，エラーが発生するのである。よって，解答は**コモン名とURLのドメインとが異なるから**となる。

[設問２]（2）

〔ECサイトに関連するシステムの構成，運用及びセッション管理方法〕に「L3SWには，DMZへの経路とデフォルトルートが設定されている」とあることから，DMZ上のECサーバへのアクセスは広域イーサ網経由となると判断できる。図１で運用PCとECサーバとの間の通信が広域イーサ網を経由して行われる場合の通信経路は，

運用PC → L3SW → （広域イーサ網） → FWz → L2SW → ECサーバ

である。解答は，経由する機器名を答えることが求められているため，**L3SW，FWz，L2SW**となる。

[設問３]（1）

(g，hについて)

サーバの処理能力を向上させるための方法を問う設問である。とり得る方法としては「サーバの台数は変更せずにハードウェアを強化する」「サーバの台数を増やして分散処理を行うことでシステム全体の処理能力を高める」の二つがあり，前者をスケールアップ，後者をスケールアウトと呼ぶ。それぞれにメリット・デメリットがあるが，スケールアウトのメリットの一つに，稼働中の機器を停止させずに処理能力を高める

ことができるということがある。よって，解答は空欄gが**アップ**，空欄hが**アウト**となる。

［設問3］(2)

スケールアウトのメリットには，処理能力を高めること以外に耐障害性を高めることがある。具体的には，複数のサーバのうち１台が停止しても残りのサーバで処理を継続することができるのである。下線②にあるように，必要な処理能力を２台で満たせるのであれば，３台構成にすれば１台が停止しても必要な処理能力を維持し，応答速度を低下させないようにすることができる。よって，解答は**１台故障時にも，ECサイトの応答速度の低下を発生させないため**となる。

［設問3］(3) ☞ 2.6 Focus **ロードバランサ**

(iについて)

インターネットからhttps://ecsv.example.jp/を指定してECサーバにアクセスする場合，図５及び表２の（ｉ）の宛先IPアドレスは表１中のアドレスのうちインターネット側からアクセスできるグローバルIPアドレスで，ECサーバで用いるTCP/443（HTTPS）の通信を行うecsv.example.jpのIPアドレスとなり，100.α.β.2であることが分かる。よって，空欄iは**100.α.β.2**となる。これは，（ｉ）の戻りである（ⅵ）の送信元IPアドレスにも当てはまる。

(jについて)

FWzでは静的NAT機能によりECサイト内のサーバに対する通信の宛先アドレスが変換される。表１から100.α.β.2の変換後アドレスは192.168.1.2となることが分かる。よって，（ⅱ）の宛先IPアドレスが入る空欄jは**192.168.1.2**となる。これは，（ⅱ）の戻りである（ⅴ）の送信元IPアドレスにも当てはまる。

(kについて)

〔ECサーバの増強構成の設計〕に「導入するLBには，負荷分散用のIPアドレスである仮想IPアドレスで受信したパケットをECサーバに振り分けるとき，送信元IPアドレスを変換する方式（以下，ソースNATという）と変換しない方式の二つがある」とあるように，ソースNATでは名前のとおり宛先ではなく送信元IPアドレスの書き換えを行う。（ⅲ）に対応するLBから既設ECサーバへの通信の送信元IPアドレスが入る空欄kは，本来の送信元であるPCのIPアドレスがLBの物理IPアドレスに書き換えられることになる。LBの物理IPアドレスは図４のとおり192.168.1.4である。よって，空欄kは**192.168.1.4**となる。これは，（ⅲ）の戻りである（ⅳ）のLBでソースNAT

を行う場合の宛先IPアドレスにも当てはまる。

[設問4](1)

図２の項番５と項番11のリソースレコードはecsv，すなわちECサーバを指している。[設問３](3) で見たように，LB導入後はECサーバのアクセスに用いられるドメイン名はLBのIPアドレスに結び付けられることになる。よって，図３の構成で図２の項番５と項番11のリソースレコードが示す機器は**LB**となる。また，〔ECサーバの増強構成の設計〕に「導入するLBには，負荷分散用のIPアドレスである仮想IPアドレスで受信したパケットをECサーバに振り分ける」とあるため，このIPアドレスは仮想IPアドレスであることも分かる。よって，IPアドレスの呼称は**仮想IPアドレス**となる。

[設問4](2)

図２の時点では（既設）ECサーバのホスト名はecsvで，社内向けIPアドレスは192.168.1.2であった。これが図４の追加を行った時点ではIPアドレスは192.168.1.5と変更されている。つまり，既設ECサーバのホスト名以外に変更する情報は**IPアドレス（自身のIPアドレス）**となる。

[設問4](3)

図１の時点では（既設）ECサーバのデフォルトゲートウェイはFWzのIPアドレスが設定されている。図３の構成でソースNATを行わない場合，デフォルトゲートウェイの設定変更を行わなければ既設ECサーバからの返信パケットは直接FWzに向かいLBを通過しない。宛先がグローバルIPアドレスのパケットがECサーバからLBに向かうようにするにはデフォルトゲートウェイをLBにする必要がある。よって，解答は**FWz（から）LB（に変更）**となる。

[設問4](4)

HTTPヘッダーフィールドのX-Forwarded-Forは，プロキシサーバやロードバランサがWebサーバに対して接続元クライアントのIPアドレスを通知するために利用される。WebサーバはこのX-Forwarded-Forの情報を用いてアクセスログを記録したり，IPアドレスに基づくアクセス制限を行ったりすることができる。

〔ECサイトに関連するシステムの構成，運用及びセッション管理方法〕に「ECサーバは，アクセス元のIPアドレスなどをログとして管理している」という記述があるが，[設問３](3) 空欄kの解説にあるように，LBでソースNATを行う場合の図５中の（ⅲ）

の通信の送信元IPアドレスはLBの物理アドレスである。したがって，Webサーバ側ではアクセス元のPCのIPアドレスが分からないため，ログとして管理できない。そこで，X-Forwarded-Forを用いて本来のアクセス元のIPアドレスを取得する必要があることが分かる。よって，解答は**ECサーバに，アクセス元PCのIPアドレスを通知するため**となる。

[設問4] (5)

ECサーバのセッション管理について，〔ECサイトに関連するシステムの構成，運用及びセッション管理方法〕に「Webブラウザから最初にアクセスを受けたときに，ランダムな値のセッションIDを生成する」「Webブラウザへの応答時に，CookieにセッションIDを書き込んで送信する」「WebブラウザによるECサーバへのアクセスの開始から終了までの一連の通信を，セッションIDを基に，同一のセッションとして管理する」とあることから，LBがCookie中のセッションIDを読み取って記録することでセッション管理を行うことが分かる。

ここで，PCからECサーバへのアクセスはHTTPSで行われ，TLSセッションがPCと(既設又は増設) ECサーバの間に張られていると，Cookieが暗号化されているため，LBがセッションIDを読み取ることができない。LBがセッションIDを読み取るためにはTLS通信をLBで終端させる必要があり，そのためにはサーバ証明書と秘密鍵のペアをLBにインストールする必要がある。よって，解答は**既設ECサーバにインストールされているサーバ証明書と秘密鍵のペアを，LBに移す**となる。

[設問5] (1)

TCPの送信元ポート番号は，送信元が通信開始時に動的ポートから空いている番号を選んで設定され，コネクションが終了すると解放されて別のTCPコネクションで利用可能になる。このため，コネクションを切断して再接続を行うと，送信元ポート番号が変わってしまう可能性がある。よって，解答は**TCPコネクションが再設定されるたびに，ポート番号が変わる可能性があるから**となる。

[設問5] (2)

Webブラウザ及びWebサーバの側ではLBの存在は透過的で意識されないため，新たにセッションが開始されてセッションIDが付与されたことは，LBが通信を監視して判定する必要がある。具体的には，セッション管理テーブルに存在しないセッションIDを含むサーバからの応答があった場合，それは新たなセッションであると判断し，セッションIDをセッション管理テーブルに登録する必要がある，ということになる。〔設問4〕(5) の解説で述べたように，セッションIDはCookieに書き込まれている。よって，解答は**サーバからの応答に含まれるCookie中のセッションIDが，セッション管理テーブルに存在しない場合**となる。

〔設問5〕(3)

レイヤー３でのヘルスチェックはIP通信が行えるかが稼働状態の監視方法であり，レイヤー４でのヘルスチェックはTCPコネクションが確立できるかが稼働状態の監視方法となる。これらのレイヤーでのヘルスチェックは簡便に行えるが，TCP/IPレベルの動作は正常であってもアプリケーションサービスに異常が生じている状況は検知できない。そのため，サービスの異常の検知にはレイヤー７でのヘルスチェックが必要になる。よって，解答は**サービスが稼働しているかどうか検査しないから**となる。

〔設問6〕(1)

SAMLとは，〔SAML2.0の調査とECサーバへの対応の検討〕に記されているように「利用者にサービスを提供するSP（Service Provider）と，利用者の認証・認可の情報をSPに提供するIdP（Identity Provider）との間で，情報の交換を行う」ことによって，シングルサインオンを実現する仕組みである。図７の（ⅱ）の処理は，SPであるECサーバがIdPに認証を要求するSAML RequestをPC経由でIdPにリダイレクトすることを要求するものである。設問文に「購買担当者の認証・認可の情報を提供するIdPが会員企業によって異なる」という記述があり，リダイレクト先となるIdPが購買担当者ごとに異なること，及びIdPは会員企業によって定まることが読み取れる。また，図７からもこのことが読み取れる。このリダイレクト先となるIdPを識別するためには，アクセス元の購買担当者の会員企業の情報が必要となる。よって，解答は**アクセス元の購買担当者が所属している会員企業の情報**となる。

〔設問6〕(2) ☞ 2.5 1 5 **デジタル署名**

デジタル署名とは，送信データのダイジェスト（ハッシュ値）を送信者の秘密鍵で暗号化したものであり，送信データに付与して送る。受信者は送信者の公開鍵で署名を復号したものと，受信したデータをハッシュ化した値が一致するかを検証することによって，次のことを確認できる。

・データの作成者が作成者本人であること
・データが改ざんされていないこと

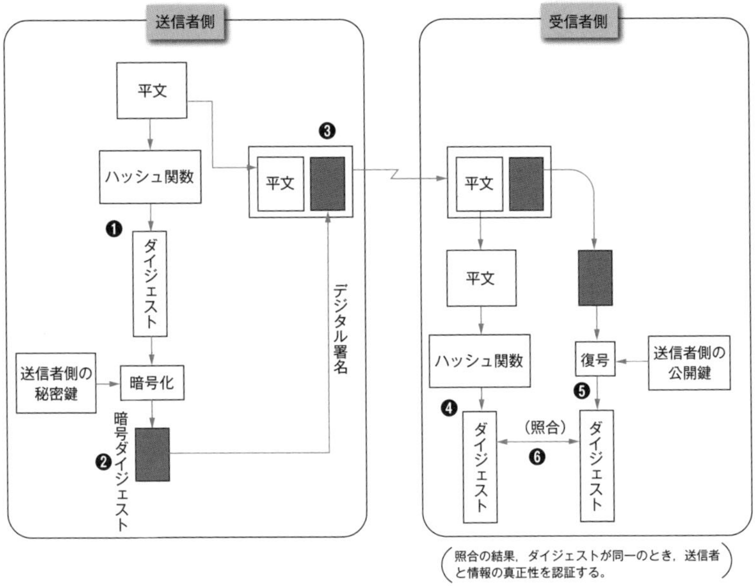

【デジタル署名の付与】：送信者（作成者）側

❶ 作成者は，メッセージからハッシュ値（メッセージダイジェスト）を生成する。

❷ ハッシュ値を作成者の秘密鍵で暗号化する。ハッシュ値を暗号化したものがデジタル署名である。

❸ メッセージとデジタル署名を受信者に送信する。

【デジタル署名の検証】：受信者側

❹ 受信者は，受信したメッセージからハッシュ値（メッセージダイジェスト）を生成する。

❺ 受信したデジタル署名を作成者の公開鍵で復号する。

❻ ❹で得られたハッシュ値と❺で得られたハッシュ値を比較し，一致すればデジタル署名は正当なものであると判断できる。すなわち，メッセージの作成者は作成者本人であり，メッセージは送信途中で第三者によって改ざんされていないことが保証される。

図８　デジタル署名の生成と検証

IdPが作成するデジタル署名はIdPの秘密鍵で暗号化されており，それをIdPの公開鍵で復号して検証が行われる。公開鍵暗号基盤（PKI）で公開鍵の第三者への配布に用いられるのは公開鍵証明書（デジタル証明書）であり，所有者の公開鍵のほか，シリアル番号，所有者情報，有効期限，認証局（CA）のデジタル署名などが含まれている。よって，解答は**IdPの公開鍵証明書**となる。

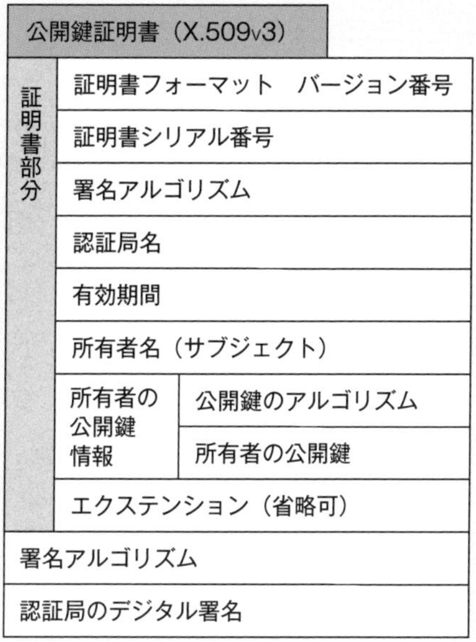
公開鍵証明書（X.509v3）
証明書部分
証明書フォーマット　バージョン番号
証明書シリアル番号
署名アルゴリズム
認証局名
有効期間
所有者名（サブジェクト）
所有者の公開鍵情報
公開鍵のアルゴリズム
所有者の公開鍵
エクステンション（省略可）
署名アルゴリズム
認証局のデジタル署名

図9　公開鍵証明書

[設問6](3)

〔SAML2.0の調査とECサーバへの対応の検討〕の（vi）の処理に「KDCは，TGTを基に，購買担当者の身元情報やセッション鍵が含まれたSTを発行し，IdPの鍵でSTを暗号化する。さらに，KDCは，暗号化したSTにセッション鍵などを付加し，全体をPCの鍵で暗号化した情報をPCに払い出す」とあり，(vii) ではこれをPCが受け取る。これより，PCが受け取ってPCの鍵で復号して取り出したSTはIdPの鍵で暗号化されていることが分かる。このため，IdPの鍵を保有していないPCがSTを改ざんすることはできない。よって，解答は**IdPの鍵を所有していないから**となる。

[設問6](4)

[設問6](2) の解説で述べたように，デジタル署名には「データが確かに署名を行った者が生成したものであること」及び「データが署名を行った時点から改ざんされていないこと」の二つを検証する役割があり，SAMLによるSSOでもこの2点が検証される。ここで，〔SAML2.0の調査とECサーバへの対応の検討〕の（ⅱ）の処理に「ECサーバには，IdPが作成するデジタル署名の検証に必要な情報などが設定され，IdP

との間で信頼関係が構築されている」とあり，（viii）の処理に「IdPは，STの内容を基に購買担当者を認証し，デジタル署名付きのSAMLアサーションを含むSAML応答(SAML Response）を作成して，SPにリダイレクトを要求する応答を行う」とあることから，（ix）の処理でSPであるECサーバが検証するデジタル署名はIdPが作成したものであることが分かる。よって，解答は**信頼関係のあるIdPが生成したものであること**，及び**SAMLアサーションが改ざんされていないこと**となる。

問4 解答

設問			解答例・解答の要点
設問1		a	NS
		b	MX
		c	100.α.β.1
		d	100.α.β.3
		e	192.168.1.1
		f	192.168.1.3
設問2	(1)		コモン名とURLのドメインとが異なるから
	(2)		L3SW，FWz，L2SW
設問3	(1)	g	アップ
		h	アウト
	(2)		1台故障時にも，ECサイトの応答速度の低下を発生させないため
	(3)	i	100.α.β.2
		j	192.168.1.2
		k	192.168.1.4
設問4	(1)	どの機器	LB
		IPアドレスの呼称	仮想IPアドレス
	(2)		(自身の) IPアドレス
	(3)		FWz から LB に変更
	(4)		ECサーバに，アクセス元PCのIPアドレスを通知するため
	(5)		既設ECサーバにインストールされているサーバ証明書と秘密鍵のペアを，LBに移す。
設問5	(1)		TCPコネクションが再設定されるたびに，ポート番号が変わる可能性があるから
	(2)		サーバからの応答に含まれるCookie中のセッションIDが，セッション管理テーブルに存在しない場合
	(3)		サービスが稼働しているかどうか検査しないから
設問6	(1)		アクセス元の購買担当者が所属している会員企業の情報
	(2)		IdPの公開鍵証明書
	(3)		IdPの鍵を所有していないから
	(4)	① ②	・信頼関係のあるIdPが生成したものであること ・SAMLアサーションが改ざんされていないこと

※IPA発表

●執筆者

住吉保彦（すみよし・やすひこ）

1997年よりTAC情報処理講座講師。基本情報技術者試験，高度試験（主にネットワークスペシャリスト，データベーススペシャリスト，エンベデッドシステムスペシャリスト）のDVD通信講座，企業研修を多数担当する。また，TAC公開模試やテキスト作成も行っている。最近は，情報処理安全確保支援士として企業の指導やITマスターとして若年層の人材育成も行っている。有限会社トゥルース代表取締役。

情報処理技術者試験

2025年度版（ねんどばん）　ALL IN ONE パーフェクトマスター　ネットワークスペシャリスト

2024年8月20日　初　版　第1刷発行

編著者　TAC株式会社（情報処理講座）
発行者　多田敏男
発行所　TAC株式会社　出版事業部（TAC出版）
〒101-8383
東京都千代田区神田三崎町3-2-18
電話 03(5276)9492(営業)
FAX 03(5276)9674
https://shuppan.tac-school.co.jp
組版　株式会社グラフト
印刷　株式会社光邦
製本　株式会社常川製本

ISBN 978-4-300-11217-5
N.D.C. 007

乱丁・落丁による交換，および正誤のお問合せ対応は，該当書籍の改訂版刊行月末日までといたします。なお，交換につきましては，書籍の在庫状況等により，お受けできない場合もございます。
また，各種本試験の実施の延期，中止を理由とした本書の返品はお受けいたしません。返金もいたしかねますので，あらかじめご了承くださいますようお願い申し上げます。

情報処理講座

選べる 5つの学習メディア

豊富な5つの学習メディアから、あなたのご都合に合わせてお選びいただけます。
一人ひとりが学習しやすい、充実した学習環境をご用意しております。

通信【自宅で学ぶ学習メディア】

Web通信講座 ［eラーニングで時間・場所を選ばず 学習効果抜群!］

インターネットを使って講義動画を視聴する学習メディア。
いつでも、どこでも何度でも学習ができます。
また、スマートフォンやタブレット端末があれば、移動時間も映像による学習が可能です。

おすすめポイント

- ◆動画・音声配信により、教室講義を自宅で再現できる
- ◆講義録（板書）がダウンロードできるので、ノートに写す手間が省ける
- ◆専用アプリで講義動画のダウンロードが可能
- ◆インターネット学習サポートシステム「i-support」を利用できる

DVD通信講座 ［教室講義をいつでも自宅で再現!］ Webフォロー付き

デジタルによるハイクオリティなDVD映像を視聴しながらご自宅で学習するスタイルです。
スリムでコンパクトなため、収納スペースも取りません。
高画質・高音質の講義を受講できるので学習効果もバツグンです。

おすすめポイント

- ◆場所を取らずにスリムに収納・保管ができる
- ◆デジタル収録だから何度見てもクリアな画像
- ◆大画面テレビにも対応する高画質・高音質で受講できるから、迫力満点

資料通信講座 ［TACのノウハウ満載のオリジナル教材と 丁寧な添削指導で合格を目指す!］

配付教材はTACのノウハウ満載のオリジナル教材。
テキスト、問題集に加え、添削課題、公開模試まで用意。
合格者に定評のある「丁寧な添削指導」で記述式対策も万全です。

おすすめポイント

- ◆TACオリジナル教材を配付
- ◆添削指導のプロがあなたの答案を丁寧に指導するので記述式対策も万全
- ◆質問メールで24時間いつでも質問対応

通学【TAC校舎で学ぶ学習メディア】

ビデオブース講座 ［受講日程は自由自在!忙しい方でも 自分のペースに合わせて学習ができる!］ Webフォロー付き

都合の良い日を事前に予約して、TACのビデオブースで受講する学習スタイルです。教室講座の講義を収録した映像を視聴しながら学習するので、教室講座と同じ進度で、日程はご自身の都合に合わせて快適に学習できます。

おすすめポイント

- ◆自分のスケジュールに合わせて学習できる
- ◆早送り・早戻しなど教室講座にはない融通性がある
- ◆講義録（板書）付きでノートを取る手間がいらずに講義に集中できる
- ◆校舎間で自由に振り替えて受講できる

教室講座 ［講師による迫力ある生講義で、あなたのやる気をアップ!］ Webフォロー付き

講義日程に沿って、TACの教室で受講するスタイルです。受験指導のプロである講師から、直に講義を受けることができ、疑問点もすぐに質問できます。
自宅で一人では勉強がはかどらないという方におすすめです。

おすすめポイント

- ◆講師に直接質問できるから、疑問点をすぐに解決できる
- ◆スケジュールが決まっているから、学習ペースがつかみやすい
- ◆同じ立場の受講生が身近にいて、モチベーションもアップ!